LE RETOUR DU HOOLIGAN

Du même auteur

Le Thé de Proust
Albin Michel, 1990

Le Bonheur obligatoire
Albin Michel, 1991
et coll. « Points » n° P1536

Fiction & Cie

Norman Manea

LE RETOUR DU HOOLIGAN

UNE VIE

TRADUIT DU ROUMAIN
PAR NICOLAS VÉRON

avec la collaboration d'Odile Serre

OUVRAGE TRADUIT AVEC LE CONCOURS
DU CENTRE NATIONAL DU LIVRE

Seuil

27, rue Jacob, Paris VIe

COLLECTION

« Fiction & Cie »

fondée par Denis Roche

dirigée par Bernard Comment

Titre original : *Întoarcerea huliganului*
Éditeur original : Editura Polirom
ISBN original : 973-681-311-8
821.135.1-31

ISBN 2-02-083296-8

www.seuil.com

Pour Cella

PRÉLIMINAIRES

Barney Greengrass

Par la fenêtre qui fait la largeur du mur pénètre la lumière édénique du printemps. Il contemple, de son dixième étage, le fourmillement du Paradis. Immeubles, enseignes, piétons de l'Autre Monde. *In paradise one is better off than anywhere else*[1], devrait-il répéter, ce matin encore.

De l'autre côté de la rue, un immeuble rouge, massif. Des groupes d'enfants y font de la danse, de la gymnastique. Les files jaunes des taxis bloqués au carrefour de Broadway et d'Amsterdam Avenue hurlent, rendues hystériques par le métronome frénétique de la matinée. Mais déjà l'observateur scrute le ciel, le désert, la lente chronophagie du vide, les termites géants des nuages.

Une demi-heure plus tard il est au coin de la rue, devant l'immeuble de quarante-deux étages où il habite. Pas de style particulier, un simple assemblage géométrique : juste un abri, un empilement d'habitacles. Un immeuble stalinien... grommelle-t-il. Non, les immeubles staliniens n'étaient pas si hauts. Stalinien tout de même, se répète-t-il, défiant le décor de la postérité. Va-t-il redevenir, l'espace de cette matinée, celui qu'il était il y a neuf ans ? Se laissera-t-il encore éblouir par la nouveauté de la vie d'après la mort ? Neuf ans, comme neuf mois dans le ventre,

1. On vit mieux au paradis que partout ailleurs. *(Toutes les notes sont du traducteur.)*

riche en choses nouvelles, de l'aventure qui engendre aujourd'hui cette matinée toute neuve, comme au commencement des commencements.

À gauche, l'enseigne bleue aux grandes lettres blanches, RITE AID PHARMACY, la pharmacie où il achète généralement ses médicaments. Soudain, des sirènes ! Cinq camions de pompiers, forteresses métalliques aux tambours et trompettes mugissant comme des taureaux, ont pris la rue d'assaut. Les feux de l'enfer brûlent jusqu'au Paradis. Rien de grave, tout rentre instantanément dans l'ordre. Voilà le laboratoire où il a fait développer des photos standard pour ses nouveaux papiers d'identité. À côté, l'éventaire de sandwiches, le panneau jaune SUBWAY, puis STARBUCKS, le café de la bohème. Et, bien sûr, McDONALD's, avec son enseigne rouge aux lettres blanches et son grand M jaune. Devant la porte métallique, une petite vieille en jeans et baskets noires, chapeau colonial blanc enfoncé sur les yeux, canne à la main droite, grand sac vert dans la main gauche, et deux grands mendiants noirs barbus tenant chacun un gobelet de plastique blanc à la main. Le kiosque à journaux du Pakistanais, le bureau de tabac de l'Indien, le restaurant mexicain, le magasin de prêt-à-porter féminin, les grands paniers de fruits et de fleurs du Coréen, melons jaunes, pastèques, prunes noires, rouges, vertes, mangues de Mexico et mangues de Haïti, pamplemousses jaunes, blancs, roses, raisins, carottes, cerises, bananes, pommes Fuji et pommes Granny, roses, tulipes, œillets, lys, chrysanthèmes, fleurs grandes et petites, fleurs des champs et fleurs de jardin, blanches, jaunes, rouges. Immeubles bas, immeubles hauts, immeubles encore plus hauts, qui mêlent leurs styles, leurs proportions, leurs destins, la Babylone du Nouveau et du Vieux Monde, de la vie d'après la mort. Le tout petit Japonais à chemise et casquette rouges qui titube entre ses deux cabas remplis de paquets. Le barbu blond à bermuda et pipe, entre les deux blondes imposantes en bermuda vert, lunettes de soleil noires et petit sac à dos sur l'épaule. La grande jeune fille élancée, pieds nus, cheveux roux et courts, tee-shirt transparent, short mini comme une feuille de vigne, le grand chauve qui porte deux jeunes enfants, le petit gros à moustache noire et chaîne en or sur le poitrail. Mendiants, policiers, touristes, personne n'est irremplaçable. Au croisement d'Amsterdam Avenue et de la 72e Rue, Verdi Square, petit triangle d'herbe grillagé sur ses trois côtés. Au centre, sur son socle de pierre blanche, en redingote, cravate et chapeau, *il signor* Giuseppe Verdi parmi les personnages de ses opéras, sur lesquels se posent les placides corneilles du Paradis. Sur les bancs devant le grillage, le commun des mortels, retraités, infirmes, clochards, troquant leurs faits d'armes picaresques tout en picorant leur cornet de frites ou leur pizza caoutchouteuse.

Rien ne manque au Paradis : nourriture, vêtements, journaux, matelas, parapluies, ordinateurs, chaussures, meubles, vins, bijoux, fleurs, lunettes, disques, lampes, bougies, cadenas, chaînes, chiens oiseaux exotiques, poissons tropicaux. Et des commerçants, des saltimbanques, des policiers, des coiffeuses, des cireurs de chaussures, des comptables, des prostituées, des mendiants, tous les visages, toutes les langues, tous les âges, toutes les tailles, tous les poids peuplent cette matinée improbable au cours de laquelle le survivant célèbre les neuf ans de sa vie nouvelle.

Dans cet Au-Delà, distances et interdictions sont abolies, les bienfaits de la connaissance sont accessibles sur des écrans de poche, l'arbre de la vie éternelle offre ses fruits dans toutes les pharmacies, la vie se déroule à un rythme vertigineux, seul compte l'instant, le présent comme instant. Et voici que résonne de nouveau la sirène de l'enfer !... Mais cette fois il ne s'agit pas d'incendie. Le bolide blanc laisse derrière lui, dans l'air, un cercle de sang, une croix rouge et cette inscription en rouge : AMBULANCE.

Rien, non, rien ne manque à la vie d'après la mort. Il lève les yeux vers le ciel qui permet ce miracle. Le firmament est obturé, les parallélépipèdes de béton ne laissent passer qu'un rail de ciel.

La façade de droite bloque le regard. Un vide-ordures bleu contre un long, très long mur marron. À gauche, un mur jaune. Sur fond luisant de peinture dorée, l'irisation bleue du message : DEPRESSION IS A FLAW IN CHEMISTRY, NOT IN CHARACTER[1].

Avertissement ou simple information ? Difficile à dire. Il reste la tête en l'air, les yeux rivés au verset sacré, se ressaisit, fait un pas en arrière, et reprend sa marche sur Amsterdam Avenue. L'avantage de l'Au-Delà : l'immunité. On n'est plus, comme dans sa première vie, enchaîné à tous les néants, on avance avec indifférence.

Le piéton poursuit sa route vers Barney Greengrass. « Cet endroit te rappellera ta vie antérieure », lui a promis son ami.

Les immeubles d'Amsterdam Avenue appartiennent au passé, de vieilles maisons rougeâtres, brunes, grises, de quatre, cinq ou six étages, aux balcons noirs, métalliques, aux échelles de secours noircies par les ans. Un quartier de gare, voilà la première impression que lui avait faite cette zone de l'Upper West Side, qui lui rappelait le Vieux Monde. Depuis neuf ans ou quatre-vingt-dix ans qu'il vit ici, les gratte-ciel se sont pourtant multipliés, toujours plus hauts, même celui de quarante-deux étages où il habite semble, en comparaison, une piètre performance stalinienne… Ah, ce mot qui revient, sans raison.

Donnant sur la rue, des magasins, comme ceux d'autrefois : FULL SERVICE JEWELERS, UTOPIA RESTAURANT, AMARYLLIS FLORIST, LOTTO, SHOE STORE, ADULT VIDEO, CHINESE DRY CLEANING, NAIL SALON, ROMA FRAME ART, MEMORIAL : RIVERSIDE MEMORIAL CHAPEL, au coin de la 76e Rue. De l'immeuble sort une fille aux jambes fortes et aux longs cheveux noirs. Robe noire à manches courtes, bas noirs, épaisses lunettes de soleil aux verres noirs. Trois très longues voitures noires, comme des cercueils géants, aux vitres

1. La dépression est une carence chimique, pas un défaut de caractère.

noires. En descendent des messieurs élégants en costume et chapeau noirs, des dames élégantes en robe et chapeau noirs, des adolescents en vêtements de deuil. Le métronome a encore une fois signifié à quelqu'un l'heure de l'éternité. La vie est mouvement, lui ne l'a pas oublié, il s'empresse de s'éloigner. Un pas, deux pas, le voici hors de danger.

OTTOMANELLI. Deux bancs en bois de part et d'autre de l'entrée. Une vieille femme est assise sur le banc de droite. Sur la toile verte du store au-dessus de la vitrine, l'inscription : OTTOMANELLI BROS., SINCE 1900. Sans quitter la femme des yeux, il se laisse tomber, de fatigue, sur le banc de gauche.

Sa voisine a le regard dans le vide, mais semble attentive à ses gestes. On dirait qu'ils se sont reconnus. Il sent la même présence familière que certains soirs, quand la pièce se charge soudain d'un silence suave et protecteur qui l'enveloppe à l'improviste. Mais jamais encore ce n'était arrivé dans la rue, dans le tumulte quotidien.

Elle s'est levée, il la laisse s'éloigner de quelques pas, il se remet en marche, il est derrière elle, dans la lente cadence du passé. Jambes minces et pâles, chevilles fines. Socquettes transparentes, chaussures légères à talons plats, comme des pantoufles. Cheveux blancs, coupés court. Épaules osseuses, voûtées. Robe à manches courtes, sans taille, en tissu fin à carreaux rouges et orange sur fond bleu. Dans la main gauche, la sacoche en plastique, comme autrefois. Et comme jadis, dans la droite, la veste de laine grise, enroulée.

Il presse le pas, la dépasse, se retourne brusquement, les voici face à face. Elle avait sursauté ! Elle avait dû reconnaître l'inconnu qui s'était laissé tomber, exténué, sur l'autre banc devant l'entrée d'OTTOMANELLI. Il avait sursauté lui aussi. Surgi du néant, sur un banc, devant un restaurant, le fantôme !

La démarche, la silhouette, la robe, la veste, les cheveux blancs coupés court comme une perruque, le visage entrevu une fraction de seconde. Le front, les sourcils, les yeux, les oreilles, le menton sont ceux d'autrefois. Seule la bouche n'est plus nettement dessinée, une simple ligne, des lèvres trop longues, sans contours. Le nez a perdu sa ligne parfaite, s'est épaté. Le cou est vieux, la peau affaissée, ridée.

Il la suit maintenant à distance. La silhouette, la démarche, l'allure, pas besoin de signes de reconnaissance, tout est en toi, familier, immuable, cela n'a pas de sens de suivre une ombre dans la rue. Distrait, perdu dans ses pensées, il ralentit, l'hallucination a disparu, comme il le souhaitait.

Enfin, entre les 86e et 87e Rues, sa destination, BARNEY GREENGRASS. Devant la vitrine, le propriétaire, affalé sur une chaise, son dos bossu et son ventre recouverts d'une ample chemise blanche à manches longues et boutons dorés. Le cou est escamoté, la tête est couronnée d'une crinière blanche, le nez, la bouche, le front et les oreilles sont fermes. À gauche, un vendeur en blouse blanche derrière le comptoir Salami-Halva. Un autre, à droite, derrière le comptoir Pain-Craquelins-Bretzels-Brioches. Il salue le vieux propriétaire et, à côté de lui, le jeune homme qui tient un téléphone collé à chaque oreille. Il passe dans la salle de gauche, celle du restaurant.

À la table contre le mur, un homme maigre, grand, avec des lunettes, lève les yeux de son journal. Suit le salut de routine: « Comment vas-tu, mon grand ? » Un visage familier, une voix familière... Les exilés sont pleins de gratitude pour ces instants-là.

– Comment vas-tu, mon grand, quoi de neuf?

– Rien de spécial ! *The social system is stable and the rulers are wise*, comme dit notre collègue Zbigniew Herbert[1]. *In paradise one is better off than in whatever country*[2].

Le romancier n'est pas très porté sur la poésie, heureusement que ces vers ressemblent à de la prose.

1. Poète polonais (1924-1998).

2. Le système social est stable et les gouvernants sages. On vit mieux au paradis que dans tout autre pays.

– Que deviens-tu ? Parle-moi d'ici, pas de Varsovie.

– Je fête neuf ans de paradis ! C'est le 9 mars 1988 que j'ai échoué sur les rives du Nouveau Monde.

– Les enfants aiment les anniversaires. Et Barney est l'endroit idéal pour les anniversaires. Tous les souvenirs du ghetto. *Oy, mein Yiddishe Mame*[1]... Le Vieux Monde et la vie ancienne.

Il me tend la feuille plastifiée du menu. Oui, les tentations du ghetto sont bien là : *Pickled Herring in Cream Sauce. Fillet of Schmaltz Herring (very salty). Corned beef and eggs. Tongue and eggs. Pastrami and eggs. Salami and eggs. Homemade chopped chicken liver. Gefilte fish with horseradish*[2]. Le foie de volaille n'est pourtant pas d'oie, pas plus que la volaille américaine élevée en batterie n'est celle d'Europe de l'Est, ni le poisson celui du Vieux Monde, ni les œufs. On note cependant un effort pour trouver des ersatz du passé. *Russian Dressing*, partout *Russian Dressing... Roast Beef, Turkey, Cole Slaw...* [3] Oui, le mythe de l'identité, les succédanés des souvenirs, traduits dans la langue de la survie.

Un serveur jeune, grand, beau. Il reconnaît tout de suite le célèbre romancier : « J'ai lu votre dernier livre, *Sir.* » Philip ne semble ni flatté, ni agacé par cette familiarité. « Ah oui ? Et ça vous a plu ? » Oui, ça lui a plu, mais moins, doit-il avouer, que le précédent, tellement plus érotique.

« Bien, bien », approuve l'auteur sans lever les yeux du menu. « Apportez-moi des œufs au saumon et un jus d'orange. Seulement les blancs, pas les jaunes. »

Le serveur passe à l'autre client. « Et vous ? » Je m'entends bredouiller : « La même chose, la même chose. »

1. « Oh, ma maman juive... » (célèbre chanson yiddish).

2. Hareng mariné à la crème. Filet de hareng gras (très salé). Corned-beef aux œufs. Langue aux œufs. Pastrami aux œufs. Salami aux œufs. Foie de volaille haché maison. Carpe farcie au raifort.

3. Sauce russe. Rosbif. Dinde. Salade de choux blancs et de carottes, tranchés en fines lamelles.

– Comment trouves-tu la cuisine de Barney ?

Barney Greengrass copie avec zèle la cuisine juive d'Europe de l'Est, mais il ne suffit pas d'ajouter de l'oignon grillé ni d'écrire *bagels* et *knishes* pour obtenir le goût du passé.

– OK, tu n'es pas obligé de répondre. Est-ce que tu vas aller en Roumanie ? Qu'as-tu décidé ?

– Je n'ai rien décidé encore.

– Tu as peur ? Tu penses au meurtre de Chicago ?... Ce professeur... comment s'appelle-t-il, déjà ? Ce professeur de Chicago.

– Culianu, Ioan Petru Culianu. Non, je n'ai rien à voir avec l'affaire Culianu. Je ne suis pas un adepte de la transcendance, je n'ai pas trahi mon Maître, et je ne suis pas non plus un chrétien amoureux d'une juive, prêt à se convertir au judaïsme. Je ne suis qu'un humble nomade, pas un renégat. Le renégat doit être puni, tandis que moi... je ne suis qu'un fléau périmé. Je ne suis une surprise pour personne.

– Une surprise, je ne sais pas, mais un fléau, oui, tu l'as été. Le suspect devient soupçonneux. Ça non plus, ça ne joue pas en ta faveur.

L'assassinat, en plein jour, dans l'enceinte de l'université de Chicago, du professeur Ioan Petru Culianu s'était produit six ans auparavant, le 21 mai 1991. Toutes les apparences du crime parfait : une seule balle, tirée d'une cabine voisine dans la tête du professeur, assis sur le siège en plastique dans les toilettes réservées aux professeurs de Divinity School. Ce mystérieux assassinat, non élucidé, avait naturellement alimenté les spéculations : la relation du jeune professeur Culianu avec son maître, Mircea Eliade, l'historien roumain des religions grâce à qui il était venu en Amérique, ses rapports avec la communauté roumaine de Chicago, avec le roi de Roumanie en exil, son obsession de la parapsychologie. Il y avait aussi, bien sûr, la filière légionnaire. La Garde de Fer, ce mouvement nationaliste d'extrême droite dont les membres s'appelaient Légionnaires, et que Mircea Eliade avait soutenu dans les années trente, comptait des adeptes parmi les Roumains de Chicago, et Culianu s'apprêtait justement à évoquer de façon critique le passé politique du Maître.

Le moment où s'était produit le crime de Chicago coïncidait, à vrai dire, avec la publication en 1991 dans *The New Republic* d'un essai que j'avais consacré à la période légionnaire d'Eliade. Le FBI m'avait donc contacté pour me conseiller la plus grande prudence dans mes contacts avec mes compatriotes, et pas seulement avec eux.

Ce n'était pas la première fois que je discutais du sujet avec mon ami américain. Culianu, Eliade et Sebastian[1], l'ami juif d'Eliade, revenaient fréquemment dans nos conversations de ces derniers mois.

À mesure qu'approchait la date de mon départ pour Bucarest, Philip insistait pour que je clarifie la nature de mes hésitations et de mes inquiétudes. Je n'y arrivais pas, elles étaient trop ambiguës… Je ne savais pas si je voulais éviter de rencontrer là-bas le moi d'autrefois, ou si je redoutais d'être identifié à ma nouvelle image, auréolée des lauriers de l'exil et des malédictions de la Patrie.

– Je comprends en partie tes raisons. Il y en a aussi d'autres, probablement. Mais ce voyage pourrait te guérir enfin du syndrome est-européen.

– Peut-être. Mais je ne suis pas prêt à ce retour. Je ne suis pas encore assez indifférent au passé.

– Justement ! Après le voyage, tu le seras. On revient guéri.

Nous voici comme toujours dans la même impasse. Cette fois, Philip insiste.

– Mais revoir des amis ? Les lieux d'autrefois ?… Tu disais que tu en reverrais volontiers certains, bien que tu ne te sentes

1. Mihail Sebastian (1907-1945), romancier, auteur dramatique, essayiste et journaliste roumain.

pas prêt. La semaine dernière tu parlais d'un cimetière. De la tombe de ta mère.

Long silence.

– Je l'ai revue. Ce matin. Il y a une demi-heure. En venant ici. Soudain elle était là, assise sur un banc. Dans Amsterdam Avenue. Un banc en bois, devant un restaurant qui s'appelle Ottomanelli…

Nous nous taisons de nouveau tous les deux. À la hauteur de la 79ᵉ Rue, nous nous séparons, comme d'habitude. Philip prend à gauche, vers Columbus Avenue, je continue sur Amsterdam jusqu'à la 70ᵉ Rue, jusqu'à mon immeuble stalinien qui n'a rien de stalinien.

La Jormanie

Le visage et la silhouette de l'officier de police Portofino m'étaient subitement revenus en mémoire en sortant de chez Barney Greengrass. Visage large, regard mélancolique, cheveux peignés avec soin. Petites mains, petits pieds, sourire avenant. Un homme de taille modeste, délicat, en complet bleu marine et cravate bleue.

Il s'empressa, dès le début de notre conversation, de m'informer qu'avant d'embrasser sa nouvelle profession il avait enseigné la chimie dans un lycée. Si son habillement ressemblait à celui d'un officier de la Securitate, ses manières étaient fort différentes. Affable, respectueux, sans l'hypocrisie ni la grossièreté de ses homologues roumains. Il donnait l'impression de vouloir vous protéger, et non, comme le limier socialiste, vous intimider ou vous recruter pour d'obscures manigances.

Il ne me proposa finalement aucune protection. Ni *bullet-proof vest*[1], ni garde du corps, ni même le spray recommandé aux femmes seules pour aveugler sur place un éventuel agresseur. Ses conseils étaient raisonnables, amicaux, presque maternels : faire bien attention, dans la rue, aux visages croisés trop souvent dans les environs, varier mes itinéraires de promenade et l'heure à laquelle j'achetais le journal, ne pas ouvrir les plis suspects. Il n'ajouta même pas l'habituel *lay low*[2]. Mais il me

1. Gilet pare-balles.
2. Profil bas.

donna sa carte de visite, sur laquelle il avait écrit à la main son numéro de téléphone personnel, en cas d'urgence. Ce talisman dont il me pourvut ne changea pas ma façon d'être : concentré sur moi-même, peu soucieux du comportement en société. En revanche, ma nervosité et mon inquiétude s'étaient accrues.

La raison de ma rencontre avec l'officier de police Jimmy Portofino était la parution, dans *The New Republic*, de mon article mettant en cause Eliade pour sa *felix culpa*, c'est-à-dire ses relations, dans les années trente, avec la Garde de Fer, qui compte aujourd'hui encore des sympathisants parmi ses coreligionnaires d'Amérique et de Roumanie. Le sujet était périlleux, comme le prouvait l'assassinat de Culianu. Aussi la direction du Bard College sollicita-t-elle le concours du FBI, afin de protéger son propre professeur roumain.

Un an environ après ma rencontre avec le FBI, je reçus un message anonyme du Canada. L'écriture sur l'enveloppe m'était inconnue et j'ignore tout de la graphologie. À l'intérieur, une carte postale, sans un mot. Je jetai l'enveloppe, mais gardai la reproduction : Marc Chagall, *Le Martyr*, Kunsthaus Zürich. Une sorte de variante judaïque de la crucifixion. Le martyr n'avait ni croix ni clous, mais était attaché par les mains et les pieds à un poteau, au centre d'une bourgade incendiée ; au premier plan se trouvaient la mère, le violoneux, le docteur de la Loi avec ses élèves. Le visage d'un jeune Christ juif, avec barbe et papillotes : l'image du pogrom. Non pas l'holocauste, devenu cliché de toute lamentation, mais la terreur du pogrom d'Europe de l'Est. Je n'étais pas en mesure de décoder le message. Menace, ou solidarité ? Je contemplais souvent la carte postale, posée sur mon bureau.

Six années passèrent, je n'avais été ni assassiné ni menacé, mais entre des invectives comme « anti-parti », « extraterritorial » ou « cosmopolite » dont m'avait gratifié la presse communiste roumaine d'avant 1989, et les vocables de « traître », de « nain de Jérusalem » ou d'« agent américain » de la période post-communiste, je trouvais plus de cohérence que de contradiction. Était-ce pour cela que je ne me sentais pas en état de rendre visite à la Patrie?

Après avoir quitté Philip, je revins m'asseoir sur le banc devant chez Ottomanelli, où, moins d'une heure auparavant, le passé m'avait rattrapé. Peut-être aurait-il été plus simple d'en parler à un policier américain? Au moins l'affaire Culianu évoquerait-elle quelque chose pour lui: la balle tirée de près dans les toilettes depuis la cabine voisine, le petit revolver, un Beretta .25, tenu de la main gauche et sans gants, probablement par un non-Américain. La blessure mortelle: *occipital area of the head, 4-and-a-half inches below the top of the head and one-half inch into the right of the external occipital tubical*[1]. Le professionnalisme de l'exécution, le lieu du crime – une cabine de W.-C. –, le fait d'avoir choisi la Saint-Constantin-et-Hélène, fête de la mère de Ioan Petru Culianu selon le calendrier orthodoxe.

Jimmy Portofino se rappellerait-il le visage de la victime, vieilli d'un seul coup comme si la mort lui avait brusquement donné vingt ans de plus? La police américaine était certainement en possession d'informations sur les Roumains de Chicago sympathisants de la Garde de Fer, elle savait qu'était venue s'y réfugier, naguère, la petite-fille de Corneliu Zelea Codreanu, le mystique capitaine de la Garde de Fer, et que le vieil Alexandru Ronett, médecin traitant d'Eliade et légionnaire fanatique, y habitait toujours. Les soupçons s'étaient portés sur la Securitate roumaine et sur les liens qu'elle entretenait avec les légionnaires de Chicago. La police connaissait sans doute aussi la biographie de Culianu, et la lettre dans laquelle celui-ci déplorait que sa vénération pour Eliade eût fait de lui un disciple dénué de tout sens critique. Culianu, disciple prêt au parricide? Il avait reconnu que son mentor «était plus proche de la Garde de Fer qu'il n'aurait souhaité le croire». Et sa présence aux côtés

1. Région occipitale de la tête, quatre pouces et demi sous le sommet du crâne et un demi-pouce à droite de la protubérance occipitale externe.

de l'ancien roi Michel ne lui avait évidemment pas gagné la sympathie des légionnaires ni celle des membres de la Securitate, pas plus que ses projets de mariage avec une Juive et de conversion au judaïsme. Un an avant sa mort, Culianu avait stigmatisé publiquement le « fondamentalisme terroriste » de la Garde de Fer et la police secrète post-communiste, le communisme roumain et le nationalisme de la culture roumaine.

La police américaine connaissait-elle les obsessions du professeur assassiné : la magie, la prémonition, l'expérience de l'extase, la parapsychologie ?... Et les réactions des nationalistes en Roumanie après son assassinat ? « Le crime le plus effroyable commis par cet individu réfugié dans la mégalopole des gangsters nous est révélé dans une apologie nauséabonde de cet excrément sur lequel on n'a pas assez tiré la chasse d'eau du water-closet létal que le destin semble lui avoir réservé », pouvait-on lire dans la revue *România Mare* à propos de la nécrologie de Culianu. Cette feuille à scandales empreinte d'une immonde hystérie nationaliste m'avait couvert, moi aussi, de sinistres épithètes après 1989, et même avant, quand elle s'appelait *Săptămîna* et faisait office d'organe « culturel » de la Securitate communiste. L'officier de police Portofino savait-il que la plupart des institutions américaines s'occupant de l'Europe de l'Est avaient reçu, sans avoir rien demandé, des exemplaires de ce numéro de *România Mare* qui se félicitait de l'assassinat de Culianu ? Envoyés, peut-être, par la Securitate elle-même ?

Fallait-il que je lui décrive, avant de retourner dans la Patrie, *Le Martyr* de Chagall ? Au centre de la scène, le fils du ghetto, drapé dans le *talit* de prière blanc à raies noires. Ses mains et ses pieds ne paraissaient pas liés par une corde, comme je le crus d'abord, mais plutôt par les fines lanières des *tefilin*[1]. Dans le ciel, sur fond de flammes et de fumée, le chevreau pourpre et le

1. Phylactères (étuis renfermant des morceaux de parchemin où sont inscrits des versets de la Torah, et que les Juifs pieux portent au front et au bras gauche lors de certaines prières).

coq d'or, et près du bûcher la mère ou la fiancée, le violoneux, le vieillard au livre. Menace ou solidarité, que signifiait cette carte postale ? Je ne suis pas un renégat, monsieur Portofino, ni un converti, je ne saurais décevoir ceux qui, de toute façon, n'attendent rien de quelqu'un comme moi !

Monsieur Portofino était-il susceptible de s'intéresser à ma peur de retourner dans la Patrie ? Il semble bien que Culianu redoutait, tout comme moi, de retrouver le pays qui était devenu sa Patrie plus de deux cent cinquante ans auparavant, lorsque ses ancêtres grecs y avaient fui les persécutions de l'Empire ottoman. La Roumanie qu'il avait aimée, dans la langue de laquelle il s'était formé, était peu à peu devenue, pour lui, la Jormanie. Il l'avait décrite dans deux récits quasi fantastiques, d'influence vaguement borgésienne.

Dans le premier, l'Empire Maculiste de l'Union soviétique œuvrait avec les espions de la Jormanie à l'assassinat du Dictateur local et de son épouse, la Camarade Camarde, instaurant une « démocratie » bananière où fleurissaient pornographie et pelotons d'exécution.

Le second récit revisitait la réalité post-révolutionnaire à travers la recension imaginaire des souvenirs imaginaires d'un mémorialiste imaginaire, décrivant une fausse Révolution, suivie d'une fausse transition vers une fausse démocratie : enrichissement rapide des anciens membres de la Securitate, crimes obscurs, corruption, démagogie, alliance des anciens communistes avec la nouvelle extrême droite, la Garde de Bois. Ces souvenirs imaginaires d'un témoin imaginaire évoquaient même le faux procès et l'exécution précipitée du tyran « Conducan » et de « Madame Camarde », le coup d'État, les funérailles des faux martyrs, le peuple « roulé dans la farine »... Le nouveau *Conducător*, assassin du Camarade Président, et qui se faisait appeler Monsieur le Président, commentait la situation avec le traditionnel humour local : « N'est-ce pas la fonction essentielle du peuple ? » Entendre par là : être trompé.

Telle est la Jormanie, monsieur Portofino ! Vous avez raison, ce ne sont pas les forces surnaturelles qui ont empêché Culianu de revoir son pays, c'est la Jormanie, celle des Balkans ou celle de Chicago. Et les amis, les livres, l'amour, les plaisanteries, les chansons, quelle place leur faire, et comment les ignorer ? Et la mère qui nous a engendrés, notre Patrie véritable ? À quel moment tout cela se transforme-t-il tout bonnement en Jormanie, légionnaire ou communiste ? Cela peut arriver n'importe où, n'importe quand : n'est-ce pas, Jimmy ? Je m'étais en fait lassé, comme Culianu, de scruter plus avant les contradictions de la Patrie. Mon passé était différent du sien, et si quelque chose pouvait me faire peur, ce n'était pas un revolver venu de Bucarest. C'était plutôt l'enchevêtrement des liens dont je ne m'étais pas encore dégagé.

Aucun des piétons qui passaient devant le restaurant Ottomanelli Bros. ne ressemblait à mon ange gardien du FBI, et j'en prenais mon parti. À vrai dire, ce n'était pas l'officier Portofino que j'attendais sur ce banc où je demeurai longtemps pétrifié, mais quelqu'un d'autre. Une interlocutrice qui en savait bien plus sur moi que moi-même, et n'aurait pas besoin d'explications.

Se souviendrait-elle, par exemple, de ce petit livre dans la librairie de mon grand-père, paru soixante-deux ans plus tôt ?

Le cousin Ariel, le bohème rebelle aux cheveux teints en rouge et au regard noir de jais, lisait à l'assistance rassemblée autour du comptoir des passages de l'opuscule à la mince couverture rose, intitulé *Comment je suis devenu un hooligan*, comme s'il s'agissait d'un traité des drogues et de l'hypnose. Sa cousine, la fille du libraire, feuilletait fébrilement les pages. Dans le commentaire d'Ariel, un mot revenait sans cesse : *Partir !*, martelé avec véhémence, comme s'il disait « révolution », « salut » ou « renaissance ». « Maintenant, tout de suite, tant que c'est encore possible : *Partir !* » De temps à autre, il retournait le volume en écarquillant ses yeux moqueurs sur le nom qui figurait sur la couverture. « Sebastian, vous entendez ? Monsieur Hechter, alias Sebastian ! »

Ce n'était pas Culianu, mais un autre mort qui était à l'origine de mon voyage. Un autre ami de Mircea Eliade, d'une autre période de sa vie : Mihail Sebastian, l'écrivain que j'avais évoqué au petit déjeuner chez Barney Greengrass, et dont le *Journal*, écrit voici plus d'un demi-siècle, venait de paraître à Bucarest. Mais ce livre posthume n'avait aucune chance de figurer sur les rayonnages d'autrefois. La librairie n'était plus, ni mon grand-père, ni son neveu Ariel. Ma mère, qui elle aussi n'était plus, se serait souvenue, elle, de l'affaire Sebastian ! Elle avait une mémoire infaillible, ou plutôt, je n'en doute pas, elle l'a toujours.

L'irritant et sempiternel antisémitisme, pour lequel la Jormanie préfasciste offrait un excellent terrain d'étude, semblait n'être aux yeux de Sebastian que la « périphérie de la souffrance ». Avec condescendance, il prenait acte des adversités extérieures comme triviales et mineures, au regard de l'ardente « adversité intérieure » qui assiège l'âme du Juif. « Aucun peuple n'a avoué avec plus de cruauté ses péchés réels ou imaginaires, nul ne s'est scruté de façon plus âpre ni ne s'est châtié plus sévèrement. Les voix des prophètes bibliques sont les plus violentes qui aient jamais résonné sur terre. » Ces mots ont été écrits en 1935, quand les adversités extérieures annonçaient le désastre à venir.

« La périphérie de notre souffrance ? », s'exclamait avec fougue Ariel, le cousin de ma mère et le neveu de mon grand-père, dans la petite librairie, en pleine Jormanie de 1935, un an avant ma naissance.

« Est-ce donc là l'enseignement de ce monsieur Sebastian ? La périphérie de notre souffrance ? Il verra bientôt lui-même de quelle périphérie il s'agit ! »

Un an plus tôt, en 1934, Sebastian avait affronté le scandale causé par la publication de son roman *Depuis deux mille ans*, avec une préface de Nae Ionescu, son ami devenu l'idéologue de la Garde de Fer. Le préfacier voyait dans le Juif l'ennemi irréductible du monde chrétien, l'ennemi à éliminer.

Aux attaques des chrétiens et des Juifs, des libéraux et des extrémistes, Sebastian avait répondu par un essai brillant, *Comment je suis devenu un hooligan.* Dans un style sobre et précis, l'auteur réaffirmait candidement l'« autonomie spirituelle » de la souffrance juive, son « ressort tragique », le conflit entre « une sensibilité tumultueuse et un sens critique impitoyable », entre « l'intelligence la plus froide et la passion la plus échevelée ».

Hooligan ? C'est-à-dire marginal, non aligné, exclu ? Celui qui aimait à se qualifier lui-même de « Juif du Danube » se définissait ainsi, avec limpidité : « Je ne suis pas un sectateur, je suis toujours un dissident. Je n'ai pas foi qu'en l'homme, mais j'ai grande foi en lui. »

Dissident, c'est-à-dire y compris vis-à-vis de la secte des dissidents ? Je me reconnaissais, ma mère le sait bien, dans ces enfantillages, comme je me reconnaissais dans l'urgence de sortir du ghetto… Comme si monsieur Sebastian et moi étions attendus de l'autre côté par des amis aux bras ouverts, et non par la comédie d'autres ghettos. La fatigue de soi, disait Sebastian… Ma mère n'avait pas besoin de définir son « appartenance », elle la vivait tout simplement, avec cette croyance mystique et fataliste qui n'exclut ni le tourment ni le découragement.

« Nous sommes nous, et eux sont eux », tu t'en souviens ? « Nous n'avons de raison ni de les haïr ni de nous attendre à des merveilles de leur part. Ni d'oublier leurs abominations. »

Les réactions hystériques que je réservais à ces clichés, à treize, vingt-trois, trente-trois ans et même plus tard, n'amoindrissaient pas l'opiniâtreté avec laquelle, égale à elle-même, elle se redéfinissait sans cesse. Le caractère comme tragédie, disaient les Grecs : je le constatais quotidiennement dans le matriarcat névrotique de ma famille et dans l'« identité » collective.

Partir : oui, Ariel avait raison. Le temps finirait par me

convaincre moi aussi, me répétais-je, le temps me forcerait à reconnaître mon erreur, à m'en aller de par le vaste monde, mais il serait tard. «Il sera tard et il fera nuit», dit le poète. Il sera tard et il fera nuit, et tu verras, d'ici tu t'en iras.

Les poètes, plus clairvoyants que les prophètes? Le *Journal* de Sebastian, paru en 1997, un demi-siècle après la mort de l'auteur, décrit les «adversités» émanant d'amis devenus ennemis. «Un soir d'anxiété... Je perçois des menaces confuses. La porte serait mal fermée, les volets seraient transparents, les murs aussi deviendraient diaphanes. De n'importe où, à tout moment, peuvent faire irruption chez moi je ne sais quels dangers, dont je connais en fait la présence permanente...[1]. »

J'étais parti, j'étais finalement parti! Avec le remords de ne pas l'avoir fait plus tôt et avec celui d'avoir tout de même fini par partir.

En 1934, le héros de Sebastian déclarait, au nom de l'auteur: «Je voudrais connaître, par exemple, la législation antisémite qui pourrait abolir en moi ce fait irrévocable: je suis né au bord du Danube, dans une contrée que j'aime... Contre mon goût judaïque des catastrophes intimes, le fleuve a dressé l'exemple de sa royale indifférence[2].» En 1943, l'écrivain s'interrogeait: «Retournerai-je auprès de ces gens? La guerre passera-t-elle sans rien briser? Sans rien introduire d'irrévocable, d'irréductible?[3] » À la fin de la guerre, Hechter-Sebastian s'apprêtait à quitter enfin «la Roumanie éternelle où rien ne change». Le goût judaïque des catastrophes semblait plus guérissable au bord de l'Hudson que du Danube.

La mort empêcha Culianu de retourner en Roumanie et Sebastian de la quitter. Avec moi, la nymphomane jouait d'une

1. Mihail Sebastian, *Journal (1935-1944)*, traduit par Alain Paruit, Stock, 1998, p. 268-269.
2. Mihail Sebastian, *Depuis deux mille ans*, traduit par Alain Paruit, Stock, 1998, p. 330-331.
3. Mihail Sebastian, *Journal (1935-1944)*, *op. cit.*, p. 504.

autre façon : elle m'offrait le privilège d'être le touriste de ma propre postérité.

La Bucovine peut, autant que le Danube, définir la biographie dans laquelle tu n'existes plus. La langue, le paysage, les époques, ne s'abolissent pas automatiquement, du seul fait des adversités extérieures. L'amour pour cette terre de Bucovine n'abolissait pas, pour autant, la Jormanie. Où Jormanie et Roumanie s'unissaient-elles, où se séparaient-elles ? « Dans cette culture de pamphlétaires souriants, rien n'est sérieux, rien n'est grave, rien n'est vrai. *Et surtout, rien n'est incompatible ici...* » Ces lignes de Sebastian auraient vraisemblablement pu être signées par Ioan Petru Culianu lui-même. « Une notion qui manque totalement à notre vie publique, sur tous les plans : l'incompatibilité », répétait autrefois Ariel, le jeune cousin exalté de ma mère.

« L'incompatibilité est chose inconnue au bord du Danube » : ainsi pourrais-je formuler, en compagnie de tant d'autres, le dilemme de nos éternelles impasses. Les adversités extérieures ? J'avais été de bonne heure initié à cette banalité. Et réinitié ensuite, encore et encore. Il n'est pourtant pas facile, à qui est assiégé, d'éviter les soupçons narcissiques et le masochisme pathétique... De nouveau la victimisation, les lamentations de la victime ? Maintenant que chacun revendique le blason rapiécé de victime : homme, femme, bisexuel, bouddhiste, obèse, cycliste ?...

Le masque s'était collé à ma figure. L'ennemi public classique, l'Allogène ! J'avais toujours été « l'autre », conscient ou non, démasqué ou non, même si je ne m'identifiais pas au ghetto de ma mère, ni à aucun ghetto identitaire. Les « adversités intérieures » s'alliaient aux extérieures dans la fatigue de soi.

Éviter, comme Schlemihl, la visibilité ? Être sans ombre, sans identité, n'apparaître que dans l'obscurité ?

Alors, sans doute, je pourrai dialoguer naturellement avec les morts qui me réclament.

L'arène d'Auguste

« Qu'est-ce que la solitude du poète? », demanda-t-on juste après la guerre, voici plus d'un demi-siècle, au jeune Paul Celan, mon compatriote bucovinien. « Un numéro de cirque improvisé », répondit le poète.

Des clowns, voilà ce que nous étions à mes yeux, mes amis et moi qui nous débattions dans les luttes et culbutes du quotidien. Tel l'Auguste, surnom dont le docteur Hartung avait aimablement gratifié son fils, le futur peintre Hans Hartung. Le prévenant et facétieux géniteur avait eu l'intuition de sa nature d'artiste inadapté à ce quotidien dans lequel ses semblables offrent et reçoivent les rations de concret comestible – un Chevalier à la Triste Figure rêvant d'autres règles et d'autres récompenses, cherchant des compensations solitaires au rôle qu'il incarnait bon gré mal gré.

Dans l'arène publique, l'Auguste affronte immanquablement le Clown Blanc, qui représente le Pouvoir, l'Autorité. On peut voir toute la comédie humaine dans la rencontre de ces deux prototypes. L'histoire du cirque comme Histoire tout court…

L'Auguste traque ses propres faiblesses plutôt que celles des autres, guettant, soupçonneux et sarcastique, l'instant où le public le réclamera de nouveau dans le rôle de la victime. J'avais peu à peu accumulé, dans ce rôle, scepticisme et résignation – la thérapie de l'exil. Mon départ de la Jormanie socialiste, en 1986, avait créé une symétrie symbolique : l'exil à cinq ans, à cause d'un dictateur et de son idéologie, s'était parachevé à cinquante, à cause d'un autre dictateur et d'une idéologie apparemment opposée. Cette sombre symétrie était pour moi un motif non de fierté, mais d'irritation. Je nourrissais le fol espoir de voir jaillir l'illumination soudaine qui mettrait fin au monologue informe de l'Auguste.

– Je suis sorti relativement propre de la dictature. Je ne me suis pas sali. C'est quelque chose qu'on ne vous pardonne pas... Tu te souviens des *Histoires de Ferrare* de Bassani ?

Mon interlocuteur se taisait, il ne m'interrompait pas. Il savait que si je cherchais des arguments contre ce voyage, c'était justement parce qu'il était devenu inévitable.

– L'auteur est connu ici grâce à un film, *Le Jardin des Finzi-Contini*. Dans les *Histoires de Ferrare*, il y a une nouvelle intitulée *Una lapide in via Mazzini*. L'italien sonne bien, non ? *U-na la-pi-de in via Maz-zi-ni*. Une plaque commémorative via Mazzini[1].

Mon auditeur paraissait disposé à écouter n'importe quoi, pourvu que cela m'apaise.

– Après la guerre, contre toute attente, Geo Iosz revient de Buchenwald dans sa ville, Ferrare. Seul survivant de ceux qui, en 1943, avaient été envoyés en enfer. Ses anciens voisins le regardent avec gêne, ils veulent oublier le passé, oublier leurs fautes. De sorte que le témoin indésirable, devenu plus « étranger » encore qu'il ne l'était la nuit de sa déportation, quitte définitivement, de son propre chef, sa ville natale. Faut-il raconter, par contraste, la joie de Primo Levi à son retour d'Auschwitz, de vivre à Turin dans la maison même où avaient vécu avant lui ses parents, ses grands-parents, ses arrière-grands-parents et leurs ancêtres ?

Mon auditeur ne semblait pas impressionné par mes stratagèmes. Il souriait.

1. Giorgio Bassani, *Les Lunettes d'or et autres histoires de Ferrare*, traduit de l'italien par Michel Arnaud, Gallimard, 1962.

– Donc, je suis sorti relativement propre de la dictature. J'ai réussi à me tenir à distance. On vous pardonne la faute, ou la compromission, ou même l'héroïsme, mais pas la distance.

Mon ami américain ne paraissait pas contrarié, et ne voyait pas que je l'étais. La fatigue de soi, oui, c'est cela.

– Ni communiste, ni dissident... N'est-ce pas une sorte d'arrogance ? Je n'étais pourtant guère visible dans le monde balkanique de Bucarest. Une autre arrogance, certainement. Et ensuite, l'émigration... Loin, le plus loin possible. L'Arrogance Suprême.

Une fille blonde et mince apparut, en minijupe, avec un badge « Marianne » sur le sein droit. Marianne, une Française d'Israël, étudiante à New York et serveuse à ses heures au Café Mozart, 70e Rue, Upper West Side, près de l'appartement où je faisais l'expérience de la Vie Future. Elle apportait nos deux assiettes de gaspacho, les cuillers, le pain, son sourire.

Mon grandiose pays... Voilà ce que je cherchais à décrire à mon auditeur, la grandeur du pays Dada, que je n'avais pas souhaité quitter et où je ne souhaitais pas revenir. Le *charme* exquis et les exquis excréments. Comme ailleurs, mais que m'importait cet ailleurs ?

– Ces dernières années, je suis tombé malade, un syndrome particulier. Le syndrome de la Jormanie...

Le pianiste du Café Mozart n'était pas encore arrivé, les clients du déjeuner n'avaient pas encore fait leur apparition. Les journaux étaient en place, maintenus par leur double baguette de bois et accrochés au panneau installé à cet effet, un simulacre de Vienne. Herr Wolfgang Amadeus regardait, sceptique, depuis le cadre d'or de son portrait, les deux commensaux à lunettes au fond de l'établissement.

– La haine de soi, travestie en « Viens donc que je t'embrasse » ? Les Roumains ont pour cela une expression, tout aussi intraduisible que leur âme : « Embrassade générale place Indépendance[1]. » De la plume de notre grand Caragiale. Intraduisible comme est intraduisible ce monde plein de charme et d'excréments. Ce n'est pas le baiser de Caïn à Abel, mais l'embrassade générale après les hostilités, dans ce bourbier où s'enlacent, tout à l'ivresse de la réconciliation avant le nouvel assaut, le cygne putassier, l'âne savant, l'hyène députée et le chevreau innocent. Non, crois-moi, les Roumains n'ont pas attendu Sartre pour découvrir que l'enfer, c'est les autres. L'enfer peut être aussi doux et onctueux qu'un marécage.

Je me tus, fatigué de ce long discours, et rajustai mon syndrome.

– As-tu vu comme se haïssent, désormais, les Allemands de l'Ouest et ceux de l'Est ? Céline ou Cioran auraient été plus à même que moi de transcrire ce fiel.

– Arrête de te plaindre. Tu as écrit sur les clowns, sur le cirque. Tu as une histoire à raconter. Dieu te l'a envoyée, il ne t'a pas oublié.

– Une histoire trop compliquée, là où il faudrait de simples aphorismes.

– Tu pars avec le clown américain. Il sera bien reçu, comme une superstar de la superpuissance, le puissant Clown Blanc, comme tu dis. Quant à toi… tu connais tous les tenants et aboutissants, tu maîtrises tout cela. Que veux-tu de plus ?

– L'impérial Clown Blanc de l'Amérique impérialiste ? Et l'Auguste, l'Exilé, à côté de lui ! Dieu m'a envoyé trop d'histoires intéressantes, je n'en ai pas encore tiré toute la substance.

– Le Tout-Puissant ne peut tout faire.

– Il faudrait que j'écrive des aphorismes sur la Patrie ?… Que je prêche le Bien, la Morale, la Démocratie ? Tu te rappelles ce que disait Flaubert ? À prêcher longtemps le bien, on finit par mourir idiot. L'idiot de la famille Flaubert savait ce qu'il

1. Dans le récit *Télégrammes* (1899) de Ion Luca Caragiale (1852-1912). À rapprocher du fameux *Embrassons-nous, Folleville* de Labiche.

disait... Des sermons pour changer le monde? Non, je ne suis pas idiot à ce point. Je prêche non pas pour changer les autres, mais pour ne pas changer moi-même, disait un rabbin. Et pourtant j'ai changé, j'ai fini par changer.

Je fis une très brève pause, le temps de reprendre ma respiration. Je connaissais le discours par cœur, je l'avais longuement ruminé, je n'avais même pas besoin de pause.

– Hooligan? Qu'est-ce qu'un hooligan? Un déraciné, un non-aligné, un marginal? Un exilé? Ou la définition qu'en donne le *Oxford Dictionary of the English Language*? « *The name of an Irish family in South East London conspicuous for ruffianism*[1] »? Un personnage du roman d'Eliade, *Les Hooligans*, affirme qu'« il y a un seul début fertile dans la vie: l'expérience hooliganique ». En d'autres termes, la rébellion, le culte de la mort, « les milices et les sections d'assaut, les légions et les armées du monde présent, [...] unies surtout par le destin qui les attend, la mort côte à côte », « des régiments parfaitement et également intoxiqués par un mythe collectif »[2]. Eliade aurait-il, dans l'exil, pris sa revanche sur ses frustrations roumaines grâce à sa réputation d'érudit? La revanche de la périphérie sur la métropole. Et son ami juif Sebastian? Les Juifs le considéraient désormais comme leur ennemi, et ses amis chrétiens, devenus légionnaires, le considéraient comme un Juif, un paria. Un déraciné, un exilé, un dissident: est-ce cela, être un hooligan juif? Et l'anti-parti, l'extraterritorial, l'apatride cosmopolite qui te parle, quelle sorte de hooligan est-il?

Je sortis de ma poche une lettre reçue de Roumanie. Une lettre non datée, comme la blessure qui suppurait. « Confusion, désarroi, tristesse », m'écrivait de la Patrie mon amie. « Il faudrait que tu viennes, deux fois l'an, saluer pieusement les intellec-

1. Nom d'une célèbre famille de brigands irlandais du sud-est de Londres.
2. Mircea Eliade, *Les Hooligans*, 1934, trad. Alain Paruit, L'Herne, 1987, p. 200, p. 309, p. 180.

tuels, te laisser filmer, participer aux tables rondes, fréquenter les bistrots, remplacer la caricature par laquelle ils t'ont remplacé. Je voudrais bien savoir de quelles alluvions se nourrit l'attitude de la Patrie à ton égard. »

– Aurait-il pu en être autrement ? Était-il souhaitable qu'il en soit autrement ? Je pose la question : était-ce souhaitable ? Ne te laisse pas corrompre par la sympathie – telle était l'injonction de Gombrowicz. Demeure toujours étranger !... Dans son exil argentin, il tirait souvent la langue au miroir dont il ne pouvait se séparer.

Je n'eus pour toute réponse que le sourire amusé de mon auditeur. Avant de nous quitter, comme d'habitude, entre Broadway et la 70e Rue, mon ami américain conclut notre rencontre en ces termes : « Faxe-moi chaque jour quelques mots de Bucarest, que je sache que tout va bien. Si tu ne résistes pas, repars tout de suite. Pour Vienne, pour Budapest, pour Sofia, et de là pour New York. »

Ces éternelles questions n'avaient pas attendu cette fraîche journée de printemps pour me hanter. Je n'avais besoin ni du Café Mozart ni du restaurant Barney Greengrass ni du croisement de Broadway et de la 70e Rue pour leur servir à nouveau de cible.

« Il ne faut pas que tu y remettes les pieds », m'avait dit Saul B. au téléphone. « Tu as tort d'y retourner », m'avertissait-il. Nous nous étions rencontrés vingt ans auparavant, à Bucarest, mais nous n'avions vraiment lié connaissance qu'en Amérique. « Non parce que tu serais en danger, mais parce que tu te sentiras trop mal à l'aise. J'ai lu ces jours-ci la biographie d'un autre Roumain célèbre. Tous cultivés, hypocrites, intelligents, comme tu sais. Les bonnes manières du Vieux Monde, le baisemain aux dames. Mais si on creuse... » L'ancien ami d'Eliade et ancien mari d'une célèbre mathématicienne roumaine ne se laissait pas décourager par mon silence. « Tu n'aurais pas dû accepter ce voyage, tu n'as pas besoin de ça. » Je lui expliquai que c'était un effet de la « tyrannie de l'affectivité », que j'avais cédé à Leon, le président du Bard College.

Le rire élégant de Saul retentit dans le téléphone. Je vis soudain son visage ridé, amical, son regard vif. « Il ne fallait pas. Tu sais, je suis allé là-bas. Décommande tout, protège ta tranquillité. Tu as pas mal de problèmes ici, mais tu as un avantage : la distance. Ne le gaspille pas. »

Les adresses du passé (I)

19 juillet 1986. Soirée d'anniversaire. On avait régalé les invités de vodka russe, de vin bulgare, d'olives grecques et de fromage roumain, dont l'acquisition avait demandé patience et opiniâtreté.

« Viennent les artistes, faites place ! / Passent les artistes de porte en porte, les singes, les mimes / faux manchots, faux boiteux, faux rois et ministres / viennent les fils ivres de splendeur et d'ardeur / de l'empereur Auguste. » Parmi les hôtes, boitant et transpirant, une page de vers translucide entre les dents, mon ami, le Poète. Le poète solitaire et timide, à moitié infirme, s'était reconnu dans le personnage d'un conte populaire roumain : Demi-Homme-à-cheval-sur-Demi-Lièvre-Boiteux.

De petite taille, trapu, la barbe blonde, la démarche ondulante et claudicante, tirant sur la gauche. Doux et timoré, effrayé de sa propre duplicité, prêt à la reconnaître et à en payer le prix si telle était la condition de la survie. Il souffrait pour chaque ligne qu'il écrivait ou qu'on écrivait sur lui ou sur ses amis. Exaspéré de devoir, en tant que collaborateur d'une maison d'édition, négocier sans cesse avec la censure et les auteurs, il échafaudait de complexes transactions fondées sur la flatterie et le chantage affectif pour promouvoir les livres auxquels il croyait.

La souffrance de l'écriture et la souffrance à cause de l'écriture n'avaient d'égal que le dévouement qu'il témoignait à son épouse. Iulia devait subir une dialyse tous les deux jours, dans un hôpital socialiste aux appareils vétustes et aux pannes d'électricité fréquentes. Elle était devenue, avec la Poésie et la Névrose dont témoignait la poignée de pilules qu'il ingurgitait, la mesure quotidienne de son héroïsme.

Il transpirait abondamment, comme à l'accoutumée. Il s'épongeait sans cesse le front et le visage avec un grand mouchoir blanc qu'il serrait dans son poing large et puissant. Il n'avait pourtant pas mis sa veste ni sa cravate des grandes occasions. Il se tenait à l'écart, avec Iulia, contre le mur couvert de livres jusqu'au plafond, ému de rencontrer tant d'amis proches... Poètes, critiques, prosateurs... Singes, mimes, faux rois, faux manchots, amis de l'empereur Auguste. Nous étions unis par les livres, nous fraternisions dans la course aux vanités propre à notre corporation.

Membres et non-membres du Parti, privilégiés et tolérés, tous étaient devenus suspects : faux rois, faux manchots, faux singes, dans ce socialisme du soupçon généralisé.

Cette soirée de juillet 1986 à Bucarest, dans l'appartement 15 du 2 Calea Victoriei, célébrait la fin d'une époque. Seuls quelques invités savaient que j'avais déposé un mois plus tôt, en l'honneur de l'anniversaire de Leopold Bloom, le héros exilé de Joyce, un dossier en vue d'un voyage à l'Ouest dont je ne savais pas moi-même jusqu'où il me conduirait.

L'exil eut tôt fait d'engloutir la décennie qui allait suivre cette nuit d'été. Comme des poupées russes emboîtées les unes dans les autres, à la fois identiques et différentes, jusqu'à l'enveloppe dilatée du grand vieil enfant qui ne cesse de s'autodigérer.

Infantilisme des talk-shows télévisés où des enfants de cinquante ans revendiquent on ne sait quelle expérience malheureuse faite à cinq ou à quinze ans ? Enfants incompris, hommes incompris, femmes incomprises, offense faite à l'âge, au sexe, à la religion, à la race : la Victimisation ! Le catalogue planétaire des lamentations... Le trauma subi à cinq ans comme explication du déficit immunitaire à cinquante, soixante ou six cents ans ? Toute personne vraiment adulte se serait depuis longtemps drapée dans la peau de rhinocéros de l'insensibilité ! Culpabilité de ne pas avoir quitté à temps la Patrie, ou culpabilité de ne pas y être resté jusqu'à la fin ? C'est là que m'était apparue pour la première fois la Chimère des hiéroglyphes, c'est là que j'avais conclu le pacte qui ne promettait rien et qui exigeait tout. Dame Création demeurait, après ce concubinage prolongé, toujours hors d'atteinte… À peine une empreinte, çà et là, sur les pages éparses du nécrologe.

Dans les semaines précédant mon retour, je revis les cheminements tortueux des époques successives. Je me rappelai la saveur des mets et des plaisanteries, les vins et les chants, les monts et les mers, les amours et les lectures. Et l'amitié, bien sûr, qui avait illuminé tant d'impasses. Non, quelqu'un comme moi, né sous le signe de l'indésirable, n'avait pas le droit d'oublier les joies de Gomorrhe. Le charme du lieu et des habitants n'était pas une illusion, je pouvais en témoigner. Paul Celan aussi avait vécu, dans ses années bucarestoises d'après-guerre, la période « du calembour », comme il l'appela par la suite avec une nostalgie amusée. Tolstoï de même, au cours de ces quelque sept mois de 1854 qu'il avait passés à Bucarest, Chişinău, Buzău et autres localités. Le mélange de charme et de tristesse n'avait pas échappé à son jeune regard, avide de livres et d'aventures frustes, charnelles, aussi obnubilé par l'idée de perfectionner son caractère et son écriture que par la paysanne aux pieds nus abordée dans un champ, ou par la perspective d'une soirée au bordel.

Oui, l'intensité de l'instant, la vie comme un instant.

V-Day. Le Jour de la Victoire ! C'est cela que fêtaient ceux qui étaient réunis en ce soir du 19 juillet 1986 dans l'appartement de Calea Victoriei à Bucarest : la Victoire. Des décennies après le premier exil, je me trouvais face à l'exil véritable. L'anniversaire était devenu, sans que la plupart des invités le sachent et sans que j'en sois moi-même conscient, un exercice de séparation.

En avril 1945, le garçon de neuf ans revenant du camp de Transnistrie découvrait les aliments, les vêtements, l'école, les meubles, les cartes, les jeux : la joie. L'horreur du passé, je l'avais évacuée avec irritation : la « maladie du ghetto » ! Je me croyais guéri, résolu à partager avec tous mes concitoyens la splendeur du présent que la Patrie communiste nous offrait désormais, également et réglementairement, à chacun. Puis la chimère de l'écriture m'avait pris sous sa protection. Au début des années quatre-vingt, ses haillons troués ne pouvaient plus cacher la misère du Cirque. L'horreur nouvelle n'avait pas remplacé l'ancienne, elle s'y était ajoutée : elles allaient main dans la main. Lorsque je rendis publique ma découverte, je me trouvai jeté dans l'arène. Les haut-parleurs aboyaient, de façon répétée : étranger, étranger, sans-patrie, anti, impur, anti... Je m'étais de nouveau montré, à l'instar de mes ancêtres, indigne de la Patrie.

À l'été 1986, je m'éloignai, épouvanté, de l'horreur communiste et de l'horreur nationaliste qu'elle s'était adjointe. Rejeté dans la « maladie du ghetto » contre laquelle je me croyais immunisé ?

Dix autres années plus tard, bien des choses avaient changé, j'avais changé moi-même. Mais l'obsession de ne plus être victime n'avait pas changé. L'affranchissement de l'appartenance ne m'avait-elle pas libéré ?... Un vainqueur serait retourné en Jormanie sûr de lui et de sa nouvelle identité, victorieux par contumace du lieu qu'il avait quitté, fier d'être devenu ce que depuis toujours on l'accusait d'être, honoré d'incarner l'inanité même.

Dix justes de Gomorrhe peuvent-ils représenter la Patrie véritable ? Les amis, plus de dix, qui célébrèrent, en juillet 1986, ma guerre de cinquante ans ?

Iulia était morte la première. À cause de la censure, les lettres que Mugur le poète m'avait envoyées après mon départ étaient signées Iulia et adressées à mon épouse Cella. « Je pense à vous avec toute mon affection et ma solitude. Allons jouer, les enfants ! crie une voix dans la rue. Rejouerons-nous jamais ? Même les poèmes ont vieilli, n'ont plus la force de s'écrire. Nous espérons une saison sans événements. » Dans la Jormanie socialiste, on ne trouvait pas d'essence, donc pas de taxi. Mugur payait un camionneur, qui approvisionnait le chantier du Palais Blanc que se faisait construire le Clown Blanc des Carpates, pour qu'il dépose Iulia à l'hôpital en passant et la ramène à la maison le soir. Hôpitaux asphyxiés sous les patients et la crasse, logements non chauffés, rues plongées dans l'obscurité, magasins et pharmacies vides.

« Et pourtant, l'amour… Eh non, l'amour n'est pas une généralité », écrivait le Poète. « Imaginons, telle la loi d'Ohm en physique, *une loi de l'Homme**[1] : est homme celui qui laisse derrière lui une absence plus grande que ne l'était sa présence. L'absence est un élancement insistant – une fois par jour, une fois par semaine, moins encore… Mais le cœur est de plus en plus vieux – et nul homme ne peut endurer plus que ne peut endurer un homme. Comme notre amitié fut maladroite ! Si nous pouvions reprendre tout depuis le début… Nous sommes aujourd'hui comme des enfants à la fenêtre, qui font des signes amicaux aux passants. Mais au milieu de la rue il y a l'Océan. »

Mugur courait, tout transpirant, entre les docteurs, les infirmières, les surveillants, distribuant cadeaux, sourires, courbettes, et ses livres dédiés à Bruno Schulz ou au Demi-Homme-à-cheval-sur-Demi-Lièvre-Boiteux. Aveugle corps-à-corps avec la vie, la vie pour prolonger celle de sa compagne. Le Poète survi-

1. En français dans le texte, comme désormais tous les mots ou expressions suivis d'un astérisque.

vait grâce à son obsession de l'Autre Moitié. Le prix ne cessait de croître, à mesure que la vie perdait de sa valeur.

Ce qui avait toujours été le « Destin » douloureux du Poète était devenu destin collectif. Cela n'allégeait pas pour autant son fardeau, ainsi qu'il l'écrivait : « Je suis boiteux. Je tremble... L'homme qui tremble a la sensation de se multiplier : la main qui veut attraper, serrer, broyer – ou caresser – fait un très long chemin jusqu'à ce qu'elle atteigne l'objet, un chemin en zigzag. La sensation d'être seul, mais d'être en même temps une place publique pleine de gens qui tendent la main pour saisir une pomme. Le tremblement vient d'au-delà de ma volonté, et cet au-delà-de-ma-volonté me demande d'être *beaucoup* ; de là me vient aussi la pensée, exprimée parfois par écrit, que la vie, avant d'être qualitativement comme ceci ou comme cela, est multiple. »

Je repensais souvent à ce *beaucoup*. Mugur l'avait évoqué dans la parabole du Juif gras, qui mange énormément et grossit, grossit jusqu'à prendre des proportions inquiétantes. Interrogé, il répond : « Quand ils viendront me brûler, je veux brûler beaucoup, pour que cela dure longtemps. »

À cause de ses névroses et de ses angoisses, Mugur le poète n'avait cessé de grossir. Le tremblement s'était intensifié, tout comme la panique, le froid, la pauvreté, la terreur. Des messages rares, concis, où se lisait la peur des mouchards : « Nous n'avons pas de raison de nous plaindre particulièrement. » Ce « particulièrement » signifiait naturellement : l'inévitable ne s'est pas encore produit. « Grâce à Dieu, nous n'avons pas de raison de nous plaindre particulièrement » : c'est de cette façon codée que Mugur décrivait la situation, s'adressant à Cella et signant, de son écriture tremblante, Iulia.

En 1989, après la mort de Iulia et l'effondrement du Cirque Rouge, j'avais reçu une première lettre à mon nom. « Nous reverrons-nous ? Il y a quelques années, j'étais un homme complet ; j'avais cinq ou six cœurs, autant de paires de mains et de pieds, de nez, de bouches – comme tout homme normal, non? Maintenant mes cœurs s'en sont allés, les uns sous terre, les autres de par le monde. J'essaie de remplacer ceux qui peuvent l'être par des feuilles de papier, gribouillées de quelques mots. Croyez-vous vraiment que nous nous reverrons? Je me sentirais presque entier. C'est-à-dire un Demi-Homme – et non la centième partie d'un homme dont auraient disparu les cœurs, les yeux et le reste.»

Nous ne nous sommes plus revus. Mugur est mort en 1991, peu avant son anniversaire, en février, un livre à la main et un morceau de pain avec du salami dans l'autre.

Entre-temps, était également mort Paul, l'Éléphant Volant, le communiste ainsi dispensé de voir la mascarade succédant à la mascarade communiste dont il avait lui-même fait partie.

Morte aussi, Evelyne, la mère de Cella, qui avait présidé, avec discrétion et élégance, à l'anniversaire de juillet 1986. Une de ses dernières lettres demandait de ne plus lui écrire à son adresse, mais à celle d'un voisin. Après la publication de mon texte sur Mircea Eliade, quand les journaux de la nouvelle démocratie m'accusaient de blasphème et de trahison, les patriotes locaux avaient choisi comme objectif stratégique la boîte à lettres, incendiée à plusieurs reprises, de la belle-mère du coupable.

D'autres participants à cette soirée – j'ignorais alors que je leur disais adieu – cherchèrent refuge en France, en Allemagne, en Israël. Ni mes amis restés à Bucarest, ni la ville, ni l'exilé que j'étais devenu n'étaient plus les mêmes. Ceux qui m'étaient les plus proches étaient demeurés avec moi, en moi, même si le hasard nous avait séparés. Et ceux-là, je ne me sens pas capable de les nommer ni de les évoquer, pas plus que je n'avais su le faire pour mes parents, ou d'autres encore, avant que la mort ne les immortalise en moi.

La Patrie s'était éloignée dans le passé toujours plus lointain, et avait pénétré au plus profond de moi. Je n'avais plus besoin de la géographie ni de l'histoire pour en éprouver les contradictions et l'inanité.

Le vide que laissait derrière lui Demi-Homme était-il plus grand que la plénitude qu'il avait représentée ? C'est ce qu'il avait prévu avant de disparaître avec la demi-chimère boiteuse qu'il chevauchait. L'absence n'était en effet que l'élancement insistant d'un vieux cœur.

L'enfant qui crie dans la rue « Allons jouer » est loin, par-delà tous les océans.

Le nouveau calendrier

D-Day, Jour J, mercredi 20 janvier 1988. Le Jour Décisif. Je traînais depuis un an déjà dans la Ville Transit. À force d'ajournements, le moment était venu où l'on ne pouvait plus rien ajourner. « La décision est un moment de la Folie », me chuchotait Kierkegaard. Et l'indécision ne paraissait pas différente. La folie de l'indécision durait depuis plus d'un an, après avoir duré une vie.

Étaient en jeu la ténuité de l'appartenance, son ridicule, tout simplement. Le héros était livide, accablé par la farce qui l'avait choisi pour protagoniste de sa propre parodie. Un parmi tant d'autres, livrés à chaque seconde au malaxeur planétaire. Ne s'était-il toujours pas libéré de la peau étroite dans laquelle il logeait ? N'avait-il toujours pas oublié le passé, lui qui oubliait les visages rencontrés une heure plus tôt ?

– C'est à vous. Vous passez devant la Commission.

La dame en tailleur bleu lui faisait des signes répétés. Il referma sa serviette, se leva de son banc où s'entassaient cinq autres personnes.

– Vous allez discuter d'abord avec le représentant français. Quand vous aurez terminé, revenez me voir.

Il se dirigea vers la porte de gauche. Trois pas, et il y était. L'homme maigre derrière le bureau l'invita à prendre place en face de lui. Il s'assit, sa serviette entre les bras.

– Préférez-vous que nous parlions allemand ? lui demanda le Français, en allemand. Ou plutôt français ?

– Nous pouvons aussi parler français, répondit le postulant, en allemand.

– Tant mieux, tant mieux, poursuivit tout sourire le fonctionnaire, en français. Les Roumains parlent presque tous le français, n'est-ce pas ? Mes amis roumains de Paris s'adaptent sans difficulté.

– Oui, le français est accessible aux Roumains, confirma le Roumain, en français.

Il regarda plus attentivement son interlocuteur. Les examinateurs d'aujourd'hui sont tous plus jeunes que les examinés, pensa le Roumain en roumain.

Le fonctionnaire en face de lui avait un visage étroit, un nez mince, proéminent, des yeux noirs, intelligents, des cheveux épais, un sourire juvénile, sympathique. Un nœud de cravate desserré, une chemise bleue au col déboutonné, une veste bleu marine ouverte, tombant élégamment sur ses épaules osseuses. Une voix agréable, familière, oui, agréable et familière.

– Je parlais de vous hier avec une dame de Roumanie. Je savais que nous aurions cette discussion aujourd'hui, je lui ai demandé si elle vous connaissait.

Le postulant ne réagit pas. Il se tut tout simplement, en français, langue dans laquelle il venait de se laisser surprendre.

Le fonctionnaire en face de lui avait allumé une cigarette et posé les deux mains sur le rebord du bureau. Il se laissa doucement aller en arrière dans le fauteuil pivotant en cuir, où il semblait très à l'aise.

– Vous n'êtes pas un inconnu. Hier, en lisant la fiche que vous avez remplie, les titres de ces livres… j'ai été frappé par la coïncidence.

En disant « ces livres », il avait pris sur le bureau la fiche du postulant. Il la tint entre les mains, la remit en place. Un long silence intraduisible suivit. Puis le Français reprit son mélodieux phrasé gaulois.

– Je connais votre roman *Captifs*.

Dans le parfait silence de la pièce, le tempo parfait de cette affirmation ressemblait à un assaut d'escrime. Le tableau affichait-il « *Touche** » ?

– Au milieu des années soixante-dix, je crois... continua le Parisien. Au milieu des années soixante-dix, je crois, j'ai suivi des cours de roumain à l'université, à Paris.

Le postulant ôta ses lunettes pour les essuyer.

– On a beaucoup parlé de la censure. De la censure et de ses codes. La critique codée du système totalitaire ?! Le code... des captifs.

Le postulant serrait la poignée de sa serviette. Mensonge !... aurait-il voulu crier, dans toutes les langues. Il était désormais certain de ne pas avoir affaire à un diplomate habituel. L'Ouest ne se distinguait-il donc pas de l'Est ? Les mêmes insinuations, les mêmes flatteries, les mêmes traquenards ?... L'apatride qui avait refusé le marché avec le diable national devait-il maintenant accepter les services internationaux de l'abjecte profession ? Était-il devenu, avant même d'obtenir son certificat d'apatride, un captif vulnérable ? Un anonyme, un paria sujet au chantage et manipulé à la première occasion ?

– C'est une grande surprise pour moi, bredouilla-t-il enfin, en français. Je ne savais pas, personne ne m'a dit... je ne savais pas que mon livre était arrivé jusqu'à Paris.

– Oui, ça a été une surprise pour moi aussi. Imaginez, quand j'ai vu votre nom sur cette fiche...

De nouveau il prit la fiche du candidat, de nouveau il la remit en place.

– Je vois votre nom, les titres de vos livres... Vous devriez vous établir en France, pas en Allemagne.

« Vous devriez vous établir en France »... Était-ce un conseil, une promesse, le code du marché qu'on lui proposait ? Il était traité cordialement, comme une personne connue, respectable, qu'on gratifie de ruses différentes de celles réservées à la plèbe.

– Pour un Roumain, l'exil le plus commode reste la France,

vous le savez bien. Vous y aurez bientôt des amis. Vous écrirez en français, comme tant de vos illustres prédécesseurs…

Oui, l'examinateur connaissait non seulement le titre et le sujet de *Captifs*, mais aussi le trio Ionesco-Cioran-Eliade, il parla de la princesse Bibesco, évoqua la comtesse de Noailles et la princesse Vacaresco, s'attardant sur la Grande Princesse et la Petite Princesse, il avait même entendu parler de Benjamin Fondane[1], c'est dire s'il s'était bien préparé. La conversation suivit jusqu'au bout le même schéma. Pour finir, l'examinateur s'assit à côté de l'examiné, de l'autre côté du bureau. Ultimes témoignages de cordialité : la carte de visite comportant l'adresse à Berlin et à Paris, l'invitation à passer une soirée ensemble, l'assurance d'un soutien, de toute sorte de soutien, oui, « toute sorte de soutien » dont il pourrait avoir besoin, ici à Berlin, ou à plus forte raison à Paris. À toutes fins utiles… « À toutes fins utiles, à tout propos, à tout moment », susurraient les mots, le sourire, l'élocution. En lui serrant la main, il le regarda chaleureusement dans les yeux : d'ici là, il aurait plaisir à ce qu'ils passent une soirée ensemble, dans cette ville où le destin leur avait offert la surprise de faire connaissance.

*Monsieur le Grand Ami** le reconduisit non seulement jusqu'à la porte, mais jusqu'à l'antichambre où se trouvait l'apparitrice en jupe bleu marine. Il annonça que son ami monsieur Untel avait achevé son entretien avec les autorités françaises et pouvait passer aux deux autres grandes puissances alliées qui gouvernaient Berlin-Ouest.

La secrétaire allemande ne montra aucune indulgence pour cette complicité latine… Elle attendait, impassible, que se disperse la francophonie.

La porte de gauche se ferma, on laissa le candidat attendre. Quand la secrétaire leva enfin les yeux vers la grande serviette

1. Poète, essayiste et philosophe d'expression roumaine (sous le nom de B. Fundoianu) et française, mort à Birkenau (1898-1944).

râpée que l'anonyme tenait entre ses bras, elle articula brièvement, en allemand :

– C'est fini ! Vous avez terminé.

L'étranger regarda sa montre. Midi moins dix, il était content d'avoir fini.

– Demain matin, soyez à huit heures à la porte où l'on établit les listes. Puis venez ici à neuf heures, bureau 135.

Une journée froide, ensoleillée. Il prit le bus, puis le tram. Vers deux heures il était chez lui.

Un an avait passé depuis son arrivée dans la Ville Transit. Dès le début il s'était senti à son aise dans l'île de la liberté. Les affiches multicolores, l'abondance, l'indifférence, étaient peu à peu devenues un paysage familier pour l'étranger qui, la veille encore, ne connaissait que les ténèbres et le froid, les mouchards et les falsificateurs. La liberté le charmait et l'effrayait à la fois. Il ne pouvait plus rentrer, mais ne semblait pas non plus préparé à renaître. Trop d'incertitudes, trop d'inhibitions. Le métabolisme de la cellule l'avait fait se sentir important et unique là-bas, dans cette boîte d'allumettes où il cohabitait avec ses frustrations et ses illusions. Perdre la langue dans laquelle chaque époque avait transcrit, à tour de rôle, son propre code ? Un suicide, guère différent selon lui du retour dans la Patrie suicidée.

La nuit précédant son passage devant la Commission spéciale fut plus difficile que les longues insomnies qui l'avaient tourmenté l'année où il avait plongé, par une autre nuit d'hiver, vers l'île de la liberté. Malgré les joies et les subterfuges qu'allait lui offrir le Monde d'Après, il resterait un gamin obligé d'apprendre, l'âge venu, l'alphabet des sourds-muets, et contraint à d'infantiles balbutiements pleins de gratitude.

Il distinguait à travers le brouillard blanc de la nuit les boulevards et les immeubles élégants de la Ville Transit. On entendait au loin la musique des réjouissances. La cité surpeuplée d'artistes et d'espions avait une intense vie nocturne. Et il lui sembla entrevoir la Grande Muraille qui protégeait du monde extérieur des captifs l'enclave de la liberté, et des virus de cette liberté la prison qui se trouvait de l'autre côté.

Il y eut un soir et il y eut un matin : deuxième jour. Deux pas de plus, et le quinquagénaire renaîtrait dans le Monde d'Après, qui s'appellerait, à compter du lendemain, 21 janvier 1988, le Monde d'Au-Delà.

Allongé sur le canapé, il regardait la page entourée de rouge du calendrier. Il se leva, traça un nouveau cercle sur la page et écrivit en grandes lettres rouges, à la date de ce 20 janvier qui s'éteignait : MARIANNE ! Il contempla un instant le résultat. Non, il n'était pas satisfait. Il biffa en rouge les lettres rouges. Il écrivit, cette fois en bas de la feuille, FRANCE ! Puis, souriant comme un enfant ravi de la bonne farce faite à sa vieille tante, il ajouta d'autres lettres, bien serrées, avant celles qu'il avait écrites : Anatole. Anatole FRANCE. Il retourna sur le canapé. Il y resta longtemps, tenant en l'air, dans sa main droite, la carte de visite du Français.

Passer une soirée, plusieurs soirées, avec le représentant de Paris ? Serait-il donc guéri du soupçon qu'il avait emporté avec lui de la Jormanie de tous les soupçons ? Il y faudrait du temps, et d'autres rencontres. Il ne s'était même pas risqué à engager une discussion littéraire avec son admirateur. Dans quelle langue celui-ci avait-il lu son livre ? Il déchira la carte de visite en mille morceaux, preuve qu'il ne saisissait pas encore les avantages des transactions qu'offrait le Monde Libre.

Le lendemain, 21 janvier 1988, l'étranger refit le chemin depuis le centre, Kurfürstendamm, jusqu'à la périphérie où siégeait la sacro-sainte Commission Tripartite. Il attendit patiemment, sa serviette entre les bras, sur la banquette devant le bureau 135. À onze heures un quart, l'appariteur lui indiqua d'un geste la porte américaine, à droite.

Il fit trois pas, se trouva à l'intérieur. Le jeune monsieur chauve derrière le bureau l'invita à s'asseoir sur le siège en face de lui. Il prit place, sa serviette entre les bras.

– Vous parlez anglais ? demanda l'Américain, dans son anglais américain.

– *A little*, répondit évasivement le postulant, en espéranto.

– OK, nous pouvons aussi parler allemand, continua l'Américain, dans son allemand américain. OK?

Le postulant hocha la tête en signe d'approbation. Il regarda attentivement l'homme en face de lui : un examinateur plus jeune encore que celui de la veille. Robuste, engoncé dans un complet couleur café à larges revers. Chemise blanche, col trop serré, cou massif, blanc. Yeux noirs scrutateurs, mains trapues. Grosse bague en or à la main gauche, stylo en or dans la main droite, boutons de manchette en or aux poignets de la chemise blanche qui dépassait largement des manches de la veste.

– Votre passeport.

Voix de militaire, façons à l'avenant.

Le postulant se pencha sur l'immense serviette qu'il tenait entre les bras. Il en sortit un dossier vert rempli de papiers, dont il tira le passeport vert. L'examinateur l'observa attentivement, page après page.

– Ce n'est pas votre premier voyage à l'Ouest.

Le postulant ne commenta pas le commentaire. La Grande Puissance le regarda longuement et rompit de nouveau, avec assurance, le silence diaphane qui planait dans la pièce.

– Vous avez déjà été deux fois à l'Ouest. Et une fois en Israël.

Le silence s'épaissit.

– D'où vous vient l'argent pour voyager ? » Le silence vola en éclats. « À l'Est, vous n'avez pas de devises convertibles. À moins que le gouvernement ne vous en donne. Et le gouvernement n'en donne que quand il y trouve son intérêt.

– Je n'ai pas voyagé aux frais du gouvernement, se hâta de protester le suspect. Des parents à l'Ouest m'ont envoyé de l'argent.

– Des parents ? Des gens généreux… Où donc, dans quels pays ?

Le voyageur ne laissa pas le silence suspect devenir plus suspect encore, il s'empressa d'énumérer les pays où s'était réfugiée la famille exilée.

Le visage du représentant des États-Unis s'éclaira :

– Aux États-Unis aussi ? Où ? Qui ?

– La sœur de ma femme. Mariée depuis plus de dix ans à un Américain. Mère de deux enfants américains, une fille de dix ans et un garçon de quatre ans.

– Et à Berlin, comment êtes-vous arrivé à Berlin ? Ce ne sont sûrement pas des parents à vous qui ont choisi cet endroit. Je ne pense pas que le nom de Berlin vous soit cher.

Il y eut un long silence, cette fois l'Américain semblait satisfait.

– Je suis venu ici avec une bourse de l'État allemand, comme je l'ai mentionné sur ma fiche.

– Oui, c'est vrai, vous l'avez mentionné, admit le fonctionnaire, soulevant le dossier et le tenant quelques instants en l'air pour le remettre ensuite en place et le repousser vers le bord du bureau, comme s'il n'avait aucune importance.

– La bourse offerte par le vaincu au vainqueur ? On peut dire les choses comme ça ?

Il ne semblait pas pressé de clore la question allemande, après tout la victoire sur l'ennemi n'avait pas été facile… N'était-ce pas cela qui les unissait l'un à l'autre, lui le jeune Américain, et l'homme mûr est-européen en face de lui ?

La bourse de la culpabilité ? Oui, le boursier l'avait lui-même pensé plus d'une fois. La bourse offerte par les vaincus aux survivants qu'ils n'avaient pas réussi à exterminer ? La bourse offerte par la prospère Allemagne d'après la défaite à cet Est éternellement vaincu, voué à la pauvreté, à l'exil ? Même dans ses frontières rétrécies d'après-guerre, l'Allemagne était restée celle des Allemands laborieux et efficaces, avec le même hymne et le même drapeau. Et la Bavière n'avait pas été donnée aux Juifs après la guerre, comme le prévoyaient ceux qui préconisaient de faire gouverner le pays de Goethe et de Bismarck par les survivants des camps d'extermination. Les nouveaux prophètes étaient convaincus que les survivants demanderaient aux Allemands de prouver leur philosémitisme pendant trois générations avant de leur accorder de nouveau la citoyenneté allemande perdue au lendemain de la catastrophe.

Une plaisanterie, oui, oui… se répétait en lui-même le survivant, une plaisanterie lue à l'envers, de droite à gauche, comme l'hébreu de la Bible. En réalité, on exigeait des Juifs, à leur sortie du camp, qu'ils prouvent leur appartenance de sang à l'État qui avait voulu les anéantir ! C'est seulement ainsi qu'on pourrait leur accorder l'enviable citoyenneté de l'Allemagne d'après-guerre, prodigue en bourses pour les miséreux et les errants qui n'espéraient plus les bénéfices de la victoire.

Le postulant ne se risqua pas à exprimer tout cela. Le jeune examinateur avait abrégé la conversation pour se plonger dans ses écritures, et compléter le questionnaire du dossier. Il aurait sans doute fait bon accueil à ses sarcastiques divagations, comme à une flatterie visant à se concilier les bonnes grâces de la Grande Puissance.

Lorsqu'il releva les yeux de sa serviette, le postulant vit que l'autorité américaine était déjà debout et lui souriait en lui tendant la main.

– *Good luck, Sir, good luck !* lui souhaita-t-il en américain, renonçant à employer la langue de l'ennemi commun.

Restait le lion britannique, qui n'avait plus rien d'un lion. Mais l'appariteur, tout à sa joyeuse conversation téléphonique, ne remarqua pas que le test américain avait pris fin. Même lorsqu'elle eut reposé le combiné, elle parut ne pas voir l'ombre en face d'elle.

– Il y a encore l'entrevue avec les Anglais ? demanda, méfiant, le métèque.

– Il n'y a plus rien, monsieur, lui fut-il promptement répondu. Vous avez terminé. Mister Jackson a signé pour les Anglais aussi.

Le candidat serra la poignée de sa serviette et se dirigea vers la porte.

– N'oubliez pas, monsieur, demain à 9h30.

C'était donc terminé sans être terminé. Il se retourna, étonné, vers l'appariteur.

– Demain vous avez l'entretien final avec les autorités allemandes. Premier étage, bureau 202, à 9h30.

Une journée maussade et humide. Il se dirigea lentement, très lentement, vers l'arrêt du bus.

L'escalier, toujours très lentement, troisième étage, appartement 7. Il sortit la clef de son manteau, ouvrit la porte, resta quelques instants sur le seuil. La chaleur de l'appartement, le silence. Avant de se déshabiller, il prit sur la table le gros bic rouge, s'approcha du calendrier. Il froissa entre ses doigts la grande feuille du 20 janvier, puis celle du 21 janvier. Il entoura le 22 janvier 1988, vendredi, de deux gros cercles rouges. Puis il écrivit en travers de la page: « Si je vis jusqu'à demain », et ajouta, entre parenthèses: Comte Tolstoï, Iasnaïa Poliana.

Le survivant survécut une fois de plus à la nuit. Il relut encore et encore, sans se lasser, le *Compte rendu du Paradis*[1].

In paradise the work week is
fixed at 30 hours
the social system is stable and
the rulers are wise
really in paradise one is better
off than in whatever country.

On devinait aisément où le poète situait sa fiction. Il avait transcrit ses vers en prose. Le fonctionnaire français, comme

1. Zbigniew Herbert, *Sprawozdanie z raju* [Compte rendu du paradis], dans le recueil intitulé *Napis* [Inscription], Varsovie, Czytelnik, 1969.

l'anglais, comme l'américain, auraient compris ce compte rendu codé : *In paradise the work week is fixed at 30 hours, prices steadily go down, manual labor is not tiring (because of reduced gravity), chopping wood is no harder than typing. The social system is stable and the rulers are wise. Really, in paradise one is better off than in whatever country*[1]. Il entreprit de résumer le texte : *The social system of paradise is stable, the rulers are wise, in paradise one is better off than in whatever country.* Oui, une belle prière quotidienne.

Il relut le message, passa aux autres strophes pour choisir une ligne ou deux dans chacune, à l'intention du fonctionnaire allemand qu'il devait rencontrer le lendemain matin. *They were not able to separate exactly the soul from the flesh and so it would come here with a drop of fat, a thread of muscle*[2]. Puis le résumé de la strophe suivante : *Not many behold God. He is only for those of 100 percent pneuma. The rest listen to communiqués about miracles and floods*[3].

Il dormit sans faire de rêves, jusqu'à ce que sonne le réveil.

Avant de sortir de chez lui, il se retourna, prit sur la table son brouillon de prière : *In paradise one is better off than in whatever country. The social system is stable and the rulers are wise. In paradise one is better off than in whatever country.* Il plia le papier et le mit dans sa poche. Il se sentait plus en sécurité, il avait survécu à la nuit, il survivrait bien aussi à la journée qui commençait.

Il se présenta, à l'heure dite, au bureau dit. Le fonctionnaire allemand était petit et trapu. Il portait non pas costume et cra-

1. Au paradis la semaine de travail est de 30 heures, les prix baissent régulièrement, le travail manuel n'est pas fatigant (du fait de la faible pesanteur), fendre du bois n'est pas plus pénible que taper à la machine. Le système social est stable et les gouvernants sages. On vit vraiment mieux au paradis que dans tout autre pays.

2. Ils n'arrivaient pas à séparer avec précision l'âme du corps, aussi nous arrivait-elle avec une goutte de graisse, un filament de muscle.

3. Rares sont ceux qui contemplent Dieu. Cela est réservé aux purs esprits. Les autres écoutent des communiqués sur les miracles et les déluges.

vate, mais un pantalon de velours, une veste de laine épaisse, verte, sur un polo tricoté, également en laine, également vert. Des cheveux blonds, peignés avec soin. De grandes mains avec de larges taches décolorées, blanches, les mêmes que sur le front et le cou.

Après une heure et demie d'interrogatoire, le métèque sortit hébété, sans se rappeler les questions auxquelles il avait répondu. Ce qu'il avait retenu, en revanche, c'était la mise au point que le bureaucrate lui répéta deux fois : le chemin qu'il avait entamé serait long et incertain, le premier pas n'était qu'un premier pas. Oui, oui… La Bucovine, le pays natal, était ce premier pas, mais l'identité allemande, comme vous ne pouvez l'ignorer, est une identité liée au sang, non au sol. Nous ne sommes ni français ni américains… non, ni américains ni anglais, même si nous nous trouvons dans le bâtiment de la Grande Commission Alliée… expliqua le fonctionnaire, scandalisé, en levant bras et sourcils au ciel.

« On n'est pas allemand du seul fait qu'on est né en Allemagne ! Et quand je dis en Allemagne ! Il faudrait plutôt dire… » et de nouveau il s'était penché sur le dossier qu'il ne cessait de consulter pour y relire l'appellation barbare. « Oui, c'est cela, en Bucovine… une ancienne province autrichienne, certes. Mais pendant une centaine d'années seulement. Autrichien et allemand sont deux choses différentes, complètement différentes, comme vous ne pouvez l'ignorer puisque vous venez de l'Est. Le cinglé qui a détruit l'Allemagne, et grâce à qui existe aujourd'hui à Berlin, à Berlin même, la Grande Commission Alliée… » – et de nouveau le fonctionnaire allemand de sang purement allemand leva les bras et les sourcils vers le Tout-Puissant qui jouait sans vergogne avec le destin de l'Allemagne. « Non, ce fou à cause de qui l'Allemagne n'en finit plus de payer et de payer encore, d'accepter sans cesse de nouvelles dettes et de nouvelles insultes et cette invasion de mendiants et de propres à rien envoyés par la Grande Commission Alliée, ce fou, donc, n'était pas allemand, mais autrichien, tout le monde sait cela. C'est de Linz, en Autriche, que venait ce cinglé d'Adolf!... Qui ne l'avait d'ailleurs jamais nié. Et quand bien même on est allemand... si on a vécu loin de son pays pendant huit cents ans, quelle sorte d'Allemand est-on? J'ai vu il y a quelques jours à la télévision une de vos compatriotes. Étant soi-disant allemande, elle a été rapatriée, prétend-elle, en Allemagne. Après huit cents ans! Huit cents ans, monsieur! Huit fois cent ans depuis que les colons allemands sont arrivés là-bas, dans, comment dit-on déjà... le Banat.»

Ce terme étranger de «Banat», nom de la province du Sud-Ouest de la Roumanie où vivent encore les descendants des anciens colons, il ne l'avait pourtant pas retrouvé sur son bureau, dans les pages du dossier, à côté de celui de la Bucovine, mais dans sa propre mémoire, tout satisfait de sa performance.

– *Bestimmt, ja, Banat!*[1] Après huit cents ans... On s'en aperçoit tout de suite. À l'accent, au vocabulaire, à la façon de se comporter, croyez-moi, croyez-moi.

Rien, donc, de ce qui était arrivé hier, avant-hier ou aujourd'hui n'était décisif, voilà ce qu'avait au fond cherché à lui faire comprendre le bienveillant représentant allemand.

À l'arrêt du bus, puis à celui du tramway, il repensa à ce que lui avait dit le fonctionnaire. Il en oublia de descendre, et se retrouva dans une autre partie de la ville. Un quartier de banlieue aux maisons plaisantes, pas trop hautes. Il héla un taxi, demanda au chauffeur de le conduire dans le centre, à la Gedächtniskirche en ruine.

Il descendit sur le trottoir, noir de monde, devant l'église. La foule du centre-ville, surtout des jeunes. Perdu dans ses pensées, il prit une petite rue perpendiculaire, entra dans le premier restaurant, réconcilié avec la vacuité de la journée qu'il avait passée, avec ses codes mystérieux.

1. Bien sûr, oui, le Banat!

Le soir, en ouvrant la porte de son appartement, il entendit dans l'obscurité le salut habituel de son colocataire : « La décision est un moment de la Folie ! », lui chuchotait insidieusement, comme chaque soir, monsieur Kierkegaard. Oui, mais la folie de l'indécision n'était pas à négliger non plus, et ces controverses nocturnes n'avaient plus de sens.

Avant de se coucher il fit sa prière du soir : *In paradise one is better off than in whatever country. God is only for those of 100 percent pneuma. They were not able to separate exactly the soul from the flesh and so it would come here with a drop of fat, a thread of muscle. The social system of paradise is stable, the rulers are wise. God is only for those with 100 percent pneuma. In paradise one is better off than in whatever country.*

Un mois après, il se trouvait à Paris, où il eut cent fois l'occasion de regretter de ne pas avoir gardé la carte de visite de son admirateur français de la Commission Alliée. Au bout d'un autre mois, il fit un second pas, plus grand, vers le Monde d'Après et d'Au-delà, le gigantesque pas par-dessus l'océan, qui l'emmena, en mars 1988, dans le Nouveau Monde.

La joie d'être étranger parmi d'autres étrangers. La statue de la Liberté, les limites et les masques de la liberté, de nouveaux territoires et de nouvelles syntaxes, non seulement autour de lui mais aussi en lui, le trauma de la dépossession, les nouvelles maladies de l'âme et de l'esprit, le choc de la dislocation, la chance de vivre sa propre Postérité ? Il accepta progressivement le nouveau calendrier, le comput bissextile du Paradis : chaque année dans l'exil de la liberté comptait pour quatre années ordinaires.

Un an et demi après son arrivée en Amérique, ou six ans après selon le nouveau calendrier, la Muraille de Chine de Berlin s'écroula. Dans la Jormanie socialiste, le Clown des Carpates et son épouse, la Camarade Camarde, furent exécutés.

Pouvait-il espérer un rapatriement dans le passé, dans la contrée d'hier et de jadis ? Les messages en provenance de l'Autre Monde rendaient sans objet de telles billevesées. Il repensait aux équivoques dans lesquelles il avait vécu, relisait le *Compte rendu* du poète polonais qui lui tenait lieu de prière quotidienne, relisait les enseignes pragmatiques du Paradis : DEPRESSION IS A FLAW IN CHEMISTRY, NOT IN CHARACTER.

Ovide, le poète exilé de la Rome impériale dans le désert scythe de Tomes[1], dans l'Orient lointain, au bord de la mer Noire, transcendait-il sa tristesse ? Les termes étaient maintenant inversés : il s'éloignait chaque jour davantage de la provinciale Tomes. Dans sa nouvelle maison, sur le rivage rocheux de New York où il avait fait naufrage, dans la Rome du présent, la tristesse se soignait avec des pilules et de la gymnastique : DEPRESSION IS A FLAW IN CHEMISTRY, NOT IN CHARACTER. *Everything can be fixed. Call 1-800-HELP-YOU*[2].

En 1997, neuf ans après son entrée dans le nouveau calendrier, c'est-à-dire trente-six ans après le Jour J dans le Berlin de l'hiver 1988, la possibilité s'offrait à lui de retourner dans le temps et l'espace du passé.

Il avait accumulé, selon le nouveau calendrier, quatre-vingt-quatorze ans. Il était vieux, très vieux, inapte à un tel voyage. Mais si l'on mesurait le temps de façon conventionnelle depuis le moment où il avait quitté la routine de la vie d'autrefois, il n'avait que onze ans. Un tel pèlerinage paraissait prématuré pour une personne si jeune et si émotive.

1. Aujourd'hui Constanţa.
2. La dépression est une carence chimique, pas un défaut de caractère. Tout peut s'arranger. Appelez 1-800-HELP-YOU.

La griffe (I)

« Toi, tu auras toujours la permission », me répétait le professeur de Brooklyn. « Vu les circonstances, tu es une exception. À tout moment, Dieu sera prêt à faire une exception pour toi, crois-moi. »

Je pouvais éventuellement accepter une telle hypothèse, mais il ne s'agissait pas de moi. Ce qui comptait, c'était la personne qui m'attendait là-bas, et le Très-Haut, le Grand Anonyme, s'il existe, savait très bien qui m'attendait. Je tenais à respecter Ses règles, car celle qui m'attendait là-bas les avait respectées. C'est pourquoi je téléphonai dès le matin à la Hebrew Burial Free Association, aux Jewish Chapel Services et à la synagogue du quartier, au coin d'Amsterdam Avenue et de la 69e Rue.

La réponse fut partout la même, brève et catégorique : *Call your Rabbi*[1]. Je n'avais pas le temps d'expliquer que je n'avais pas de rabbin et n'appartenais à aucune synagogue, que je voulais seulement savoir s'il était permis d'entrer dans un cimetière juif pendant Pessah[2]. C'était quelque chose, me semblait-il, que même quelqu'un n'appartenant à aucune synagogue, et qui d'ailleurs n'appartenait plus depuis belle lurette à quoi que ce soit ni à qui que ce soit, avait le droit de savoir. Je finis par appeler ce professeur de Brooklyn que j'avais jeté quelques

1. Téléphonez à votre rabbin.
2. La Pâque juive.

années auparavant dans les bras du nihiliste franco-roumain Emil Cioran. Je voulais lui demander si lui, l'athée amoureux des paradoxes du mécréant, connaissait par hasard un rabbin.

– Bien sûr. Mon ami Solomonchik. Le rabbin Solomonchik.

Je lui expliquai le dilemme, convaincu qu'il se proposerait de m'accorder lui-même la dispense, car je connaissais la mégalomanie de ceux qui sont prêts à se substituer à l'Anonyme dont ils nient l'existence.

– Oui, c'est vrai, m'empressai-je de lui assurer, je pourrais escalader la clôture du cimetière, je ne suis pas trop vieux pour ça. Mais je ne veux pas enfreindre la règle. Pas cette fois-ci. Si l'accès au cimetière n'est pas permis, je resterai là jusqu'à la mort, devant la porte, comme le personnage de Kafka devant la Loi. Mais il faut d'abord que je sache ce que dit la Loi. Les Juifs prévoient des dérogations pour les situations exceptionnelles, mais d'abord il faut que je connaisse la Loi. La Loi, tu comprends ce que je veux dire. Le mot sacré des Juifs : la Loi ! J'ai besoin d'un rabbin.

– J'appelle Solo, se proposa la voix de Brooklyn. Je l'appelle tout de suite. Il sait, un rabbin sait. Ce type sait tout, absolument tout.

Ce rabbin, en effet, savait tout et même davantage. L'homme de la Loi avait répondu clairement : « L'accès au cimetière est interdit les deux premiers et les deux derniers jours de la Pâque. Il est autorisé au milieu de la semaine. »

J'avais le calendrier devant moi. Je notai tout de suite les dates. Les deux premiers jours, 22 et 23 avril 1997, c'est-à-dire 15 et 16 nisan 5757. Les deux derniers jours, 28 et 29 avril, c'est-à-dire 21 et 22 nisan 5757. Restaient quatre jours, un laps de temps suffisant pour que je me débrouille.

Le rabbin avait cependant ajouté quelque chose, au-delà et au-dessus de la loi. Apprenant que j'allais en Roumanie, il s'était ravisé. L'intermédiaire qui m'avait rapporté les paroles de l'érudit ne cachait pas sa stupeur.

– Peux-tu imaginer une chose pareille? Quand il a appris qu'il s'agissait de la Roumanie... Ah bon, il va en Roumanie! En Roumanie? Ma foi... alors je ne suis plus sûr de rien. Il faut qu'il demande à ceux de là-bas, voilà ce qu'il a dit. Peux-tu imaginer une réponse pareille? De la part d'Aliosha Solomonchik?

Aliosha s'était montré subtil, je devais le reconnaître. Si bien que, le lendemain vendredi, je téléphonai à mon ami chrétien de Bucarest.

– Comment, tu n'as rien pu savoir à New York? s'étonna mon ancien compatriote.

– Si. Le rabbin m'a expliqué la Loi, mais quand il a su qu'il s'agissait de la Roumanie...

Naum Tête-d'Or riait. En l'entendant qui riait à Bucarest, je me l'imaginais tordant le long fil du téléphone.

– Eh bien bravo, mon vieux! Je ne soupçonnais pas qu'à New York vous aviez des rabbins aussi subtils.

– Nous en avons, bien sûr, comment n'en aurions-nous pas? L'Amérique a de tout, *mon cher**, mais le rabbin américain ne revendiquait aucune autorité sur les Juifs de Roumanie. Le dimanche? Oui, les Juifs travaillent le dimanche matin, tu peux téléphoner à la Communauté de Bucarest, lui assurai-je.

Le dimanche, je reçus la réponse.

– Une dame fort aimable m'a donné tous les éclaircissements, raconta Tête-d'Or. Je l'ai fait répéter, pour pouvoir noter. Donc: l'accès au cimetière est interdit du 22 au 29 avril. Réouverture le 30 avril. Le 30 avril, je l'ai noté. Voilà la date: 30 avril. Comment dit-on, déjà, nisan? Le mois de nisan? Oui, c'est comme ça que disait la dame de la Communauté. Le 23 nisan, c'est-à-dire le 30 avril. Retiens bien: le 30 avril, premier jour après la Pâque, l'accès au cimetière est de nouveau permis.

Je me tus, et mon interlocuteur de Bucarest ne comprit pas si mon silence était un hommage au rabbin Solomonchik, ou à son aimable coreligionnaire de Bucarest, ou s'il exprimait encore autre chose, tout autre chose.

– Où est le problème, tu as perdu ta langue ? Tu peux bien prolonger ton séjour de deux jours, ce n'est pas la mer à boire. Nous aurons ainsi tout le temps de causer… Qu'as-tu donc de si pressé ? Cela fait dix ans que nous ne nous sommes pas vus, que diable.

Naum Tête-d'Or avait raison, mais il ne s'agissait pas de cela, même si ce n'étaient pas dix mais presque onze ans qui s'étaient écoulés depuis notre séparation. Le problème était tout autre : je ne souhaitais pas, mais pas du tout, faire ce voyage.

J'aurais préféré qu'il revienne à quelqu'un d'autre que moi d'expliquer ma névrose, même s'il eût mieux valu oublier et la névrose et le voyage.

Il fallait une explication simple, que n'importe qui puisse comprendre. « On ne souhaite pas retourner là d'où on a été chassé », par exemple. Une pièce acceptée dans tous les distributeurs, on la glisse dans la fente et le sandwich sort, ou la limonade, ou un paquet de mouchoirs pour essuyer ses larmes.

Mais la suite ne promettait que des clichés pathétiques : « À cinq ans, à l'automne 1941, tu t'es retrouvé dans un wagon à bestiaux, entassé parmi des voisins, des parents, des amis. Le train vous emmenait vers l'Est. À l'Est d'Éden. »

Oui, je connaissais ces litanies commémoratives, vendues à la postérité au nom de la Mémoire, dans des films, des discours, des dîners de bienfaisance.

« En 1945, à la fin de la guerre, à neuf ans, tu ne savais que faire de ton titre tout neuf de survivant. Ce n'est qu'à cinquante ans, en 1986, que tu as enfin compris ce qu'il signifiait. Tu es reparti. Vers l'Ouest, cette fois. Définitivement vers l'Ouest. » À l'époque, de ce côté du Rideau, le départ vers l'Ouest ne pouvait être que définitif.

Un résumé laconique et exact, prononcé par une bouche étrangère. Les imitateurs vous guérissent de vous-même, je n'oubliais pas la sage promesse. « Une évasion impossible. Entre-temps tu as trouvé un domicile. La langue. » L'imitateur ne faisait aucun progrès en humour, ni en rhétorique. « Un domicile phréatique », chuchota la voix ? Non, « phréatique » serait prétentieux, bien qu'approprié.

Suivaient les truismes, la sourdine des platitudes. *Survivant, étranger, extraterritorial, anti-parti.* Tu habitais la langue, non ? Oui, je reconnaissais pour mienne cette biographie : « À cinq ans la première fois, à cause d'un Dictateur. À cinquante ans, à cause d'un autre Dictateur et d'une idéologie opposée. Quelle blague ! »

Je reconnaissais cette biographie simplifiée, sautant les étapes intermédiaires, le piège de l'espérance, l'initiation à la vanité des choses. Et le privilège de la séparation ? « Être exclu est notre seule dignité », avait martelé Cioran l'exilé.

L'expulsion comme privilège et comme légitimation ? La petite mégalomanie de la bonne conscience ? Au seuil de la vieillesse, l'exil offre une dernière leçon de dépossession : l'entraînement du déraciné au déracinement ultime.

« En 1982, extraterritorial et anti-parti. Dix ans après, extraterritorial pour de bon, comme le Parti, disparu lui aussi dans le néant. »

Les journaux de la Jormanie post-communiste continuaient en effet d'honorer l'expatrié : *traître, nain de Jérusalem, Demi-Homme.* Non, la Patrie ne m'oubliait pas, ni ne me permettait de l'oublier. Mes amis se ruinaient en timbres pour me faire parvenir, au-delà de l'océan, ces hommages, année après année, saison après saison. En 1996, les nouveaux patriotes réclamaient déjà « *l'extermination de l'insecte* ». Cette formulation kafkaïenne de la solution finale visait, naturellement, l'insecte métamorphosé en exilé et caché, au-delà des terres et des mers, au Paradis.

Pourquoi ne pouvais-je énumérer moi-même ces compliments, pourquoi préférais-je avoir un intermédiaire ? « On va à la rencontre de son pays par besoin d'un désespoir de plus, par soif d'un surcroît de malheur », soliloquait Cioran. Mais la haine n'était pas mon élément. J'étais disposé à la céder à n'importe qui, même à la Patrie, pressé que j'étais de m'éloigner de cette lave torride.

Je n'eus pas trop de mal à décliner, après 1989, les invitations à visiter la Roumanie. Il se révéla plus difficile, cependant, de refuser d'accompagner le président du Bard College, qui devait diriger deux concerts à Bucarest. Le Bard College était mon hôte en Amérique. Il était naturel que je puisse jouer à mon tour, au moins quelques jours, le rôle d'hôte à Bucarest. Une telle occasion, inespérée dix ans plus tôt, aurait dû être une joie pour moi. Elle ne l'était pas. La première fois que j'entendis parler de ce projet, en 1996, je haussai les épaules avec indifférence et répétai les raisons qui m'empêchaient d'entreprendre ce voyage. Leon ne renonça pas. À l'hiver 1997, ses arguments reçurent une impulsion nouvelle.

– La situation politique change, la Roumanie change. Si tu veux y retourner un jour, autant le faire maintenant. Tu auras un ami avec toi.

J'étais parti tard, sans l'avoir voulu, et je ne me sentais pas prêt à rencontrer celui que j'avais été, ni à transposer celui que j'étais désormais.

Au printemps 1990, après l'effondrement de l'Utopie et de ses bouffons, je bénéficiai d'une soudaine et tardive révélation, au Salon du livre de Paris. La délégation roumaine n'était plus composée des habituels fonctionnaires culturels du Parti, mais de véritables écrivains. Une rencontre pleine d'émotion et de nostalgie. Au bout de quelques instants, un tremblement maladif. Je transpirais, sans savoir pourquoi, en proie à une étrange anxiété, quelque chose de profond, de caché, d'inquiétant. Troublé, je dus sortir, quitter la salle. Mes anciens compatriotes étaient courtois, amicaux, mais semblaient aussi transformés, comme libérés des chaînes qui nous avaient unis les uns aux autres. Réfugié dans la coquille de la langue roumaine, je me trouvais hors de ma terre natale.

Imposture scandaleuse ? Était-ce à l'extraterritorial, justement à lui, de les représenter devant l'*Étranger* ?

« Dans le combat entre toi et le monde, seconde le monde[1] », me conseillait Kafka. Avais-je accepté ce conseil ?

Leon insistait et je ne pouvais plus lui répondre, en 1997, par le silence. Je m'entendis prononcer le premier « peut-être », puis un « nous verrons », un « éventuellement », un « j'y réfléchis ». J'avais du mal à m'habituer à l'idée, mais je m'y habituais. Je finis par dire un « oui » timide mais audible, convaincu que j'allais le retirer bientôt. Je ne le retirai pas. Il fallait bien que je brise ma chaîne, me disait-on. Seul le retour, bon ou mauvais, me libérerait définitivement.

Pouvais-je trouver secours dans ce genre de formules ? Ou dans quelque affectueuse fête de réconciliation, un banquet « culturel » où je me retrouverais avec une couronne autour du cou, ou un diplôme, ou un ruban rouge et vert, décerné par la Société des Retraités Transcendantaux, pour la façon dont j'avais honoré le renom de la Patrie au-delà des frontières ? Après les *mititei*[2], la bière, les plaisanteries et embrassades rituelles, j'aurais enfin, défaillant devant un tel destin, cette confirmation : j'étais accepté jusque dans ma Patrie ! Tu es accepté, mon gars, ça y est, cette vieille histoire est arrangée, tu ne peux plus dire que la Patrie t'utilise comme alibi face à l'Étranger. Non, tu ne le peux plus... chuchoterait, dans l'oreille de l'invité new-yorkais, mon ami le Scribe, dit Tête-d'Or. J'entendais sa voix, quand je fus réveillé, brusquement, par le téléphone.

Il était six heures du matin, je n'avais plus au téléphone mon interlocuteur enjoué de l'autre jour, mais... Suceava, la ville qui m'accueillit enfant et adolescent. Une voix douce et courtoise : celle du directeur de la Banque commerciale de Suceava ! Ayant

1. Franz Kafka, *Aphorismes*, in *Préparatifs de noces à la campagne*, trad. Marthe Robert, Gallimard, 1957.

2. Petites saucisses de viande hachée, rôties sur le gril.

appris ma réapparition prochaine en Roumanie, il tenait à me faire savoir, avec retard, que la fondation Bucovine m'avait décerné, l'hiver précédent, son prix de littérature. Et que les citoyens de ma ville natale seraient extrêmement honorés si... Suceava ! La Bucovine ! La résurrection ! C'était là, je ne l'oubliais pas, que j'étais revenu à la vie après mon retour du camp. Pouvait-on me promettre que ce serait sans festivités, sans télévision, sans publicité ? Mais oui, le directeur m'assurait que les festivités avaient déjà eu lieu l'année dernière, en l'absence du lauréat américain.

Ce banquier de Suceava ne semblait guère connaître la littérature ni les hommes de lettres, mais il faisait son devoir avec lyrisme, insistant dans son dialecte indolent, si familier à mes oreilles, pour que j'accepte ce modeste hommage. C'est ce mot, « modeste », répété à plusieurs reprises, qui emporta ma décision, ainsi que le nom du solliciteur, Cucu. Je n'en demeurai pas moins inflexible sur les principes : pas la moindre interview, pas la moindre apparition publique !

La justification du voyage avait en fait ses racines au cimetière de Suceava, même si je ne me sentais nullement préparé à cette consolation.

À l'automne 1986, peu avant mon départ de Roumanie, un train m'avait emmené, en huit heures de temps, de Bucarest à Suceava, au cœur de la Bucovine.

À peine entré dans le compartiment, j'avais reconnu sans mal dans le passager en costume-cravate qui avait un attaché-case pour tout bagage et était entièrement absorbé par la lecture du journal du Parti, l'« ombre » qui devait me tenir compagnie jusqu'à destination, sur place aussi sans doute, voire lors de mon retour de pèlerinage.

C'étaient les jours gris et froids de novembre. Il y avait en Roumanie, dans ces années-là, une atmosphère de fin du monde, et la petite ville de mon adolescence, autrefois lumineuse et animée, s'était comme effondrée elle aussi. Les gens étaient grelottants, recroquevillés, mutiques. La tristesse, l'amertume, une rage souterraine se lisaient sur les visages aux âpres rides, dans les saluts crispés, les dialogues anodins. Peu importait, à vrai dire, où et sous quel masque se cachaient mon « accompagnateur » ou ceux qui avaient pris le relais, puisque surveillés et surveillants paraissaient finalement condamnés à une même peine, à un même huis clos qui empoisonnait leur vie.

Je ne m'attendais pas à d'agréables surprises, car la situation était semblable dans tout le pays. À Suceava, cependant, l'atmosphère funèbre aggravait encore le fardeau de l'imminente séparation. J'aurais aimé pouvoir la dissoudre dans une tonalité plus sereine. Je cherchais à lui trouver des aspects comiques, à rire et à plaisanter des détails pénibles du quotidien, mais tous mes efforts demeuraient vains. La conversation revenait invariablement, non pas sur la misère et la terreur qui guettaient alentour, coalisées, mais sur le motif de ma venue. Je ne réussissais pas à convaincre les deux vieillards qui m'écoutaient, sceptiques et déprimés, qu'il ne s'agirait que d'une séparation temporaire.

Mes naïfs stratagèmes de consolation allaient se heurter, la veille de mon retour de Suceava à Bucarest, à une fin de non-recevoir. Le matin, alors que j'étais encore au lit, ma mère se fit conduire dans ma chambre. Sa maladie s'était aggravée depuis un an, elle était aveugle et ne pouvait marcher sans soutien. Le petit appartement de l'immeuble socialiste avait deux pièces : une salle de séjour et une chambre à coucher. Ma mère dormait sur le canapé, dans la même pièce que la femme qui tenait la maison. Mon père avait son lit dans la chambre à coucher, où j'étais moi aussi installé pour les quelques jours de ma visite. Le matin, nous prenions tous ensemble le petit déjeuner bucovinien, *Kaffee mit Milch*, dans la première pièce, là où se déroulait toute l'activité de la journée, repas, visites, conversations.

Sans attendre comme d'habitude le petit déjeuner, elle avait voulu me voir, pendant que mon père était au marché ou à la synagogue, afin de me parler seule à seul, sans témoins.

Elle frappa à la porte, puis s'avança lentement, en tâtonnant, soutenue par la femme qui s'occupait d'elle. Sa maladie de cœur avait visiblement épuisé son corps de plus en plus las. Elle portait une robe de chambre par-dessus sa chemise de nuit. Pour elle qui avait souffert toute sa vie de la chaleur, qui ne supportait pas les vêtements épais, cette robe de chambre était une nouveauté, désormais elle se plaignait de plus en plus souvent du froid.

Son accompagnatrice la tenait par le bras, je lui fis signe de l'aider à s'asseoir au bord du lit. Dès que nous nous retrouvâmes seuls, ce fut un flot de paroles.

– Je veux que tu me promettes quelque chose. Que tu seras à mon enterrement.

Je n'avais aucune envie d'une conversation comme celle-là, mais il nous restait trop peu de temps pour biaiser.

– Cette fois-ci, ton départ est différent. Je le sens. Tu ne vas pas revenir. Tu vas me laisser seule ici.

Elle se trouvait chez moi, à Bucarest, en 1982, quand une publication officielle à grand tirage m'avait traité d'*extraterritorial*. Elle comprenait que le mot *anti-parti* n'était pas précisément un compliment, et savait aussi que *cosmopolite* n'était pas davantage élogieux. Elle était à mes côtés quand un de mes amis avait téléphoné pour me demander si l'on n'avait pas encore brisé les vitres de mon appartement. Elle lisait mieux que moi ce genre de signes. Et nous savions l'un et l'autre, sans nous l'avouer, quels souvenirs ces avertissements éveillaient en nous.

Je m'empressai de l'interrompre, de lui répéter ce que j'avais dit et redit les jours précédents. Elle m'écoutait avec une attention indifférente, c'était un discours qu'elle avait déjà entendu.

– Je voudrais que tu me promettes que si je meurs et que tu n'es pas là, tu reviendras pour mon enterrement.

– Tu ne vas pas mourir, ça n'a pas de sens de discuter de ça.

– Si, pour moi ça en a.

– Tu ne vas pas mourir, nous n'avons pas besoin d'évoquer ce sujet.

– Si, il le faut. Je veux que tu sois à mon enterrement, que tu me le promettes.

Je n'avais que cette seule et unique réponse à lui donner : je ne sais pas du tout quand je rentrerai, je n'ai encore rien décidé. Si l'on m'a vraiment accordé la bourse pour Berlin, alors je resterai six mois ou un an, la durée prévue par l'invitation. Je n'avais reçu aucun courrier officiel d'Allemagne, sans doute se trouvait-il dans un des tiroirs de la censure. Des bruits m'étaient cependant parvenus selon lesquels j'avais la bourse. Rien de sûr, juste des bruits.

Le dialogue tournait en rond, avec toujours les mêmes répliques, quand tout à coup je lui dis, avec plus de fermeté que d'énergie : « Je ne peux pas le promettre. » Un long silence nous accabla, elle paraissait soudain plus petite, plus faible.

– Ça veut dire que tu ne viendras pas.

– Ça ne veut rien dire du tout. Ça veut dire que tu ne vas pas mourir et que ça n'a pas de sens d'en parler.

– Nul ne sait ni le jour ni l'heure.

– Justement.

– Donc, il faut en parler.

– Personne ne peut savoir ce qui va lui arriver. Moi non plus je ne sais pas ce qui peut m'arriver.

– Je veux que tu me le promettes. Je te demande de me le promettre. Je veux que tu sois là à mon enterrement.

– Je ne peux pas le promettre. Je ne peux pas.

Sans le vouloir, j'ajoutai aussitôt : « Et ça n'a pas d'importance. » Elle répondit sans hésiter : « Ça en a, pour moi ça en a. » La conversation paraissait enfermée dans ces quelques mots.

– Même si je ne suis pas à l'enterrement, j'y serai quand même. Où que je me trouve. Il faut que tu le saches. Où que je me trouve, je serai là. Je serai là, il faut que tu le saches.

Je ne pus deviner si ma réponse l'avait finalement satisfaite, et je ne devais jamais le savoir. Je ne la revis plus après novembre

1986. Elle mourut en juillet 1988, alors que j'étais déjà en Amérique. Mon père m'annonça son décès avec un mois de retard. S'il m'avait dispensé de venir à l'enterrement, ce n'était pas par crainte que je ne puisse plus ressortir de Roumanie, mais simplement pour m'épargner le péché de ne pas observer le deuil sacré, le *shiva*, de ne pas rester assis par terre comme le veut la tradition, dont il doutait qu'elle serait respectée par son fils, si chagriné fût-il.

Avant de quitter à son tour la Roumanie à l'été 1989, à l'âge de quatre-vingt-un ans, pour émigrer en Israël, mon père allait me décrire, dans une lettre, les derniers mois de la malade.

Durant tout mon séjour en Allemagne, elle n'avait vécu que pour les nouvelles qu'elle recevait de moi, et pourtant ni mes lettres, ni nos fréquentes conversations téléphoniques, ni les colis de nourriture et de médicaments ne réussissaient à l'apaiser. Ils ne faisaient que conforter son sentiment que notre séparation était définitive.

Puis la nouvelle de mon départ pour l'Amérique l'avait anéantie. Elle n'avait plus contre qui lutter, plus même de raison de lutter ni d'espérer. Du jour au lendemain, elle devint absente, en même temps que plus fragile, plus perdue, plus difficile à aider, y compris pour faire les quelques pas jusqu'à la salle de bains. Un jour, elle était tombée et restée par terre, recroquevillée sur elle-même, sans que l'on puisse la relever ni la déplacer. Autrefois bavarde, elle semblait désormais non seulement aveugle, mais encore muette et sourde à tout ce qui l'entourait. De temps en temps, cependant, elle parlait, dans une sorte de transe, de son père et de moi, qu'elle confondait généralement. Elle nous croyait tous deux à proximité immédiate, s'inquiétait que nous nous soyons attardés en ville ou que nous ayons oublié de lui dire où nous étions allés. Où est Avram ? Et mon fils, il n'est pas encore revenu ? Parfois elle s'en prenait à ceux qui l'avaient tuée. Ses assassins s'appelaient Marcu et Maria, et leur collusion ne semblait pas fortuite, non, nullement fortuite. Elle avait de brefs accès de révolte, mais elle se fatiguait vite et retombait dans la paix fragile du sommeil, que troublaient encore des inquiétudes : où est mon fils, où est mon père, le si bon Avram ? Le délire se répétait sans prévenir, suivi du même paisible glissement dans l'irréalité, sa demeure désormais. Ils sont arrivés ? Est-ce que mon garçon est rentré ? Où est Avram ? En ville, toujours en ville... Il se fait tard, il est si tard.

Même après avoir quitté le monde des vivants, elle semblait ne pouvoir se séparer de ces deux interlocuteurs. Elle me rendit visite, après 1988, dans des rêves étranges, difficiles à oublier. Plus d'une fois je sentis sa présence, dans ces chambres anonymes où je reposais mon exil. Comme sous l'effet d'un étrange et doux enveloppement, l'air se raréfiait tout à coup, et l'esprit suave du passé soufflait sur mes paupières et sur mon front fatigué, avant de m'étreindre tendrement les épaules.

Je la revis une nouvelle fois la semaine qui précéda mon départ pour la Roumanie. Nous étions ensemble dans une rue de Bucarest. Elle me parlait de Mihai Eminescu[1], notre poète national, et me disait combien il désirait me revoir, se trouver en ma compagnie. Elle paraissait agitée, tout absorbée par cette idée qui la flattait elle-même, mais qui était surtout destinée à me faire plaisir, lorsque soudain elle tomba du bord du trottoir dans une tranchée profonde, une sorte de puits au fond duquel des ouvriers réparaient une canalisation. Une chute instantanée, sans que j'eusse le temps de faire le moindre mouvement. Elle s'était cependant agrippée à ma main ; son corps, vieux et lourd, restait suspendu dans le vide, tandis qu'allongé par terre, sur le trottoir, je la tenais bien fermement pour l'empêcher de tomber. Je me retenais de la main droite au bord du trottoir, la gauche étant prise en tenaille entre ses doigts osseux. Je me sentais glisser, incapable de résister au poids de ce corps qui oscillait désespérément au-dessus de l'abîme, et dont les vieilles jambes,

1. Mihai Eminescu, poète romantique roumain (1850-1889).

blanches et maigres, se balançaient, impuissantes, dans la fosse. Je voyais tout au fond les casques blancs des ouvriers qui travaillaient. Eux ne me voyaient pas, ne m'entendaient pas, c'est en vain que je criais à l'aide. Je criais de toutes mes forces, sans produire le moindre son. J'étais oppressé au point de suffoquer, mes forces m'abandonnaient, les tenailles de la vieille main décharnée me tiraient inéluctablement vers l'abîme. J'étais en train de glisser vers le bord du trottoir, prêt à lâcher le fardeau ou plutôt à me laisser entraîner vers la fosse sans fond au-dessus de laquelle se débattait ma mère. Je l'avais enfin retrouvée, nous étions de nouveau ensemble, je n'aurais pas supporté de la perdre une fois encore.

Non, à aucun prix je ne voulais perdre ce contact familier. Mais cette pensée douloureuse qui me transperçait ne me rendait pas plus résistant, au contraire. Elle me conduisait au bord de l'évanouissement, elle semblait épuiser mes dernières forces, pas complètement toutefois, car ce n'était pas fini, non, je continuais de lutter, même si je savais que le combat était vain.

Je tenais fermement la main qui se cramponnait à la mienne, mais à chaque instant je cédais, je perdais prise, j'allais me laisser entraîner avec elle tout en bas, dans les ténèbres sans fond de la terre, mais non, ce n'était pas fini, je ne voulais pas, je gémissais d'épuisement, je glissais encore et toujours, centimètre après centimètre.

Les doigts de ma main gauche étaient inertes, vaincus, ceux de la main droite ne résistaient plus, brisés eux aussi. C'était fini, j'abandonnais, impuissant, coupable. C'était fini, il n'y avait rien à faire, je ne pouvais plus m'y opposer, et j'étais en train de tomber, de me laisser emporter, lorsque la griffe se ficha dans ma poitrine comme un stylet.

Je me réveillai à demi, trempé de sueur, épuisé, dans mon lit douillet, familier, de l'Upper West Side, devant la fenêtre illuminée par le soleil de cette matinée du mercredi 16 avril 1997. Quatre jours avant mon départ pour la Patrie.

PREMIER RETOUR
(LE PASSÉ COMME FICTION)

Le commencement d'avant le commencement

Un été torride, en juillet. Devant le kiosque où l'on vendait les billets d'autocar, les passagers s'éventaient avec des journaux ou des éventails, s'épongeaient avec des mouchoirs.

Le nouveau venu ne semblait irrité ni par la lenteur avec laquelle progressait la queue, ni par la canicule. Cheveux châtains coupés court, avec des reflets d'un blond cuivré. Lèvres bien dessinées, sourcils puissants, touffus, se dressant à angle droit vers les tempes. Regard attentif, nez viril et ferme, mais pas grossier. Costume en tissu léger gris clair à deux boutons, aux revers larges. Chemise blanche, col raide, cravate bleu foncé, souliers noirs à bouts carrés. Dans la poche de poitrine de la veste, le triangle d'une pochette à petits carreaux bleus. La tenue irréprochable d'un jeune homme d'à peu près vingt-cinq ans, soucieux de respectabilité. Il avait appuyé à la paroi du kiosque et maintenait du pied droit une petite valise en cuir et une sorte de court cylindre, en cuir également, semblable à un porte-parapluies, sur lequel il avait posé son chapeau de paille.

Il sortit de la poche intérieure de sa veste un portefeuille luisant en cuir marron, l'ouvrit, en tira deux billets de banque neufs, bien lisses, pliés en deux. Lorsqu'il les déplia, ils firent un bruissement frais, agréable. Il les tendit au caissier moustachu derrière le guichet. Il s'inclina pour prononcer le nom de sa destination. Sa voix? On n'avait entendu que cette demande laconique, énoncée d'un ton paisible, devant la guérite du caissier.

Il glissa le ticket dans la poche gauche de son pantalon. Après un temps d'hésitation, il y fourra aussi, plutôt que dans l'étui en cuir fin au fond de sa poche intérieure, le billet de banque usé qu'on venait de lui rendre. Il se pencha, souleva la petite valise en cuir, le rouleau-cylindre en cuir, puis le chapeau. Il regarda au poignet gauche sa montre rectangulaire, de marque Anker. Encore une demi-heure avant le départ. Il se dirigea vers le parc. Le banc juste à côté du car, en plein soleil, était toujours libre. Il s'y assit, sortit son journal de la poche droite de son veston.

En première page d'*Universul*, juste au-dessus de la bande-titre, la date était indiquée en gras : 21 juillet 1932. L'éditorial ne semblait guère optimiste. Il avertissait le lecteur, sur deux colonnes, que le monde était « chargé de dynamite » et pourrait bien exploser plus vite que ne s'y attendaient les sceptiques.

Le visage sérieux et concentré du lecteur était resté impassible, les mots n'avaient pas accru l'attention pour le moins modérée qu'il accordait au monde environnant, insensible à l'indolence accumulée à cette heure. Il paraissait satisfait de lui, de la journée qu'il vivait. Comme si le parc, le lac, le ciel, et jusqu'à l'agitation babillarde des voyageurs lui confirmaient qu'il était partie intégrante du monde, de la société. Celui qui n'a pas dû y conquérir sa place de haute lutte ne peut comprendre ce que représente une journée idyllique comme celle-ci.

Le vacarme s'était intensifié. Des groupes se pressaient vers le kiosque, vers le car. Beaucoup de monde, des femmes, des enfants, un tohu-bohu estival. Il contempla cette agitation quelques instants encore, se leva, que faire d'autre ?

Le car était plein comme chaque année après la Saint-Élie, jour de la fameuse foire de Fălticeni. *Iarmarok !* Le terme ukrainien était passé dans l'usage. Il essayait d'avancer dans le couloir, entre les sièges. Le chauffeur avait mis son moteur en marche, il fallait qu'il s'assoie. Il ouvrit précautionneusement le cylindre de cuir, qui n'abritait pas un parapluie, mais un trépied qu'il avait utilisé l'année précédente et tant d'autres fois encore. Il installa avec minutie les trois pieds du siège, à côté de la petite valise sur laquelle il avait posé son chapeau.

Il se sentit observé. La jeune fille assise à gauche du couloir... Il l'avait remarquée dans le parc, parmi les passagers qui se hâtaient vers le car. Brune comme une Espagnole, regard noir profond, taille bien prise et les chevilles fines, sandales de daim à talons hauts, sac fantaisie, comme un panier en cuir. Svelte, le geste vif, désireuse de voir et d'être vue. Robe blanche à fleurs, manches courtes. La conversation démarra en même temps que le car. L'élégant et séduisant passager n'avait pas eu de mal à adresser la parole à l'élégante et séduisante passagère. Leurs voix? Celle du jeune ténor restait égale, comme contenue par une sourdine, celle de la contralto vibrait, alerte, mais en évitant les aigus.

– Ne seriez-vous pas parente de madame Riemer?

La question avait jailli dans ses pensées à l'instant même où il l'avait vue se hâter vers le car. La belle voyageuse parut agréablement surprise.

– Oui, madame Riemer est ma tante. La sœur de mon père.

Quelques répliques seulement, et déjà l'on eût dit de vieilles connaissances. Le petit trépied ajoutait une note comique à l'irréprochable tenue du passager, visiblement soucieux de tenir sa place dans la société aussi bien que dans ce car bondé. La conversation passa de Lea Riemer à son mari Kiva, tapissier de son état et partenaire d'échecs du grand écrivain Sadoveanu[1] lorsque celui-ci venait l'été en villégiature à Fălticeni. Puis aux enfants des époux Riemer, réputés pour leurs brillants résultats scolaires, et aux autres connaissances communes qu'ils avaient dans cette ville, où ils venaient de se rendre pour la foire de juillet et où, en fait, ils allaient assez souvent l'un et l'autre, découvraient-ils justement. Aucun des deux ne descendait à

1. Mihail Sadoveanu, romancier roumain (1880-1961).

Suceava, comme chacun l'avait supposé à propos de l'autre, mais dans deux bourgs voisins : lui à Iţcani, premier arrêt après Suceava, elle à Burdujeni, l'arrêt suivant.

Ils étaient trop absorbés l'un par l'autre pour entrevoir, dans l'air environnant, les ombres d'une étrange gestation. À moins qu'ils n'aient senti quelque chose depuis le moment où, malgré la conversation qu'animait la vivacité méditerranéenne de la jeune femme, ils avaient commencé, pour ne plus cesser, de s'étudier l'un l'autre. Lorsqu'ils se quittèrent au bout d'une heure, ce voyage de retour leur sembla un voyage vers l'inconnu.

Ils se revirent la semaine suivante, comme promis. Il apparut, étincelant, sur sa bicyclette étincelante, devant « Notre Librairie », à mi-pente de la rue principale de Burdujeni, une maison assez petite, avec magasin au rez-de-chaussée, murs jaunes et fenêtres étroites garnies de volets. Trois kilomètres séparaient la sucrerie d'Iţcani, où le jeune homme avait un emploi de comptable, de la librairie que possédaient dans la localité voisine, autre faubourg de Suceava, les parents de la jeune fille rencontrée dans le car. Un trajet agréable, surtout par une paisible matinée dominicale.

Mon premier souvenir est lié à ce trajet. Un souvenir d'avant ma naissance. Le souvenir de celui que j'étais quand je n'étais pas encore. La légende du passé d'avant le passé.

Lorsque le sage chinois, à quelques siècles de distance, me pose, comme à tous ses lecteurs, la question « Quel aspect avais-tu avant que ton père et ta mère se rencontrent ? », la réponse qui me vient est un chemin entre deux localités voisines, au Nord-Est de la Roumanie, au milieu des années trente. Une bande de pierre et de poussière entre de minces rangées d'arbres, sous le toit d'un ciel familier, assoupi. Un ruban doré d'espace devenu temps, ce temps nécessaire pour arriver d'un endroit à un autre, d'une chose à une autre. Dans les contes, on appelle amour cette comédie des erreurs dont nous semblons tous avoir besoin.

Le comptable de la sucrerie d'Iţcani continua régulièrement, après ce premier dimanche où ils s'étaient revus, d'aller à bicyclette ou en calèche jusqu'au bourg voisin. Le ruban magnétique des illusions s'était peu à peu substitué au chemin de pierre, de terre et de poussière, plaçant en plein centre du monde cet endroit perdu. Les ombres chinoises du destin se poursuivaient chaotiquement dans le ciel de ce décor champêtre, sans offrir d'autre image de l'avenir que les nébuleuses incandescentes de l'instant. Sans doute, cependant, le prétendant aux faveurs de l'inconnue apprit-il au cours des mois suivants ce que je ne devais moi-même découvrir qu'un demi-siècle après, au début des années quatre-vingt, le jour où j'emmenai en train ma mère presque aveugle chez l'ophtalmologue, dans une ville éloignée d'à peine plus de deux heures des lieux du passé.

Lors de mon premier voyage à l'Ouest, quelques années auparavant, j'avais rencontré le fameux cousin Ariel, dont la famille entretenait la légende exotique. Il n'avait plus, comme dans sa jeunesse, les cheveux teints en vert, en rouge ou en bleu, et l'on ne savait pas très bien s'il s'occupait toujours de ventes d'armes, comme au temps du général de Gaulle, ni s'il écrivait encore dans *Le Monde*, comme il le prétendait. Corpulent et chauve, presque aveugle lui aussi car atteint de la même maladie familiale, il possédait une bibliothèque époustouflante, où l'on n'avait que l'embarras du choix. Évoquant les jeunes années de la fille d'Avram le libraire, son oncle adoré, j'avais obtenu pour toute réponse un sourire ambigu. Malgré mon insistance, il avait refusé d'en dire plus. Y avait-il eu, avant le mariage avec mon père, quelque singulier épisode ? La belle inconnue avait-elle, au moment où ils avaient fait connaissance dans le car, un passé de nature à scandaliser cette petite ville de province ? Pas au point, en tout cas, de dissuader son distingué prétendant de persévérer, trois années durant, à faire sa cour, préliminaire au mariage.

Quel aspect avais-je avant qu'ils ne se connaissent ? Je ne suis pas assez chinois pour me souvenir du passé d'avant le passé, mais je puis voir le commencement d'avant le commencement, l'intervalle entre juillet 1932 et juillet 1936, entre la rencontre dans le car et l'apparition de l'héritier, plus mort que vif, du couple.

C'est dans la maison de mon grand-père, où l'on servait les produits les plus délectables de l'art culinaire et diplomatique de la famille, que s'étaient multipliées les potentialités qui aboutiraient à ma naissance; aux bals d'un faste tout autrichien d'Iţcani et de Suceava, lors des rares voyages à Cernăuţi[1], capitale de la Bucovine, la Vienne de ce bout du monde, aux fêtes ancestrales de Burdujeni, au théâtre Dom Polski de Suceava, dans la salle de cinéma où les deux amoureux avaient découvert cet acteur américain, ou anglais, ou australien, qui s'appelait Norman, ou dans le car Suceava-Fălticeni-Suceava. Dans l'air chargé de senteurs de sapin et de discours sur Titulescu et Jabotinsky, sur Hitler, Trotski et Baal Chem Tov[2], dans les pièces enfumées, dans la buée des marmites bouillantes, dans le bourdonnement des commérages et des rumeurs qui électrisaient l'obscurité, dans les journaux pleins de bruit et de fureur.

Rien, pourtant, ne comptait davantage que cette hypnose qui tout d'un coup avait placé au centre du monde un homme et une femme. Un jeune homme qui, à force de ténacité, s'était élevé au-dessus de son milieu, une famille de modestes boulangers de campagne, un jeune homme pondéré et solitaire, discret et travailleur, à la stricte discipline intérieure, soucieux de sa dignité et de l'estime de ses concitoyens. Une jeune fille ardente,

1. Actuellement Tchernivtsi, en Ukraine. Également connue sous son nom allemand Czernowitz.

2. Nicolae Titulescu (1883-1941): homme politique roumain, ministre des Affaires étrangères en 1927-1928 et 1932-1936, président de la Société des Nations en 1930-1931. Zeev Jabotinsky (1880-1940): fondateur du mouvement de jeunesse Betar et du courant sioniste de droite dit «révisionniste». Baal Chem Tov (1698-1760): rabbin de Podolie, fondateur du hassidisme.

guettant avec avidité les signes d'un destin qui endosserait sa peur et sa passion, héritées des talmudistes et libraires névrosés qu'elle avait pour ancêtres. Le pain et le livre.

Les dissemblances entre les deux partenaires paraissaient, dans la première phase du mariage et peut-être aussi après, avoir servi de liant, même si chacun d'eux devait jusqu'au bout rester identique à lui-même. L'engagement face à la distance, d'un côté la passion souvent théâtrale et néanmoins sincère, de l'autre la solitude, la discrétion et la mesure. La vivacité face à l'apathie, l'affolement face à la prudence, le risque face à la réticence? Le résultat de leur union, sans constituer un parfait enchaînement dialectique des prémisses, avait naturellement ajouté de nouvelles contradictions, sans quoi la comédie n'eût été qu'ennuyeuse. Impatience des contradictions amalgamées dans le nouveau-né?

Paradoxalement, la naissance prématurée de l'enfant unique, en juillet 1936, la veille de la Saint-Élie, jour du *Iarmarok* de Fălticeni, ne témoignait pas d'une impatience, mais plutôt d'un refus. Car l'enfant non né refusait précisément de naître… De mettre en mouvement les contradictions dont il avait hérité, comme celles dont il n'avait pas hérité.

L'atermoiement dans le placenta, dans la potentialité, avait rendu dangereuse la déchirure qui n'avait que l'apparence d'un accouchement. Une blessure périlleuse pour la mère comme pour l'enfant, qui tous deux allaient se débattre des jours et des nuits entre la vie et la mort.

La parturiente, naturellement, comptait davantage que le fœtus ; la famille fut rassurée, soulagée de savoir que la mère vivrait. Quant au nourrisson, c'est seulement lorsque son destin ne fut plus lié indissolublement à celui de la mère que le vieil Avram demanda : « A-t-il des ongles ? » Lorsqu'on lui répondit que oui, il fut aussitôt apaisé. Au cours de la brève période où je le connus, par la suite, pendant les années de notre déportation en Transnistrie, il ne sut pas m'expliquer que ce n'étaient pas des ongles, mais des griffes que requérait la survie. Ma venue au monde avait été un temps solaire, blanc, sans contours ni souvenirs. Un temps idyllique, dont la mémoire ne conserve que le ruban d'une rue en pente et la porte de la librairie de mon grand-père.

Le souvenir ne me dit pas grand-chose de l'aspect qui était le mien avant la vraie Naissance, encore à venir. Peut-être la fiction, bien plus tard, me le dirait-elle mieux : cette scène du film de Tarkovski, *L'Enfance d'Ivan*, vu et revu je ne sais combien de fois, l'enfant blond, le rire de la mère, le bonheur, et soudain le seau du puits qui tourne, pris de folie. Le miroir de l'eau troublé par le tonnerre de l'explosion : la guerre.

Le tonnerre d'octobre 1941. Le tonnerre et la foudre fendirent d'un coup le plancher de la scène. L'expulsion, le convoi des exilés, le train, le désert de ténèbres. L'abîme dans lequel nous fûmes jetés n'était pas un berceau d'enfant. Derrière nous, seul le cri désespéré de la Bonne Fée qui ne voulait pas que je quitte ses bras et suppliait les patrouilles armées de la laisser partir avec nous vers le néant, elle la chrétienne, Maria la Sainte, avec les pécheurs qu'elle ne pouvait abandonner. L'arrivée nocturne, les coups de feu, les cris, le pillage, les baïonnettes, les morts, la rivière, le pont, le froid, la faim, la peur, les cadavres : la longue nuit de l'*Initiation.* C'est alors seulement, et là-bas seulement, qu'allait commencer la comédie. TRANS-NISTRIA. Au-delà du Dniestr. TRANS-TRISTIA. Au-delà de la tristesse. L'*Initiation* préliminaire à la Naissance. Oui, je sais quel était mon aspect avant la Naissance. Et quel il fut ensuite, en avril 1945, lorsque les apatrides furent enfin *rapatriés* dans cette Patrie qui n'avait pas réussi, finalement, à se débarrasser d'eux. Elle s'était tout de même débarrassée de certains. Du libraire Avram, de sa femme Haia, de tant d'autres.

La douceur d'une journée de printemps berçait la ville qui s'appelait, en 1945 comme en 1932, Fălticeni, cette même ville d'où était parti plus de dix ans auparavant le car du destin qui avait programmé mon origine. Mais le camion qui, en 1945, nous ramenait à Fălticeni où était restée la partie de ma famille épargnée par la déportation, ne s'arrêta pas devant le parc, devant le kiosque où l'on vendait autrefois les billets pour le Paradis. Il s'arrêta près de la place, à l'angle de la rue Beldiceanu. La cloche sonna. La planche qui fermait l'arrière du camion s'abaissa. De la rue Beldiceanu accouraient vers nous les figurants de la pièce qui célébrait notre retour. Un mélodrame doux et délicat comme le placenta des nouveau-nés déployait le soufflet arc-en-ciel de l'accordéon en l'honneur des vainqueurs que nous étions.

Je les vis tous pleurer, s'embrasser, se retrouver. J'étais resté sur la plate-forme du camion, à me ronger les ongles. La scène s'était déplacée dans la rue, et j'en étais le spectateur hébété. Au bout d'un moment, on finit par se souvenir du retardataire, demeuré dans le passé.

Avant de redescendre dans le monde, j'eus le temps de me ronger encore une fois, profondément, les ongles. J'avais contracté cette méchante habitude : me ronger les ongles.

L'année hooliganique

L'idylle prénuptiale se prolongea de 1932 à 1935. La couturière Wasłowitz, une Polonaise à qui les bonnes dames de Suceava et des environs accordaient leur pratique, peinait à satisfaire aux commandes de la libraire de Burdujeni. L'élégant et sobre cavalier de celle-ci tenait à la présenter aux bals de bienfaisance de la ville dans des toilettes toujours nouvelles! La svelte et nerveuse petite brune s'était épanouie. Ses yeux noirs et vifs scintillaient, son visage expressif s'illuminait par une magie aisée à interpréter. Toujours pressée, débordée, elle travaillait, comme avant, du matin au soir, mais se souciait désormais de savoir comment lui allaient robes, chaussures, sacs à main, chapeaux, gants, poudres, coiffures, dentelles.

Étreintes en calèche ou en automobile, sorties à Suceava, Fălticeni et Botoşani, voire Cernăuţi, qui sait? Bals, promenades au clair de lune, fêtes à la synagogue et dans la famille de la future épouse? Cinémas, théâtres, restaurants en plein air, patinoire, traîneaux à clochettes, excursions dans les stations de villégiature bucoviniennes? Haltes éventuelles dans la garçonnière du comptable? Le scénario ne semble pas difficile à imaginer, la ferveur des amoureux battait au rythme du temps, ultime et idyllique répit avant la catastrophe.

L'année 1934 peut donc être qualifiée d'heureuse. Les quelques kilomètres qui séparaient Burdujeni d'Iţcani étaient devenus la Voie lactée de l'idylle née deux ans auparavant dans le car étouffant et bondé ramenant de Fălticeni les visiteurs de la fameuse foire de la Saint-Élie. Les gens d'Iţcani, mais surtout ceux de cette métropole qu'était le *shtetl* de Burdujeni, vivaient avec l'actualité : discussions politiques et ragots de bonnes femmes, théâtre miniature et grandes envolées utopistes comme sur l'agora grecque, tout le grondement de la planète dans les journaux roumains, juifs, français, allemands. Les amis et parents ne faisaient pas exception, le frère, la sœur, le père, sa souffreteuse et tracassière épouse, ma grand-mère, surnommée Tzura c'est-à-dire la Poisse, et enfin Maria, la belle paysanne orpheline adoptée par la famille, impatiente de suivre la fille cadette du libraire dans sa future maison.

Une année heureuse, l'année 1934. Pourtant le jeune Ariel, lettré rebelle et sioniste, au courant de tout ce qu'écrivaient les journaux, l'avait décrétée Année de l'Avertissement.

Le futur gendre et l'élue de son cœur lisaient eux aussi, dans la librairie du vieil Avram, les journaux et les livres du moment, si bien que la nouvelle annoncée par le cousin Ariel ne pouvait les surprendre : le roman *Depuis deux mille ans*, paru cette même année, avait provoqué un énorme scandale dans la société bucarestoise ! L'auteur ne s'appelait pas Mihail Sebastian, comme l'indiquait la couverture gris-bleu du livre, mais Iosif Hechter, et l'auteur de la préface incendiaire du roman n'était autre que l'idéologue légionnaire Nae Ionescu, mentor, qui l'eût cru, de l'infortuné Hechter ! La préface du sieur Ionescu affirmait que son admirateur et disciple n'était en aucun cas, comme il le croyait, « un *homme* du Danube[1] », mais un *Juif* du Danube. Rien à faire, impossible de passer outre : Hechter-Sebastian et ses coreligionnaires, tout athées et assimilés qu'ils fussent, ne pouvaient être roumains. Les Roumains sont roumains parce qu'orthodoxes et orthodoxes parce que roumains, expliquait Ionescu le légionnaire. Simple comme bonjour !

1. Ainsi se définit M. Sebastian dans *Depuis deux mille ans*, *op. cit.*, p. 329.

En 1935, la librairie exposait déjà un nouveau volume de Sebastian, *Comment je suis devenu un hooligan*, où l'auteur affirmait que cette année 1934 que la famille avait vécue comme heureuse était une année hooliganique.

« Et alors ? Que veut-il que ça nous fasse ? », demandait le libraire Avram à son agité de neveu, pour le faire enrager. Ariel, surexcité, débitait ses vieilles nouvelles : ce monsieur Nae Ionescu est convaincu qu'il n'existe pas de solution à cette maudite situation ! Les cheveux ébouriffés, teints en bleu depuis peu, il déclamait le verdict du sieur Ionescu : « Judas souffre parce qu'il a engendré le Christ, qu'il l'a vu et n'a pas cru. Et ce n'est pas encore le plus grave. Le plus grave, c'est que d'autres ont cru : nous. Judas souffre – parce qu'il est Judas. » Conclusion : « Judas agonisera jusqu'à la fin des temps. »

De philosophe, le professeur Ionescu était devenu philosophe légionnaire, et d'ami de Sebastian, il était devenu militant pour un État orthodoxe. En cette nouvelle année hooliganique 1935, ses paroles prenaient une résonance accrue : « Iosif Hechter, ne sens-tu pas que le froid et les ténèbres te saisissent ? »

Ariel brandissait le livre comme un tract. « C'est à nous, c'est à nous que s'adresse la question de notre ami légionnaire », concluait Ariel le querelleur, exténué, en murmurant pour renforcer l'effet dramatique. Si ni l'assimilation ni la conversion n'étaient la solution, alors quelle était-elle ? Le dilemme trouvait sa réponse dans un guide contemporain intitulé *Mein Kampf*, avait ajouté, après un temps d'arrêt, le juvénile orateur.

Malgré tout ce que pouvait éprouver l'auditoire, monsieur Ionescu mettait les points sur les *i*. Le froid et les ténèbres de la solution finale n'étaient pas une invention des légionnaires orthodoxes roumains. Les antécédents antiques, médiévaux et modernes, avaient doté Judas d'un gène sensible aux dangers cachés. Il n'en allait pas autrement dans la famille du libraire Avram.

Mais en quoi cette nuit de 1934 et celle de 1935 étaient-elles différentes des autres nuits[1]?

Ariel répondait à cette question pascale de la même façon que Iosif Hechter : c'étaient des années *hooliganiques.* Séduit par le mot, il agitait devant le groupe de badauds le petit volume au format de poche. Sur la couverture rose aux lettres noires, une chouette et le logotype des éditions Cultura Naţională, 2 Pasajul Macca, Bucarest.

« Notre Librairie » de Burdujeni avait commandé, bien entendu, plus d'exemplaires de *Comment je suis devenu un hooligan* qu'elle n'en avait commandé, l'année précédente, du roman qui avait fait scandale.

« L'antisémitisme roumain est généralement un état de fait. Parfois, cependant, il se transforme en idées… » Et l'amour de l'apatride pour la Patrie ? « Je voudrais connaître, par exemple, la législation antisémite qui pourrait abolir en moi ce fait irrévocable : je suis né au bord du Danube, dans une contrée que j'aime[2] », proclamait le coupable Judas-Hechter.

« Aucune législation antisémite ne peut ébranler l'amour du sol natal ? », demandait, en sueur, le fougueux Ariel. « Notre agora n'est pas l'agora grecque ! Nous n'avons cessé de nous déplacer d'un gouffre de la terre à l'autre ! »

La famille qui l'écoutait et tant d'autres pareilles à elle auraient dû rire, croyait-il, des inepties de monsieur Hechter-Sebastian ! Mais personne ne riait, non, personne ne riait. On souriait plutôt de l'ardeur juvénile de l'orateur. Monsieur Sebastian-Hechter avait quitté le ghetto pour évoluer sur la vaste scène bigarrée de Bucarest… L'agora du village éternel comme les cieux ne comprenait pas ce que signifiait se séparer des siens sans se détacher d'eux.

1. Question rituelle prononcée par les enfants lors du *seder*, dîner du premier soir de la Pâque juive.

2. Mihail Sebastian, *Depuis deux mille ans, op. cit.*, p. 330.

« Hooligan ! Les dictionnaires de votre librairie comportent des indications erronées ! », criait, l'index tendu vers les étagères garnies de volumes, l'omniscient Ariel. De fait, Sebastian n'avait à l'esprit ni le vocable anglo-irlandais, ni celui qui se réfère au carnaval des Indiens à l'approche de l'équinoxe de printemps, ni le mot slave dérivé du verbe *a huli, hulire*[1]. « *Trublion**, comme disent les Français ? *Trouble-maker*, pour les Yankees ? »

L'auteur de *Comment je suis devenu un hooligan* visait en vérité le nouvel hooliganisme. Le querelleur, le bouffon et le détracteur ne faisaient plus qu'un, dont la mission nouvelle était formulée par un autre ami de Hechter, Mircea Eliade, dans un roman également paru en 1935 et exposé dans la vitrine de la librairie. La rébellion comme étape vers la Grande Extase, la Mort ? « Il y a un seul début fertile dans la vie : l'expérience hooliganique[2]. » La jeunesse elle-même était un héroïque défi hooliganique. « La liberté de l'espèce humaine s'obtiendra dans des régiments parfaitement et également intoxiqués par un mythe collectif...[3]. » Des milices et des sections d'assaut, les légions du monde présent... Des masses juvéniles unies par le même destin, la mort côte à côte.

« Les Légionnaires sont allés jusqu'à déclarer le poète national Mihai Eminescu grand hooligan de la Nation ! Précurseur sacré des martyrs à la chemise verte, glorifiant la Croix et le capitaine Codreanu ! » Ariel, en transe, ne remarquait évidemment pas que l'auditoire, depuis qu'il avait abandonné Judas pour ses divagations culturelles, ne le suivait plus.

« La mort côte à côte ! », s'enflammait derechef l'orateur. « Quoi qu'il devienne, athée, converti, antisémite même, monsieur Hechter ne pourra échapper aux ténèbres que lui promettent les hooligans. Écoutez plutôt : l'adversité intérieure ! Ses

1. Injurier, calomnier, dénigrer.
2. Mircea Eliade, *Les Hooligans, op. cit.*, p. 200.
3. *Ibid.*, p. 180.

amis prônent l'assaut et la mort collective, et voilà tout ce qui préoccupe Yosele Hechter de Brăila. Nous sommes, je l'admets, excessifs, soupçonneux, agités ! Nos maux millénaires nous suffisent, nous n'avons pas besoin d'adversaires, nous nous avons nous-mêmes. Eh bien, quelqu'un nous demande-t-il si nous préférons l'adversité intérieure de monsieur Sebastian ou l'"adversité" des légionnaires ? »

Les parents et les parents des parents rassemblés dans la librairie du vieil Avram écoutaient-ils ou non ? Difficile à dire. Ariel parlait surtout pour lui-même, habitude qu'il conserverait toute sa vie.

Ils écoutaient bien, mais probablement sans plaisir, irrités par ce raisonneur qui les jugeait stupides et endormis.

Depuis deux mille ans, publié en 1934 avec une préface de Nae Ionescu, et *Comment je suis devenu un hooligan*, paru en 1935 en même temps que *Les Hooligans*, le roman en deux volumes de Mircea Eliade... se trouvaient là, devant eux, sur les étagères de « Notre Librairie » à Burdujeni. Tout ce qui comptait en fait de journaux et de livres parvenait jusqu'à cette métropole ! Avram commandait même, pour peu qu'un client le demandât, des journaux et des livres français. Ariel, fils de sa sœur Fani, se chargeait de lui signaler certains titres, et était le premier lecteur de ces acquisitions exotiques.

Le livre qui avait pour titre *Depuis deux mille ans* ne laissait personne indifférent. Ce n'est pas un hasard si je devais tomber sur ce volume dans les années cinquante, après la fin de la guerre hooliganique et le début de la paix hooliganique. Un des trois ou quatre livres présents dans la maison de ma tante Rebeca, sœur aînée de ma mère, une femme simple, peu instruite. J'avais treize ou quatorze ans, j'étais venu pour quelques jours en visite dans ma famille de Tîrgu Frumos, et je découvris, là où je m'y attendais le moins, la vieille édition du roman, avec sa couverture cartonnée bleu-gris aux lettres penchées. Aucune maison d'édition ni bibliothèque socialiste n'aurait osé faire la promotion d'un tel titre et d'un tel thème ! Mais voilà, le livre se trouvait là, dans la maison de l'autre fille du libraire de Burdujeni. Relique des temps anciens et vade-mecum pour les nouveaux. Rebeca avait assisté, elle aussi, aux tirades du cousin Ariel sur Sebastian, lequel brandissait l'emblème du hooligan contre tous, y compris ses coreligionnaires qui l'avaient attaqué.

« C'est son droit ! Mais la Mort ? Comment pactiser avec la Mort ? », s'emportait Ariel. « Du fait qu'il ne veut pas offenser son mentor, le si délicat Sebastian accepte sa préface, c'est-à-dire sa sentence de mort ? Et il répond aux hooligans en poussant la politesse jusqu'à se déclarer hooligan lui-même. De l'ironie ? Grand bien lui fasse ! Mais la Mort… le culte de la Mort ? L'extase de la Mort, le froid et les ténèbres de la Mort ? Ce ne sont plus des facéties ! Iosif Hechter Sebastian le sait trop bien. L'ironie, même l'ironie n'opère plus. Le hooligan légionnaire, héros de la Mort, sacralisé par la magie de la Mort ? Monsieur Sebastian l'athée, l'assimilé, ne peut ignorer ce que cela signifie ! »

La tante Rebeca expliquait au tout nouveau communiste de treize ans que j'étais alors : « Nous cultivons la vie, pas la mort ! » La vie proclamée par la Torah, encore et toujours, unique, irremplaçable, inestimable…

Cette rengaine avait de quoi vous rendre fou ! Mais son revers… Eh bien, son revers n'était pas moins fâcheux. Le revers tabou… on sait où mène la glorification de la Mort, me rappelait Rebeca.

L'omniscient Ariel avait raison, mais la famille du grand-père et les autres familles du bourg, tout vrombissant du vacarme virevoltant de cette volière qu'on appelle la vie, ne semblaient guère s'intéresser à la « transformation de l'antisémitisme en idées », selon l'expression de Sebastian que répétait Ariel. Le froid et les ténèbres, par contre… Ça oui, c'étaient des mots auxquels ils étaient attentifs, extrêmement attentifs. Ils avaient des relations amicales avec leurs voisins et les autorités, les paysans venaient voir le vieil Avram pour des conseils juridiques et même religieux, ou tout simplement pour lui emprunter un peu d'argent; tous aimaient Maria, l'orpheline que le libraire avait recueillie dans la rue, et qui faisait depuis partie de la famille: il n'existait aucun motif de suspicion. Mais tout autour, dans les livres, les journaux, les regards des clients... Oui, les motifs de suspicion surgissaient, il fallait faire attention, extrêmement attention...

Avram le libraire affichait, face aux obsessions ancestrales, un détachement sceptique et amusé. Comme si le savoir-vivre et la civilité éloignaient le mal. Mais sa fille cadette, ma mère, se mettait à frémir au moindre signe douteux, m'avait rappelé Rebeca, et j'étais du reste bien placé pour le savoir. Marcu, le comptable d'Iţcani, restait égal à lui-même, amical et prudent avec tout le monde. Il n'avait que peu d'amis, aucun ennemi, et s'entendait bien avec tous ses collègues, même s'il se sentait plus en sûreté parmi les siens. Son ami Zaharia, don Juan noceur et débauché, chasseur et cavalier, qui prenait toujours la vie du bon côté, l'agaçait par la désinvolture satisfaite avec laquelle il se tirait de n'importe quelle situation, mais ils étaient les meilleurs amis du monde, et jamais il n'aurait imaginé que Zaharia s'intéresserait un jour aux défilés des légionnaires et à leurs slogans frénétiques.

Le vieil Avram n'avait pas de temps à consacrer, en 1935, aux mises en demeure du bouillant Ariel. L'hostilité, les périls, lui semblaient faire partie de l'ordre naturel et inévitable des choses. Il suffisait d'accomplir jour après jour sa tâche quotidienne, de supporter patiemment les inepties et les infortunes autour de soi, et les gens se souviendraient de vous comme d'un homme de bien, il ne pouvait en être autrement. Si Ariel s'était acquis une notoriété suspecte par ses excès vestimentaires et langagiers, les membres de sa famille avaient d'autres soucis que l'affaire Sebastian ou la confrontation entre adversité intérieure et adversité extérieure.

Ils étaient trop accaparés par la noce à venir pour penser à autre chose dans la journée. La fièvre des festivités leur rappelait qu'en vérité ils se sentaient bien là où ils vivaient depuis des générations, aussi loin qu'ils puissent se rappeler. Ils n'étaient pas nés au bord du Danube comme Iosif Hechter, mais les forêts vallonnées de Bucovine n'étaient en rien inférieures. Ils n'aimaient pas moins leur terre natale que monsieur Sebastian la sienne, et n'avaient ni l'envie ni le temps de philosopher sur le concept de *diminutif*... nouveau thème de l'incendiaire Ariel. Les diminutifs sont plaisants, n'est-ce pas, ils ont une douceur et une candeur délicieuses, il n'y a que cet excité d'Ariel, neveu du libraire et cousin de la mariée, pour prétendre y voir un mauvais présage. Ce sont des poisons qui fermentent ! Des poisons dont on ne peut longtemps maîtriser l'effet ! Et qui peuvent, au moment où l'on s'y attend le moins, tourner au Désastre ! « Et surtout, rien n'est incompatible ici », déclamait solennellement le jeune homme, le livre de Sebastian à la main. Il lisait tout, se rappelait tout, retournait les mots à sa guise, ce palabreur d'Ariel ! « C'est de l'esquive », avait-il dit. *Esquive !*... Le terme avait plu. Dans l'*esquive*, technique de survie, se mêlaient le fatalisme, l'humour, l'hédonisme, la mélancolie, la corruption et le lyrisme, affirmait Ariel, hautain et arrogant comme toujours.

Et alors ? L'auditoire, sous le charme des préparatifs d'un heureux événement, le mariage, n'avait de raison de rejeter ni les diminutifs, ni le lyrisme, ni la confiance dans le destin, que dénonçait le si jeune Ariel.

L'année hooliganique 1934 avait été une année heureuse, pourquoi la suivante ne le serait-elle pas ? La fille préférée du libraire ressuscitait, la joie était revenue dans la maison, les émotions rappelaient que le lieu où ils vivaient depuis de nombreuses générations n'était pas pire que d'autres. Les paysages, les gens, le climat, la langue étaient les leurs. Ils s'entendaient bien avec les autochtones. L'adversité ? Il n'y avait pas lieu de se montrer soupçonneux au moindre regard ou mot un peu brusque, leurs coreligionnaires n'étaient pas des saints non plus. Plus d'une fois, ils s'étaient demandé si, au fond, le mal ne se trouvait pas en eux-mêmes, puisque toujours et partout se manifestait l'hostilité.

La vie ne peut-elle fonctionner sans un poison qui la dynamise ? Parfois dilué, presque absent, parfois jaillissant de nouveau, soudain et terrible, pulvérisant les doux diminutifs d'hier et annonçant le Désastre ? Cet écervelé d'Ariel les étourdissait-il de noms et de citations pour qu'ils se gardent des pièges auxquels ils s'étaient accoutumés ? « Même Tolstoï s'est laissé berner, il s'est senti bien ici, lors de son bref séjour roumain. Le charme du lieu et des gens... Le vieux sage s'est montré jeune et naïf » : ainsi les sermonnait le jeune Ariel, le neveu du libraire, le fils de sa sœur de Buhuşi.

Le pétulant garçon aux cheveux teints en bleu, qui récitait du Rimbaud et faisait chaque quinzaine vingt-cinq kilomètres à pied jusqu'à Fălticeni pour jouer aux échecs avec son oncle Kiva Riemer, qui tenait des discours enflammés sur Jabotinsky et l'impérialisme juif à venir en Méditerranée, croyait sa situation meilleure que celle de Hechter-Sebastian. « S'assimiler ? Mais à quoi ? », leur demandait, implacable, le jeune homme. « Devenir comme tout le monde autour de nous ? Comme si tout était compatible avec tout ? Ce monsieur de Bucarest admet, il est vrai, que nous vivons au pays... de toutes les compatibilités ! » Peu importait à l'orateur que son oncle Avram eût un sourire amusé, ou que sa fille écoutât trop attentivement, tout en feignant de ne rien écouter.

« Aurions-nous résisté, nous, si nous étions comme ceux-ci ou ceux-là ou encore ceux-là ? Cinq mille ans !... Et non pas deux mille, comme le croit ce monsieur de Bucarest ! Nous allons bien voir jusqu'à quel point le hooligan en question sera compatible avec ses amis hooligans ! »

Le vieil Avram, sa fille, l'orateur lui-même, et jusqu'à l'infortuné tailleur Nathan, communiste qui ne parvenait pas à choisir entre Staline et Trotski, semblaient en meilleure posture que

Sebastian l'assimilé. Même le rabbin du bourg, Yosel Wijnitzer, se trouvait à l'évidence dans une situation plus enviable que Hechter-Sebastian. Tous avaient un foyer : l'illusion ! Le domicile dans l'illusion et l'illusion du domicile, voilà ce que monsieur Sebastian n'avait plus.

La famille Braunştein, en cette hooliganique année 1934, était heureuse, elle l'était aussi en 1935, année programmée pour le mariage, et le serait encore en 1936, lorsque naîtrait l'héritier. Dans la métropole de Burdujeni, ces années-là n'étaient pas hooliganiques, comme le considéraient Sebastian le Bucarestois ou son détracteur Ariel, de Burdujeni.

Les temps hooliganiques arrivent, ils sont même déjà là, affirmaient aussi les journaux roumains, juifs, allemands, français que le libraire Avram portait chaque jour sur son dos depuis la gare jusqu'à sa boutique. Le plaisir de l'insulte envahissait tout. Mais ici, dans ce bourg est-européen, la famille du libraire vivait des années heureuses.

Si j'avais pu, un demi-siècle après cette année hooliganique, demander au vieux sage chinois quel était mon aspect l'année d'avant ma naissance, je suppose que j'aurais reçu pour toute réponse un truisme. Quelque chose que je savais déjà et que le temps avait confirmé : l'aspect que l'on a en tant qu'hypothèse, en tant qu'irréalité, ne peut être différent de celui que l'on aura plus tard dans la réalité même.

Je n'aurais pu devenir Ana Pauker, Juive roumaine, étoile du communisme mondial, sortie du ghetto par la porte rouge de l'internationalisme prolétarien, ni le mondain Nicu Steinhardt, Juif roumain converti au christianisme, à l'orthodoxie et même au légionnarisme, ni Avram ou Janeta Braunştein, encore moins le rabbin Yosel, leur conseiller en toutes choses. Ni même le cousin rebelle, Ariel le sioniste ! J'avais été en revanche, en 1935, l'année d'avant ma naissance, Sebastian le « hooligan », comme je devais l'être cinquante ans après, et dix ans après cela, et encore dix ans après, et même entre ces dates fatidiques.

Je l'ignorais cependant ce samedi de 1950 où, jeune pionnier stalino-léniniste, j'ouvris à mon tour *Depuis deux mille ans*, dans la petite chambre sombre de l'appartement de ma tante à Tîrgu Frumos, près de Iaşi.

Mon grand-père et mes futurs parents non plus ne savaient pas, en 1935, déchiffrer les signes chinois dans le ciel chagallien assoupi au-dessus du Burdujeni d'avant le Désastre. Ils vivaient tous, et à juste titre, le bonheur des préparatifs de mariage. Ils dressaient des listes de noms, de mets, de costumes, d'adresses, faisaient et refaisaient le compte des dépenses. Des projets ambitieux, bien précis : on louerait la maison du pharmacien d'Iţcani, à côté de la sucrerie, où le jeune couple irait habiter avec Maria, la bonne fée de la maison Braunştein ; on achèterait de nouveaux meubles ; on suspendrait le paiement des dettes accumulées après le procès à la suite duquel le libraire avait perdu sa maison. Le libraire Braunştein avait beau travailler du matin au soir, il n'était pas riche, mais le mariage devait se faire dans les règles. Avec de nombreux invités : les frères et sœurs d'Avram et de sa femme Tzura, venus de Botoşani, de Fălticeni et de Iaşi avec leurs enfants et petits-enfants, les parents, sœurs et frères du marié, venus de Fălticeni, de Roman et de Focşani avec leurs enfants et petits-enfants, les voisins, les amis, les autorités : le maire, le chef des gendarmes, le juge Boşcoianu, Manoliu le vétérinaire, Dumitrescu le notaire, et même le libraire concurrent, l'insupportable Wexler qui ne reculait devant aucune vilenie contre « Notre Librairie ». Les noms de la cuisinière Surah, spécialiste des mariages, du photographe Bartfeld, et de la couturière Wasłowitz revenaient bien sûr souvent dans l'agitation des préparatifs. La mariée s'occupait de tout, nul ne la surpassait en énergie et elle n'était pas facile à satisfaire.

Madame Wanda Wasłowitz avait refait trois fois la robe de la mariée. Opulente et résolue, la Polonaise n'avait pas encore les dimensions et l'irascibilité qui lui viendraient avec l'âge, mais déjà ce regard bleu, aigu, ces mains délicates, cette voix rauque.

Et déjà elle s'irritait des demandes trop exigeantes. Mais elle ne pouvait dire non à sa vieille et fidèle cliente qui lui avait valu tant de succès et qui savait indéniablement la séduire par ses suggestions inattendues – un nouveau modèle, une coupe différente, fruits de son imagination toujours en éveil, à l'affût. Elle lui avait apporté la revue *Modisch 1935*, commandée à Cernăuţi ! La couleur, l'étoffe, les falbalas, offriraient quelque chose qui s'écarte des canons habituels, quelque chose de plus sobre, de plus élégant, de moins provincial.

L'heure n'était pas à débattre de la souffrance de Judas. C'était la vie, non la mort, qui occupait la scène. La mort rôdait cependant, prête à offrir, elle aussi, ses services.

La Bucovine

À une heure à peine de l'onirique Fălticeni en Moldavie, où je redécouvrais le monde de la normalité, il y avait toujours, en 1945, la Bucovine.

Quelque cent soixante-dix ans auparavant, l'empereur Joseph d'Autriche, en visite en Transylvanie, avait pressenti la grandeur des Hautes Terres, me racontait de sa voix lente et grasseyante la vieille Lea Riemer, la tante de ma mère. En 1777, la population de la nouvelle province autrichienne de Bucovine fit serment d'allégeance à Vienne, événement célébré en grande pompe dans sa capitale, Cernăuţi. Le même jour, le prince roumain Grigore Ghica, qui s'était opposé avec acharnement à la cession de la contrée, fut assassiné par des conjurés turcs.

« Nous sommes bucoviniens, mon garçon ! Bientôt tu retourneras en Bucovine », disait monsieur Bogen, bucovinien lui aussi, qui ne se trouvait à Fălticeni que par la force de l'amour. Au début, la Bucovine devait s'appeler *Grafschaft*[1]. C'est ce qu'affirment les historiens, m'expliqua le joyeux professeur d'histoire Bogen, marié à la belle Otilia Riemer, professeur de mathématiques, la fille de Kiva et de Lea Riemer, sœur de mon grand-père Avram. Je fis la connaissance de Lea, de sa fille et de ses fils, dévots rejetons du ghetto devenus du jour au lendemain des soldats passionnés de la Révolution, ainsi que celle du jeune pro-

1. En allemand : comté.

fesseur Bogen, dans les mois heureux qui suivirent mon retour de Transnistrie. « La Bucovine, comme le Tyrol autrichien, devait s'appeler *Grafschaft. Grafschaft* Suceava », répétait avec son accent germano-bucovinien Berl Bogen, le nouveau cousin de ma mère.

« Mais les fameux hêtres des Hautes Terres ont fini par imposer leur autorité, même pour le choix du nom ! Les hêtres ! *Silvae Faginales ! Buk* en slavon, *bucovine* dans les chroniques roumaines. La Bucovine. Buchenland. Le pays des hêtres. »

La leçon se poursuivait par des épisodes dont je ne devinais l'importance qu'à la façon dont les petites mains de violoniste de Bogen accentuaient dans l'air les mots les plus significatifs.

« En 1872, le général Enzenberg fit passer un décret aux termes duquel les Juifs qui s'étaient infiltrés, je dis bien *in-fil-trés* en Bucovine à partir de 1769 et n'avaient pas payé l'impôt annuel de quatre guldens, *qua-tre-gul-dens*, devaient être expulsés, *ex-pul-sés*... je crois que notre jeune invité sait ce que cela veut dire. En 1872, il y avait déjà treize députés juifs. Treize, *re-te-nez-bien*, jeune homme ! Tous signèrent la pétition, adressée au gouvernement de Vienne, contre cette décision. *Tous, tous !* », insistait le Bucovinien replet tandis que souriaient ses beaux-frères et collègues David et Haim Riemer, tous deux professeurs de mathématiques.

J'appris du professeur d'histoire Bogen, époux d'Otilia Riemer, professeur de mathématiques, un certain nombre de choses étranges : à la Diète de Bucovine, en 1904, les Roumains, qui parlaient ce qu'un officier autrichien avait qualifié de « latin altéré », détenaient, à juste titre, une majorité de sièges, soit 22, « mais » les minorités n'en étaient pas moins généreusement représentées, conformément au modèle autrichien : 17 Ukrainiens, 10 Juifs, 6 Allemands, 4 Polonais.

« Nous sommes suceaviens, mon garçon, suceaviens ! Suceava, la cité princière d'Étienne le Grand[1] ! », m'avisait le vif Suceavien.

1. Prince de Moldavie de 1457 à 1504.

« Après 1918, quand la Bucovine fut rétrocédée à la Roumanie, il fut plus facile de s'entendre avec la nouvelle administration roumaine à Suceava que dans la capitale, Cernăuţi. Les Juifs de Suceava parlaient le roumain en plus de l'allemand, et avaient toujours vécu au contact de la population roumaine. L'ouverture, à Burdujeni, de la frontière avec le Royaume de Roumanie, devenu la Grande Roumanie, signifiait, pour les propriétaires de terres et d'usines qui avaient conservé les droits civiques qu'ils détenaient sous les Autrichiens, une intensification du commerce et des investissements. Les fonctionnaires juifs avaient été maintenus en place, mais la nouvelle administration roumaine n'en avait pas embauché de nouveaux », poursuivait, pour mon édification, mon nouveau cousin Berl Bogen.

De cette « douce Bucovine, joyeux jardin » que chantaient les poètes, nous avions, quatre ans plus tôt, été expulsés. « C'est que nous n'étions plus bucoviniens », ajoutait mon père à mi-voix. « Janeta et ses parents sont nés à Burdujeni, dans le Vieux Royaume. Juste à la frontière, c'est vrai, mais de l'autre côté, dans le Royaume de Roumanie. Tout comme moi, qui suis né à Lespezi, non loin d'ici, où vivaient aussi mes parents. »

Ces Bucoviniens pédants et calculateurs, se gargarisant de leur allemand provocant et de toutes leurs coutumes empruntées à ceux qui devaient se révéler nos ennemis les plus féroces, avaient toujours été, chez nous, un sujet de plaisanteries. Nous étions pourtant nous aussi mangeurs de *Butterbrot* et buveurs de *Kaffee mit Milch*, même si aucun de mes deux parents n'était bucovinien de naissance. À la maison, on parlait roumain, pas allemand. Mon père était né, appris-je à cette occasion, près de Fălticeni, tandis que dans la maison de mon grand-père à Burdujeni, lieu de ma naissance, avaient aussi habité le frère et la sœur de ma mère, ainsi que mon arrière-grand-père, ses parents et ses grands-parents. Un bourg typique d'Europe de l'Est, voisin d'un autre bourg de taille comparable, mais différent par son aspect si évidemment autrichien, Iţcani. L'un et l'autre étaient en train de devenir des faubourgs de la ville de Suceava.

C'est à la sucrerie d'Iţcani que travaillait le jeune homme qui, dans le car dominical, à l'occasion du *Iarmarok* de la Saint-Élie en juillet 1932, fit la connaissance de la belle Janeta Braunştein, la « petite libraire » de Burdujeni ; il avait alors été frappé par sa ressemblance avec madame Lea Riemer, chez qui je devais habiter les premiers mois de l'après-guerre. C'est à Iţcani, où le couple avait emménagé au lendemain du mariage, que je vécus les années précédant la déportation.

Ces deux localités, Iţcani et Burdujeni, formaient avec la ville de Suceava, sur la colline de l'ancienne citadelle médiévale, les sommets d'un triangle aux côtés égaux et courts – quelque trois kilomètres. Mais les différences paraissaient importantes, comme entre la Bucovine roumaine et l'autrichienne. La Burdujeni roumaine n'avait été que très peu influencée par sa proximité avec la Bucovine « autrichienne » d'Iţcani et de Suceava. La somptueuse gare de Burdujeni défiait celle, plus modeste, d'Iţcani-Suceava, à la frontière de l'Empire, qui ne cherchait pas à impressionner la province voisine. L'une et l'autre devaient rester les témoins d'un demi-siècle de ma vie.

Avant-guerre, la patinoire était à Iţcani, et non à Burdujeni. Les bals « philanthropiques » pour la construction de l'école, du foyer ou de l'hôpital avaient lieu à Iţcani, les « étrangers », tchèques, allemands ou italiens, travaillaient à la sucrerie et à l'huilerie d'Iţcani. À Burdujeni, mon arrière-grand-père, qui se promenait le samedi en costume, chapeau et lévite de soie noire, bas blancs remontant jusqu'aux genoux sous lesquels était attachée sa culotte bouffante, noire également, était contemplé par les autochtones curieux et bavards comme un étrange roi assyrien, me racontait ma mère, les yeux brillants de fierté et de larmes, avec sa voix à ce point devenue mienne que je ne l'entends même plus. Mais, dans le milieu « occidentalisé » d'Iţcani, l'apparition de son grand-père, mon arrière-grand-père, aurait fait l'effet d'un pittoresque numéro de cirque galicien. Burdujeni, *shtetl* typique et agité, vibrait des grands débats de l'époque et des tragédies du ghetto. Le dernier scandale parisien, dévoilé par les journaux, faisait concurrence à l'intrigue amoureuse étouffée, avec menaces de suicide, dans la rue voisine. Les différences sociales entre ceux qui résidaient dans la rue principale et ceux qui s'entassaient dans les ruelles de la périphérie marquaient une hiérarchie entérinée par les siècles. Les passions religieuses et politiques faisaient et défaisaient les factions, le respect des règles et de l'intelligence rivalisait avec celui de l'argent, le rêve du grand large se reflétait dans chaque nuage qui dérivait dans le ciel au-dessus de l'infatigable fourmilière.

L'atmosphère germanique d'Iţcani était moins pittoresque et plus compassée. Important point de passage et de trafic, Iţcani s'était ouverte, comme tout l'Empire auquel elle appartenait, à l'« étranger », peu à peu adopté par une communauté cosmopolite plus large qui ne s'identifiait plus à l'Est, mais à l'Ouest. La population juive n'était pas majoritaire à Iţcani, mais les maires juifs n'y étaient pas une exception, m'apprirent mon père et monsieur Bogen. C'eût été difficilement imaginable dans la Burdujeni voisine. Frau Doktor Hellmann, qui avait demandé à ma mère, au cours du premier et terrible hiver en Transnistrie, mille lei pour un malheureux flacon de Dejalen qui ne pouvait plus être d'aucun secours à mon grand-père moribond, était d'une famille de « maires ». Ses ancêtres, Dische et Samuel Hellmann, ainsi que leur descendant le docteur Adolf Hellmann, avaient une place de choix dans les archives de la ville.

La déportation d'octobre 1941 avait brusquement aboli toute différence entre Iţcani et Burdujeni. On avait conféré aux habitants de la Burdujeni du « Vieux Royaume », mon grand-père, mon oncle, ma tante, le même droit à l'*Initiation* qu'à leurs coreligionnaires « germanisés » d'Iţcani, c'est-à-dire à nous. Façon équitable de guérir de leur arrogance ces Bucoviniens qui avaient naguère appartenu à l'Empire et regardaient de haut leurs pittoresques et bruyants voisins de Burdujeni, du côté roumain de la frontière, toujours prêts, quant à eux, à railler la politesse glaciale des premiers.

Le *certificat provisoire* délivré le 18 avril 1945 par la police de Iaşi, et que mon père me montra plus d'une fois, attestait seulement la chose suivante : « Monsieur Marcu Manea est rapatrié d'URSS, ainsi que sa famille composée de Janeta, Norman et Ruti, par le point de passage d'Ungheni-Iaşi, en date du 14 avril 1945. Sa destination est la commune de Fălticeni, département de Baia, rue Cuza Vodă. La présente est valable jusqu'à l'arrivée de l'intéressé dans cette localité, où il se conformera aux directives du Bureau de la Population. »

Pas la moindre précision sur le motif du *rapatriement* de 1945, ni sur celui de l'*expatriation* de 1941. « Nous n'avons aucun autre acte qui prouve notre expulsion », ajoutait mon père sans commentaire.

Le choc de 1941 avait été préparé, me dit-on, par les années hooliganiques et par les rumeurs que seuls pouvaient ignorer ceux qui ne voulaient les entendre. Le bruit courut que, fin juin 1940, un groupe de soldats avait fait irruption dans la maison d'un Juif à la périphérie de Suceava ; ils l'auraient torturé, puis attaché à la queue d'un cheval et tiré sur plusieurs kilomètres, jusqu'à un village où ils l'auraient criblé de balles. On parlait de la cruauté d'un certain commandant Carp, qui forçait des Juifs à faire partie des pelotons chargés d'exécuter leurs coreligionnaires ; il aurait ordonné qu'on précipite un cheval mort dans une fosse remplie de cadavres. On évoquait des assassinats horribles, des Juifs torturés, la langue arrachée, les doigts coupés. En juillet 1940, dans le village de Şerbăuţi, près de Suceava, le chef de la police aurait fusillé trois Juifs et jeté leurs corps à la rivière ; dans le village de Comăneşti, les frères Zisman avaient été poussés hors d'un train et fusillés, le rabbin Schahtel torturé et tué avec ses deux fils. Il ne cessait de parvenir de nouvelles rumeurs de crimes commis à Rădăuţi et à Dorohoi.

En septembre 1940, le général Antonescu proclama l'État National-Légionnaire, bientôt suivi de la Rébellion légionnaire : défilé des chemises vertes dans les rues de la ville, occupation de la sucrerie d'Içcani, où l'on avait empêché mon père de se présenter à son travail, pendaison de Jacob Katz, musicien de Suceava. Les rumeurs de crimes « rituels » aux abattoirs de Bucarest, où les légionnaires auraient pendu des cadavres de Juifs sous l'inscription « Kasher », avaient semé la terreur en Bucovine. Travail forcé, prise d'otages juifs dans une synagogue... Les officiers allemands des troupes massées à la frontière soviétique voisine annonçaient la « solution finale » décidée par le Führer.

L'ordonnance publiée le matin du 9 octobre 1941 exigeait « que les Juifs de la ville déposent immédiatement à la Banque nationale leur or, leurs devises, actions, diamants, brillants, pierres précieuses, et se présentent le jour même avec leurs bagages à main à Burdujeni ». Le camp de concentration de Suceava, où se trouvaient déjà cent vingt Juifs, avait été immédiatement fermé dans l'attente de nouvelles dispositions. En ce jour du 9 octobre 1941, le tambour battait dans la grand-rue : la population juive doit quitter immédiatement la ville ! Tous les biens doivent être abandonnés ! Toute infraction sera punie de mort !

C'est ainsi que tout a commencé, pendant les fêtes de Soukkôt[1], racontait mon père. La Marche, que tant de films d'après-guerre firent connaître... Le convoi.

« Nous avions soudain perdu tous nos droits, il ne nous restait que notre devoir face à la mort. Avec nos sacs tyroliens sur le dos, grelottants, descendant lentement la pente de la colline. En colonnes désordonnées, sur les trois kilomètres de la route bordée de peupliers. »

1. Fête dite « des cabanes » ou « des tabernacles », commémorant pendant sept jours, à l'automne, la protection de Dieu dans le désert.

Oui, ce même chemin bordé de peupliers qui menait à la gare de Burdujeni, d'où jadis Avram Braunştein le libraire rapportait son fardeau quotidien de journaux.

C'est de la gare de Burdujeni que partiraient les trains dont la destination n'était que trop prévisible. Le Styx s'appelait Dniestr, le destin aussi était rebaptisé, selon l'air du temps : Ataki, Moguilev, Şargorod, Murafa, Berşad, Bug. Ces noms exotiques, au printemps et à l'été 1945, revenaient fréquemment.

Les noms de Burdujeni, d'Iţcani, de Suceava, par contre, revenaient rarement, comme s'ils faisaient honte. Entre la nostalgie et le ressentiment s'était installé le silence. Les oppresseurs n'avaient finalement pas réussi à nous exterminer, et en plus ils avaient perdu la guerre, c'était tout ce qui paraissait compter ! L'ère nouvelle avait déjà ses nouveaux missionnaires. Et parmi eux, qui l'eût cru, l'homme qui venait d'épouser notre chère Maria. Un communiste ! chuchotait-on. Le couple habitait Suceava... mais l'on n'entendait pas la moindre allusion à un retour, ni même à une visite dans la contrée du passé, qui n'était pourtant qu'à une heure de distance.

L'idée de retourner sur les lieux d'où nous avions été chassés paraissait taboue. Mes parents ne parlaient pas de l'avenir, et leur rejeton vivait dans le paradis du présent sans passé ni futur.

Nous avions été rapatriés le 18 avril, jour de l'enregistrement à la police de Iaşi, puis nous avions rejoint Fălticeni. Nous avions d'abord habité dans la famille du frère de mon père, l'oncle Aron, puis dans la famille Riemer. Nous allions bientôt emménager, pour deux ans, à Rădăuţi, charmante bourgade bucovinienne, non loin de la frontière soviétique.

Le nom de Suceava ne devait réapparaître dans nos conversations qu'en 1947, lorsque, refermant la boucle, nous revînmes à notre point de départ.

Tchernobyl, 1986

Avril 1945. Le camion s'arrêta au croisement de deux rues. La ridelle arrière de la plate-forme de bois fut relevée pour laisser descendre les passagers. L'attente, un temps suspendu, infini. Puis tout alla très vite. La rue déserte et ensoleillée s'anima soudain, d'étranges apparitions, des hommes et des femmes qui accouraient vers le camion. En un instant, ces inconnus rejoignirent les fantômes descendus sur l'asphalte, dans le Monde. Embrassades, lamentations, larmes.

Du néant était né le Monde. Le garçon regardait ses parents et les étrangers avec la même stupeur. Dans une seconde, ce serait son tour d'être embrassé par des inconnus aux visages piquetés de taches de rousseur, aux grandes mains rêches, aux voix gutturales. Des oncles, des cousins, des cousines. L'émotion des retrouvailles ! Retrouvailles ? Il ne se rappelait pas les avoir jamais vus. C'est pourtant à travers eux que le Monde, alors, était né.

Le véritable Retour eut lieu à ce moment-là : à la descente du camion qui nous amenait, en avril 1945, de Iaşi à Fălticeni, la bourgade moldave, pittoresque et fleurie, où vivait le frère aîné de mon père. L'oncle Aron, petit et trapu, visage rougeaud, regard expressif, débit rapide, précipité, était l'un de ces inconnus sanglotant de joie. Il nous étreignait tous ardemment, à tour de rôle, dans ses bras vigoureux. Habitant Fălticeni, en Moldavie, et non Suceava, en Bucovine, cette partie de la famille n'avait pas été déportée. La distance entre Fălticeni et Suceava n'était que de vingt-cinq kilomètres, mais l'Histoire s'amuse justement de ces petites farces.

Près de quatre ans avaient passé depuis que nous avions été chassés au loin, moins d'un mois allait s'écouler avant que la guerre prenne officiellement fin. Le cauchemar baissait le rideau. En plein midi de cette journée de printemps était réapparu l'Avenir, fragile baudruche colorée dans laquelle j'étais invité à souffler de toutes mes forces pour me délivrer du passé, remplissant le vide de mes larmes, de ma salive, de mes gémissements. Le petit acteur affamé de reconnaissance, prêt à dévorer consciencieusement les âges à venir, avait survécu. Et, chose incroyable, tout avait également survécu autour de lui ! Les arbres et le ciel, les mots, les aliments de toute sorte, le charme ineffable des lieux : l'éternité provisoire et locale.

En avril 1945, j'étais un vieillard qui allait avoir neuf ans. Au printemps 1986, quatre décennies plus tard, à Bucarest, place de l'Union, devant l'édifice blanc de l'ancien caravansérail *Hanul lui Manuc*, je regardais décharger un camion de pommes.

La ridelle arrière du camion était rabattue. Deux garçons basanés faisaient glisser la montagne de pommes de la plate-forme sur l'asphalte. On ne trouvait plus rien à acheter dans la capitale roumaine, en ce printemps 1986, mais il y avait des pommes en abondance, superbes.

J'allais atteindre quelques mois après l'âge juvénile de cinquante ans. J'avais acquis, avec le temps, quelques raisons de considérer les anniversaires et les coïncidences avec scepticisme. Mais cette matinée de printemps me heurtait de plein fouet, devant ce camion plein de pommes apparu sur la place. Je regardais le camion, les pommes d'or, et c'était comme si je ne voyais rien. J'habitais tout près, à quelques minutes. L'accident de Tchernobyl venait de se produire. Je sortais peu, j'évitais les parcs, les espaces ouverts, les places. Les fenêtres de mon appartement restaient fermées depuis plusieurs jours.

Pourtant, ce n'est pas de Tchernobyl que parlent ceux qui sont dans la pièce. Nous sommes trois : ma mère sur le canapé, Ruti, venue d'Israël, et moi, dans les fauteuils face à elle.

– Marcu a été orphelin très jeune, raconte la vieille dame aveugle. Son père est mort en 45, oui, tu as raison. Il avait eu neuf enfants, oui. Mon grand-père, ton arrière-grand-père, en a eu dix. C'était comme ça à l'époque, on avait beaucoup d'enfants.

– Le père de nos pères, ton grand-père et le mien, était une sorte de paysan, dis-je à Ruti, comme si elle n'avait pas entendu tout cela cent fois. Mais depuis dix ans qu'elle vivait loin d'ici, en Terre sainte, elle avait eu le temps d'oublier ces petites histoires d'Europe de l'Est.

– C'était le boulanger du village ! Il avait une ferme, avec du bétail, des moutons, des chevaux. La grand-mère est morte quand nos pères étaient enfants. Trois garçons orphelins… Aron, Marcu mon père, et Nucă le plus jeune, ton père à toi. Le grand-père s'est remarié, il a eu six autres enfants. Je l'ai vu en 1945, quand nous sommes rentrés de déportation.

L'aveugle attend, impatiente de reprendre son récit. Une voix vieillie, fatiguée, qui imprègne lentement la mémoire de l'auditoire.

– À dix-huit ans mon grand-père, ton arrière-grand-père, était déjà veuf. Il s'est remarié avec la sœur de ma grand-mère, qui avait quatorze ans. À quinze ans, la nouvelle épouse a eu son premier enfant, Adela, la mère d'Esthera. Vous avez entendu parler d'Esthera, ma cousine, elle avait un fils, un fils unique… il a été tué pendant la guerre des Six Jours. Après Adela est né mon père, Abraham, Avram. Ensuite, deux autres garçons et une fille, Fani, la mère d'Ariel. Ariel, tu l'as rencontré à Paris. Puis Noah… C'est de lui que tu tiens ton prénom hébraïque. Puis un autre garçon, j'ai oublié comment il s'appelait. Il est mort jeune, il y a longtemps. Puis tante Lea… Lea Riemer, chez qui nous avons habité à notre retour. Il y a eu encore un garçon, parti en Amérique, mort d'un cancer à dix-neuf ans.

Plus l'enfant de la première femme. Eh oui, mon grand-père a eu dix enfants! Dix enfants qui n'avaient pas de quoi manger. Ils étaient pauvres, très pauvres. Mais il ne se passait pas une semaine sans qu'un miséreux ou un mendiant vienne dîner le vendredi soir.

– Dîner? Mais pour manger quoi?

– Ce qu'il y avait. À la fortune du pot.

– Et ton grand-père, tu l'as connu? C'est-à-dire mon arrière-grand-père.

– Non, je ne l'ai pas connu. Manoliu le vétérinaire et Dumitrescu le notaire me disaient: Şeinuţa, c'est comme ça qu'ils m'appelaient, Şeinuţa, quel dommage que tu n'aies pas connu ton grand-père. Il avait des bas blancs comme neige. Un homme pur, un saint homme… Les dévots comme lui portaient une lévite noire en soie et des bas blancs. Un homme sévère, pieux, instruit, voilà ce que tout le monde disait de lui.

– Şeinuţa? De Sheina? Shein, Schön, Schönheit? Tu étais belle?

– Ma foi, c'est ce qu'on disait…

La voix n'a pas retrouvé sa vitalité, les provocations restent sans effet. Le récit n'est pas neuf, ceux qui l'écoutent encore ne sont plus tout jeunes. Une mise en scène en l'honneur de l'invitée d'au-delà des mers et des terres, pour lui rappeler ce qu'elle a laissé derrière elle.

– Et l'arrière-grand-mère? Veuve, avec sa ribambelle d'enfants? Comment s'est-elle débrouillée?

– Avec une petite pension que lui versait la Communauté. Les enfants ont tous travaillé très jeunes. Les garçons, surtout. Ça s'est transmis. Tante Lea répétait toujours, comme ses enfants: « Il faut se donner du mal, se donner du mal. » Les garçons ont commencé à travailler à dix ans. Les pauvres, ils n'avaient pas de vêtements. Ces hivers-là… il gelait à pierre fendre. Ils donnaient des leçons aux enfants riches. Ceux des familles Nussgarten ou Hoffmann, à Fălticeni. À cinq heures on servait le thé avec des gâteaux. Mais à eux, jamais on ne leur a offert un verre de thé.

– Des coreligionnaires, pourtant ? Des gens pieux, pourtant ? La lutte des classes n'est pas une invention de tonton Marx... Mais le grand-père, ton père à toi ?

– À Burdujeni, il n'y avait pas de journaux. Les journaux arrivaient à Suceava. Suceava, c'était la ville, à quelques kilomètres. Burdujeni, c'était un simple bourg. Mais vivant, si vivant. De l'animation, toujours de l'animation. C'est de là, de Burdujeni, que vient toute la famille. Mon grand-père, mon père, tous. Papa a été le premier, à Burdujeni, à commander un journal par la poste. Le premier journal ! *Dimineaţă*. Un exemplaire, pour lui.

– Tu disais qu'il n'était pas allé à l'école.

– Pas à l'école roumaine. Comment aurait-il pu y aller, écrire le samedi ? Il a étudié tout seul. En autodidacte. Mais on venait le voir pour lui demander conseil, comme à un avocat. Il a commandé le premier *Dimineaţă* de Burdujeni. Des voisins venaient pour l'entendre lire le journal. Ils se réunissaient tous les jours. Au bout d'un moment, il a commandé cinq exemplaires. C'est comme ça qu'il a commencé. C'est aussi comme ça qu'ont commencé les ennuis, bien sûr. Un certain Wexler, voyant que papa commandait *Dimineaţă*, a commandé *Minerva*. Wexler avait de l'argent, contre cinq *bani* il proposait non seulement *Minerva*, mais aussi une chope de bière et une cigarette. La concurrence ! Pour nous ruiner...

– À quelle époque se passait tout ça ? Quel âge avait le grand-père ?

– Environ dix-sept ans, c'est à cet âge qu'il a été le premier distributeur de journaux de Burdujeni. Il est devenu le deuxième dépositaire de journaux du pays. Il a été décoré par Stelian Popescu, le directeur d'*Universul*.

– *Universul ?* Le journal de droite ?

– Absolument, et antisémite. Mais Popescu a décoré un

Juif… Constantin Mille aussi l'a décoré. Je t'ai déjà raconté ça. Mille, le directeur d'*Adevărul*, le quotidien démocrate, aimait beaucoup papa. Quand ma sœur Rebeca s'est mariée, papa lui a envoyé une invitation. Constantin Mille a répondu par un cadeau. Un couvre-lit en velours brodé, et un beau télégramme.

– Et Graur, son mari ? Que faisait-il ?

– Il était dans les céréales.

– L'un dans les céréales, l'autre dans les journaux, le troisième dans les œufs ? Une conspiration mondiale, avec Burdujeni pour centre ! Noah, le frère du grand-père, travaillait bien dans les œufs, non ?

– Noah, dont tu portes le nom, habitait Botoşani. Il travaillait dans les œufs, oui. Dans le commerce des œufs. Les princes de Roumanie nous avaient fait venir pour ça, rien que pour ça, tu sais bien, au début seul le commerce nous était permis. Noah exportait des œufs roumains dans toute l'Europe. Et il est mort à cause de la poussière. La poussière des emballages. À force de respirer toute sa vie cette poussière dégagée par la paille. Un cancer de la gorge ! Il est mort à cinquante ans. Tante Bella, sa veuve, a repris l'affaire. Elle rédigeait sa correspondance en trois langues. Une commerçante de premier ordre.

– Meilleure que toi ?

– Peut-être. Peut-être meilleure, oui. On me disait que j'aurais fait une bonne avocate. On disait la même chose à mon père. On venait le voir pour lui demander conseil.

– Tu aurais fait une bonne avocate, c'est sûr. Peut-être que ça t'aurait calmée… Les procès t'auraient usée, t'auraient calmée. Il y a quelques années, tu m'as dit que tu regrettais de ne pas fumer, de ne pas boire. De ne pas avoir un vice qui te calmerait. Tu m'as dit ça, tu te rappelles ?

– Je n'étais pas particulièrement calme, c'est vrai. J'ai commencé à travailler jeune. Papa, Dieu lui pardonne, partait chercher la marchandise ou régler d'autres affaires. Et c'est moi qui restais avec tous les soucis. Parfois même, il allait plus loin que

Suceava, dans les départements voisins. À Botoşani, à Dorohoi. Il traitait avec les instituteurs. Dix pour cent de commission sur la vente des manuels scolaires. L'instituteur exigeait de ses élèves qu'il y ait notre cachet sur leurs fournitures et leurs livres.

– « Notre Librairie », c'est déjà comme ça qu'elle s'appelait ? Comme sous le socialisme ? Les antisémites ont donc raison, c'est vous qui avez amené le socialisme. Dans les années cinquante, soixante, toutes les librairies s'appelaient « Notre Librairie » ! Tu te rappelles ? Dans les années cinquante, tu travaillais à « Notre Librairie » de Suceava. Comme maintenant, toutes les librairies appartenaient à l'État et s'appelaient « Notre Librairie »... Avant la guerre, vous étiez des exploiteurs, des capitalistes ! Vous suciez le sang du peuple, et ça vous occupait beaucoup. Vous avez introduit le capitalisme, ensuite vous avez amené le communisme, fossoyeur du capitalisme.

Elle nous regarde sans nous voir. La taquinerie semble la laisser de marbre, la politique ne l'a jamais intéressée, elle veut retourner dans la légende du passé.

– Je travaillais beaucoup, j'avais une vie difficile. Oui, c'est comme ça qu'elle s'appelait, « Notre Librairie ». C'était notre librairie à nous, pas celle de l'État. Ça fait une différence.

– Oui, une différence essentielle.

– Les instituteurs et les professeurs n'acceptaient que les fournitures et les livres qui portaient notre cachet. C'était l'accord que nous avions passé. À la rentrée des classes, en septembre, il y avait des queues, des queues comme maintenant pour le pain. Le soir, je m'écroulais, morte de fatigue. J'ai travaillé dur, depuis toute petite. Nous travaillions tous, papa, moi, et mon frère Şulim. Même après mon mariage, j'ai continué à aider mes parents. Quand on nous a envoyés en camp, ils n'ont pris que cinq mille lei avec eux, c'est tout ce qu'ils possédaient. Mais il y en avait pour un million de marchandises en magasin. Des livres, des fournitures scolaires. Un million de lei !

– Tu me disais que vous aviez tous les titres.

– Bien sûr. Sadoveanu, Rebreanu[1], Eminescu, tout. Fundoianu, Sebastian. Et aussi les journaux. Tous les journaux. Papa allait même aux congrès de la presse.

– Il allait tout seul chercher les journaux à la gare ? Tu m'as dit ça. Tout seul, au petit matin. Par le chemin bordé de peupliers. Je le connais, ce chemin, je l'ai revu il n'y a pas longtemps.

Je manipulais la nostalgie, les pastiches du passé dont la vieille femme ne conservait plus que de pauvres résidus verbaux ; je savais qu'il ne resterait bientôt plus rien. Ni le récit des temps anciens, ni le moment présent, celui du souvenir, qui appartenait déjà au passé, lui aussi. Elle dévalait, aveugle, les derniers tournants de ce toboggan qui s'appelle la vie, Ruti repartirait dans quelques jours pour Jérusalem, et quant à moi, nul ne savait où je serais à l'automne. Oui, nous nous efforcions tous les trois de diluer la tension des retrouvailles. Nous apaisions de vieux conflits. L'année 1986 était une année hooliganique, comme la précédente, celle d'avant et celles qui allaient suivre. Des années socialistes, devenues nationales-communistes. Est-ce pour cela que j'écoutais ces récits auxquels j'étais toujours resté sourd ? Autrefois, je ne pouvais supporter ces épisodes lacrymogènes, pas plus que l'exaspérant refrain « partir, partir, partir ». Étais-je en train de lui donner finalement raison, ou simplement d'adoucir l'imminente séparation ?

Le silence se prolonge. Ma mère n'a pas entendu les derniers mots. Depuis quelque temps, il lui arrive de perdre le contact avec la réalité immédiate. Je répète :

– Il allait tout seul chercher les journaux à la gare.

– La carriole coûtait un leu. Un leu seulement. Un leu seulement, papa, pourquoi ne prends-tu pas la carriole ? Il répondait : « Ça me fait faire de l'exercice. » Treize kilomètres à pied, tous les jours. Le matin, avant de partir à la gare, un bifteck bien

1. Liviu Rebreanu, romancier roumain (1885-1944).

saignant. Un bifteck grillé, avec un verre de vin, dès le petit matin. S'il n'y avait pas eu la déportation, il aurait vécu vieux, il était vaillant et en bonne santé. Ma matinée à moi commençait à sept heures, avec un café noir. Rien d'autre jusque dans l'après-midi, vers cinq ou six heures.

– Et il te payait ? Un bon salaire ?

– Me payer ? Moi, sa propre fille ? Sa fille préférée… J'avais tout ce qu'il me fallait. Il ne m'aurait rien refusé. Pour travailler, ça, je travaillais. Je travaillais vite. Toujours très vite, c'est comme ça que j'étais.

– Et l'enfant ? Ton fils ? Tu l'as eu vite ?

– Avant neuf mois… J'étais à l'article de la mort quand j'ai accouché. Le docteur est resté au pied de mon lit du mercredi au dimanche matin. Il ne savait plus que faire. Quant à l'enfant… aucun espoir. J'entendais dire que l'enfant était mort-né. Et après l'accouchement… personne ne pensait que tu survivrais. Tu étais tout petit, bien au-dessous du poids normal. En couveuse. Seul mon père restait optimiste. Il a demandé si tu avais des ongles. Il disait : « S'il a des ongles, il vivra. »

– Ils se sont bien émoussés depuis ma naissance. Il avait raison, ça m'aurait servi. Ça sert à tout âge, c'est le signe qu'on est bien vivant.

Nous rions tous les trois. Son rire à elle est bref, affaibli. Elle est sortie de l'hôpital quelques jours plus tôt. Voilà pourquoi sa fille de Jérusalem est venue. Sa fille ou presque, celle du frère de son père, elle a grandi chez nous. Je retourne discrètement la cassette du magnétophone sur la petite table. L'aveugle sur le canapé ne voit pas l'appareil, elle ne sait pas qu'on l'enregistre. Aveugle pour de bon, l'opération à l'hôpital n'a rien résolu.

– Et ton mari ? Le père de l'enfant… comment a-t-il fait ta conquête ?

– C'est une longue histoire. Longue comme la vie. J'allais l'été à la foire de Fălticeni. Une foire réputée. Le 20 juillet, jour de la Saint-Élie. Nous étions plusieurs jeunes gens de Burdujeni.

Des garçons, des filles. Nous attendions le car du retour. C'est alors qu'est apparu un jeune monsieur élégant, avec un petit siège pliant à la main.

– Un siège ? Un siège pliant ?

– Il n'y avait jamais assez de places dans le car. Il a installé son pliant à côté de mon siège. Au bout d'un moment, il m'a demandé : « Êtes-vous parente de madame Riemer ? De Lea Riemer, de Fălticeni ? » Je lui ai répondu : « Madame Riemer est ma tante. » Je ressemblais énormément à tante Lea, tout le monde le disait.

Le visage, pâle, affaissé, ridé par l'âge et la maladie, est plus vieux que celui de la vieille Lea Riemer tel que je l'avais vu la dernière fois, il y avait de cela une douzaine d'années, lorsqu'elle était venue me persuader de mettre un terme à mes amours païennes avec cette *schikse*[1] qui scandalisait la famille. Lea Riemer, la diplomate du clan ! Son visage impassible, biblique, ne portait pas les traumas que je lis sur le masque aveugle en face de moi.

– Il connaissait madame Riemer et son mari Kiva, le joueur d'échecs. Kiva, le partenaire de l'écrivain Mihail Sadoveanu. Quand monsieur Mihai, c'est comme ça qu'on l'appelait, venait l'été à Fălticeni, il voulait voir Kiva. Un homme très intelligent, un tapissier de luxe, mais qui traînait au café, et perdait aux cartes. Je l'ai donc laissé parler, pour voir ce qu'il savait au juste. Il connaissait aussi les enfants Riemer, qui faisaient de brillantes études, et qui étaient très pieux. À cette époque, chez les Riemer, on parlait hébreu. La seule maison du bourg où l'on entendait parler hébreu tous les jours… Il m'a demandé si je connaissais Paulina la boiteuse, la blanchisseuse, qui avait épousé un cousin à lui. Au bout d'un moment, il m'a dit qu'il avait quelqu'un, qu'il courtisait mademoiselle Landau. Je la connaissais. Bertha, la pharmacienne. Une fille charmante, très gentille.

1. En yiddish : jeune fille non juive.

– Des confidences dès la première rencontre…

– Tu sais combien de temps durait le trajet entre Fălticeni et Suceava ? Presque une heure. Il est descendu à l'arrêt de la gare d'Iţcani, il travaillait à la sucrerie d'Iţcani. Moi j'allais plus loin, à Burdujeni. Quand je suis arrivée à la maison, je suis allée trouver Amalia, ma voisine et amie Amalia, pour lui raconter. Je lui ai raconté que j'avais rencontré dans l'autocar un garçon très sympathique, ami de Bertha.

– Plus sympathique il y a cinquante ans qu'aujourd'hui, n'est-ce pas ?

– Le samedi suivant, j'ai reçu une carte postale, poursuit la convalescente comme si elle n'avait pas entendu la question. Adressée à « Mademoiselle Janeta Braunştein, libraire de luxe ». Et un jour, je l'ai vu roulant à bicyclette dans Burdujeni. Il s'est arrêté, m'a dit qu'il y avait bal à Iţcani le samedi suivant et qu'il passerait me prendre. Il est apparu le samedi à cinq heures, quand toute la Grand-Rue de Burdujeni était dehors, sur le pas de la porte. Souliers vernis, smoking. Le taxi attendait. Mes parents n'ont pas voulu. Ils ne le connaissaient pas, ils n'ont pas voulu.

– Tu étais donc si obéissante ? J'ai peine à le croire.

– Ensuite, je suis allée à tous les bals. J'allais régulièrement au bal à Iţcani. Marcu avait commencé à venir chez nous, non seulement le samedi et le dimanche après-midi, mais aussi le mercredi soir, à bicyclette. Il y avait souvent bal à Iţcani. Pour collecter des fonds. Pour construire l'école, pour la patinoire, pour le club des chasseurs. À chaque bal, il m'offrait une robe nouvelle, d'une étoffe différente. La robe violette a fait sensation, en crêpe de satin violet, avec chaussures et chapeau assortis.

– Avec son salaire d'employé, comment pouvait-il dépenser autant ? Lui qui était si raisonnable, avec son siège pliant à la main…

Elle fait un signe de la main vers ses lèvres sèches : elle a soif. J'apporte un verre d'eau, je le lui tends, elle ne le voit pas, je lui mets le verre dans la main. Sa main tremble, le verre tremble. Elle avale deux gorgées, me fait signe de reprendre le verre. Je le pose devant elle sur la table, elle ne le voit pas.

– Mais oui, avec son salaire. Il était bien payé, à la sucrerie. Et il me faisait livrer des fleurs. Des lilas et des roses. Et il m'écrivait des lettres. Nous étions jeunes, c'était une autre époque.

– Et qui cousait les robes ?

– La Wasłowitz. Madame Wasłowitz.

– La Polonaise ? La même Wasłowitz qu'il y a dix ans, qu'il y a vingt ans ? Elle doit avoir deux cents ans, maintenant.

– Elle prenait trois cents lei pour une robe. Elle a maintenant quatre-vingt-dix ans. On m'a dit qu'elle continue d'aller le dimanche à l'église, tous les dimanches, été comme hiver, par tous les temps.

– Elle t'a fait des robes au temps du Roi, puis des légionnaires verts, puis des staliniens rouges ? Et désormais de notre bien-aimé empereur rouge-vert ? Qu'a-t-elle dit en 1941, quand tu as disparu ? Elle devait bien savoir ce qui se passait… Et qu'a-t-elle dit quand elle t'a revue ?

– Quand on nous a emmenés, le maire n'a même pas voulu que je mette mes pantoufles dans mon sac à dos. Je les ai laissées dans le couloir. À la gare, Maria s'est accrochée à nous, elle voulait monter dans le wagon, elle ne voulait pas te lâcher. À la frontière, à Ataki, sur le Dniestr, on nous a fait descendre des wagons. Des wagons à bestiaux, nous étions les uns sur les autres, serrés comme des sardines ! C'est à Ataki qu'a commencé le pillage. Des cris, des coups, des rafales. Quand nous avons repris nos esprits, nous avions passé le pont. Mes parents étaient restés derrière, de l'autre côté. J'ai vu un adjudant. Peut-être bien l'un de ceux qui nous avaient poussés hors des wagons à coups de crosse dans le dos. Je suis vieille, hélas, mais en ce temps-là… en ce temps-là j'étais courageuse. Je suis allée trouver cet adjudant et je lui ai dit : « Monsieur, mes parents sont restés derrière, à Ataki, ils sont vieux. Je vous donne mille lei pour qu'ils nous rejoignent. »

On ne reparlait pas souvent de la Transnistrie à la maison. L'Holocauste n'était pas devenu le grand sujet à la mode, et on ne traitait pas la souffrance par des confessions publiques. Les lamentations du ghetto m'avaient toujours hérissé. Mais, aujourd'hui, l'âge ne nous réconciliait-il pas ? Notre rude et implacable conflit était devenu un badinage frivole.

Partir, partir, partir... répétait-elle en 1945, en 1955, et toutes les années suivantes. « Mais un soir viendra où je partirai d'ici[1] », prédisait le poète. Avait-elle jamais lu, dans « Notre Librairie » de Burdujeni, ce vers de Fundoianu, le futur Fondane ? Ce n'était pas pour Jérusalem que le poète était finalement parti, mais pour Auschwitz, via Paris.

N'ai-je pas fini par faire mien ce vers, par faire mienne l'obsession de la clairvoyante devenue aveugle, désormais incapable de partir où que ce soit ? Je ne sursaute plus en entendant des mots comme *goyim*, *schikse*, *partir**, je supporte les tics du ghetto auxquels j'ai toujours cherché à échapper.

Elle me fait signe que ses lèvres sont de nouveau sèches, elle veut boire. Elle avale une gorgée, puis me rend le verre, prête à reprendre sa place sur scène.

– Je lui ai dit : « Je vous donne mille lei. » Il aurait pu me fusiller ou me fouiller, me prendre tout mon argent. Il m'a dit : « D'accord, j'y vais, j'y vais pour mille lei, mais je veux aussi un pot de Nivea. »

– De Nivea ? À quoi pouvait lui servir la Nivea ? Et comment pouvais-tu t'en procurer ?

– J'en avais sur moi. Ce sont les tours de Dieu. J'avais glissé dans mon sac deux pots de Nivea.

– Tu n'avais pas pris tes pantoufles, mais tu avais pris de la Nivea.

1. Benjamin Fondane, *Paysages*, in *Le Mal des Fantômes*, traduit par Odile Serre, Paris-Méditerranée / L'Ether vague-Patrice Thierry, 1996, p. 63.

– Je lui ai donc donné aussi la Nivea. C'est comme ça que nous avons fait venir mes parents. Nous les avons pris avec nous, ils sont restés avec moi jusqu'à leur mort. Alors que papa était déjà perdu, la doctoresse Hellmann m'a dit qu'elle avait un flacon de médicaments. Des gouttes de Dejalen pour le cœur. Elle m'en a demandé mille lei.

– Elle était médecin, et femme, mais elle faisait commerce de la mort ? En plein camp ?

– Oui. Comme tout le monde. Je lui ai donné mille lei. Le docteur Weissman, de Dorohoi, estimait que c'était inutile, que c'était trop tard. Il me disait : « Tu ferais mieux d'acheter des vêtements ou de la nourriture pour tes enfants. » Mais je devais tout tenter, tout. Papa n'a même pas pu avaler les gouttes.

– Obstinée. Jusqu'au bout.

– Et ce n'est pas tout... Marcu était désespéré. Dès les premières heures, quand on nous a entassés dans le train. Et ensuite, quand on nous a jetés hors des wagons. Nous nous sommes réveillés, dans la nuit, au milieu des baïonnettes et des injures. Quand il a vu sa chemise toute noire, pleine de poux... Les poux se promenaient sur nous. Il disait : « Ça ne vaut pas la peine de vivre ainsi. » Il avait perdu espoir. Il a toujours été extrêmement propre. Méticuleux, élégant... jamais il ne mettait la même chemise deux jours de suite. Il fallait même que ses chaussettes soient repassées, il était comme ça. Il répétait : « Ça ne vaut plus la peine de vivre. » Après les premiers jours en Transnistrie, il répétait la même chose : « Ça ne vaut plus la peine, plus la peine. » Et je lui disais : « Mais si, ça vaut la peine. Ça vaut la peine, ça vaut la peine ! Si nous résistons, si nous survivons, tu retrouveras des chemises propres. Nous devons tout faire pour ça. » Et nous l'avons fait. Comme si nous avions su que nous allions revenir...

Soudain, elle tressaille. Le bruit de la porte. Quelqu'un est entré dans la pièce.

– Celluţa ? C'est toi, Celluţa ?

Oui, Cella fait son entrée en scène, sereine et solaire.

– Que de fois, Celluţa, j'ai été plus désespérée que lui… – elle s'adresse maintenant à sa bru.

Cella est restée sur le seuil, contemplant le trio. On lui parle comme si elle était là depuis le début.

– Mais à chaque fois… je me suis raccrochée à quelque chose. À la veste d'un officier allemand pour qu'il nous sauve des Ukrainiens qui voulaient nous tuer. Des bandes ukrainiennes au service des Allemands. Je me suis raccrochée au paysan chez qui je travaillais. Je faisais huit kilomètres à pied, l'hiver, habillée de toile de jute, je travaillais pour quelques pommes de terre, un pain et une poignée de haricots par semaine… Avec des vêtements en toile de jute, les pieds enveloppés dans des sacs. Je me suis aussi raccrochée à Yosel, notre rabbin, pour qu'il fasse un miracle, pour qu'il sauve Marcu. Les Russes nous ont libérés en 44. La première chose qu'ils ont faite, ça a été d'envoyer les hommes juifs au front, en première ligne, contre les Allemands. C'étaient des squelettes. À peine réchappés du camp.

– Qu'est-ce que le rabbin pouvait pour toi ? Il te connaissait, au moins ?

– Yosel, le rabbin de Suceava, qui avait été déporté avec nous ? Comment aurait-il pu ne pas me connaître ? Il connaissait aussi mes parents. À Iţcani, avant-guerre, nous lui faisions régulièrement parvenir de l'argent, de l'huile et du sucre. Je vais donc le trouver, je commence à pleurer, « Regarde, Reb, dans quelle situation je suis. Je vis dans une maison abandonnée, sans vitres, mes enfants ont faim, mon mari a été emmené par les Russes. Je suis seule, désespérée. » Je ne pesais que quarante-quatre kilos.

– Et il t'a aidée ?

– Il m'a aidée, oui. Il était là, comme ça, la main sous le menton, à me regarder. Et il m'a dit : « Rentre chez toi. Rentre chez toi, et demain matin… » Tous ceux à qui je l'ai raconté sont tombés d'accord : un miracle du Seigneur. « Rentre chez toi et tout ira bien. Demain matin tout ira bien », m'a-t-il dit.

– Et tout est allé bien ? Quelle sorte de bien ?

– Marcu s'était évadé de l'armée Rouge... Un miracle, non ? Il avait couru jour et nuit à travers les forêts, en évitant les villages et les routes, et il nous a retrouvés, là, en Bessarabie. Un autre miracle.

– Regarde, l'évadé est réapparu. Élégant et méticuleux, comme tu l'as dit. La chemise blanche amidonnée, comme toujours ! dis-je en arrêtant le magnétophone.

– Marcu ? Marcu est là ? demande-t-elle, agitée.

En effet, il vient d'entrer. Chapeau, costume gris d'été, chemise blanche, cravate. Il ne lui manque que le trépied, le siège pliant. Il marche de son pas régulier de toujours. Plein de retenue, les gestes mesurés comme à l'accoutumée.

– Marcu ? Tu es allé au marché ? Tu as trouvé quelque chose à acheter ?

J'interviens :

– Trouver quoi ? Crois-tu que nous soyons encore au temps où il t'apportait des lilas et des roses ?

– J'ai rapporté un journal, répond laconiquement mon père. Et des pommes. On déchargeait des pleins camions de belles pommes.

Il me tend le journal. *România liberă*. En première page : « Communiqué de la Commission du Parti et de l'État pour la surveillance et le contrôle de la qualité de l'environnement. Au cours de la journée du 6 mai, dans la majorité des zones affectées, y compris la municipalité de Bucarest, la radioactivité a continué de baisser. »

– Ah, la pollution est en baisse, dis-je. Depuis que Ruti est arrivée de Terre sainte, les communiqués sont de plus en plus optimistes.

Le journal ajoute, à la ligne suivante : « Dans certaines zones, on a enregistré une radioactivité en légère croissance, sans danger pour la population. » Sans danger, mais les recommandations se multiplient quant à l'eau potable, aux légumes, aux fruits. Les enfants et les femmes enceintes doivent éviter de rester trop longtemps dans des espaces ouverts. « Des espaces ouverts » ! Ne consommer que du lait et des produits laitiers du réseau officiel... Le réseau officiel ! La langue de bois, plus puissante que toute radioactivité. Qu'aurait-il dit de la Commission du Parti et de l'État pour la surveillance et le contrôle, ce rabbin qui faisait des miracles ? Maintenant que le danger est retombé, les précautions se multiplient... qui peut y croire ? Surveillance et contrôle, voilà la seule nouvelle crédible : surveillance et contrôle.

J'attends le déjeuner, le sommeil, le répit de la solitude. L'appartement est petit, deux pièces seulement, on y vit les uns sur les autres, comprimés par quarante ans d'un socialisme étroit.

– Regarde, voilà qui date de quelques jours... dis-je en prenant, dans une pile sur la table, un autre numéro.

– Il y a quelques jours, les camarades de la commission de surveillance et de contrôle disaient que « dans la nuit du 1er au 2 mai a été enregistrée une croissance de la radioactivité bien au-delà des limites normales, déterminée par la direction du vent soufflant du nord-est vers le sud-ouest depuis la zone d'émanation ». Que signifie ce « bien au-delà des limites » ? Une catastrophe ?

Personne ne participe à la conversation. La famille attend, apathique, le déjeuner.

– Au-dessus de la normale ? Mais qu'est-ce que la normale, que savons-nous de la normalité ? Et dans le numéro du lendemain...

Je prends encore un autre journal sur la table, dans l'espoir de réveiller l'assistance.

– Le lendemain, on a enregistré une certaine baisse de la radioactivité, qui se maintient cependant à un niveau élevé. Une certaine baisse !... mais à un niveau élevé. Les Russes ont déclaré que la pollution se limitait exclusivement au territoire de l'URSS. Mais *Europa liberă*, qui couvre l'Europe non libre, a annoncé hier que l'ambassade américaine à Bucarest a pris ses propres dispositions. S'ils n'ont pas encore renvoyé leur personnel en Californie, c'est peut-être le signe que tout est OK, après tout. Mais revenons à Mutter Courage et à son cœur fatigué.

– Mutter ne voit rien, voilà le problème, chuchote la vieille femme. Et son cœur va vers sa fin. Si au moins j'y voyais un peu, après les souffrances de l'opération. Ce matin, à l'hôpital où je passais la visite de contrôle, le docteur m'a examinée plus d'une heure. Il a dit que j'y verrais. Qui sait…

– Est-ce que tu vois d'où vient la lumière ?

– Oui, ça je le vois.

– Et quoi d'autre ? Est-ce que tu vois qui est dans la pièce, quand quelqu'un bouge ?

– Je vois des ombres. Quand quelqu'un s'approche, je vois une ombre. Maintenant que tu me parles, je distingue une ombre. Je voulais voir Ruti, c'est pour cela que j'ai insisté pour qu'elle vienne. Pour la voir une dernière fois. J'aurai au moins senti sa présence.

– Tu te rappelles, tata…

L'Israélienne essaie de jouer aussi sa petite scène à elle.

– Tu te rappelles quand on m'a fait descendre du train par lequel je devais rentrer en Roumanie ?

– Et comment donc… Comment pourrais-je oublier ? On avait décidé de rapatrier les orphelins de Transnistrie. Tu étais orpheline de mère, ta mère était morte avant notre déportation. Tu étais sur la liste des orphelins à rapatrier. Mais quand tu es montée dans le train… *Moishe Kandel hot aranjirt az zain inghil zol nemen ir ort.*

Depuis quelques années, surtout depuis qu'elle n'y voit plus, les mots yiddish se font plus fréquents. Le code du ghetto. Je traduis pour Cella : « Moshe Kandel s'est arrangé pour que son fils prenne sa place à elle. » Puis je reprends le rôle du naïf qui a oublié l'histoire.

– Comment ça ? Comment est-ce possible ? Tu l'as remercié, au moins, ce Kandel, pour ce tour de cochon ? Un homme si pieux, pourtant ?

– C'est Dieu qui l'a remercié, pas moi. Il a émigré en Israël, et un de ses fils est mort là-bas, dans un accident de moto.

– Dieu, les rabbins, les miracles, ça n'arrête pas. Que peuvent faire les rabbins quand Dieu vous envoie en Transnistrie ?

– Ce n'est pas Dieu qui m'y a envoyée, et ensuite il m'a fait revenir… Quant aux rabbins, ils ont fait des miracles dans ma vie aussi.

– Et la roue ?

– Quelle roue ?

– La roue du Destin. Ne disais-tu pas que ton frère Şulim ne se serait pas marié si la fiancée ne l'avait pas fait ensorceler ? Cette femme qui faisait tourner la roue. La jeteuse de sorts. C'est en faisant tourner la roue que tu as ensorcelé Marcu ?

Elle rit, nous rions tous.

– Marcu n'avait pas besoin qu'on lui jette un sort. Et je n'ai jamais été en rapport avec cette femme. Elle est morte il y a longtemps, avant la guerre.

– Mais son fils ? Son fils n'en avait pas besoin ? À qui dois-je mon heureux mariage ? La roue a dû tourner pour moi aussi.

– Ce n'est pas moi. Ce n'est pas moi qui t'ai présenté ta femme. Tu l'as trouvée tout seul.

Je me l'étais trouvée, en effet, le destin avait fait tourner la roue en ma faveur.

– Tu ne me l'as pas présentée, mais tu m'as empêché d'en épouser une autre.

– C'est le destin qui décide.

Les anciens conflits sont devenus matière à plaisanteries de vieux. Seule l'ironie conserve encore quelque chose du venin d'autrefois.

– Justement, tu m'as protégé. Tu m'as forcé à me protéger.

– Toi, te protéger ? Tu ne t'es protégé de rien.

– Quand je n'ai pas pu le faire, c'est la roue qui m'a protégé. Tu allais au cimetière, voir tous les rabbins qui y sont enterrés. Dans l'espoir qu'ils feraient tourner la roue et le destin comme tu voulais.

La plaisanterie est douteuse, le moment mal choisi, et la réconciliation signifie seulement que j'ai vieilli, comme tout le monde, dans cette petite cage qui fait partie d'une cage plus grande.

– Le destin, quel destin? Cette chrétienne n'était pas le destin.

– Cette chrétienne? N'a-t-elle pas de nom? A-t-elle perdu son nom? N'est-ce pas cela que tu demandais aux rabbins, morts et vivants: qu'elle perde son nom de *schikse*?

Le fiel d'autrefois a fini par se changer en plaisanterie. Résignation, indulgence? Devant la mort? Oui, devant la mort.

– Sache que les rabbins m'ont aidée. Et qu'elle aussi, ils l'ont aidée. Ils l'ont aidée, j'en suis sûre. Je priais pour elle aussi, sache-le. Ça va bien pour elle, elle est en Angleterre, elle a deux enfants et ça va très très bien pour elle.

– Ça va bien, mais elle ne sait pas que tu as prié pour elle.

– Elle le sait, elle le sait. Et même si elle ne le savait pas...

– Que tu aies prié pour elle, même Dieu ne pourrait pas le croire.

– J'ai prié, oui, j'ai prié pour qu'il la protège du mal. Rien de méchant, comme tu vois.

– Évidemment, maintenant qu'elle est loin! Le danger s'est éloigné avec elle, là-bas, en Angleterre! Mais que tu aies prié pour son bien, c'est un peu fort.

– Pas du tout. Je ne lui voulais aucun mal, tu le sais bien. Je n'ai jamais dit de mal d'elle. Elle a deux enfants, à ce que j'ai entendu... Madame Wasłowitz m'a raconté. Très élégante, très excentrique, à ce que dit madame Wasłowitz. Excentrique, elle l'a toujours été, même si elle n'était pas très belle.

– Comment ça, pas très belle, qu'en sais-tu?

– Je n'en sais rien, je ne l'ai jamais vue. C'est ce qu'on dit.

– Mais puisque tu es en contact avec madame Wasłowitz et avec tout le monde, pourquoi ne lui as-tu pas envoyé en cadeau une photo récente de son ancien amoureux, avec sa brioche et sa calvitie ? Pour qu'elle ait le plaisir de voir son Roméo tout décrépit ? Tu n'as pas voulu, n'est-ce pas ? Tu n'as pas voulu qu'elle voie que, moi aussi, l'âge m'a enlaidi. Quelqu'un fait tourner la roue pour chacun de nous, n'est-ce pas ? Si aujourd'hui, avec Tchernobyl, la roue tournait pour nous, nous échapperions à tous ces ennuis. Tu as entendu ce que disent les journaux ? Que nous ne devons pas rester dehors, en liberté. Nous pourrions être irradiés. Que nous devons prendre soin des femmes enceintes et de celles qui pourraient l'être. Que nous devons faire bouillir les aliments, si toutefois nous pouvons nous en procurer. Que nous devons écouter *Europa Liberă* pour savoir ce qui se passe ici, chez nous. En un seul tour, la roue résoudrait tout. Si elle agit sur l'amour, la chose la plus compliquée qui soit, un malheureux accident nucléaire est pour elle une broutille.

Elle ne répond pas, elle est fatiguée. Nous sommes cinq à la table du déjeuner. Salade d'aubergines, poivrons grillés, boulettes de viande hachée, pommes de terre, crêpes. Nous n'avons pas de quoi nous plaindre, tout s'arrange, en fin de compte, ici, à mi-chemin entre bien et mal... Et en dessert, la pomme d'or. Pelée avec un couteau, lentement, par monsieur Marcu Manea, en longues et fines spirales. Des pommes superbes, déchargées du camion sur l'asphalte, en pleine pollution radioactive.

Le repos après le déjeuner, cette sieste qui prouve la supériorité de l'apathique socialisme oriental sur l'Occident dégénéré. Ensuite, au réveil, la conversation au ralenti, les deux heures de névrose télévisée avec le clown bègue dans le rôle du Président : encore une journée sans retour. L'événement Tchernobyl a aiguisé les incertitudes. Il faut que, de temps à autre, l'espoir nain et fainéant soit cinglé par quelque ruse perverse. Migraine, paupières lourdes, palpitations, nausées ? Une névrose de routine, pas une irradiation. Des toxines infiltrées dans nos esprits et nos corps depuis des décennies. Beaucoup ressentaient depuis longtemps l'urgence du saut dans le néant, mais la force de l'apathie ne diminuait pas.

La blessure des jeunes filles en fleurs

Été 1959, Suceava. Cinq ans plus tôt, j'étais parti conquérir non pas le monde comme Rastignac, mais la cuirasse qui me protégerait de l'extérieur, et de ma propre vulnérabilité. J'étais donc revenu à mon point de départ. La profession d'ingénieur ne pouvait me protéger de rien et ne me convenait en rien, mais à vingt-trois ans ce ne sont ni les déceptions, ni les confusions, ni l'insondable ennui qui dictent leur loi au calendrier. La rue, les chambres, les visages dissimulés dans le mystère du quotidien, les femmes, les livres, les amis, intensifient le champ magnétique de l'être en devenir que nous sommes.

La peur de finir dans la fosse aux ratés ? La peur recroquevillée, dilatée puis de nouveau tapie, assoupie à moitié seulement ? Les stratégies de l'esquive ? Ma réticence envers la politique s'était étendue aux relations affectives. Je fonctionnais mieux, y compris sexuellement, quand je disposais d'une « double solution », d'une alternative. La solution de secours, le « coefficient de sécurité » cher à l'ingénieur, pour les situations imprévisibles, au cas où le refuge s'effondrerait. Mes sens juvéniles lançaient un défi à la pesanteur de ma profession, à l'étroitesse de mon milieu familial, mes peurs s'étaient réfugiées dans l'attente, tels des lézards invisibles.

La femme du docteur Albert jouait son rôle d'autrefois, toujours éblouissante. Et sa fille était revenue, mariée et enceinte, vivre dans la ville de nos amours adolescentes. Les familles autour de nous étaient les mêmes, les enfants poursuivaient leurs études en attendant que se présente l'occasion d'émigrer. Derrière la planche à dessin voisine de la mienne était assise une Russe blonde et mince qui me prévenait, avec ses inimitables fautes de grammaire et son irrésistible accent, lorsque son mari était en déplacement. Les aventures amoureuses ne manquaient pas, les obligations professionnelles étaient ennuyeuses sans être accaparantes. Depuis, le lycée où j'avais naguère occupé le devant de la scène était devenu mixte ! La fête de fin d'année était désormais un bal... la promotion 1960 était des plus décontractées. Au bout de quelque deux heures passées au milieu de mes anciens professeurs et des nouveaux diplômés, je partis avec mon excentrique partenaire à une soirée entre ingénieurs, où chacun venait accompagné de son épouse ou de sa petite amie. La bachelière n'avait que dix-huit ans, mais ne faisait pas du tout provinciale. Elle avait de la grâce, de l'audace, de l'humour. Une robe en voile bleu, une rose sur la poitrine. L'aube nous trouva, étourdis par la boisson et la chaleur de cette nuit d'été, sur la colline de l'ancienne citadelle de Zamca, près de la maison où elle habitait. Elle avait quelque chose de pur et de provocant à la fois. De méditerranéen, de slave, d'andalou. Un profil grec, un regard vif et ardent.

Dans les semaines qui suivirent, notre dialogue gagna en imprévu. L'impatience de nos mains et de nos lèvres s'était exacerbée. Nous décidâmes d'aller passer un week-end à la montagne, dans les environs. Mais il me fallait d'abord tuer mon double dans ce mélodrame du passé.

De la rue, on voyait la maison et sa haute véranda, ainsi que le jardin au fond de la cour. Je gravis lentement, comme autrefois, l'escalier en bois, et frappai discrètement à la porte. L'obscurité dense de la maison, la lune rousse : tous les éléments du scénario étaient là. Une soirée d'été boréal, avec le réverbère de la rue Armenească qui clignotait tel un cyclope. Je guettai le bon moment pour me faufiler par la porte du passé. À peine avais-je frappé que la porte s'ouvrit. Un soir fatidique de juillet : le docteur Albert et sa femme étaient partis en vacances, leur gendre était en déplacement pour son travail. Mon ancienne amoureuse m'accueillit comme l'exigeait son rôle, je l'entendis chuchoter à mon oreille, de façon répétée, les indications scéniques : « Doucement, doucement, à gauche, doucement, attention à ne pas le réveiller. »

Je savais ce qui allait se passer, mais je ne savais pas où. La jolie fille de la jolie madame Albert n'avait finalement pas épousé l'élu de son cœur, mais elle s'était mariée tout de même, comme l'exigeaient les règles du monde où elle était née. Le jeune couple, vite devenu trio, n'avait rien trouvé à louer qui lui convienne, de sorte qu'il était hébergé chez ses parents à elle. Nous allions commettre le sacrilège dans la maison même où, peu auparavant, j'avais été le prétendant idéal à la main de la jeune fille. Non, je n'étais pas devenu le gendre de la splendide madame Albert un jour descendue des cieux inaccessibles jusqu'à notre modeste cuisine terrestre pour nous gratifier de cette réplique légendaire : « Je veux connaître les parents de ce jeune homme. » Le jeune homme n'était pas devenu membre de la famille, mais voici que cette nuit improbable lui offrait une récompense et une revanche. La main brûlante de la jeune femme me guidait, frêle et impatiente, à travers le tunnel du temps, vers la porte de gauche, vers l'ancienne salle à manger, où j'avais autrefois eu le plaisir d'être reçu le samedi soir. C'était là que se déroulerait le sacrilège.

Je refermai lentement la porte, laissant l'obscurité derrière moi. Les dieux avaient préparé la lampe du péché : dans un coin de la pièce vacillait une minuscule bougie. Dans la vaste salle à manger familiale était installé, au lieu du somptueux canapé, un lit en bonne et due forme pour le jeune couple. Et, à côté, le berceau du bébé.

Le berceau de l'innocence collé au lit de la profanation... Le cadre était riche en connotations provocantes, mais notre impatience ne souffrait aucun délai. Je m'engouffrai dans le tunnel brûlant du passé, rechargé à chaque nouveau spasme. Salve après salve, gémissement après gémissement, les maîtres de la nuit, épuisés et en sueur, avaient consommé leur vengeance, leur rachat. À côté, dans le berceau, le bébé dormait, insouciant. Mon ancienne amoureuse était la même tout en étant une autre, elle avait appris de nouvelles techniques de plaisir qu'elle appliquait avec délicatesse et passion, ses longues jambes soyeuses dressées vers le ciel, rythmant le triomphe de la jeunesse irréversible.

À l'aube, je m'arrachai, titubant, du lit de l'épouse infidèle. Le bébé dormait à côté, loin des voluptés de l'adultère.

Je fus réveillé par l'élixir de cette matinée d'été. Ce que j'avais ressenti n'était pas de l'amour, mais un résidu confus de possessivité. Tout avait parfaitement fonctionné, l'esprit, les émotions, le corps, l'aveuglement de l'instant, le détachement d'avec elle, la simultanéité frénétique. Un sentiment puéril de plénitude, exactement ce dont j'avais besoin, et que j'avais reçu et emportais avec moi. Épuisé, je remontai la rue Armenească, déserte sous la brise de l'aube, jusqu'au sommet de la colline. Je tournai lentement, à droite de la vieille église, puis à gauche en descendant vers le nouveau quartier résidentiel, puis encore à gauche, rue Vasile Bumbac. À l'angle, au numéro 18, le trottoir étroit, parallèle à la maison, me guida jusqu'à la porte derrière laquelle dormait à chaque fois une servante différente. Ce qui s'était passé n'avait rien à voir avec l'exploit de l'adolescent dix ans plus tôt, ni avec le fiasco, cinq ans après, au bordel de la rue Frumoasă, ni avec la nuit que m'avait accordée, deux ans auparavant, la courtisane Rachele du Gard, ni avec mon escapade nocturne du mois précédent en compagnie de la Russe lubrique. L'abcès des atermoiements tortueux était enfin crevé! Le temps compulsif, la constellation des âges en fleurs… Ces jours, ces mois, ces années où j'avais tourmenté *les jeunes filles en fleurs** de mes excessifs tâtonnements littéraires et sensuels étaient enfin vengés par cette nuit de gala.

La jeune fille avait sacrifié sa virginité non pas à l'amour, mais au mariage, elle avait mis au monde un fils, mais sa beauté n'en avait pas souffert. Le bleu de son regard était plus profond, l'or de ses cheveux plus cuivré, sa poitrine épanouie, sa taille admirable, sa peau mate et ambrée… elle était plus belle que jamais. Sa sensualité n'avait perdu ni en suavité ni en ardeur, ses sens éduqués l'avaient au contraire dotée de nouveaux talents. Elle ne semblait pas destinée à un seul époux, ni à un seul amant. Mais ce soupçon ne me troublait plus, il ne faisait que stimuler mon excitation. Après cette nuit de bonheur, j'aurais dû lui téléphoner, comme l'eût voulu la bienséance, mais je n'avais que faire d'un tel *happy end*, et n'étais pas tenté par la routine de nouvelles rencontres : j'étais au début de quelque chose d'autre.

Deux jours me séparaient de mon départ pour la montagne avec la toute fraîche bachelière. L'intervalle s'était dilaté comme dans les fables, à l'endroit où était tombé le peigne enchanté avaient surgi des cimes. La nuit qui m'avait rendu au temps perdu était déjà loin, derrière elles, dans le passé. Les jambes folâtres de la jeune fille assise à côté de moi, toute joyeuse, dans le compartiment du train qui nous emmenait à Cîmpulung Moldovenesc, avaient rompu d'emblée tout lien avec le passé d'hier et d'avant-hier.

Le refuge au sommet de la montagne veillait solennellement sur la ville. Dans la chambre toute simple, en bois, l'insomnie de la nuit étoilée se prolongea jusqu'aux lueurs de l'aube, sur le drap taché des œillets du sang virginal. Non, ce n'était pas une parodie. C'était quelque chose de réel, de naturel, sans faux-semblants ni réminiscences, sans reproches ni projets d'avenir. Quelque chose de simple, d'entier, comme la forêt alentour.

Bientôt, cependant, le répertoire traditionnel imposerait sa suprématie. Un silence suspect avait dilaté les pièces minuscules où vivaient les familles Montaigu et Capulet, qui ne se connaissaient pas. Deux familles modestes, petites-bourgeoises, de la province socialiste, aussitôt rangées sous le blason classique de Vérone ? Les professionnels de la médisance avaient déjà ourdi l'intrigue, imitant le souffle vénéneux des grands drames. Il y avait dans l'air des signes d'orage, l'histoire se répétait comme une farce.

L'explosif, soigneusement emballé, avait ressuscité la sempiternelle ennemie du ghetto : la *schikse*. L'expérience taboue, l'attrait irrésistible de la profanation, le piège chrétien, la tragi-comédie du ghetto.

Quelques semaines après le rituel déritualisé de la perte de sa virginité, Juliette s'était enfermée dans sa chambre, s'isolant de ses parents, de ses frères et sœurs, pour préparer l'examen d'entrée à l'université. Son amoureux était parti au bord de la mer où il hantait, solitaire, le rivage et les restaurants. Entre-temps, sa famille avait reçu un coup de téléphone l'informant que les heureux amants vivaient l'amour fou sur les rives de la mer Noire. La rumeur aurait-elle été lancée par la femme adultère de la rue Armenească ?

La lamentation millénaire avait mis en mouvement la griffe omniprésente du ghetto, furetant partout à la recherche de traces suspectes. La mère juive répétait l'hommage rendu par son cousin, le professeur Riemer, à sa jeune élève : « Cela fait des générations qu'il n'a pas rencontré une fille aussi intelligente. » Un éloge instinctivement transformé en caricature : l'intelligence de l'adversaire n'était que ruse. Délire séculaire des victimes, peur, divagations de la mémoire ?

On ne pouvait ignorer, encore moins affronter, le pathos, les scènes de tachycardie, les spasmes annonçant le suicide imminent. La Mater Dolorosa n'en était pas à ses premières représentations du genre, mais cette fois ni les arguments ni les médicaments n'étaient d'aucun secours. La logique était imprévisible, le spectacle aussi. Déséquilibre dû aux années de camp, à des frayeurs antérieures ?

Les crises, avec ou sans motif, gagnaient en énergie. La vue du désespoir appelait la compassion, et rien d'autre. Mais la compassion était impuissante contre la colère qui couvait jour après jour chez le fils plus sensible que sensé. L'hostilité, loin de détruire l'amour, le stimule, avions-nous retenu de nos prédécesseurs de Vérone : l'amour perdurait donc, entre clairières idylliques et chambres prêtées par des amis.

Au début de l'automne, Juliette quitta ce guêpier pour l'université. En octobre, le jeune ingénieur lui rendit visite à Bucarest et emménagea, au retour, dans un studio au centre de Suceava, dans un foyer-hôtel pour célibataires. La correspondance entre la capitale et la province restait intense, les crises du ghetto s'étaient apaisées. Mais le vaudeville réservait des surprises : deux jeunes gens masqués, à minuit passé, sur le quai de la gare d'Iţcani-Suceava. Une voiture stationnée à la sortie, avec un chauffeur prévenu de sa mission nocturne. Il neigeait, le vent s'était mis à souffler fort. Le quai était vide : c'est à une heure vingt du matin, conformément à l'horaire prévu, que l'express Bucarest-Suceava-Nord parvint à destination. Les voyageurs descendaient un par un, frigorifiés, dans la nuit nordique. Quelques minutes après que le dernier eut quitté le quai, descendit à son tour l'inconnue déguisée en Juliette Capulet. Emmitouflée dans un gros manteau blanc, elle avait à la main une petite valise noire. Sans regarder d'un côté ni de l'autre, elle se hâta vers la Jeep brinquebalante garée à droite derrière la gare, contre un panneau publicitaire. Une portière s'ouvrit précipitamment, le chauffeur l'aida à monter et démarra en trombe.

La jeune Capulet resta une semaine dans sa cage, au premier étage de l'Hôtel des Célibataires, suivant strictement les instructions des conjurés. Elle ne sortit pas de la pièce, ne répondit pas au téléphone, et son départ se déroula sans anicroche.

Toutes les démarches du jeune ingénieur pour se faire muter à Bucarest échouaient, même lorsqu'elles paraissaient près de réussir. À chaque fois, d'obscurs détails de son « dossier » compromettaient sa tentative.

Au printemps 1961, lors d'un de ses déplacements à Bucarest, il s'arrêta à Ploieşti pour un entretien avec le directeur de l'entreprise locale de construction. Le centre-ville, situé à cinquante minutes de la capitale, était en pleine reconstruction, les chantiers avaient besoin d'ingénieurs. Le postulant reçut, sur-le-champ, sa lettre de transfert de l'Institut de projets de Suceava à l'entreprise de construction de Ploieşti. La loi obligeait cependant les ingénieurs stagiaires à faire leurs trois premières années là où la commission gouvernementale les avait affectés. Quand il donna sa démission, l'amoureux fut menacé par les chefs du Parti de Suceava d'être ramené « enchaîné ».

Des chaînes, voilà ce qu'évoquait aussi le silence sépulcral de sa famille. Une sorte de grève de la participation ! Plus expressive, en fin de compte, que la gesticulation paranoïaque d'avant. Les chaînes qui retenaient le rebelle dans le bouillant giron familial étaient affectives, bien sûr. La griffe possessive avait une main de velours.

Un lundi matin, l'ingénieur se présenta avec ses deux valises dans le bureau du directeur de Ploieşti. Le camarade Cotae avait des jambes maigres et fragiles de moustique et était soutenu par des béquilles, du fait d'une poliomyélite infantile. Un bel homme, intelligent, ancien major de promotion de l'École polytechnique. Courtois et ferme : il était difficile de ne pas être conquis par son style direct, viril. La nouvelle recrue devait se présenter le lendemain au chantier du centre-ville.

Ploieşti était presque une banlieue de Bucarest, la distance entre les deux villes était faible, il y avait des trains toutes les heures. Juliette écoutait intelligemment, assumait les risques et les surprises. Extravagante, aventureuse, indomptable. D'une acuité impressionnante… avait déclaré Riemer son professeur de mathématiques, qui revenait cycliquement, tel Frère Laurent, dans l'histoire familiale.

Avril sanglant, premier printemps de la vie de couple. Dans la Roumanie socialiste d'alors, les avortements étaient encore légaux et bon marché. Salles d'attente bondées, une patiente sortait, une autre entrait, comme lors d'une veillée funèbre.

Si elle avait su ce qui se passait à cet instant derrière la porte blanche, la mère du ghetto aurait-elle pris peur ? Remords, culpabilité, compassion ?... Ou bien cette vieille femme qui croyait en Dieu ne se souciait-elle que de sa transe monomaniaque ? Cette vénéneuse pensée s'insinuait dans l'esprit du coupable qui attendait sa Juliette blessée sur un banc du jardin de l'hôpital, devant le cabinet des massacres. Attente morbide, terreur, culpabilité.

Test des limites et de la duplicité de l'aimé ? Hostilité de la famille ou équivoque des désirs propres ? Tentation de l'inconnu ou tentation de l'interdit ?

« À qui dois-je mon heureux mariage ? La roue enchantée aurait-elle tourné pour moi aussi ? », allait demander, vingt-cinq ans plus tard, l'ex-Roméo. « Ce n'est pas moi qui t'ai présenté ta femme, tu l'as trouvée tout seul », répondrait en 1986 la vieille Montaigu, presque aveugle, comprenant sans peine l'allusion. « Tu ne me l'as pas présentée, mais tu m'as empêché de me marier quand ça ne te convenait pas », insisterait le fils. « C'est le destin qui décide » : la réponse ne s'était pas fait attendre. « Justement, tu m'as protégé de ce qui m'était destiné. Tu m'as forcé à me protéger. » Vieille blessure devenue plaisanterie et provocation. « Toi, te protéger ? Tu ne t'es protégé de rien », avait répondu la vieille voix, la vieille névrose. « Cette chrétienne n'était pas le destin », avait-elle ajouté aussitôt. « Cette chrétienne ? A-t-elle perdu son nom ? N'est-ce pas pour cela que tu implorais les rabbins, morts et vivants : pour qu'elle perde son nom ? », s'était-il écrié, furieux, en 1961, 1962 ou 1963, et pas seulement l'été 1986, lorsque le passé était devenu vieux.

Elle avait un nom : Juliette ! Le nom générique et séditieux de l'Amour ! aurait dû s'écrier triomphalement, l'été de Tchernobyl, en 1986, avant la chute du Rideau, un Roméo fatigué, prêt à l'ultime exil. Les années avaient passé, les mystifications ne consolaient plus. « Je priais pour elle aussi. Je ne lui voulais pas de mal. Elle a deux enfants, ça va bien pour elle, elle est en Angleterre. » Parbleu, où serait-elle, sinon en Angleterre ? Pourvu que ce ne soit pas à Vérone ou à Ploieşti ! En Angleterre, sinon où ? Chez papa William, bien sûr, chez le Grand Bill. L'amour comme insurrection ! Ensuite, les chaînes, les ambiguïtés, les tentations de s'évader de l'amour, après s'être évadé de la famille. En perfectionnant elle-même, à chaque instant, son travail d'érosion, la vie usurpera, en quelque sorte, nos illusions d'accomplissement et notre orgueil d'être unique... c'est l'éternelle leçon du génial Will. Le bal, la nuit de l'étreinte, la fuite de Vérone, et enfin l'alternative : les héros échappent au poison et à la mort, tués par un poison plus lent et une mort moins spectaculaire – le miroir de l'âge. Le sang ne coulait plus lors d'acrobatiques duels masculins, mais dans les sordides cliniques où l'on avortait, le poison n'était pas l'antagonisme entre familles, traditions ou classes sociales, il était la vie elle-même, avec ses limites et ses surprises.

L'amoureux se mesurait aux limites de leur relation et à celles d'une profession pour laquelle il n'était pas fait. L'amoureuse faisait face, quant à elle, à sa propre possessivité névrotique. Crises de jalousie, manque de confiance en soi. La tension entre les partenaires n'était plus seulement due à la nécessité d'affronter un monde hostile, mais à celle d'affronter sa propre ambiguïté, à la découverte de la haine, non pas de l'ennemi, mais de l'être aimé et de soi-même. Le soi, c'est-à-dire les individus qui font notre multiplicité et nos potentialités ? Le mensonge, notre inévitable pédagogue ? Son onctueuse ondulation disparaît sans laisser de traces, nous restons inchangés, indemnes, comme si de rien n'était. Jusqu'au dédoublement suivant. L'abîme des dédoublements, la tragi-comédie des substitutions ?

L'amoureux était de plus en plus irrité par les visites inopinées de son amoureuse, terrorisé par sa griffe possessive d'oiseau de proie tournoyant, agité et affamé, dans ses cauchemars.

L'amoureuse non désirée qui se débattait, incapable de cacher sa blessure comme de la guérir, était apparue un soir, passé minuit, et l'avait surpris avec une autre femme. Par la suite, elle avait intercepté des lettres coupables. La fleur du mal ouvrait ses grands pétales phosphorescents et empoisonnés.

Il n'y avait plus d'échappatoire, ou plutôt il y en avait une: le mensonge! Un nuage visqueux, ténu comme une brise qui vous tire d'embarras, transformant instantanément la réalité en son double ou en ses multiples convoqués pour vous sauver.

L'histoire de Vérone était-elle à son tour devenue, comme toutes les tragédies qui se répètent, une farce? Le finale n'en finissait plus, et si la séparation paraissait imminente, ce n'était pas dans la tragédie et la mort, mais dans l'ennui. Le rôle de l'amoureux transi et tragique s'était mué en une partition comique, celle du partenaire exaspéré par sa femme et par la monotonie de la vie à deux. Les protagonistes avaient épuisé l'exaltation, les doutes, la trahison, les remords. La résignation ne favorisait pas le redémarrage de l'idylle, le mariage avait été consommé sans consécration légale. Allaient-ils l'un et l'autre, par la suite, faire un heureux mariage, comme l'avaient prédit la Tsigane du coin de la rue, et les rabbins du cimetière de Suceava, et les nuages qui s'agitaient, loquaces, au-dessus de leurs nuits d'insomnie?

Il revoyait Juliette ensanglantée sur le seuil de cabinets médicaux, ou bien dans des paysages de mer et de soleil, ou encore au Bal du début. Les années avaient progressivement dilué le souvenir, il ne restait que la faute, et la gratitude pour cet apprentissage orageux. Le fantôme de sa jeunesse l'avait abandonné aux délices de l'imperfection.

Un ultime message, nocturne et mystérieux comme une menace: « C'est moi, je reviendrai. » L'instant suivant, l'image occupait tout l'écran de la nuit. Un banc, près du muret sur le rivage. La femme portait une robe à fleurs à motifs orientaux bruns, une écharpe de soie, des chaussures marron à talon. Entre les chaussures et le bas de la robe, on voyait un bout de jambe, des veines bleues. À côté, le sac ouvert, des paquets, de petits paquets, et par-dessus une autre écharpe, toute fine elle aussi, jaune. Les cheveux décoiffés par le vent, le regard attentif et absent, fixant un point en dehors de l'image. Un air de solitude doux et fugace, mais intense, comme autrefois. Et un chuchotement, comme autrefois.

« La première crise a eu lieu voici deux ans. Je revenais d'un séjour heureux en Espagne. Un de mes meilleurs amis venait de mourir. Puis j'ai appris l'accident où ma plus jeune sœur a perdu la vie. La personne qui m'était la plus chère de toute ma famille de Roumanie ! J'ai été hospitalisée, contrainte de rester en clinique plusieurs semaines. Un combat désespéré pour récupérer. Ce sont les enfants qui m'ont sauvée. Il fallait que je m'occupe d'eux, que je les protège de la souffrance qui m'avait terrassée. »

La voix familière, le visage et la silhouette, inchangés, la même concentration dans la douleur.

« Une rechute terrible, un sommeil noir, infini. Puis je me suis partiellement ressaisie, en raison des affaires de mon mari je suis allée vivre en Orient, en Afrique, en Amérique latine. Il fait des affaires avec les pays communistes, comme tu l'as sans doute deviné à la joyeuse scène de groupe avec le leader communiste. Maintenant je sors d'une nouvelle hospitalisation. La médecine orientale traditionnelle : des thés, des poudres spéciales. Tu as sans doute compris de quelle maladie je souffre. »

Le son s'arrête. Longue pause, j'attends en vain que bougent les lèvres, ou les mains, ou le corps, ou les vagues à l'arrière-plan.

« J'essaie de pardonner, d'oublier ma fierté de princesse mendiante. Je prie pour que mon cœur guérisse, pour que guérisse l'enfant gâté qui est en moi. Je vis parfois trop intensément la méchanceté autour de moi. Je suis trop impulsive et sincère, comme tu sais. Notre étrange intimité me fait encore mal, parfois. Peut-être ai-je été pour toi un étrange météore, un catalyseur, qu'en dis-tu ? Ces termes chimiques d'il y a longtemps… En fait, il y a dix ans que je n'ai plus mis les pieds dans un laboratoire. On ne peut pas admettre dans un laboratoire une chimiste atteinte de schizophrénie, n'est-ce pas ? Mes enfants sont grands, moi aussi. »

Elle est immobile, au bord de la falaise. Derrière elle, toujours immobile, l'étendue plate de l'eau, l'horizon gris du ciel. Une image figée, comme une carte postale. Seule la voix anime ce songe bizarre.

« Oui, ces petits matin de juin, à Vérone… les grands moments de la jeunesse. Rien ne pouvait me retenir de tout brûler, jusqu'au bout. Maintenant, ici, à la maison, apparaissent toutes sortes d'objets étranges. Un vieux paquet de cigarettes d'il y a trente ans, un petit tas de terre, une bougie sur la banquette arrière de la voiture. Non, ils ne me font pas peur, la douleur me protège de tout. »

Le visage s'éloigne, tout comme la voix, fragmentaire, voilée. Peut-être reviendront-ils, mais le rêve s'est volatilisé, la mémoire ne peut le prolonger. Le fantôme a disparu.

La langue nomade

Salles d'attente bondées, hôpitaux surchargés. Les longues files de patients évoquent une procession mystique à laquelle on n'accède que par relations : quelqu'un qui connaît quelqu'un, l'ami d'une amie de l'épouse, de la sœur, de la maîtresse. Trouver un taxi pour vous emmener, aux heures de pointe de la matinée, à l'hôpital situé à l'autre bout de la ville, est un défi de plus à l'apathie socialiste. Seul un chauffeur qu'on connaît bien, ou un ami possédant une voiture, est susceptible de transporter la patiente chez le médecin.

Il faut avoir rempli ces conditions pour rejoindre enfin la colonne sacrée des malades, et attendre au milieu des autres privilégiés l'instant miraculeux !

Le chirurgien ophtalmologue monté quelques années plus tôt de sa province à Bucarest se trouve, du jour au lendemain, promu Magicien : les rendez-vous se prennent un semestre à l'avance.

Instant, c'est bien le mot : en un instant, l'expert a émis le diagnostic, fixé la date de l'opération. La patiente de quatre-vingt-deux ans souffre du cœur, de diabète et de névrose. Son fils, plus tout jeune non plus, est visiblement troublé par chacun des gestes ralentis et des paroles traînantes de l'aveugle à côté de lui, mais ne semble pas encore résigné à l'inéluctable.

La vieille dame a obtenu le bulletin tant convoité d'admission à l'hôpital. D'admission « avec accompagnateur », deux jours avant l'opération et deux jours après. Pour faire face à l'événement, sa bru devra prendre toute une semaine de congé.

Une semaine, et non pas quatre jours. Le rôle exige un délai supplémentaire pour se procurer les munitions de circonstance : cartouches de cigarettes étrangères, savons, déodorants, flacons de vernis à ongles, boîtes de chocolats aux étiquettes occidentales. C'est l'unique façon de gagner la bienveillance des infirmières, des femmes de service, des guichetières préposées aux rayons de miel de la ruche socialiste. Quant au paiement de l'opération, il requiert lui aussi des modalités moins conventionnelles que les habituelles enveloppes pleines de billets graisseux et froissés constituant, sous le socialisme, la réalité de l'assurance médicale gratuite. L'ouvrage dédicacé, envoyé au médecin par l'intermédiaire de son épouse, ayant à peine suffi pour obtenir une consultation, il a fallu s'enquérir de ce qui ferait « vraiment plaisir » au Magicien. De la peinture ? Des tableaux, si je comprends bien ? Parfait, partons donc explorer les ateliers des peintres de la Jormanie socialiste.

Mais malgré l'envoi au domicile du médecin d'un pastel dans son cadre doré, qui a coûté un mois de salaire, la chambre individuelle tant convoitée n'a pu être obtenue : la patiente et son accompagnatrice devront partager un seul des six lits de la salle commune. Elles dormiront ensemble, dans le même lit, les deux nuits précédant et suivant l'opération.

Nuits de gémissements et de spasmes. Parfois, on entend de longues confessions crispées, des mots venus du sommeil et de nulle part. Une sorte de grommellement maladif de la nuit. Ce n'est en aucun cas le calme exigé par les préparatifs de la délicate intervention chirurgicale et par la convalescence qui suivra.

La voix de la vieille femme retient l'attention. Une lamentation codée, une langue bizarre, incompréhensible. La bru est seule à savoir qu'il s'agit de yiddish, bien qu'elle non plus ne comprenne pas le sens de ces mots étrangers.

Dans la journée, la vieille dame, à la fenêtre, parle roumain, seulement roumain. Mais le naturel du jour ne dissout pas l'artificialité de la nuit. Les paysannes des cinq lits alentour l'examinent, soupçonneuses, sans oser demander la moindre explication à la jeune femme qui partage le lit de la païenne.

La nuit suivante, même égarement somnambulique. D'abord un chuchotement, puis de brefs signaux gutturaux, puis le rythme vif d'une confession tourmentée, cabalistique. Un lexique mystérieux, de plaintes et de reproches, mais aussi de lyriques accès de tendresse, destinés aux seuls initiés. La bru écoute, tendue. Une sorte de décharge hypnotique et douloureuse, dans une langue nomade. La voix ancestrale d'un oracle exilé, arrachant à l'éternité un message tantôt morbide et obstiné, tantôt doux et miséricordieux, les excentricités d'une phonétique barbare et sectaire qui électrise l'obscurité.

Un dialecte qu'on dirait allemand ou hollandais, mais vieilli et patiné par une langueur pathétique, aux inflexions slaves ou espagnoles, aux sonorités bibliques, un limon linguistique qui a recueilli et charrié des alluvions de toute sorte. La vieille dame raconte ses épisodes d'errance à ses ancêtres, à ses voisins, à personne, en un soliloque enchevêtré par moments de plaintes et de tremblements dont on ne sait s'ils sont plaisanterie ou blessure. L'odyssée de l'exil, la frénésie de l'amour, les commandements de la divinité, les frayeurs du présent ? La nuit ne permet rien d'autre que ces instantanés codés, ces spasmes inexpliqués de l'inconnu.

Le matin, comme si de rien n'était, la patiente revient à la langue diurne, la langue commune. Sa bru la lave, l'habille, la coiffe, lui donne à manger, l'emmène aux toilettes, lui enlève sa culotte, l'assied, la nettoie, la ramène dans la chambre, la recouche.

« Dieu te le rendra, il te le rendra au centuple », dit, depuis la fenêtre, la voix faible et traînante.

Mais, invariablement, l'obscurité la renvoie au passé. La nuit venue, l'ancienne et mystérieuse divinité reprend son soliloque, adressé à une divinité plus ancienne et plus mystérieuse encore, et surpris du seul fait du hasard par un auditoire étranger, privé d'accès au code nocturne. Les vieilles lèvres, brûlées par la soif et la fatigue, scandent un récit où reviennent le fils, le père, le mari, la bru, et Dieu qui donne à chacun son visage et ses extravagances, les années solaires et idylliques de la jeunesse et les années hooliganiques d'hier et de demain. La langue du ghetto gémit, susurre, revendique, vit, survit.

Le séjour à l'hôpital se charge des messages de la mémoire intraduisible. Les consultations qui l'ont précédé, chez les ophtalmologues, les cardiologues, les gastro-entérologues, n'ont pas non plus été de simples épisodes de routine. Comme si la ruine biologique recyclait les vieux et nouveaux traumas avec une intensité accrue. L'ultime rébellion avant le commencement de la fin.

L'inconnue

Le souvenir se nourrit du regret qui nous enchaîne à ceux que nous ne pouvons plus faire revivre.

Début des années 1980. Un après-midi d'automne, dans la petite gare bucovinienne. La sérénité de l'instant continue d'imprégner les deux voyageurs qui sont montés dans le train. Ils sont assis, l'un en face de l'autre, silencieux, à la fenêtre du compartiment. Leurs premières paroles, et surtout le ton sur lequel ils les prononcent, expriment leur entente. Ils acceptent, au fond, la mélancolie impersonnelle de l'équinoxe.

La vieille dame ne paraît guère enchantée de la question qui lui est posée, mais elle est visiblement ravie par l'harmonie de l'instant, par le rapprochement qu'il offre, par l'intérêt que lui porte son interlocuteur.

Après une brève hésitation, elle entame son récit. Elle évoque sa jeunesse, le rythme effréné des événements quotidiens dans un bourg où l'inertie provinciale aurait dû les annihiler avant même qu'ils n'éclatent. Au contraire, ils devenaient un ouragan sur une scène dilatée, fabuleuse, plus vaste que le monde lui-même. Untel s'était fiancé secrètement et avait tout arrangé, toujours secrètement, pour s'enfuir à Paris, loin des pieux et pauvres parents de la jeune fille et de la communauté scandalisée. C'est sous la menace d'un revolver – d'un revolver! pouvait-il imaginer une telle monstruosité? – que la fiancée avait suivi son destin. Un adolescent parcourait chaque semaine plus de vingt kilomètres à pied – tu te rends compte ! – pour faire sa partie d'échecs avec Riemer le tapissier. Quant à Natan le pâtissier, il intentait un nouveau procès à son voisin, le sixième en un an, tu te rends compte, six procès en un an, pour occupation indue du trottoir devant son magasin. Et son fils, qui s'appelait aussi Natan et était aussi pâtissier, n'avait que Trotski et Staline à la bouche. Tels étaient les grands drames du petit bourg d'autrefois !

Mais la Librairie ? La Librairie ? Les paysans des villages voisins n'y venaient pas seulement pour acheter les manuels et les fournitures de leurs enfants, mais aussi pour discuter de quelque embarras judiciaire, ou savoir qui, des libéraux ou des agrariens, allait gagner les élections, car Avram le libraire était au courant de tout. « Papa se réveillait de bon matin, allait à pied à la gare prendre ses paquets de journaux. Hiver comme été, par tous les temps. Il plaisantait toujours, il était bien avec tout le monde. Jamais il ne perdait confiance, jamais. Mais maman avait une mauvaise santé, la pauvre. »

Et tes ennuis ? La question reste sans réponse. « À l'époque, tu as eu des ennuis, non ? », poursuis-je d'un filet de voix. « C'est Ariel qui m'a dit ça. Il parlait d'un scandale, d'ennuis. » Elle répond : « Quel genre d'ennuis, quand t'a-t-il dit ça ? Quand ? À Paris ? Il t'a dit ça à Paris, en 79 ? »

Soudain, chacun est devenu à la fois le protecteur et le protégé de l'autre. Il n'y a pas si longtemps, le fils était irrité que sa mère cherche à le protéger. Elle le protégeait au risque de l'étouffer. Et voici que la situation s'est inversée : à son tour, il agit comme elle. Mais elle ne s'en irrite pas, au contraire, elle est plutôt flattée. Dans son insistance, elle ne sent pas seulement de la curiosité, mais aussi de la tendresse, bien dans le ton de cet après-midi serein par lequel elle se laisse bercer. Le passé auquel la renvoie la question aurait dû rester loin, loin derrière, mais on dirait que ça lui est égal. « Oui, il y a eu des problèmes, à l'époque. Avec le divorce. »

« Le divorce ? Quel divorce ? Entre qui et qui ? » Mais la question ne sort pas. Le récit vient à peine de commencer, il faut la laisser reprendre sa respiration.

« Avec ce divorce, nous avons perdu une maison. Le procès nous a coûté la maison qui m'avait été donnée en dot. J'étais la cadette, mais aussi la préférée. Mon frère, le garçon, avait priorité, mais j'étais la préférée. »

Je ne regarde plus par la fenêtre, je ne la quitte pas des yeux.

« Tu avais déjà été mariée ? »

« Oui. À un escroc. Il dilapidait tout aux cartes. Il disparaissait pendant des semaines. Un désastre. Ça n'a même pas duré un an. »

« Et… tu ne l'as jamais raconté ? »

Elle n'a l'air ni troublée par mon étonnement naïf, ni pressée de répondre. Personne, dans la famille, n'avait jamais mentionné l'épisode ! Pas même par allusion, par plaisanterie ! Il a fallu attendre aujourd'hui pour que les sept sceaux se brisent, dans ce compartiment où mère et fils sont, de nouveau, muets.

Même son cousin Ariel, lors de notre seule rencontre, à Paris, n'avait pas parlé du divorce. Il s'était contenté d'un sourire qui laissait deviner quelque chose de suspect dans la jeunesse de sa cousine, mais n'avait nullement mentionné un précédent mariage. Très vite, il en était venu au sujet essentiel de notre entretien, à son éternel slogan : *partir!** Comment pouvais-je rester dans ce cul-de-sac ? Comment pouvais-je supporter les sales petits plaisirs locaux ? Les ineffables diminutifs, les exquis excréments ?

J'étais souvent en butte aux mêmes agressions outrecuidantes, en Roumanie comme à l'étranger, mais en cette fin des années soixante-dix, devant le désastre consommé de la dictature, je n'avais plus rien à opposer à ces invectives. Sa cousine, ma mère, partageait son obsession de *partir**, mais elle avait appris à ne plus poser de questions, elle savait pourquoi je ne partais pas et n'insistait plus. Ariel, apprenant à son tour pourquoi je restais dans ce cul-de-sac dont lui-même était sorti depuis longtemps, se replongea dans ses pensées. Lui aussi, après tout, avait flirté autrefois avec l'écriture, il était d'ailleurs demeuré un lecteur insatiable, comme en témoignaient ses étagères croulant sous les livres, et ses chaises, ses tables, ses canapés, jusqu'au plancher de l'appartement, également envahis de livres.

Comment donc s'appelait cet écrivain qui fut au centre d'un scandale dans les années trente ? s'interrogeait à voix haute le vieux Parisien aveugle et obèse. L'adversité intérieure et l'adversité extérieure, c'était sa grande expression ? Ariel paraissait perdu dans ses pensées, impuissant à trouver un remède à la folie de l'écriture, mais au bout de quelques secondes il me regarda longuement, de ses grands yeux opaques, me saisit le bras gauche entre les griffes de sa vieille main puissante.

– Il n'y a pas de remède à cette maladie qu'est l'écriture ! Même les femmes ne vous en guérissent pas, j'en sais quelque chose. L'argent non plus. Et encore moins la liberté ou la démocratie… dit-il en riant.

Mais si, il connaissait un remède ! Serrant mon bras comme dans des tenailles, il me fixa de ses grands yeux morts, prêt à me faire partager la révélation.

– Seul Dieu, n'est-ce pas… ou la foi.

– Peut-être, sauf que je ne suis pas très…

– Je sais, je sais, là n'est pas la question. Tu ne *crois* pas, tu n'es pas attiré non plus par la Terre de Canaan où je vais bientôt aller finir mes jours. Tu ne peux pas non plus devenir chauffeur, marchand de glaces ou comptable, comme cet homme de bien qu'est ton père. Tout cela, je le comprends. Mais une *yeshiva*, à Jérusalem ? À Jérusalem, n'oublie pas ! Et l'étude ! Une étude passionnante, je peux te l'assurer.

Je réussis à me dégager le bras, et regardai, ébahi, l'aveugle qui ne me voyait pas.

– Une *yeshiva* ? Quel genre de *yeshiva* ? À mon âge, incroyant comme je suis ?

Le dialogue avait tout de même fini par s'engager ! Cela signifiait-il donc qu'une idée aussi absurde pouvait rivaliser avec l'absurde chimère qui me tenait enchaîné aux diminutifs danubiens ? Ariel le rebelle n'avait plus de cheveux ni d'yeux, mais les feux de l'enfer brûlaient encore dans son cerveau en proie aux démons du passé.

– Une *yeshiva* spéciale, un séminaire théologique pour intellectuels qui n'ont pas eu l'occasion de s'initier à cette alternative, mais qui sont perméables aux questionnements, y compris ceux de la religion. J'en fais mon affaire. C'est dans mes cordes, crois-moi. Compte tenu de mes états de service dans la clandestinité sioniste, je peux arranger ça. Voilà la seule, la vraie solution ! Quelle inspiration fulgurante ! Il y avait longtemps, si longtemps que l'inspiration ne m'avait pas visité. Et aujourd'hui que j'en ai besoin, crac !

Je n'ai aucune raison de raconter à ma mère de tels détails, qui ne feraient qu'éveiller en elle des espoirs et des troubles inutiles.

Après mon retour à Bucarest, Ariel l'inspiré me téléphonait aux heures les plus incongrues de la nuit, moins pour me réitérer sa proposition de *yeshiva* que pour déverser encore et encore son fiel sur le pays qu'il avait quitté.

« Est-ce que ce sont les diminutifs, les doux diminutifs qui vous retiennent là-bas ? », chuchotait-il au téléphone, de sa voix suave et francisée, à l'attention des « securistes »[1] de service. « L'avertissement de l'horreur à venir ! Je l'avais dit à ta mère il y a un demi-siècle. Le peuple, m'a-t-on dit, a même gratifié votre bredouilleur de Président du surnom de Puiu. Poulet ! Tu entends, Puiu ! Puiu Mondialu, la vedette internationale, embrasse les singes couronnés, les présidents, les secrétaires généraux et les directeurs de zoos de la planète. Mondialu, tu entends ! Puiu, tu entends ? »

1. Agents de la Securitate.

De toute évidence, il s'adressait aux écoutes de la Securitate, afin de me mettre en difficulté, de me faire, qui sait, arrêter, expulser de ce cul-de-sac, me téléguidant ainsi vers le séminaire théologique de la capitale des capitales où lui-même avait à solder ses comptes d'ici-bas.

Jamais il ne me posa une seule question sur sa cousine, ma mère. Son divorce, son étrange divorce ? Le destin gardait ce point-là pour le voyage qui, des années plus tard, au cours de ce magnifique automne, réunirait mère et fils dans la caresse d'un diminutif.

Ariel, donc, avait souri, laissant deviner quelque chose de suspect dans la jeunesse orageuse de sa cousine, mais n'avait rien dit d'un autre mariage. Peut-être le motif du divorce n'était-il pas du tout celui qu'invoque aujourd'hui la vieille femme ? Un de ces non-dits couverts par la conspiration du silence… Toute sa vie, on ignore presque tout de ses proches.

La mère a dépassé soixante-quinze ans, le fils quarante-cinq. Ils se rendent à Bacău, à un peu plus de deux heures de Suceava, pour consulter un ophtalmologue. La vue de la vieille dame s'est beaucoup affaiblie ces dernières années, de même que son corps en proie aux souffrances et à la maladie. Le fils est venu exprès de Bucarest pour l'accompagner chez le médecin. Ils n'ont pas de bagages, juste un sac avec des affaires pour la nuit, la chambre d'hôtel est réservée. Il l'aide, prévenant, à descendre du train. Ils contournent lentement la gare, il lui soutient le bras. L'hôtel est tout près, la chambre, propre, se trouve au troisième étage. Il sort le repas du sac, le met au frigidaire. Puis il sort du sac ses pantoufles, sa chemise de nuit, sa robe de chambre. Elle se déshabille, reste en combinaison, pieds nus. Un instant d'humilité. De gêne complice. Ce petit corps affaissé, vieux, usé, ces mains et ces pieds trop grands. Son éternelle impudeur ! Voici que revivent des souvenirs glaçants, la confusion douteuse de la puberté, les scènes coupables, le domicile prénatal, le placenta… cette femme aurait à tout moment sacrifié n'importe quelle partie de son corps pour le bien de son fils.

Il s'éloigne, gêné, comme si souvent. Il se tourne vers la fenêtre. Il regarde au loin, dans la rue. Il entend derrière lui ses gestes lents, le bruissement de la robe de chambre. Elle l'enfile lentement sur son corps triste, rabougri, une manche, puis l'autre. Une pause. Elle doit fermer les boutons. Elle se penche vers les pantoufles, la gauche, la droite. Derrière l'étroite fenêtre, le soleil se couche. La surprise née de la confession dans le train demeure. Mais l'harmonie du jour n'en est pas troublée. Elle prépare ses aiguilles et son ouvrage, il sort en ville.

Il revient bientôt. Il la trouve en train de tricoter, calme, heureuse même de cette occasion de se réconcilier momentanément avec le monde. Où son fils était-il, à la librairie ?... Elle connaît bien ses manies. Est-ce qu'il a faim ? Elle sort le repas du frigidaire, le déballe, le met sur des assiettes pour qu'il se réchauffe un peu. Elle s'assoit à table, face à lui.

Il la regarde en silence. Il a pour elle une autre surprise que la question qu'il lui a posée dans le train, dans cet improbable compartiment sans autres passagers. Il a découvert voici quelques années, dans les archives de la Communauté juive de Bucarest, des documents sur Burdujeni, le bourg où ont vécu ses arrière-grands-parents, ses grands-parents, son oncle, sa tante, où la vieille dame en face de lui a été jeune et s'est mariée, non pas une fois, avec son père, mais deux fois, ainsi qu'elle l'a reconnu, le bourg où elle a divorcé, s'est remariée, a donné naissance à un fils avec qui elle partage maintenant cet automne idyllique. Il est prêt à sortir de sa poche ces papiers qui l'amuseront sûrement. Mais le récit sensationnel du train, délivré sur un ton neutre, comme si la chose ne l'avait pas particulièrement marquée, l'a déconcerté. Tout fait pâle figure en comparaison de ce moment où elle s'est libérée, sans hésiter, du secret de toute une vie.

La chronique du passé contenu dans ces feuilles dactylographiées renferme-t-elle aussi cet événement sans le dévoiler entièrement ? « Ça t'intéresse ? Tu veux que je te fasse la lecture ? », devrait-il lui demander. Oui, ça l'intéresserait, ça ne peut pas ne pas l'intéresser, elle a sûrement connu les protagonistes, elle a des souvenirs précis, des opinions tranchées sur tout ce qui a trait à sa propre vie et à celle des gens qu'elle a côtoyés, sur les lieux, les dates, les personnes, la famille de chacun, sa maison, sa profession, son âge, son aspect, sa situation, ses relations. Mais il repense au compartiment où l'événement s'est soudain précipité sur le passager, au poids de granit de l'instant qui continue à peser sur lui et le laisse sans voix.

Je n'étais pas encore habitué, en ce début des années 1980, à l'irrémédiable. J'étais gaspilleur de temps, sceptique face aux archives. Je n'avais pas apporté de magnétophone, je n'avais pas transcrit l'événement, ni conservé la voix et les paroles de celle qui était encore là, devant moi, à un pas de distance.

Bloomsday

Ruti repartit pour Jérusalem le 6 mai 1986. Le surlendemain, mes parents rentrèrent chez eux, à Suceava, en Bucovine, après l'opération de ma mère, qui n'offrait que de faibles chances de succès.

Sans doute Leopold Bloom aurait-il vécu les jours suivants avec davantage de détachement. Si, comme nous le laisse entendre un James Joyce exilé, Dublin n'était pas, à l'époque, un lieu attirant, la dégradation de Bucarest avait atteint, au printemps 1986, un degré qui décourageait jusqu'au sarcasme. Dans les oubliettes du socialisme byzantin, même les chimères ne pouvaient plus survivre. Tout paraissait voué à la ruine et à la mort, y compris les chimères. Devant l'inéluctable, l'écrivain n'avait plus d'autre choix que de devenir son propre personnage ou de disparaître complètement.

J'étais encore écrivain malgré tout, ainsi que le prouvait la rumeur, propagée par les intellectuels de la communauté allemande de Bucarest, selon laquelle les Allemands de l'Ouest m'avaient décerné une sorte de prix, doté d'une bourse non négligeable. Mais la lettre d'invitation à Berlin n'était pas arrivée. Était-ce pure invention des cancaniers bucarestois ? Les autorités allemandes, avec leur exactitude proverbiale, ne pouvaient avoir négligé de m'avertir. Le scepticisme et l'espoir jouaient depuis des mois leur duo contrapunctique, lorsque je me décidai à passer à l'action.

Juin était le mois de Bloom ! Le 16 juin, le Bloomsday, cette journée où Joyce suit son héros Leopold Bloom, nouvel Ulysse, dans ses pérégrinations à travers Dublin.

À l'approche de l'échéance, je me rendis au commissariat où l'on déposait les demandes de passeport, y apportai la mienne en vue d'un voyage d'un mois dans l'Occident décadent, laissant au Destin le soin de décrypter la mystique des chiffres et des nombres.

J'avais dans ma poche cette devise que je savais depuis longtemps par cœur : « *I will not serve that in which I no longer believe, whether it call itself my home, my fatherland, or my church.* » Car je partais, pour de bon ! Je refusais de devenir un simple personnage là où j'avais espéré être écrivain, j'acceptais de mourir dans un autre pays que celui où j'étais né. Pourtant, que pouvais-je devenir d'autre, en exil, qu'un personnage encore, un Ulysse sans terre ni langue ? C'est que je n'avais plus d'alternative, les atermoiements n'avaient que trop duré.

J'avais lu et relu des dizaines de fois le texte de l'Irlandais, je le connaissais par cœur, mais je tenais, ce jour-là en particulier, à l'écrire et à le conserver sur moi, dans ma poche, comme une carte d'identité. « *I will not serve that in which I no longer believe* », me répétais-je en pensée, au rythme de la procession devant le guichet. « *Whether it call itself my home, my fatherland, or my church ; and I will try to express myself in some mode of life or art as freely as I can.* » C'était un serment qui méritait d'être répété : « *As freely as I can and as wholly as I can.* » Venaient ensuite les mots qui légitimaient à mes yeux cet anniversaire et la manière que j'avais choisie de le commémorer : « *using for my defense the only arms I allow myself to use* ». Oui, c'était cela, « *using for my defense the only arms I allow myself to use – silence, exile, and cunning* »[1].

1. « Je ne veux pas servir ce à quoi je ne crois plus, que cela s'appelle mon foyer, ma patrie ou mon Église. Je veux essayer de m'exprimer, sous quelque forme d'existence ou d'art, aussi librement et complètement que possible, en

Le mot « exil » avait pris son véritable sens grâce à cette célébration du Bloomsday dans le Dublin socialiste de 1986.

---

usant pour ma défense des seules armes que je m'autorise : le silence, l'exil, la ruse. » (James Joyce, *Dedalus. Portrait de l'artiste jeune par lui-même*, trad. Ludmila Savitsky, Gallimard, 1943, p. 359).

L'issue de secours

Mon hésitation à quitter la Roumanie était liée à cette question : « quelle part » de moi allait mourir si je partais ? Je me demandais si l'exil était, pour l'écrivain, l'équivalent du suicide, sans trop d'incertitudes quant à la réponse. Mais la mort qui me guettait ici, à domicile ? Le rétrécissement accéléré de l'existence, la prolifération des dangers, rendaient sans objet les inquiétudes quant à la possibilité de renaître, au seuil de la vieillesse, dans une autre langue et un autre pays. Je demeurais pourtant obnubilé par cette idée, même après avoir célébré Leopold Bloom au bureau des passeports. Sans doute était-ce à cela que je pensais dans la rue, indifférent aux passants, lorsque, levant les yeux, je découvris le visage serein de Ioana, une amie poète, qui revenait justement d'un voyage à Paris. Elle s'empressa de me parler de la frivolité des Français, du déclin de la littérature française. Nous autres écrivains d'Europe de l'Est étions presque tous sujets à une frustration et à une mégalomanie toutes provinciales. Nos superficiels confrères occidentaux, qui vivaient à l'abri des souffrances et des dilemmes socialistes, étaient incapables, aimions-nous à croire, d'œuvres comparables à nos obscurs écrits, à la fois grandioses et compliqués, tragiques et obsessionnels, fidèles à la *vraie* littérature.

« Nous n'avons d'autre choix que de rester. Nous sommes des écrivains, nous n'avons pas d'alternative » : les mots que me prodiguait la voix douce de la poétesse étaient ceux que j'avais trop souvent répétés moi-même.

« Pourquoi n'aurions-nous pas d'alternative ? », me surpris-je à lui demander.

Je souriais, la grande jeune femme aux cheveux blonds et à l'allure scandinave souriait elle aussi, on aurait eu peine à nous croire engagés dans une controverse aussi sérieuse.

« Nous resterons ici, dans notre langue, jusqu'à la fin. Quoi qu'il arrive », répéta la poétesse qui venait tout juste de regagner la langue et le pays de sa destinée. Un bref silence suivit, différent de ceux qui exprimaient de façon codée mon embarras.

« Pour écrire, il faut d'abord être vivant », m'entendis-je proclamer. « Les cimetières sont pleins d'écrivains qui n'écrivent plus. Ils sont là, dans leurs tombes, mais ils n'écrivent plus. Voilà ma dernière découverte », ajoutai-je, encouragé par les truismes de ma tardive précocité.

Ma jeune consœur me regarda longuement, cessant de sourire. « Tu as raison. Il n'y a qu'un jour que je suis rentrée. Je suis heureuse d'être à la maison. Mais je sens la mort tout autour. »

Oui, les termes de l'alternative avaient changé. Notre glorieux socialisme nous avait toujours richement dotés de privations et de dangers. Mais les dernières années de la dictature hystérique avaient entamé de façon dramatique notre capacité à endurer. *Partir* n'était pas seulement mourir un peu, comme lors de tant de séparations mélancoliques : ce pouvait aussi signifier le suicide, le voyage ultime. Pour autant, c'était aussi la promesse d'un salut, fût-il partiel et temporaire. La promesse d'échapper à l'incendie. Une issue de secours, une solution précipitée. Sortir en hâte de la maison en flammes, sans savoir si l'on aura demain un toit au-dessus de la tête. Se sauver de la mort, tout simplement, d'une mort non pas métaphorique, mais bien concrète, imminente, irrémédiable. L'urgence avait ses exigences et ses contradictions propres. Plutôt que l'expression d'un instinct de survie, mon acte était une impulsion irréfléchie. Car en vérité, je ne savais pas où je voulais aller.

Dans la préhistoire de mon existence, dans une autre vie et

un autre monde, l'enfant non né que je fus avait déjà tenté l'expérience. Les temps préhistoriques d'avant l'*Initiation*. Un vide solaire, sans contours ni mouvements, le bonheur sans histoire, la paix infinie de l'inconscient sans mémoire d'avant mes cinq ans.

Un moment, néanmoins, avait contribué à la construction et à l'immortalisation du mythe : l'*Évasion*.

Les photos de l'époque permettent d'en reconstituer les prémisses. Des images récupérées, après le retour du camp, auprès de la famille, à qui les parents de l'enfant envoyaient régulièrement des témoignages visuels de l'évolution de leur progéniture bénie.

« Pour mes cousines, avec tout mon amour », écrivait ma mère, en signant pour son fils, sur la photo représentant une jeune femme brune en robe à fleurs et chaussures blanches à boucles. Elle tenait dans ses bras un bébé blond et potelé, à côté d'un landau, devant un mur couvert de publicités pour des journaux. « *Aujourd'hui 12 mai, lisez CURENTUL. Le 10 mai en Roumanie et à l'étranger. Loyauté et vassalité* », était-il écrit sur l'affiche de gauche. Le surlendemain, donc, du 10 mai, anniversaire du roi, et jour de l'accession de la dynastie Hohenzollern au trône de Roumanie. On était sans doute en 1937, le bébé n'avait même pas un an. Le corps de la femme couvrait en partie la seconde affiche. On ne voyait que le titre, *TIMPUL*, et le slogan au-dessous : « *Fais confiance à ton journal, TIMPUL. Directeur : Grigore Gafencu.* » Tout au bord de la photo, à droite, la publicité du journal *Dimineaţă*, dont on ne pouvait lire que ce seul titre : *LA CATASTROPHE DE NEW YORK*.

« Photo prise à l'occasion de ma *concentration* », écrivait le père-soldat au dos de la photo de son petiot de deux ans, photo qu'il conservait dans la poche de sa vareuse militaire. « Concentration » : le mot désignait aussi bien le rappel périodique des réservistes que l'intense concentration de son esprit sur ce fils resté à la maison. Un angelot asexué, avec son petit nez, ses joues potelées et ses lèvres vermeilles. L'Ange Radieux[1], dans son costume céleste, un ruban dans sa chevelure dorée, fixe le photographe, et non pas l'horizon de la liberté.

Même sur la photo où il n'a plus de ruban et tient par les épaules sa cousine orpheline, devenue sa sœur, ses intentions rebelles sont masquées par un sourire factice et familier.

Sur la photo qui suit l'*évasion* et le *châtiment*, le visage reste impénétrable, on n'y lit ni le trauma ni la rechute. Le héros, visiblement empâté par le retour à la vie sédentaire, et confortablement installé dans la respectabilité, a l'air d'un gosse de riche. Manteau à gros boutons et col de fourrure grise, pullover, cheveux longs à la mode des boyards, une chevelure orientale surmontée d'un bonnet de fourrure. Mains derrière le dos, ventre en avant, la pose est arrogante. Jambes arquées, pantalons bouffants, bas tombants, lourds brodequins. Double menton, large bouche, quenottes cariées par l'abus de chocolat.

Le garçon de quatre ans assoiffé de liberté paraît d'un autre monde que ce bourgeois plus âgé de six mois à peine !

Le photographe Sisi Bartfeld, chez qui on le traînait tous les quelques mois pour une séance de pose, lui réservait toujours un traitement privilégié. Il convoitait évidemment les faveurs de son accompagnatrice, sans savoir, le nigaud, que pour rien au monde la maîtresse et esclave Maria n'aurait trahi son petit trésor. La photo porte son cachet : « Film-Photo, *Lumière*, Iosef Bartfeld, Iţcani, Suceava, Oct. 1940 ». Un an avant l'heure H, la Déportation en Transnistrie : l'INITIATION. Les photos récupérées après le retour du camp étaient vouées, une fois de plus, quarante ans plus tard, à la disparition. L'Initiation ne s'achève ni à neuf, ni à dix-neuf, ni à quarante-neuf ans. Il faut encore quitter la maison en flammes sans entasser dans ses poches les

1. Allusion à la pièce *Une nuit orageuse* de Ion Luca Caragiale, adaptation d'Eugène Ionesco et Monica Lovinesco, in *Théâtre*, L'Arche, 1994.

instantanés juvéniles, vieux de plusieurs décennies, du photographe Sisi Bartfeld.

Même après des décennies, l'image de l'automne 1940, celui de l'évasion, semble pleine de promesses. Le corps en éveil, le regard vif, intense, la bouche entre sourire et grimace : le captif ne supporte plus les ruses de ses geôliers qui, le matin, le gavent de deux œufs à la coque empoisonnés, de *Butterbrot* et de *Kaffee mit Milch* empoisonnés. Il ne supporte plus l'ennui, sa fange infinie et séduisante. Et pas davantage la comédie des adultes, leurs ineptes soucis quotidiens, leur bavardage hypocrite, leurs gesticulations de pantins ! Bientôt, il ira de par le vaste monde. Enfin, parcourir le monde et prendre son destin en mains !

Le royaume du vide L'engloutit. Il dénombre consciencieusement les battements de cil de l'ennui, la cadence morbide de la routine : trois, six, neuf, dix, anéantissement, assoupissement, dix-sept. Dix-sept, dix-sept, murmure le néant. Rien, personne, la mort étreint très lentement l'instant, l'âge, le vieillard qu'il est devenu. En un éclair, le prisonnier s'arrache, terrifié, à l'hypnose. Sursaut, résurrection, le voilà dans la cour, dans la rue, à gauche, à droite, vite, sur la route de la liberté, vers nulle part.

Il traverse le parc en face de la gare, s'arrête devant la route. Il n'a pas d'hésitation, il s'arrête juste le temps d'ajuster la ceinture de son épaisse culotte bouffante, de vérifier les lacets de ses brodequins, de bien tirer les oreillettes de son bonnet de fourrure, de le nouer militairement sous le menton, et d'enfouir ses doigts dans ses gants de laine bien douillets. Il connaît le chemin. Passé l'église allemande, la route continue loin, très loin. Enfin, sa Grande Chance est là !

La photo met en valeur son visage juvénile, mi-garçon mi-fille, la ferveur de cette époque. La soudaine escapade du renégat de quatre ans veut dire séparation, exil, rupture violente. C'est en transe qu'il s'est faufilé au-dehors, dans la cour, dans la rue.

Quitte-t-il le placenta, ou erre-t-il à l'intérieur, entre les polypes et les membranes voluptueuses qui s'écartent docilement à mesure qu'il avance ? Ou bien n'est-ce qu'un prolongement quasi somnambulique de l'ennui, le glissement dans les entrailles d'un énorme hippopotame anesthésié ? Il reconnaît l'église, son toit pointu, la flèche métallique du clocher dressée vers le ciel. Il voit, à travers le brouillard, l'infini de la route qui le mènera peu importe où. Il ne s'arrête pas, n'hésite pas. Il s'est enfin libéré de cet assoupissement nauséeux, plus de temps à perdre, il se laisse emmener loin, toujours plus loin, sur la route de Cernăuţi, c'est ainsi qu'on l'appelle.

Combien de temps dura l'aventure, la révolte de cette matinée de l'automne 1940 ? Difficile à dire. Le visage de l'inconnu qui, à un certain moment, arrêta le fuyard était de ceux qu'il avait laissés derrière lui, dans ce passé léthargique et lymphatique. L'homme regarda avec amusement la mine et l'accoutrement du promeneur. Il lui demanda, soupçonneux, comment il s'appelait. Le hasard, le mauvais moment, voilà tout ! Les conséquences seraient à la mesure du scandale. La raclée, dont on n'usait que rarement, dans des circonstances extrêmes, ne suffisait pas. Le scélérat fut attaché à un pied de la table, avec la ceinture qui avait servi à son châtiment.

La mère exigea d'abord une peine exemplaire, capitale pourquoi pas ? pour un fils aussi insensible ! Puis, comme d'habitude, elle prit peur devant la cruauté de la répression, plaida les circonstances atténuantes, la pitié, le pardon, la grâce du hooligan. Hooligan ? Est-ce vraiment le terme qu'elle utilisa ? Avait-elle à l'esprit les discours juvéniles du cousin Ariel ? La fureur cherchait ses mots, et celui-ci n'aurait pas été malvenu. Il aurait changé des invectives rabâchées comme « propre à rien », « malappris » ou « ingrat ». Bien vite, la colère fit place, comme d'habitude chez la mère effrayée de sa propre sévérité, aux lamentations et aux prières. « C'est un enfant, ce n'est qu'un enfant », répétait l'infortunée Mutter, implorant la clémence. Trop tard, les larmes étaient sans effet : le Pater Familias, l'Instance Suprême restait de marbre. Le verdict était sans appel : l'évadé resterait attaché au pied de table ! Une posture de nature, qui sait, à lui mettre du plomb dans la cervelle.

Prémonition ? Quelques mois après l'évasion manquée, le fugitif devait recevoir l'*Initiation* véritable. En comparaison, être attaché à un pied d'une malheureuse table encombrée de plats était une bagatelle au Paradis. La vraie captivité ne serait pas seulement inconfortable et pédagogique : elle serait l'*Initiation* même.

Captivité et liberté ne cesseraient jamais, au cours des quarante années suivantes, leurs improbables négociations, leurs compromis et complicités de tous les instants, leurs escapades vers des refuges, des compensations secrètes. L'Initiation se poursuivait, et le prisonnier attaché au pilier de granit socialiste persistait à rêver, comme tous les prisonniers, de délivrance et d'évasion. Mais entre-temps, il s'était lui-même enchaîné, Ulysse immature, à sa table à écrire.

Les adresses du passé (II)

Dix justes peuvent-ils sauver Gomorrhe ? Mes amis, plus de dix, qui en juillet 1986 célébraient ma guerre de cinquante ans, personnifiaient la Patrie, non le Départ.

« Viennent les artistes, faites place ! / Passent les artistes de porte en porte, les singes, les mimes / faux manchots, faux boiteux, faux rois et ministres / viennent les fils ivres de splendeur et d'ardeur / de l'empereur Auguste. » Parmi eux, le Poète lui-même, une page de vers entre les dents, mon ami Mugur, Demi-Homme-à-cheval-sur-Demi-Lièvre-Boiteux.

V-Day, le Jour de la Victoire ! C'était cela que fêtaient les invités rassemblés le 19 juillet 1986 au soir dans l'appartement de Calea Victoriei : la Victoire ! J'avais survécu, ils avaient survécu aussi, nous étions encore vivants et ensemble, autour d'un verre de vin, avec l'autorisation du ciel et de la terre… poètes, romanciers, critiques… les singes, les mimes, les faux rois, les faux manchots, la parentèle de l'empereur Auguste.

Je n'étais guère enclin aux bilans, mais me sentais prêt à affronter le sage chinois qui attendait dans un coin, invisible, que je lui décrive non pas l'aspect que j'avais avant ma naissance, mais celui que j'aurais après cette mort qui avait commencé devant le guichet des passeports, tandis que je répétais le mot d'ordre de l'exil suggéré par l'Irlandais de Trieste. Il manquait mon voisin Paul, l'Éléphant Volant, le communiste qui relisait chaque année Proust et Tolstoï, il manquait Donna Alba, son épouse esthète et éthérée, il manquait les amis morts, exilés, ou bien oubliés. Mais les présents étaient la compagnie qui convenait au héros de la fête. Un intrus tel que moi n'avait pas le droit d'oublier les charmes et les joies de Gomorrhe, l'intensité de l'instant, la vie comme instant.

J'étais né citoyen roumain, de parents et grands-parents eux-mêmes citoyens roumains. Bien des livres parus avant ma naissance évoquaient des années hooliganiques. Mais le dégoût ne semblait pas annuler la séduction. Comme s'ils étaient inséparables, emblématiques.

Avant l'*Initiation*, je ne savais rien de tout cela, j'étais heureux dans un monde heureux, solaire. C'est à cinq ans seulement que j'étais devenu un danger public, le produit impur d'un placenta impur. C'est à ce moment, en octobre 1941, qu'avait commencé l'*Initiation*.

Quatre ans plus tard, les victimes ne représentaient somme toute que la moitié de ceux qu'on avait destinés au néant. Je n'en faisais pas partie. Bien que je sois né sous le signe du Cancer, le jour de ma naissance s'était révélé faste. En juillet 1945, j'étais revenu au Paradis, pour y redécouvrir les prodiges d'une banalité féerique. Ruelles cachées sous les arbres, égayées par des parterres de fleurs, tantes dodues et douces qui me redonnaient le goût du lait et des galettes. Cet Éden avait nom Fălticeni, lieu d'où était parti, treize ans plus tôt, l'autocar du destin.

Un après-midi princier et vide, la pénombre de la chambre. Seul dans l'univers, j'écoutais une voix qui était et n'était pas la mienne. J'étais seul avec le livre de contes populaires roumains à la couverture verte, épaisse, reçu quelques jours plus tôt, le 19 juillet, pour mon anniversaire. C'est alors sans doute que commença pour moi la douleur et la thérapie des mots. J'avais déjà ressenti le besoin urgent, sauvage, impérieux, de *quelque chose d'autre*, lorsque je m'étais évadé, à quatre ans, vers nulle part. La littérature allait me sauver, grâce au dialogue soudain engagé avec des amis invisibles, de la mutilation imposée par l'Autorité. Le système faisait tout pour nous libérer des chaînes de l'espérance, mais nous demeurions imparfaits, vulnérables à elle. Les dangers qui, sous la dictature, menaçaient l'écriture ne scandalisaient que ceux à qui la vision romantique et fataliste de l'artiste condamné au malheur était étrangère. Seul paraissait scandaleux le fait que les privations et les périls de naguère étaient devenus le lot commun, comme si tous les citoyens devaient expier quelque faute obscure. Dans la société du Mensonge Institutionnalisé, le moi ne résistait que dans les enclaves qui protégeaient, fût-ce imparfaitement, son intimité.

La soirée du 19 juillet 1986 était l'une de ces enclaves ultimes. Déjà le désespoir s'était niché insidieusement en chacun d'entre nous. La petite cellule d'isolement n'était pas la tour d'ivoire d'autrefois.

En avril 1945, le charme des lieux semblait non seulement irrésistible, mais encore inépuisable pour le rapatrié ressuscité en même temps qu'eux. L'horreur s'était éloignée pour se réfugier dans le passé. Je l'avais chassée avec irritation, cette « maladie du ghetto ». L'adversité extérieure avait manifestement disparu, mais l'intérieure, dont Sebastian tirait tant de fierté, en était comme la réminiscence. Au cours des décennies suivantes s'établirait, entre terreur et séduction, au fil d'une négociation quotidienne, une étrange compatibilité, source intarissable de toutes les confusions. C'est en 1986 seulement que devint évident ce qui aurait dû l'être quarante ans plus tôt, à l'époque où je m'abritais sous la couverture verte des contes : la terreur communiste ne s'était pas substituée mais ajoutée à celle qui l'avait précédée.

Devais-je demeurer là où m'était apparue, à neuf ans, la magie des mots, dans la langue où je renaissais chaque jour ? Je savais maintenant que la résurrection pouvait s'interrompre subitement, du jour au lendemain, sinon d'un instant à l'autre.

J'avais repoussé ma décision jusqu'à l'extrême limite, jusqu'au

Bloomsday : le jour de mes cinquante ans, où j'étais à mon tour devenu Leopold Bloom. Le départ signifiait-il le retour à cette « maladie du ghetto » dont j'avais toujours voulu me protéger ? Aucun retour n'est possible, pas même le retour au ghetto.

La soirée d'anniversaire était devenue un ultime exercice d'adieux. Le rapport entre séduction et terreur s'était de nouveau inversé.

Bien après minuit, une fois les invités partis, je jetai un regard trouble sur mes ongles. Des ongles d'enfant, des doigts d'enfant, des mains d'enfant. Ils me paraissaient incapables de résister à une nouvelle naissance.

Maria

« Un jour, madame Beraru m'a proposé de me prêter des pommes de terre et des oignons. Elle avait quatre grands garçons, qui travaillaient dur et rapportaient de la nourriture. Je lui ai dit qu'on ne prend que si on peut donner en retour. Elle m'a répondu en allemand : "*Ist die Not am grössten, ist Gott uns am nächsten.*" Plus le malheur est grand, plus Dieu est près de nous. Je lui ai dit : "Il ne peut plus." C'est alors que j'ai vu, sur le pas de la porte, Erika Heller. "*Sie haben Gäste...*" Vous avez de la visite. Maria était revenue. »

Le récit enregistré au printemps 1986, quelques jours après l'explosion de Tchernobyl, rappelait l'épisode : « C'est comme ça que Maria a réapparu. Tombée du ciel. Ils ont failli la fusiller, l'arrêter. Elle n'a eu de cesse de nous retrouver. Elle est arrivée un matin au poste de garde du camp. Elle a demandé à voir un Juif, un comptable qui s'appelait Untel. On a amené Marcu. Quand elle l'a vu, qu'il l'a vue... Elle avait apporté de tout. Des oranges, de la brioche, des gimblettes, du chocolat. »

L'orpheline faisait partie de la famille, avec un pouvoir absolu sur toutes les affaires domestiques, y compris l'éducation du nouveau-né. C'était ma Bonne Fée, je l'adorais. En octobre 1941, les sentinelles eurent un mal fou à la faire descendre du train, elle se débattait, elle s'était faufilée dans le sordide wagon à bestiaux où s'entassaient les corps et les baluchons, résolue à suivre ceux qu'elle considérait comme les siens. Elle n'y était pas arrivée. Mais elle ne renonça pas, et nous retrouva quelques mois plus tard.

« Elle avait de l'argent sur elle, elle voulait ouvrir un débit de tabac à côté du camp. Pour être près de nous, pour pouvoir nous aider », disait la voix de ma mère dans le magnétophone. « On ne lui a pas permis, bien entendu. L'administrateur roumain du camp lui a proposé de la prendre chez lui comme femme de ménage. Elle était jeune et belle. À Iţcani, officiers et fonctionnaires lui tournaient autour. Le photographe Bartfeld l'avait demandée plusieurs fois en mariage. L'administrateur lui a proposé vingt litres d'essence par jour. Contre seulement cinq litres, on pouvait se procurer de la nourriture à ne savoir qu'en faire. Maria nous a demandé conseil. Que lui dire ? De se vendre, pour nous ? Finalement, l'administrateur a réussi à la persuader. Il lui a promis de l'accepter même avec un enfant. Il n'a pas tenu parole. C'était un homme méchant et fourbe, il ne lui a même pas donné l'essence. Maria est repartie en Roumanie. Elle a promis de revenir. Et elle est revenue. Avec encore plus de valises cette fois-ci. Elle connaissait toute la famille qui n'avait pas été déportée, elle a pris contact avec chacun, elle a fait une collecte. Ils la connaissaient bien, elle faisait partie de la famille. Elle nous a acheté tout ce qu'elle pouvait, elle savait ce dont on avait besoin. On lui a confisqué les colis. Et on l'a traduite en cour martiale pour avoir aidé les youpins. »

Après le retour du camp, en 1945, nous avions fait un détour de deux ans par Fălticeni et Rădăuţi, avant de revenir à notre point de départ. En 1947, en rentrant à Suceava, nous avions enfin bouclé la boucle. Et Maria, une fois de plus, était là. La camarade Maria, désormais. La femme du secrétaire du Parti communiste. La future première dame de la ville.

Vive le roi!

L'hiver glacial de décembre 1947. Je me trouvais de nouveau à Fălticeni, pour les vacances de Noël. La ville était en effervescence : on annonçait l'abdication soudaine du roi Michel Ier de Roumanie. Pour les milieux communistes, la surprise n'en était pas vraiment une. Les zélateurs locaux de Lénine et de Staline avaient évidemment été avertis. La « spontanéité » de l'enthousiasme populaire ne pouvait s'expliquer autrement.

Tant notre déportation, en 1941, que notre rapatriement, en 1945, avaient eu lieu sous le règne du roi Michel, qui avait succédé à son père Charles II, ce play-boy qui scandalisait le monde politique roumain par sa vie dissolue, sans parler de sa relation adultérine avec Elena Lupescu, la « youpine » rousse. Couronné une première fois à trois ans, Michel l'avait été de nouveau en septembre 1940, quand son père fut déposé par les légionnaires alliés au général Antonescu. Le jeune roi n'eut guère l'occasion de faire ses preuves. À l'instar de son père si inconstant, il revêtit la chemise verte des légionnaires lorsqu'on ne pouvait plus faire autrement. Il s'en tint, durant la guerre, à son rôle de potiche, à l'ombre de la reine mère, et subit les humiliations continuelles du *Conducător*, Ion Antonescu, qui imposait au pays sa dictature militaire. En août 1944, après l'arrestation d'Antonescu et l'armistice avec les puissances alliées, Michel fut décoré par Staline. Son portrait et celui de la reine mère se trouvaient, aux côtés de celui du Généralissime Joseph

Staline, dans toutes les salles de classe. Un visage agréable, un regard ouvert, candide. On disait qu'il préférait les automobiles et les avions à la mécanique du pouvoir et des luttes politiques. Les manifestations publiques s'ouvraient par l'« Hymne royal » et s'achevaient par *L'Internationale*. Mais les couplets apathiques de l'un, « Vive le roi, qui dans la paix et dans l'honneur / Aime et défend notre pays », ne soutenaient pas la comparaison avec l'électrisante exhortation de l'autre : « Debout les damnés de la terre ! »...

Mes cousins typographes Țalic et Lonciu, ainsi que leur père, Bercu, copropriétaire de l'atelier typographique Tipo avec son partenaire chrétien, Take, étaient parmi les animateurs de la ronde populaire qui envahit les rues du centre. Ils sautillaient avec la plus grande allégresse, scandant, avec la foule enthousiaste, LA RÉPUBLIQUE, LA RÉPUBLIQUE, NOTRE MONARQUE EST LE PEUPLE, NOTRE MONARQUE EST LE PEUPLE. L'accordéoniste écartait en grand son soufflet, la ronde tournait en criant : LA RÉPUBLIQUE, LE PEUPLE, LA RÉPUBLIQUE DU PEUPLE. Pétrifié, frigorifié, je regardais la scène depuis le bord du trottoir. Je me dirigeai vers la place, où se trouvait le bistrot de mon oncle Aron.

Il s'était passé bien des choses depuis que j'avais quitté le paradis fleuri de Fălticeni, ville de mon retour au monde, mais ce jour-là, le 30 décembre 1947, l'événement était sans commune mesure : le roi abdiquait ! Sans être royaliste, je flairais comme une menace dans l'air. Le changement que fêtaient, dans le centre, ces chanteurs et danseurs survoltés annonçait du nouveau : bon ou mauvais, qui pouvait le prévoir ? C'est au moment où l'on s'y attend le moins que le conte arbore de nouveaux et perfides oripeaux. Le trône de Roumanie n'existait plus ! Je vivais, à compter de ce jour, en République populaire de Roumanie !

J'arrivai hors d'haleine au bistrot, porteur de cette grande nouvelle qui me brûlait les lèvres. L'oncle Aron hocha la tête avec indifférence, des soucis plus urgents l'occupaient. Il avait l'air au courant, et guère impressionné. Au lieu d'ôter mes vêtements raidis par le froid, je voulus annoncer l'événement à ma tante Raşela, qui en comprendrait la gravité. Elle devait avoir entendu parler de ces aventuriers qui étaient partis quelques jours plus tôt pour la Terre sainte. Ils faisaient leur *alyah*[1], chuchotaient les femmes dans la rue, tandis que les masses populaires tenaient le haut du pavé avec leurs rondes et leurs slogans. Ma robuste tante ne sourcilla même pas. Elle insistait, avec une douceur et une placidité d'un autre temps, pour que je me déshabille, que je me réchauffe, que j'avale quelque chose.

L'apparente indifférence qu'ils manifestaient tous deux était en fait de la circonspection. Ils cachaient quelque chose qu'il ne fallait pas confier à un enfant effrayé, arrivant à l'improviste, tout essoufflé, d'une manifestation communiste. Je me dirigeai de nouveau vers le comptoir, pour dire à Aron que je voulais rentrer à la maison, à Suceava. Il me regarda longuement et, à ma grande surprise, consentit : « D'accord, tu vas rentrer. »

Ma chère et robuste tante s'approcha de moi. La femme regarda son mari, le mari regarda sa femme, tous deux examinèrent avec inquiétude leur neveu surexcité. Ils se concertaient silencieusement, d'un regard entendu, sur la façon de s'y prendre avec cet écervelé. « C'est bien, Bernard va atteler le cheval », dit Aron calmement. Raşela, sans rien dire, frottait nerveusement ses petites mains grasses l'une contre l'autre. Ils appelèrent leur fils, le Sourd, lui demandèrent, à l'aide de cris rythmés et de gestes expressifs, d'atteler le cheval au traîneau. Traî-neau, traî-neau, che-val, cou-ver-tures, cou-ver-tures, fourrure, scandaient-ils encore et encore. En une de-mi-heu-re, une de-mi-heu-re ! Ils montraient la grande horloge murale, une demi-heure, pas plus, c'est tout, départ immédiat. Bernard avait beau être sourd comme un pot, il comprit le message.

1. En hébreu : immigration (« montée ») en Israël.

Alors, l'invité ôta enfin son manteau et s'assit à table comme on le lui proposait. Il se régala de petites boulettes de viande hachée, de salade et de pain frais. Quand il eut fini, le sourd lui sourit en montrant l'horloge. Il remit à la hâte son manteau, enfonça jusqu'aux oreilles son bonnet de fourrure grise, prépara ses gants. Aron l'étreignit, Raşela l'embrassa, Bernard le prit par la main, le traîneau attendait dans la cour. On l'enveloppa de couvertures, de fourrure et de paille.

Le vent sifflait, la neige glacée jaillissait de toutes parts, la tempête redoublait de rafales furieuses. Le chemin était tout blanc, le ciel blanc, le cheval blanc. Un blanc infini, un désert de neige où glissait joyeusement le traîneau tiré par le fier Maure blanc[1], tandis que tintinnabulaient à son cou trapu les clochettes du conte. Une expédition polaire. Un gel, un gel épouvantable, et malgré plusieurs couvertures épaisses, une immense peau de mouton et la paille par-dessus, il avait les pieds paralysés. Il portait de grosses chaussettes de laine, des brodequins bien solides, aux lacets bien serrés, mais ses pieds étaient de vrais glaçons.

Sur le siège, le Sourd, au corps aguerri et dur comme le roc, restait impassible. La route blanche, sans fin, des heures de frayeur et d'hallucination. Le bruit des sabots du cheval, le halètement de sa respiration, la vapeur qui sortait de ses naseaux, le crissement du traîneau sur la neige, la démence imbécile des clochettes, le désespoir du vent.

Enfin arrivé à la maison, l'enfant des neiges fut démailloté avec soin et transporté près du poêle allumé. On apporta une cruche de thé bouillant, adouci avec du miel. Il balbutiait des paroles dépourvues de sens, on ne comprenait pas ce qu'il voulait. « Je pars. Par-par-partir. » Il avait à peine la force de prononcer une syllabe après l'autre. « Tout-de-sui-te. Tout de suite. »

« Où veux-tu partir ? Tu viens à peine d'arriver », résonnait la

1. Allusion à un conte de Ion Creangă (1837-1889).

voix, lointaine, du père. « Demain. Demain matin. Partons », répétait l'Esquimau. « Qui ça ? Où ? », demandait, inquiète, la Mater Dolorosa. « Demain. Tout de suite. Demain matin. »

Il n'y eut ni protestations ni rires. « Bon, on verra. On verra demain. Pour l'instant, bois ton thé. Tu es complètement glacé, bois ton thé. » Les mains sur la tête, le nez au-dessus de la tasse de thé, dans la vapeur chaude et suave. « Non, non », répétait la petite voix. « C'est terminé. Fini. » Il ne relevait pas le nez de la tasse.

« Promettez-moi ! Maintenant. Promettez-moi. » On ne le contredisait ni ne l'approuvait. « Promettez-moi ! Maintenant, maintenant. Je veux que vous me le promettiez. » Le pied de laine frappait en rythme, avec fureur, le pied de bois de la table. « Promettez-le ! Jurez-le ! Maintenant, maintenant. »

On m'avait débarrassé – quand ? comment ? – de mes brodequins frigorifiques, j'étais resté avec mes grosses chaussettes de laine, et je frappais frénétiquement, des deux pieds, le pied de la table sur laquelle était posée la tasse, à nouveau remplie de thé. « Bois, bois ton thé en attendant. Nous en parlerons demain. Nous déciderons demain. » J'entendais ce que j'avais déjà entendu : le message, prudent et inquiet, du monde ancien. Le code archaïque, les compromis, l'eau croupie des vieilles peurs ! L'exaspération jusqu'à l'étouffement, comme tant de fois auparavant.

« D'accord, c'est promis. Oui, oui, c'est promis. Oui, parole d'honneur. Bien sûr, parole d'honneur. Et maintenant, bois. Bois ton thé pendant qu'il est bien chaud. » Les duettistes m'infligeaient de nouveau les doucereux et hypocrites atermoiements du ghetto, auxquels j'aspirais tant à échapper.

Près de quarante années s'étaient écoulées depuis cet hiver 1947 où mon désir de départ avait éclaté dans l'hystérie. L'hésitation, le refus d'échanger l'exil intime pour un exil évident, inévitable, donnaient le ton de ma nouvelle partition. Mais l'atmosphère de l'été 1986 était lourde de menaces pressantes. Le conte arborait une fois de plus de nouveaux oripeaux.

L'utopie

Été 1948, l'école élémentaire d'État n° 1. Un bâtiment blanc à un étage, dans le parc du centre-ville. La réforme de l'enseignement avait supprimé les lycées privés. Une nouvelle école élémentaire signifiait de nouveaux camarades, de nouveaux professeurs, et moi-même à un âge nouveau, extatique, entre théorèmes géométriques, lois physiques et histoire du Moyen Âge. À la venue du printemps, le directeur, monsieur Nestor, m'annonça solennellement, dans la salle des professeurs, qu'on créait, pour les meilleurs élèves entre neuf et quatorze ans, l'organisation des pionniers, et que mes résultats me destinaient à être « commandant » de section. Mon émotion trouva sa traduction poétique dans le journal local *Lupta Poporului*[1], le dimanche 29 mai 1949, jour où un apparatchik du Parti, ancien cheminot, me noua autour du cou le foulard rouge sacré et me confia officiellement le drapeau rouge brodé de lettres d'or. L'Union de la jeunesse ouvrière serait notre grand frère, le Parti, notre Père.

L'apparatchik souligna, devant le public rassemblé dans le parc, la mission confiée aux plus jeunes soldats du Parti : « Pour Lénine et Staline, en avant ! » Et l'infanterie infantile clama son serment d'une seule voix : « En avant, hourra ! »

C'est ainsi qu'à treize ans à peine, âge de la maturité chez les

1. « Le combat du peuple ».

Juifs, je devins partie prenante du projet de bonheur universel. Ma famille fêta l'événement dans l'étroit sous-sol du salon de thé Wagner où l'on servait encore, en 1949, des feuilletés et des glaces dans la tradition impériale, comme il n'en existait plus que dans la Vienne capitaliste et décadente. Une célébration bourgeoise, évidemment, comme il y en aurait encore beaucoup dans la précoce carrière du militant photogénique de la Révolution.

Après sa rencontre avec le camarade Victor Varaşciuc, mari de Maria et *conducător* des communistes locaux, la situation de mon père changea elle aussi du tout au tout. D'un naturel circonspect et pondéré, l'ancien comptable s'était toujours tenu à l'écart de la politique. Au lendemain de la guerre, il évita aussi bien les communistes que les libéraux et les sionistes. Mais c'est la propre épouse du camarade Varaşciuc qui eut l'idée de faire adhérer au Parti monsieur Manea, et fournit au secrétaire dudit Parti de solides références quant à la probité et à l'honorabilité du postulant. Monsieur Manea, affirmait le camarade Varaşciuc, ne pouvait qu'être aux côtés de ceux qui étaient engagés dans la construction d'une société d'égalité et de justice, sans exploitation ni discrimination. N'était-ce pas de l'exploitation capitaliste qu'avait souffert l'ancien employé de la sucrerie d'Iţcani ? N'était-ce pas la discrimination raciale qui avait meurtri à jamais l'ancien déporté des camps de Transnistrie ? N'était-ce pas Maria, plus aventureuse que notre famille restée au pays, qui avait tout fait pour nous aider pendant la guerre, pour tenter de nous arracher au camp où nous avait envoyés le maréchal Antonescu, l'allié de Hitler ? Les communistes avaient fait fusiller le maréchal et étaient en train de prendre le pouvoir, avec l'aide de l'armée Rouge. N'était-ce pas l'armée Rouge qui nous avait libérés des camps et sauvé la vie ?

Monsieur Manea fit part au premier communiste de la ville de sa vieille réticence envers la politique et les hommes politiques. Il n'en devint pas moins rapidement le camarade Manea.

Lui qui avait toujours sagement respecté les conventions, voici que soudain il faisait figure d'exception : au lieu d'être le Juif qui imposait le communisme aux autochtones, il était le Juif coopté au sein du Parti par une Roumaine de souche, chrétienne. Il acceptait, impassible, les stéréotypes, mais faisait mentir celui qui avait stigmatisé tant de ses coreligionnaires.

Peu après avoir pris sa carte, le nouveau membre du Parti fut nommé à un poste important de directeur dans le commerce socialiste local. Son fils devint, lui aussi, une éminence rouge. Mais son enthousiasme était naturellement plus voyant que celui de son père.

Le principe simple et juste du monde nouveau, « De chacun selon ses capacités, à chacun selon son travail », s'était transmis de Proudhon à Marx, puis à Lénine et à ses successeurs. Le camarade Staline nous assurait que, lorsque le communisme aurait triomphé partout, la devise deviendrait : « De chacun selon ses capacités, à chacun selon ses besoins. »

En attendant, la classe exploiteuse perdait du terrain jour après jour. On avait nationalisé les industries et les banques, commencé à collectiviser l'agriculture, interdit les partis politiques, les organisations sionistes, les écoles et lycées privés.

L'été rouge de 1949 fut grandiose : un camp international de pionniers, avec excursions, feux de camp, soirées poétiques, rencontres avec d'anciens combattants communistes du temps de la clandestinité, visites d'usines rouges et de fermes rouges.

Un beau soir de cet été-là apparut à la porte de notre petite cuisine une élégante et sculpturale dame blonde. Sans doute était-elle de Moscou ou de Bucarest, mais on aurait juré qu'elle venait de Hollywood ! Décolleté généreux, hanches rondes, peau bronzée, cheveux blonds, yeux bleus. Talons surélevés, robe d'un autre monde. Une entrée triomphale, et une voix, une voix incomparable. En guise de « bonjour », elle fit cette déclaration théâtrale : « Je viens faire la connaissance de la maman de ce garçon. » Sur le pas de la porte, elle nous regardait avec amusement, maman et moi, paralysés de stupeur. Quand nous l'eûmes fait entrer, nous apprîmes qu'elle était l'épouse du docteur Albert, établi depuis peu dans notre ville.

Voici comment cette belle dame, « adoratrice » du jeune garçon qui la regardait en souriant depuis le coin de la table, entra dans le film familial, où elle figurerait en tant qu'amie de mes parents et inconditionnelle de leur fils, le gendre idéal.

Puis vinrent l'automne rouge, la nouvelle année scolaire rouge, le meeting de la Révolution, la tribune dressée sur la grand-place. Après le secrétaire du Parti, et avant le colonel de la garnison militaire et la représentante de l'Union des femmes démocrates, le commandant des pionniers harangua les masses depuis la tribune, et reprit la parole le soir même dans la salle du Dom Polski. À son cou flottait un nouveau foulard rouge, en soie, cadeau des pionniers soviétiques. Il y eut ensuite les préparatifs du Grand Anniversaire Rouge, celui du grand Joseph Vissarionovitch. Dans la pénombre de la salle des professeurs, les mains et les mots de l'adolescent tâtonnaient, égarés par des désirs coupables. Je repartais grisé de chez la jeune camarade directrice. Je dominais le monde et me faisais de nouveau tout petit l'instant d'après, quand je frappais au carreau gelé afin que mon père vienne m'ouvrir la porte.

Le révolutionnaire tournait le dos à l'étroitesse, certes de l'appartement, mais aussi de sa famille petite-bourgeoise. À un monde étriqué, rivé à ses peurs et à ses frustrations, à un ghetto malade de son passé malade, étouffé par les soupçons et les chuchotements. Il ne se sentait bien qu'au dehors, dans la logique simple et nette de sa nouvelle appartenance, sous les éclairs du ciel rouge : PROLÉTAIRES DE TOUS LES PAYS, UNISSEZ-VOUS !

Ses parents, sa famille... leurs mensonges mesquins qui nouaient les heures entre elles ? Même leurs noms, leurs étranges intonations, lui faisaient honte. Leurs drames infimes, leurs craintes, leur hâte à se retrouver entre eux, obsédés par leurs fardeaux et leurs illusions anciennes ! Persécutés, toujours persécutés ! Enchaînés par l'injustice infligée voici deux mille ans, et voici huit ans, et hier après-midi !...

« D'ici quelques années, ce garçon nous tuera », chuchota en gémissant, une nuit, Sheina, la fille d'Avram Braunştein. Son mari, le camarade Marcu, le père du commandant des pionniers, ne répondit pas à la provocation. Il avait d'autres soucis en tête, car le commerce socialiste avait tout de socialiste et rien d'un commerce, ce qui heurtait la probité et le bon sens de l'ancien employé.

Mais la vie ne s'arrêtait pas à ces contradictions dépassées. La lutte des classes ne cessait de s'exacerber, nous avertissait le camarade Staline, les agents de l'ennemi pullulaient évidemment jusque dans le vieux lycée habsbourgeois que je fréquentais maintenant, parmi les professeurs impérialistes et les élèves réactionnaires, fils de koulaks, d'avocats, de commerçants, de popes, de rabbins ou d'anciens politiciens de l'ère capitaliste.

En proie à des désirs brûlants, je me contentais de caresses avec quelque condisciple dans l'obscurité d'une salle de cinéma, préparation à l'accouplement libérateur avec une partenaire ne pouvant être, pour le moment, que la servante qui dormait dans la cuisine et dont je guettais les mouvements, la nuit, en retenant mon souffle.

Je cachais d'autres motifs de culpabilité : j'avais de la sympathie pour notre nouveau camarade de classe, un garçon grand, malin, volubile, qui venait de Giurgiu, au Sud du pays. Sans doute aurais-je dû enquêter sur la situation suspecte de ses parents – on l'avait envoyé en Bucovine à cause d'eux –, mais j'acceptai sa demande d'adhésion à l'Union de la jeunesse ouvrière. Étais-je intoxiqué par le poison du compromis et de la trahison ?

Les grandes affiches rouges du spectacle rouge n'en restaient pas moins irrésistibles : la Journée du Parti, la Question Agraire, la Situation Internationale, la Guerre de Corée, le Péril Titiste, la Vigilance. Déviations, excommunications, réorientations, nouvelles directives ; sans cesse se produisaient de nouveaux coups de théâtre. Du jour au lendemain, les meilleurs fils et filles du peuple devenaient des déviationnistes, des traîtres, des agents de la bourgeoisie et de l'impérialisme américain. « Les cadres sont la richesse du Parti », proclamait le slogan rouge sur les murs des locaux rouges, aux portraits encadrés de rouge et aux tables couvertes de nappes rouges. Les missionnaires issus des usines, des fermes, des bureaux et des écoles étaient devenus des « révolutionnaires professionnels », liés entre eux par le secret des opérations.

Il y avait, au sommet, le Bureau politique, puis le Comité central du Parti, le Comité central de l'Union de la jeunesse, celui des Syndicats, de l'Union des femmes. Les ramifications s'étendaient de haut en bas, en comités régionaux, départementaux, urbains, jusqu'aux organisations de base des villes, villages, usines, fermes collectives, écoles, unités de la milice et de la Securitate.

La réunion publique en présence des masses était le dernier maillon de la chaîne opérationnelle. Un jeudi de l'automne 1952, à quatre heures de l'après-midi, dans la grande salle du lycée. À la tribune, la table est recouverte d'une nappe rouge, et surmontée des quatre grands portraits, bordés de rouge, des maîtres du marxisme-léninisme. Font leur entrée le délégué du comité régional, le secrétaire de l'Union de la jeunesse ouvrière du lycée, le directeur. Ce dernier s'assied sagement au premier rang, à côté des autres professeurs conviés à la réunion.

À la tribune, le camarade délégué régional ouvre sa serviette, en sort un journal, donne lecture du communiqué du Bureau politique sur le déviationnisme de droite et de gauche au sein du Parti, commente avec vigueur et solennité le texte vigoureux et solennel. La parole est alors au secrétaire de l'Union de la jeunesse ouvrière du lycée pour le point numéro deux de l'ordre du jour : les exclusions. Les acteurs ont préparé avec soin leurs déclarations. Le camarade délégué régional intervient, interrompt, pose des questions, admoneste ceux qui hésitent à désigner les ennemis par leurs noms.

Dernier point de l'ordre du jour : les condamnations. Le fils d'un koulak, le fils d'un boucher, le fils d'un ancien avocat ayant appartenu au parti libéral. Les heures graves que traverse le pays exigent de resserrer les rangs autour du Parti, du Comité central, du secrétaire général, de renforcer la combativité et la vigilance, d'éliminer les éléments douteux. « Pas question de descendre au-dessous de trois ! Trois, au moins trois », avait exigé, lors de la répétition générale, l'apparatchik irrité.

Le premier inculpé se tait, l'auditoire se tait. Le fils de koulak n'ose pas dire que son père n'est pas un koulak, qu'il a simplement refusé de s'inscrire à la ferme collective. Le nouvel élève de quatrième, tout juste arrivé en ville, semble devenu muet, prêt à s'évanouir de trac, comme un benêt. Le vote est unanime : exclusion.

Le suivant est le grassouillet Hetzel, le fils du boucher et marchand de bestiaux. Le secrétaire indique que Hetzel est un élève médiocre, qui ne s'intéresse qu'à la bagarre et aux vaches, tout comme son père qui possède un élevage de bovins et spécule sur la viande. Et qui a déposé, de surcroît, une demande d'émigration en Israël ! Le fils de l'exploiteur sioniste Isidor Hetzel balbutie quelques mots inintelligibles. Pas d'abstention, pas de vote contre. Herman Hetzel, qui n'est plus le camarade Hetzel, s'avance vers la table rouge du présidium rouge, y dépose sa carte rouge.

Le dernier est Dinu Moga, élève de terminale, fils de l'ancien avocat libéral. Pas d'abstention, pas de vote contre. Le grand et beau jeune homme tend, impassible, sa carte rouge au secrétaire rouge et se dirige d'un pas égal vers la sortie, comme s'il n'avait rien de commun avec le koulak, le boucher ou le tribunal. Un épisode banal, parmi tant d'autres. Et néanmoins exceptionnel : ce jour-là, le secrétaire de l'Union de la jeunesse ouvrière perdit tout enthousiasme militant et révolutionnaire. Le doute rongeait la carcasse de l'intérieur. Je n'avais plus douze, treize ni quatorze ans, je n'étais plus fier des privilèges de ma fonction.

Le précoce préposé au rituel, pénétré par la magie du spectacle : une farce solennelle et glaciale. Acteur imitant les autres acteurs, les grands, ceux qui se produisaient à la tribune, la grande, dans des mises en scène grandioses, déclamant sur la scène rouge, sous les immenses drapeaux et inscriptions rouges, sous le marteau rouge, la faucille rouge et l'étoile rouge à cinq branches rouges, les slogans inquisitoriaux.

Le grand jeu du mensonge et de ses artifices ? La conscience révolutionnaire s'était-elle donc dissociée de la conscience tout court ? Sous cette singerie inconsistante, l'ardeur des commencements vibrait-elle encore ? *Le Manifeste du parti communiste, L'Anti-Dühring, Les Problèmes du léninisme*, les vers de Maïakovski, la phrase de Marx, le rire de Danton ?

Après cette mémorable séance, l'orateur ne prit pas immédiatement ses distances, comme autrefois, avec les basses œuvres révolutionnaires. J'avais seize ans, l'épisode ne m'avait pas révélé toute l'étendue de l'abjection, mais sous l'armure ternie quelque chose se déréglait.

Était-ce un privilège que de vivre, en quelques années seulement, et à un âge encore jeune, une expérience que d'autres ont prolongée jusqu'à la vieillesse ? Réunions, exclusions, délations. Les rituels : la dilatation intense de l'ego dominateur, puis sa contraction dans le corps massifié de la collectivité. Les nominations, la technique du secret, la vanité des honneurs : d'autres ont connu tout cela plus largement et plus profondément, à des degrés infiniment plus glorieux ou plus tragiques. Le moment que j'ai vécu dans cette salle que je dominais depuis la tribune rouge, tous les participants de ce grand jeu utopique devenu inquisitorial l'ont aussi vécu. On est immuablement mis en demeure de choisir entre les identités qui vous composent et se disputent votre moi, non seulement le moi qu'exige l'ultimatum de l'instant, mais encore celui que l'on est vraiment. L'être humain continue, bien au-delà de l'enfance, de la puberté, de l'adolescence, à éprouver sa multiplicité potentielle. Je n'étais pas chargé de famille, je n'avais pas de profession, je ne courais pas les mêmes risques, réels, que le renégat politique. Mes dilemmes, pour autant, n'avaient rien de frivole, rien n'est frivole à l'adolescence – nous ne savons d'ailleurs même pas quand elle s'achève.

Certains acteurs, heureusement, ne sont pas doués pour le Pouvoir, y compris quand ils sont attirés par le jeu de l'Utopie et de la théâtralité. En cet après-midi de l'automne 1952, je retombai, sans que personne ne s'en aperçoive, dans l'obscure catégorie des anonymes. Ma prise de distance avait atteint son point de non-retour. Le moment où, soudain, tout se nécrose. Était-ce à cause du visage de ce jeune garçon nommé Dinu Moga, quittant sans rien dire, dépouillé de la précieuse carte rouge, la grande salle glaciale du lycée ? Je ne dévoilai pas mes sentiments personnels à l'auditoire survolté par la peur et la curiosité, ni à personne par la suite, mais je suivis de près le destin de l'exclu.

Dinu Moga, qui était un excellent élève, entra l'année suivante à l'Institut polytechnique de Iaşi, où il ne brilla guère. Il revint au bout de quelques années à Suceava, où je devais le retrouver en 1959, lorsque je reviendrais moi-même, ingénieur débutant, chez moi.

C'est seulement alors que nous devînmes amis. Entre ses livres, ses disques et ses aventures sans lendemain, le séduisant jeune raté s'aménageait une enclave pour mieux accepter son époque. Retiré dans son studio, hors d'atteinte du Parti et des trivialités publiques, discret sur ses liaisons, d'une politesse laconique, il était le vaillant symbole de l'échec. Une constante, une butte-témoin, une sorte de monument.

« Le 5 mars 1953 est décédé Joseph Vissarionovitch Staline, secrétaire du Parti communiste de l'Union soviétique, camarade de combat et continuateur de Lénine, grand guide du peuple soviétique. » Un verdict médical sans appel. Le dirigeant suprême, grand idéologue, grand stratège et chef militaire, coryphée de la science, bastion de la paix, petit père des peuples du monde entier… lui l'immortel – mortel comme nous tous ! Son bureau du Kremlin, où jamais ne s'éteignait la lumière, était livré à l'obscurité.

La colonne d'élèves et de professeurs se dirigeait vers la grand-place. Je marchais à côté, hors des rangs. Les haut-parleurs géants installés dans les arbres et sur les poteaux télégraphiques retransmettaient, depuis Moscou, les funérailles sur la place Rouge. Des dizaines de fanfares mortuaires écrasaient l'assistance de leurs coups de tonnerre funèbres. Les dirigeants du Parti, de la jeunesse, du syndicat, des femmes, des fédérations sportives, de la Croix-Rouge, des coopératives artisanales, des associations d'invalides, de numismates, de chasseurs, avaient reçu un brassard rouge avec un crêpe noir. Je le portais, moi aussi, au bras gauche, là où mes ancêtres nouaient les phylactères qui auraient pu me restituer au peuple élu.

La place était noire de monde, mais j'avais ma place réservée, entre les délégations du lycée de filles et de l'école de mécanique. Je vis la secrétaire de l'Union de la jeunesse ouvrière du lycée de filles soutenue par deux collègues qui ne pouvaient retenir leurs larmes. D'autres lycéennes pleuraient, et même des enseignantes. Les garçons, eux, contenaient leur douleur avec virilité.

L'onde de choc causée par la mort de l'Immortel se faisait sentir jusque dans la jungle africaine, en Méditerranée, sur la Grande Muraille de Chine et dans le Wild West. L'affliction submergeait la terre entière. La République populaire de Roumanie avait cessé de respirer. La Bucovine elle-même était en deuil. Le noir funéraire avait recouvert notre ville, Suceava, et son lycée de garçons « Étienne le Grand ».

Je devais être déchargé, à partir de l'année scolaire suivante, de mes fonctions de secrétaire, afin de mieux préparer l'examen d'entrée à l'université. J'avais proposé mon successeur, un élève de quatrième, fils de paysan, que je formais assidûment à son importante mission. Il se trouvait à ma droite, et me suivait avec la crainte et le respect dus à un vieux militant au seuil de la retraite.

Sur la place Rouge se succédaient le cortège funèbre, les orateurs, le catafalque, la garde d'honneur. La délégation roumaine était conduite par le camarade Gheorghiu-Dej[1], à ses côtés se trouvaient le camarade Maurice Thorez, le camarade Palmiro Togliatti, la camarade Dolores Ibárruri, le camarade Hô Chi Minh, le camarade Frédéric Joliot-Curie et tant d'autres camarades aux noms et aux visages familiers, venus du monde entier.

Du fait de l'absence de télévision, la retransmission radiophonique était plus dramatique encore. La marche funèbre, les discours de circonstance, l'atmosphère de désolation qui envahissait l'univers, le pays, la Bucovine, la ville, le lycée, ma classe de première A, révélaient un vide immense, aussi soudain que béant. Une anxiété, une tension, une attente, une peur. Qu'allait-il se passer dans quelques heures, demain matin, dans une semaine? Les brassards rouges et noirs m'étaient étrangers. Non, je n'étais plus le même. L'épisode Dinu Moga avait marqué le début de ma prise de distance.

Juillet 1945, Fălticeni, le *Iarmarok*, le livre à l'épaisse couverture verte qui renfermait la merveille des merveilles: les mots. Personne ne m'avait lu de contes quand j'avais l'âge pour cela, personne n'avait eu la patience de le faire. Je m'étais simplement familiarisé, peu à peu, avec l'histoire que je vivais moi-même.

Et pourtant, ce livre vert m'avait tout de suite fasciné. J'y découvrais un monde étrange, coloré, irrésistible. Une langue

1. Gheorghe Gheorghiu-Dej (1901-1965), secrétaire général du Parti communiste roumain de 1945 à sa mort.

pittoresque, où bouillonnaient les piments et les aromates, les poisons subtils et les codes lexicaux du grand Creangă. La langue était elle-même un conte plein de pièges, de facéties, d'illusions, un vrai miracle. Vinrent ensuite des récits d'aventures, d'amour, de voyages. Page après page et livre après livre, les mots et les phrases défrichaient l'irréelle réalité du moi, un moi qui se révélait et s'inventait lui-même. Lentement, imperceptiblement, le discours de l'intériorité évoluait.

En première année de lycée, je tentai de séduire ma condisciple et quasi homonyme Bronya Normann par un discours amoureux qui abasourdit, outre l'élue de mon cœur enfantin, les quelques camarades invités pour l'occasion. Le pouvoir des mots, leur étrange rayonnement, poussés jusqu'à la caricature.

Entre *L'Anti-Dühring* d'Engels, *La Fille du capitaine* de Pouchkine, *Pères et Fils* et *Fumée* de Tourgueniev, l'irrésistible *Oblomov* de Gontcharov et les récits cruels de Maupassant, l'effervescence cherchait sa propre langue.

Mais la langue des journaux, les discours du camarade Gheorghiu-Dej, du camarade Souslov, du camarade Thorez, du camarade Mao, le poète, l'égal de Maïakovski, d'Aragon et de Neruda ? Le verbe allié à la Révolution ? Les différences se creusaient entre la langue de l'intériorité et la langue publique. Celle des journaux, des discours, des communiqués du Parti, de la législation socialiste, opérait une simplification toute militaire. Le combat requérait simplicité et décision. Une langue limitée, dépourvue de surprises. Le Parti unique imposait sa langue unique, officielle, réglementaire, qui évitait les frivolités de la nuance au profit d'un style impersonnel, distant, exempt de familiarité et d'humour.

Simple et univoque, la langue du Parti n'en était pas moins codée. Lire entre les lignes était devenu un exercice classique. Le poids des adjectifs, la violence des verbes, la longueur de l'argumentation donnaient la mesure de la gravité de la situation et de la sévérité du remède. Les comptes rendus lapidaires des entretiens de notre leader avec des hommes politiques de l'Est et de l'Ouest, ou avec l'ambassadeur de l'Union soviétique à Bucarest, permettaient aux amateurs de mots croisés de scruter la cabalistique des termes : cordiale amitié, chaleureuse camaraderie, estime et compréhension mutuelles, pleine entente et collaboration. Ces formules sibyllines exprimaient de façon codée les tensions au sein des alliances, une stratégie politique d'ouverture ou, au contraire, de fermeture à l'intérieur et à l'extérieur. À la massification sociale correspondait la massification du langage. Une terminologie chiffrée, énigmatique. Un langage restreint et monocorde, qui aggravait la méfiance vis-à-vis des mots, le soupçon envers la parole.

Les métiers concrets semblaient être la seule protection contre cette crétinisation communiste de la langue.

« Comment, tu ne fais pas médecine ? », me demanda avec étonnement, au banquet de fin d'année, mon professeur de sciences naturelles, alors dénommées *bases du darwinisme*. La médecine ne m'attirait pas, et j'avais décidé, vu mes bonnes notes en mathématiques, d'aller étudier la construction et l'hydraulique à l'Institut polytechnique. C'était l'époque où la presse se répandait en reportages dithyrambiques sur les barrages et les centrales hydrauliques socialistes.

En 1954, les bacheliers ayant obtenu un 5 dans toutes les matières – l'échelle des notes n'allait plus, modèle soviétique oblige, que de 1 à 5 – étaient dispensés d'examen d'entrée à l'université. Je n'avais qu'une vague idée du contenu de ce que je choisissais, mais je sentais que j'abandonnais « le monde des mots », leur caractère nébuleux et infini. Était-ce contre moi-même que j'optais pour le Concret ? Ma part « virile » effaçait-elle la part féminine, ambiguë, fluide, incertaine et puérile de l'enfant que j'étais resté ?

L'option virile me protégerait non seulement des pièges du système, mais encore de mes propres chimères.

L'État était propriétaire absolu des personnes, des biens et des initiatives. La justice et les transports, la philatélie et le sport, les cinémas, les restaurants, les librairies, le cirque, les orphelinats et les bergeries lui appartenaient désormais. De même que le commerce, le tourisme, l'industrie, les maisons d'édition, la radio, la télévision, les mines, les forêts, les toilettes publiques, le courant électrique, le lait, les cigarettes, le vin: la différence est radicale par rapport aux dictatures de droite, où la propriété privée offre une ultime chance d'indépendance...

S'ajoutant à l'étatisation de l'« espace », la plus prodigieuse innovation du socialisme était l'étatisation du temps, étape décisive vers celle de l'individu lui-même, dont le temps restait la dernière possession. Un terme nouveau était apparu dans la réalité nouvelle et dans le vocabulaire des temps nouveaux: la réunion. « Une réunion, encore une réunion, toujours une réunion », disait un refrain satirique, résignation banale à la banalité du réel. Le temps de l'individu était transféré à la collectivité: la « réunionnite » était la grande opération de pillage du temps.

« Il faut accepter la critique, quand bien même elle ne serait juste qu'à 5 % », entendait-on répéter lors des réunions, dans les premières années du socialisme. La règle, promulguée par le grand Staline et que personne n'aurait osé contester, faute des 5 % de courage nécessaires, instaurait en réalité la dictature du mensonge: accepter comme vérité 95 % du mensonge, c'était promouvoir la délation et le mensonge. L'intimidation des individus et l'exorcisme collectif. La démagogie, la routine, la consigne. La surveillance, mais aussi le spectacle. Ce rituel d'obéissance impliquait-il, dans l'acte même de soumission et malgré celui-ci, une solidarité subversive? En votant « à l'unanimité », avec une passivité joviale, des décisions préparées à l'avance « au nom du peuple », l'anonyme devenait partie intégrante d'une mascarade qui n'en sollicitait pas moins son consentement formel. À côté des autres et avec eux, le « citoyen éméché[1]» se pliait à la farce collective qui le dispensait de son individualité et de sa responsabilité, du dilemme de savoir pour qui et pour quoi voter. Qu'il rie aux éclats ou qu'il cesse, effrayé, de rouspéter, le membre de ce que Bakhtine a appelé le « chœur populaire » des rieurs avait été forcé d'avaler le somnifère administré à la confrérie des soumis, et l'irresponsabilité de ce subterfuge n'avait rien de réjouissant.

Mais les personnages sur la scène ? L'enfant acteur ne se distinguait nullement des orateurs de la *Nomenklatura.* Les petites festivités propagandistes bénéficiaient du même décorum et du même magnétisme que les grandes. Le tendre cobaye passa, lui aussi, par presque toutes les phases de la grandeur et de la décadence. Le petit histrion connut à son tour les infortunes promises au renégat. Automne 1954, première année de faculté. J'étais enfin à Bucarest, galvanisé par les salves du *Gaudeamus igitur* qui saluait l'entrée des professeurs dans l'amphithéâtre. Au bout de quelques jours seulement, on me fit savoir que j'étais choisi, eu égard à mes états de service au lycée et à mes mérites scolaires, pour faire partie du bureau de l'Union de la jeunesse ouvrière. Cette fois, je déclinai l'honneur qui m'était fait. Je souhaitais, fis-je valoir pour motiver ma désertion, me consacrer entièrement à mes études. La séance de réprimande fut promptement organisée. Je me trouvai devant le tribunal en qualité d'accusé, comme le fils de l'avocat libéral Moga quelques années plus tôt. La motivation frivole que j'avais donnée pour refuser ma mission dissimulait ma dérobade face au devoir.

Mes nouveaux camarades ne me connaissaient pas, je venais tout droit de ma province. Loin de m'accabler, les rares participants qui prirent la parole minimisèrent mes péchés, avec une sorte de compréhension désabusée : tant pis s'il ne veut pas, nous trouverons quelqu'un d'autre.

Mais cette exclusion manquée avait rendu furieux les régis-

1. Personnage de la comédie de Ion Luca Caragiale, *Une lettre perdue.*

seurs de l'ombre. L'initiateur de la demande de sanction, transmise à l'échelon politique supérieur, semblait être le camarade Ştefan Andrei, le « numéro deux » dans la hiérarchie politique estudiantine. Je subis donc, au Centre universitaire de Bucarest, les admonestations et les menaces de rigueur.

Je croisai de nouveau sa route, un mois après le début des cours, à Medgidia, dans le Sud du pays, sur le chantier de la cimenterie où l'on avait inopinément expédié toute la faculté pour le « travail volontaire ».

Venu de l'extrême Nord du pays rendre visite à son fils arraché du jour au lendemain à l'enclave universitaire, mon père fut choqué par mes énormes bottes de caoutchouc, ma veste matelassée et ma chapka russe. Nous pataugions dans la boue à perte de vue. Nous nous regardâmes en pensant à la guerre et au camp. C'était évidemment exagéré. Nos baraquements d'ouvriers étaient sommaires, notre nourriture piteuse, mais l'ambiance, plaisante et exotique – une vraie aventure pour des jeunes ! Le soir, certains jouaient de la guitare ou de l'accordéon, des conversations et des idylles se nouaient.

Je n'en menais pas large à côté de mon voisin de lit, que j'essayais d'ignorer. Mais bientôt, le camarade Andrei, étudiant de quatrième année, donna un tour apolitique à nos conversations. Il aimait discuter de livres, chose rare chez un étudiant de l'Institut polytechnique. Je restais prudent ou me taisais.

Lors d'une de nos promenades au crépuscule, il me parla du livre qu'il était en train de relire, *Et l'acier fut trempé*, de l'écrivain soviétique Nikolaï Ostrovski. L'auteur, aveugle et paralysé, montrait comment le caractère humain se forge dans l'adversité. L'avais-je lu ? Oui, j'avais lu ce livre qui avait eu beaucoup de succès à l'époque. Qu'est-ce que j'en pensais ? C'était un livre pour enfants et adolescents, lui dis-je, je l'avais lu quand j'étais pionnier. Mon interlocuteur se tut, me regarda longuement, s'enquit de mes lectures récentes. Je ne savais quels titres mettre en avant. Je citai *L'Âme enchantée* de Romain Rolland, bien que ce ne fût pas une lecture récente. Après un temps d'hésitation, mon interlocuteur changea de sujet.

Cet intermède culturel ne rendait pas moins pénible notre « travail volontaire ». Mais j'eus ma récompense à un moment où je ne l'attendais plus. Une excursion à Constanţa, à une heure seulement de Medgidia, au cours d'un week-end. J'avais grandi entre les collines et les forêts de Bucovine, et c'était la première fois que je voyais la mer. Cette rencontre prodigieuse fut à l'origine du pèlerinage annuel que je fis, au cours des décennies suivantes, sur les rives de la mer Noire, tandis que l'admirateur de Nikolaï Ostrovski faisait une brillante carrière dans l'ombre de Nicolae Ceauşescu, dont il serait le ministre des Affaires étrangères. Au fil du temps, il deviendrait également bibliophile, possesseur d'une collection de livres et journaux anciens, dont de précieux volumes étrangers, offerts par ses homologues d'autres pays.

Le camarade ministre Ştefan Andrei allait jouir, dans les décennies suivantes, d'une réputation d'homme cultivé, bienveillant, époux compréhensif d'une actrice belle et médiocre dont les aventures amoureuses étaient épiées par les agents de l'inestimable épouse de notre inestimable Président. Le ministre des Affaires étrangères donnait libre cours à ses goûts raffinés lors de ses voyages et de ses entretiens dans le monde entier, pour se conformer de nouveau, une fois rentré en Roumanie, aux standards incarnés par le Dictateur. Je n'avais pas ses privilèges, et ne les lui enviais pas. Il avait trouvé son bonheur dans la fidélité au Parti, j'avais trouvé le mien dans mon infidélité. Je ne cherchai pas à barrer la route à l'illustre admirateur de Nikolaï Ostrovski et de Nicolae Ceauşescu, ni ne jubilai en l'entendant proférer, à la session annuelle de l'ONU, les inepties de rigueur dans son français socialiste oriental.

Trente ans après notre confrontation politique et littéraire, toutefois, le ministre devait me gratifier d'une surprise. Ce fut à l'occasion de sa visite au Laboratoire de pathologie du livre, à la Bibliothèque centrale d'État de Bucarest, qui était en train de restaurer sa collection de livres et de périodiques. Dès son entrée, l'éminent visiteur s'adressa avec une familiarité étrange à la directrice du laboratoire, venue l'accueillir : « Comment va votre mari ? », lui demanda-t-il. Troublée, Cella lui répondit laconiquement : « Bien. » Son visiteur, de toute évidence, savait tout, grâce au *dossier* qu'on lui avait préparé en vue de sa visite, sur son mari et elle. Devant son air stupéfait, dû au fait qu'elle ignorait tout de notre relation d'autrefois, le ministre la mit au courant, évoquant en termes hyperboliques son ancien camarade. Il lui transmettait ses salutations... et le priait de lui offrir deux exemplaires de son dernier livre. On pouvait pourtant s'en procurer autant qu'on voulait, que ce soit en librairie ou directement auprès de la maison d'édition, l'une et l'autre appartenant, comme les livres, les auteurs et tout ce que fabriquait la Jormanie socialiste, à l'État et au Parti. Deux exemplaires ?! Pourquoi deux exemplaires ?

Était-ce une requête de dingue, un message codé ? La question allait me suivre en exil, à une distance où elle me paraît aujourd'hui plus absurde encore.

Le métier d'ingénieur pouvait-il me protéger de la pression politique et du crétinisme de la langue de bois ? Slogans, clichés, menaces, duplicité, convention, mensonges grands ou petits, ronds ou anguleux, bariolés ou incolores, nauséabonds ou inodores, mensonges insipides de toute sorte, proférés dans la rue, à la maison, dans le train, au stade, à l'hôpital, chez le tailleur ou au tribunal. Le crétinisme rayonnait partout, on y échappait difficilement.

L'intériorité était-elle la seule richesse à sauver à tout prix ? Cette bien vague notion avait-elle donc tant d'importance ? Ne recelait-elle pas, elle aussi, des réserves de conformisme et de prétention ? Les études d'hydrotechnique étaient difficiles, je l'avais senti dès le début, même si j'ignorais à l'époque que, sur cent vingt étudiants entrés en première année, nous ne serions que vingt-sept diplômés.

L'exaltation liée à la découverte de l'université fut aussitôt refroidie lorsque je mis les pieds à la cantine des étudiants. « Assiette d'aubergines » et « assiette de concombres », telles étaient les innovations de la gastronomie socialiste. Quelques bouchées à peine me firent blêmir et sombrer, sous l'effet du poison, dans un abîme d'accablement. Mon estomac habitué à la cuisine bucovinienne se rebellait contre les ordures de la métropole. Les premiers cours rachetèrent ensuite cette surprise désagréable. Tout me paraissait nouveau, intéressant, surtout les mathématiques, langage propre à modéliser les raisonnements théoriques. Bientôt, cependant, apparurent les rébarbatives matières techniques et descriptives.

J'habitais chez une vieille dame qui, la nuit, installait son lit pliant dans l'espace étroit entre la table et le canapé. J'avais cependant découvert des hôtes plus hospitaliers : la Bibliothèque centrale universitaire, la Bibliothèque ARLUS, la Bibliothèque de l'Institut pour les relations culturelles avec l'Étranger. Je m'y évadais, jusqu'à une heure avancée de la soirée, dans des lectures qui n'avaient que peu à voir avec l'hydraulique, la résistance des matériaux ou le béton armé.

Le résultat ne se fit pas attendre. Je chutais au milieu du peloton scolaire et glissais doucement vers le bas. Fallait-il faire le grand saut, renoncer à la faculté ? Mutter Courage déclara, pathétique : « Il faut stopper la maladie à temps. » Le grand air du dévouement absolu… mais mes parents semblaient accablés par les difficultés financières. Le dévouement allait de pair, je ne le savais que trop, avec le réalisme et le chantage affectif. Les psychothérapies post-modernes proposent des diagnostics simples pour ce genre de crises : vos parents, à l'époque, ont détruit votre vie… Et si la mienne avait été détruite par la confusion de mes affects, c'est-à-dire par moi-même ? De toute façon, la vie s'autodétruit en permanence, indépendamment des erreurs que nous pouvons commettre.

Des études « littéraires » auraient-elles été, sous la dictature, une alternative raisonnable ? Ma famille m'exhortait à la prudence, et je n'avais guère d'arguments à lui opposer. Les dix commandements voulaient dompter mes ancêtres, l'errance et le ghetto avaient exacerbé les règles de la prudence élémentaire. La vitalité et l'audace n'avaient d'espace que dans la surabondance de l'intériorité.

Avaient-ils « détruit ma vie » ?! La formation par la déformation n'est pas si rare dans la vie, quels que soient les lieux et les circonstances ; elle n'a certainement pas que des causes politiques, même en régime autoritaire, mais elle a naturellement ses impondérables.

Je terminai la faculté d'« hydrotechnique » en 1959. Puis le tapis roulant se mit en marche : ingénieur stagiaire, ingénieur projets, chef de groupe de construction, ingénieur projets principal, chercheur principal. Le dédoublement réinterprété jour après jour, au fil de l'âge.

Au bout de quatorze ans, quatre mois et seize jours, je finis par abandonner le rôle.

Était-ce l'*Initiation* qui m'avait appris, dès l'enfance, à rejeter le monde extérieur, à retarder l'expulsion du placenta ? Par la suite, se déguiser revenait à s'identifier aux scénarios joués par les marionnettes parmi lesquelles évolue celui qui vous représente. Fallait-il, à un moment, le démasquer, le renier ? On s'habitue peu à peu aux souffrances et aux drogues de l'ambiguïté. Les Églises, les bureaucraties, les carrières, les mariages ne font qu'alimenter, jour après jour, les archives du dédoublement.

Mais, souvent, le rictus du destin vient relancer le jeu. En dernière année de faculté, je revis mon ancien interlocuteur, Ştefan Andrei, promu assistant de la chaire de géologie. Un poste médiocre en attendant autre chose, un regain de mimétisme « scientifique » avant d'embrasser la carrière politique. La loi socialiste sur l'espace locatif n'autorisait à travailler à Bucarest que ceux qui y avaient leur domicile depuis longtemps, et personne n'avait le droit de s'installer de son propre chef dans la capitale. Je n'avais pas les atouts politiques du camarade Ştefan Andrei, provincial lui aussi, pour surmonter ce handicap. « Tu étais promis à une fabuleuse carrière... Tu es retourné à l'inévitable médiocrité », me dit-il après mon retrait de la scène politique ; il aurait pu me dire la même chose lorsque je revins, en 1959, dans mon idyllique ville de Bucovine.

Mon retour à Bucarest eut lieu moins de six ans plus tard, aux débuts de la « libéralisation », grâce à un concours de recrutement. Je dus cependant prouver que je disposais bien d'un espace de huit mètres carrés, norme minimale de superficie dans la Jormanie socialiste. La Communauté juive de Bucarest me délivra une attestation selon laquelle j'habitais... les bains rituels de l'ancien quartier juif.

Le destin couronna ma victoire par la publication en roumain du *Procès* de Kafka. Je l'appris de l'initié parmi les initiés, mon ancien camarade de lycée Liviu Obreja, qui appartenait à la société secrète des consommateurs culturels de la capitale. Les libraires qu'il connaissait l'avertissaient à l'avance lorsque survenait un événement de ce genre. En cette journée de printemps, la queue devant la « Librairie de l'Académie », à côté de l'institut où j'avais commencé à travailler, se forma aux alentours de sept heures du matin, une heure avant l'ouverture.

Je vis, sur le chemin du bureau, la file des premiers clients. Je signai le registre de présence, demandai un « billet d'autorisation d'absence » de deux heures, sans en divulguer le motif afin de ne pas ajouter aux soupçons qu'alimentaient les étranges journaux, revues et livres en possession desquels mes collègues ingénieurs, fervents lecteurs du journal *Sportul*, m'avaient déjà surpris.

C'était la grande époque de l'« ouverture », il paraissait beaucoup de nouveaux titres, de nouvelles traductions, mais toujours avec des tirages insuffisants, de sorte qu'il fallait être là le jour exact et à l'heure précise où se constituait la « queue » pour Proust, Faulkner, Lautréamont ou Malraux. Liviu Obreja, avec son visage pâle, sa tignasse blonde et sa douceur de conspirateur timide, n'était pas seul à se trouver au bon moment à la bonne librairie : était présente au grand complet la secte des drogués de la lecture, dans laquelle je me reconnaissais, quoique de mauvaise grâce.

C'est au cours de cette période que je publiai mon premier livre. Et c'est au même moment que j'intégrai un des hauts lieux de l'élite des ingénieurs, le laboratoire Hidro Ciurel, où l'on avait refusé plusieurs années de suite de me prendre, pour des raisons de *dossier*. Je devins donc, en 1969, le plus jeune chercheur principal à travailler dans une institution authentiquement universitaire. J'aurais dû, pour justifier ma situation, passer mon doctorat quelques années plus tard. L'imposture aurait alors atteint son apogée. C'est pourquoi je me fis transférer… à l'hôpital, service des maladies nerveuses, couronnement naturel de mes douteux succès professionnels.

Depuis le jour où, en troisième année de faculté, j'avais cherché à sauter du train en marche, près de vingt ans avaient en effet passé ! J'avais sauvé les apparences pendant trop longtemps, et le record figurait désormais dans les rapports du psychiatre. Mais que dire du dédoublement et de l'imposture politique de mes concitoyens ? L'inadaptation « professionnelle », à l'instar de tant d'autres formes naturelles d'aliénation, imposées par la grande mascarade politique, paraissait moins grave. Schizophrénie de la fausse représentation dans cet univers faux où l'on est remplacé par quelqu'un que l'on n'est pas et qui, pourtant, fait partie de vous. Une variante légèrement allongée, retournée, entortillée, comme dans les portraits « extensibles » de Modigliani, retouchés par un Grosz ou un Dix ?

Soudain, quand on s'y attend le moins, c'est fini, on a perdu le contrôle, ou on croit l'avoir perdu, à moins qu'on ne simule la perte à la perfection. On peut enfin obtenir le certificat médical qui vous renvoie chez vous, dans votre chambre, dans votre cellule, le linceul qui vous isole du milieu. Et aux frais, qui plus est, de l'État, de ce cher État !

Mon métier d'ingénieur m'avait-il protégé ? C'était une protection toute relative, et cher payée, même si ce n'était pas par des interrogatoires, des séjours en prison, en camp ou en colonie pénitentiaire de « rééducation », mais seulement par les stratagèmes lymphatiques du quotidien. La banalité de la perversion s'infiltrait partout, nul n'était indemne des toxines de l'abrutissement, rien ne protégeait totalement de cette pathologie insidieuse. Des écrivains, des artistes et un grand nombre d'anonymes avaient pourtant accepté le risque de vivre dans la pauvreté et l'incertitude, ignorant la machine à broyer les cerveaux, sans devenir ingénieurs pour autant.

Mon métier d'ingénieur avait-il au moins vaincu mes doutes et mes angoisses ? Avait-il vaincu aussi le vice de la nuance, la nuance excessive ?

J'avais connu des situations et des gens qui, sans cela, me seraient restés inaccessibles. C'est un avantage dont on a du mal à mesurer la portée. Mais qu'on acquiert au prix d'un bien inestimable : le temps.

Aucune erreur n'est à surestimer. Cela voudrait dire que nous avons une trop haute opinion de ce que devrait être, toujours et partout, la vie. L'esclavage du métier ? Mais l'esclavage de la famille, de la maladie, des amis, des maîtresses, des enfants et, bien souvent, de la haine à laquelle nous acculent nos ennemis ?

Parmi les espoirs que j'avais mis, à dix-huit ans, dans mon humble profession, il y avait l'espoir qu'elle me sauve de moi-même. Il ne s'était pas réalisé. Le métier d'ingénieur ne m'avait pas, Dieu soit loué, guéri de moi-même.

Periprava, 1958

Je ne le reconnus pas dans l'uniforme qui venait d'apparaître devant moi. Pâle et émacié, la tête rasée, la casquette à la main, les yeux baissés. Docilement, il s'assit de l'autre côté de la table longue et étroite, à côté des autres détenus. À chaque bout veillait une sentinelle. Je disposais de dix minutes, et le paquet que j'avais apporté devait être ouvert devant le soldat, à la fin de notre entretien.

Il attendait, tête baissée, les mots banals dont il avait besoin. Ils ne venaient pas. Il leva les yeux, me sourit comme un enfant. Des yeux rouges, gonflés, craintifs. Des cernes profonds, violacés. Des lèvres brûlées, enflées. Il m'assura qu'il était en bonne santé, qu'il s'en sortait. Évidemment, le travail était dur, avec cette canicule et cette poussière, mais il s'en sortait. Il avait le sourire reconnaissant des orphelins heureux d'avoir retrouvé leurs parents, d'avoir de nouveau quelqu'un qui s'occupe d'eux.

Mon père avait cinquante ans. En apparence, il n'avait pas vieilli, mais le décor lugubre et nauséabond le vieillissait. En ce printemps 1958, j'étais étudiant en quatrième année, et j'avais vingt-deux ans : un adolescent mal à l'aise, paralysé par l'immensité de l'instant, incapable d'enfreindre les interdictions, de passer de l'autre côté de la table pour prendre son père dans les bras et le calmer comme un bébé. Je me révélais même incapable de prononcer les paroles que nous avions le droit d'échanger.

Je ne répondis pas tout de suite à sa question sur ma mère. Il ne fallait pas qu'il sache qu'à cause de sa condamnation elle avait perdu son travail et retrouvé avec difficulté un emploi d'ouvrière non qualifiée à la conserverie, où elle trimait dix heures par jour, penchée sur d'énormes bassines de poivrons, de pommes de terre, de concombres, qu'elle devait couper en fines lamelles de ses mains tremblantes. Non, il n'avait pas d'inquiétude à avoir, ma mère viendrait le mois prochain au parloir, il la verrait. Puis, enfin, la nouvelle qu'il attendait : l'avocat affirmait que la tension politique s'était atténuée, que la campagne d'arrestations avait faibli, qu'on avait reconnu « en haut lieu » que des abus avaient été commis. Profitant de ce que la sentinelle ne nous observait pas, je me penchai légèrement par-dessus la table et chuchotai que le frère de l'avocat était procureur à la Cour suprême. Il y avait donc tout lieu de croire que le recours serait accepté, et l'injustice réparée.

Son visage rasé de frais contrastait avec son uniforme loqueteux. Lui dont les vêtements avaient toujours reflété le caractère ordonné et méticuleux, il ressemblait à un pou en uniforme, comme au cours des premières semaines en Transnistrie, quand il avait vu, horrifié, des poux sur le col de sa chemise autrefois blanche. « Ça ne vaut pas la peine de vivre comme ça, non, pas comme ça. » Vaincu, terrassé par la honte, prêt à hâter sa propre fin. « Si, ça vaut la peine, ça vaut la peine », avait aussitôt répliqué sa femme, énergiquement. « Ça vaut la peine de survivre. Après, tu retrouveras des chemises blanches. Empesées et blanches », répétait l'interprète du grand air du courage, sans réussir à l'arracher à son mutisme.

Valait-il la peine d'avoir survécu ? Il avait survécu, mais il était redevenu ce qu'il était lors de la longue nuit de la déportation : un pou. Il le sentait, je le sentais, moi le jeune pou et fils de pou. Et pourtant, moi aussi je lui promettais la résurrection, la chemise blanche de l'espoir.

Quelques années avant d'être arrêté, il avait été démis de son poste de directeur à l'OCL Metalul de Suceava, l'organisation du commerce socialiste des métaux et des produits chimiques. On ne lui fit aucun reproche, on ne lui donna aucune explication. Il avait toujours été rigoureux et probe, même ceux qui n'éprouvaient pas de sympathie pour lui en convenaient. Il s'était résigné à accepter un emploi de comptable à l'OCL Alimentară, l'autre grande entreprise de la ville.

Le « commerce socialiste ! »... C'était une contradiction dans les termes, tout comme la « philosophie socialiste ». L'ancestral métier qui consiste à faire circuler les hommes et les biens exige de la personnalité, de l'esprit d'initiative, de l'intelligence, alors que le commerce d'État, entre sociétés appartenant toutes à l'État, au fonctionnement rigoureusement planifié, ne requérait qu'une bureaucratie fournissant au système, comme toutes ses créations, les victimes dont il avait cycliquement besoin. Papa n'avait ni la vocation ni l'expérience du commerce. La psychologie, la stratégie, les risques propres à cette subtile aventure, ne lui avaient jamais été familiers. Il n'était devenu qu'un bon employé de l'État, de même qu'il avait été, avant-guerre, un excellent employé du secteur privé.

« Quand nous nous sommes installés à Suceava en 1947 », raconta-t-il un jour, « je travaillais comme chef des achats à la Coopérative. Je m'occupais d'approvisionner les nouvelles coopératives. Un jour, quelqu'un est venu nous proposer du bois de chauffage. Le directeur m'a demandé mon avis. Nous nous sommes mis d'accord sur le prix et les conditions de transport. Comme nous n'avions pas d'argent en caisse pour payer le négociant, j'ai pris contact avec quelques familles de notre connaissance et leur ai offert du bois pour l'hiver. Presque toutes les maisons se chauffaient avec des poêles, et le bois de chauffage était difficile à trouver. Beaucoup ont dit qu'ils étaient prêts à payer d'avance, j'ai donc pu réunir l'argent et payer le fournisseur. L'entreprise a fait d'importants bénéfices grâce à cette affaire, on l'a su à Bucarest et j'ai été promu fondé de pouvoirs, c'est-à-dire que j'avais la signature sur le compte en banque et que je faisais partie de la direction de la Coopérative. Tout cela a pris fin en septembre 1948, quand l'État socialiste a pris le contrôle de la totalité du commerce, et j'ai été nommé directeur de l'organisation commerciale locale pour les métaux, les produits chimiques et les matériaux de construction dès qu'elle a été créée. »

Entré au Parti sous la pression du mari de Maria, le camarade Varaşciuc, le premier communiste de la ville, mon père était devenu l'une des étoiles montantes de l'aberration appelée commerce socialiste. Aussi discipliné et persévérant qu'un zélé fonctionnaire traditionnel, on aurait dit qu'il ignorait l'absurdité à laquelle il participait. À la mort de Staline, en 1953, le secrétaire de l'Union de la jeunesse ouvrière du lycée était déjà passé, comme son directeur de père, par le stade crucial du « détachement » : je me détachais du militant que j'avais été, tandis que mon père avait été démis de ses fonctions.

« Quand j'ai demandé, peu après, à un responsable du Comité régional du Parti pourquoi j'avais été démis, il m'a répondu par une sorte de parabole », raconterait-il plus tard. « Sous Hitler, un Juif en arrête un autre qui court comme un fou dans la rue, et lui demande ce qui se passe, où il va, pourquoi il s'enfuit. "Tu n'as donc pas entendu ? Hitler vient d'ordonner qu'on coupe un testicule à ceux des Juifs qui en ont trois", répond l'autre, tout essoufflé. "Mais tu en as trois, toi, de testicules ?" s'enquiert le premier. "Non, mais ils coupent d'abord et ils comptent après", lui crie l'autre en se remettant à courir. C'est la même chose pour vous », lui expliqua l'apparatchik. « Il y a eu une lettre anonyme selon laquelle vous auriez offert gratuitement une bicyclette à quelqu'un... » Comment aurais-je pu offrir gratuitement une bicyclette ? Je n'avais rien à vendre, j'étais le directeur de l'organisation ! « Vous avez raison, mais on n'a pas vérifié la dénonciation anonyme. C'est seulement après qu'on a constaté que c'était un mensonge. Que voulez-vous y faire ? »

L'ancien directeur ajouta toutefois à l'anecdote une remarque de son cru: la référence à Hitler lui semblait courageuse de la part d'un apparatchik communiste.

Quelques années socialistes plus tard, en 1958, mon père, qui était chef du service financier de l'Alimentară, fut soudain arrêté. Une calomnie, une malédiction? Les plénums périodiques du Parti laissaient deviner des rivalités au sommet, des changements inattendus de tactique secouaient les échelons de la Nomenklatura et la vaste fourmilière dont il fallait briser l'apathie par la terreur. La brume du quotidien socialiste se muait tout à coup en ténèbres sanglantes. Et certaines « minorités » étaient, bien sûr, particulièrement dans la ligne de mire.

En entrant dans la boucherie à la fin de sa journée de travail, le camarade Manea ne remarqua rien d'inhabituel. Le théâtre de marionnettes fonctionnait avec des fils invisibles, les pantins suivaient leur train-train jusqu'au moment de tomber brusquement dans la trappe, ainsi que l'avait décidé le metteur en scène. Mon père se dirigeait vers le comptoir, le vendeur s'apprêtait à lui remettre son paquet habituel. Comme d'autres salariés de l'OCL Alimentară, l'organisation du commerce socialiste pour l'alimentation, le camarade M. avait un accord avec le responsable du magasin, qui était d'une certaine façon son subordonné: il réglait sa note chaque quinzaine, soit deux fois par mois, lorsqu'il recevait son salaire. Mais voilà soudain que les fils de la comédie avaient tressauté, électrisés, pour s'enrouler autour du cou de la victime.

La scène se déroula conformément au scénario: le boucher tendit au camarade M. l'objet du délit, le coupable le prit. Sur place se trouvaient des témoins visibles et invisibles, prêts à confirmer ce qu'on leur avait dit de confirmer: le coupable avait *effectivement* pris la bombe. Derrière le rideau, le manipulateur tourna et retourna son lasso électrique, et clac, le pantin tomba dans la trappe sous les applaudissements du public. Arrêté séance tenante par les figurants déguisés en clients, l'accusé se retrouva à l'acte suivant : le *Procès*.

Celui-ci eut lieu, selon la procédure d'urgence, dès le lendemain matin. La nuit de répit accordée à l'accusé n'était pas une faveur, mais le nécessaire entracte offert au public. Durant la pause nocturne, les tambours de ville devaient annoncer, sur une place déserte, les mesures adoptées par le dernier Plénum des Dirigeants pour renforcer la vigilance socialiste, le contrôle socialiste, la surveillance socialiste, et dévoiler tous les agissements visant à saboter les grandes réalisations du socialisme. L'avocat commis d'office, peu disposé à polémiquer avec l'Autorité, balbutia craintivement le mot *clémence* et invoqua le passé immaculé du pécheur : il n'avait jamais été jugé ni condamné, avait toujours été dévoué aux principes élevés de la morale socialiste, de l'économie socialiste, de la justice socialiste.

L'accusé insista pour fournir ses propres explications à la cour. On le laissa nier toute intention de fraude, mais il fut interrompu violemment par l'un des assesseurs représentant le peuple, au motif qu'il outrageait le tribunal lorsque, tout en reconnaissant avoir eu tort de ne pas payer comptant les deux kilos de viande, il prétendait impudemment que le dommage était trop minime pour constituer une infraction pénale.

Le tribunal populaire s'anima sur-le-champ. L'assesseur à lunettes assis à la gauche du Juge interrompit avec irritation l'insolent. Prétendre qu'un paiement différé ne pouvait être légalement considéré comme une infraction et que la somme ne justifiait qu'une simple amende ? « De vieilles ficelles d'avocat » qui appartenaient au temps révolu de la justice bourgeoise !

Dans un silence absolu, l'ancien directeur de l'OCL Metalul, et actuel chef de service à l'OCL Alimentară, fut condamné à cinq ans de prison. Une comédie aussi expéditive que le passage à l'acte trois : l'*Expiation*.

Sur la vaste scène tombait une poussière dense, empoisonnée. L'entrée du camp portait une inscription non pas noire ni verte, mais rouge. Au lieu de la fameuse maxime teutonne *Jedem das Seine*[1], on lisait *Colonie de Travail PERIPRAVA*. Des silhouettes livides, terreuses, en uniforme couleur de glaise. Des pioches, des pelles, des brouettes, des compresseurs, des bards pour charrier la terre. Un soleil et un vent implacables, des sentinelles mastodontesques, promptes à frapper de leur crosse les nuques des esclaves.

Avoir conscience de l'injustice ne soulage pas forcément celui qui en est victime. Toutes les institutions socialistes, et pas seulement les boucheries, payaient régulièrement leur obole à la *Nomenklatura* socialiste. Mais les abus et les privilèges des oppresseurs n'allégeaient pas le fardeau de la plèbe.

Au camp de travail de Periprava, le fardeau des jours et des nuits était encore aggravé par l'humiliation : elle était en train de détruire le détenu en face de moi. Le comptable devenu directeur socialiste, puis détenu socialiste, n'avait ni le détachement des philosophes, ni le pragmatisme des commerçants, professions censées se partager la faveur du peuple élu. Mon père n'était pas Hermann Kafka, le brutal maître du monde, ni le Grand Magicien et Improvisateur Jakub Demiurgos, le père allégorique de Bruno Schulz. L'humiliation lui était, je le savais bien, plus pénible que le travail, plus rude que la joie de nos retrouvailles. Il n'avait jamais su s'affranchir des conventions de la dignité. La *dignité*, ce onzième commandement, confirmait à ses yeux tous les autres, plaçant sous sa tutelle son existence entière ! Il n'était pas capable d'ignorer l'offense, ni de la considérer avec humour. Je le connaissais assez pour savoir comment il réagissait à l'humiliation. Le prestige acquis par toute une vie d'honnêteté renforçait chez lui ce sens inaltérable de la « dignité » qui m'avait souvent irrité et souvent ému.

La mascarade communiste mettait en scène de fréquents

1. En allemand : « À chacun son dû. » Ces mots étaient inscrits sur le portail d'entrée du camp de concentration de Buchenwald.

procès standard, à la distribution standard : anticommunistes, grands propriétaires terriens, banquiers, sionistes, saboteurs, ecclésiastiques, généraux, communistes devenus déviationnistes ou espions américains.

Moins connue, mais non moins douloureuse était la zone « grise » des accusations, apolitiques en apparence, mais nécessairement politiques en réalité. La fatalité de la terreur pouvait s'abattre sur n'importe qui, n'importe quand, n'importe où, et pour n'importe quelle raison.

En acceptant sa carte rouge, mon père n'avait pas reçu la ferveur politique en partage. Comme tous les « gens ordinaires » dont il reconnaissait non sans fierté faire partie, il se tenait à l'écart de l'obsession des intrigues. Il ne concevait sa dignité que dans l'anonymat d'une existence traditionnelle, encadrée par le bon sens et la moralité, privilège des innocents qui ne défrayent guère la chronique… Telles étaient les réflexions qui me hantaient pendant mon laborieux dialogue avec le détenu de Periprava.

Si je taisais ce que je pensais, ce n'était pas seulement parce que nous étions surveillés. Beaucoup de choses, dans notre relation, restaient inexprimées. C'était un homme reclus dans sa solitude, qui se protégeait par le silence et le secret. S'il avait pu exprimer sa honte et sa révolte, peut-être en aurait-il été soulagé, mais les lamentations n'étaient pas son genre, elles appartenaient au registre de l'autre moitié du couple. De ses souffrances, comme de ses joies, il ne parlait que rarement, très rarement. Contrairement à ma mère, il n'évoquait jamais la Transnistrie, et je n'étais parvenu qu'à grand-peine, un jour, à lui faire raconter comment un officier, amical jusqu'alors à ses yeux, l'avait frappé à la tête avec un nerf de bœuf. Il n'avait oublié aucun détail, mais je regrettai mon imprudence. Autant que l'humiliation elle-même, le récit de l'humiliation le blessait et lui faisait honte.

L'humiliation signifiait la honte… Je savais que je n'aurais pas dû voir ce que je voyais. Son visage amaigri, le tremblement de ses mains, son uniforme, son calot de prisonnier. Je savais bien que, de la même façon qu'il refusait de parler du camp fasciste de Transnistrie, il ne parlerait pas davantage du camp socialiste de Periprava, et que je ne pourrais évoquer l'épisode qu'après sa mort.

Sans doute le fils du pou aurait-il dû dire alors à son pou de père : « C'en est assez, partons. Tu vas bientôt sortir de cet enfer, et nous partirons, c'en est assez. » *Partir, partir, nous n'avons pas de raison de rester ici*, criait jadis Ariel dans la librairie de mon grand-père, sans que personne ne l'écoute. J'avais crié la même chose, dans la tourmente de l'hiver 1947, et personne ne m'avait écouté. Une injonction qu'on devait souvent entendre au cours des décennies suivantes, alors que moi-même je n'écoutais plus.

J'étais arrivé la veille de Bucarest, par le train de l'après-midi, dans la Géhenne de la Poussière, entre le Bărăgan et la Dobroudja[1]. C'était une journée suffocante de printemps. À peine sorti de la gare, je fus couvert de poussière. La bouche, les narines, les doigts, les yeux, les vêtements. Chacun de mes pas soulevait un nuage de poussière. Je contemplai bientôt, de loin, la fourmilière des prisonniers. Des insectes minuscules, argileux, en uniforme couleur d'argile, creusaient la terre, la transportaient dans des brouettes ou sur des bards, la déchargeaient aux pieds des digues, dont d'autres esclaves consolidaient les talus avec des compacteurs en bois. Il y avait parmi eux des sentinelles en armes ; d'autres les surveillaient depuis les miradors qui surplombaient le périmètre du chantier. Pharaonique projet socialiste que l'irrigation de cette plaine aride, divisée en parcelles où le travail était aussi archaïque qu'au temps des Pharaons. Au-delà de l'horizon, dans les marécages, d'autres brigades d'esclaves courbés, enfoncés jusqu'à la ceinture dans une boue nauséabonde, arrachaient les roseaux et les liaient en gerbes.

La nuit tombait, il me fallait gagner le village voisin pour

1. Régions du Sud-Est de la Roumanie.

trouver un endroit où dormir. Je distinguai à grand-peine, à travers le voile de poussière, les paysans qui observaient, apathiques, depuis leurs terrasses, les étrangers qui s'étaient immédiatement regroupés, sans doute pour échanger des informations et des rumeurs, au bout de la rue. Je m'approchai et m'arrêtai à quelques pas d'eux. J'entendais les conversations, mais ne me sentais pas le cœur d'y participer.

À un moment, une jeune femme au visage large et piqueté de taches de rousseur, vêtue d'un modeste imperméable, se détacha du groupe. Peut-être fis-je involontairement, tandis qu'elle s'approchait de moi, un geste de surprise, comme si je voulais lui demander quelque chose. Toujours est-il qu'elle s'adressa brusquement à moi ; elle voulait savoir d'où je venais et qui j'étais venu voir. Elle allait, le lendemain, revoir son frère, condamné avec le fameux groupe des saboteurs du ministère du Commerce extérieur. Un procès politique truqué, avec un verdict collectif dont la sévérité devait décourager tout recours. Le désastre qui l'avait amenée ici, au bout du monde, semblait avoir balayé chez elle toute retenue, et c'est spontanément qu'elle me fit cette confidence, d'une voix profonde, gutturale.

Nous nous éloignâmes du petit groupe, par les ruelles tortueuses du village. Sa nervosité se devinait à sa façon de secouer de temps en temps sa grosse tête ou de serrer son imperméable sur ses épaules, bien que la chaleur du jour ne fût pas retombée. Quand elle rajusta son fichu, je vis des cheveux épais, emmêlés comme une couronne de fil de fer argenté. Elle me parla du frère qu'elle allait enfin revoir, de l'autre, qui était à la maison, de sa mère qui avait eu une attaque en apprenant la sentence et était restée paralysée.

Je lui redemandai ce qu'elle savait du camp. « Horrible, horrible ! », répétait-elle avec rage. Avais-je entendu parler de la prison communiste de Piteşti, où chaque détenu, torturé par les autres détenus, était forcé de se faire tortionnaire à son tour ? Et du canal stalinien Danube-Mer Noire, où les prisonniers mouraient par milliers, quand on ne les abattait pas sauvagement ? Periprava était la plus sinistre colonie pénitentiaire post-stalinienne ! Une nourriture misérable, un travail d'esclave de l'aube au crépuscule, sous les hurlements des sentinelles. Les baraquements étaient fétides, surpeuplés ; la norme journalière de mètres cubes à déblayer, inhumaine ! Ceux qui n'avaient pas l'habitude du travail physique ou qui n'en avaient plus l'âge s'écroulaient par terre, sur le lieu même de leur supplice. Été comme hiver, dans la canicule ou le froid, par des vents impitoyables !

Elle parlait, parlait par besoin de s'épancher, mais je ne l'entendais plus, obsédé par la rencontre du lendemain matin. Quel serait l'aspect de celui qui devait être en train de penser, lui aussi, à notre entrevue ? Que devrais-je lui dire ? Qu'il résisterait aussi à cette épreuve ? Qu'il avait survécu à la Transnistrie et qu'il résisterait donc maintenant ? Ou bien que les temps étaient difficiles, que des innocents étaient impliqués dans d'absurdes procès d'espionnage, défigurés par des interrogatoires inhumains sur leurs liens familiaux avec le monde capitaliste, ou sur le complot anticommuniste yankee, sioniste, catholique ? Ce genre d'inepties était-il de nature à le consoler ?

Intimidée par mon silence prolongé, l'inconnue cessa son bavardage. Elle m'informa que les paysans du village louaient des chambres pour la nuit et qu'il fallait se réveiller à l'aube pour arriver à temps aux baraquements de la colonie pénitentiaire. Puis elle s'éloigna. Je n'avais pas été vraiment attentif, l'idée que j'allais retrouver, le lendemain matin, le détenu pour lequel j'étais venu ne me laissait pas en repos.

Le visage qui était maintenant devant moi, ridé par les vents et la poussière du camp, ne faisait que rendre plus pressantes mes questions inexprimées. Que lui dire, à présent, pour surmonter cet embarras qui avait toujours brouillé la communication entre nous ? Devais-je lui servir les slogans de l'espérance, les clichés du sens commun ?

Devant son uniforme de pou, je me repris, résolu à lui parler franchement, à donner libre cours à mon émotion, mais je scandais toujours, en pensée, les mêmes clichés. « Le procès va être rejugé, je vais terminer mes études, tu vas sortir de cet enfer et ce sera fini, nous quitterons ce cul-de-sac. C'est fini, nous allons partir, comme l'a fait toute notre famille et comme le font tant de nos amis. » Je ne prononçai pas ces paroles encourageantes et mensongères. Je ne m'en sentais pas capable. Une force obscure me rendait muet.

« Je m'attacherai moi-même aux pieds de la table à laquelle tu m'as attaché autrefois. Je comprendrai seulement alors ce que tu pensais que j'aurais dû comprendre : le prix de la liberté et de la captivité. Une inversion des termes que tu ne soupçonnais pas » : voilà les mots qui m'étaient venus à l'esprit à peine quelques mois auparavant, quand j'étais loin de soupçonner l'infortune qui nous guettait. L'orgueil sans limites d'appeler liberté ma captivité, de m'imaginer citoyen d'une langue et non d'un pays ! Je ne pouvais plus me décharger sur le détenu de mes obsessions égoïstes et naïves. Et je n'avais plus la force d'appeler au départ. Étant coupable, je ne pouvais promettre, même maintenant, la rupture, la rupture radicale, définitive, avec le passé nommé Transnistrie et le présent nommé Periprava.

Je me taisais, meurtri, honteux, indigne du miracle de le voir vivant, encore vivant, devant moi. Nous nous taisions tous deux, le regard absent, après un bref dialogue au cours duquel, tel un enfant qui cherche à vous redonner courage, il me posait des questions ; troublé par l'émotion, je répondais paternellement.

Mon père, cette ombre. Émacié, pâle, humilié, devant moi. Sur la table, ses petites mains de comptable. Il s'était empressé de retourner, avec gêne, ses paumes couvertes d'ampoules, écorchées par le maniement de la pelle, et les avait plaquées contre la table. Les poils blonds de ses mains et de ses doigts étaient, je le voyais, blancs par endroits. Ses ongles étaient coupés avec soin, comme toujours, mais irrégulièrement, avec des moyens de fortune, faute de ciseaux. Le hurlement de la sentinelle le fit se lever en un éclair, et rejoindre aussitôt la file des uniformes soudain jaillis autour de lui. Je réussis à le voir encore une fois, son colis sous le bras, au milieu de ses camarades de plomb, eux aussi avec leur colis sous le bras. Malheureux pantins manipulés par la peur de commettre quelque erreur ! La rapidité avec laquelle ils s'étaient tous mis en rangs, tels des robots prêts à se désintégrer, sur commande, devant les deux brutes armées, noya mes espoirs de le revoir jamais.

Je le revis pourtant. Contrairement à tant de terribles mises en scène socialistes, qui ne furent jamais annulées ou le furent trop tard, le modeste procès de mon père fut rejugé, et la sentence ramenée de cinq ans aux dix mois déjà purgés au camp de Periprava au moment du procès en appel. Une réduction de peine, et non la révocation de l'abjecte sentence : l'État socialiste continuait ainsi d'user de l'« erreur judiciaire » pour ne pas indemniser le prisonnier qui demeurait, d'ailleurs, sa propriété.

L'employé

Directeur ou père, il était sévère, autoritaire. Ses accès de colère étaient terribles, ses moments de tendresse rares et discrets. Il n'était pas injuste, et ne mentait pas, même quand c'était la solution la plus simple.

Cyclothymique et angoissée, ma mère avait une intelligence plus subtile, et lui dispensait des conseils jusque dans son travail. Son intuition et son instinct étaient immenses, mais elle ne savait pas refuser, ni résister aux requêtes qu'on lui adressait. En proie à des sentiments changeants et à de noires dépressions, elle passait vite du reproche au remords. Très liée à sa famille et aux gens qu'elle avait connus lorsqu'elle était la fille chérie de son père, elle se dévouait aux autres et exigeait la réciprocité. Avide d'affection et de gratitude, inquiète, entreprenante, passionnée, fataliste et sociable, elle croyait aux miracles, à la bonté, à la reconnaissance, mais avait de fréquents accès de désespoir. Si les interdits ou les punitions qu'elle tentait d'imposer à son fils paraissaient sans conséquence, c'est justement parce qu'elle en confiait l'application à son mari, quitte à le désavouer s'il se montrait trop strict, ainsi qu'il arrivait souvent. La vie commune n'avait transformé aucun des deux partenaires, et il en fut ainsi jusqu'à la fin.

Formé et déformé par son enfance orpheline, puis par sa volonté d'ascension sociale, mon père ressemblait davantage au « Bucovinien » typique, bien qu'il ne fût pas né, comme ma mère, à la frontière de la Bucovine, mais en Moldavie, près de Fălticeni. Il était rationnel, solitaire, prudent, silencieux, gêné lorsqu'il devait exprimer ses sentiments, digne, méticuleux, modeste, mesuré, et son horreur de l'agressivité pouvait traduire une timidité profonde et mélancolique. Aussi désireux d'être laissé en paix que soucieux de ne déranger personne, il se voulait, même dans des circonstances extrêmes, l'incarnation de la dignité et de la discrétion.

La discrétion signifiait aussi, sans doute, une vie secrète. Apparaissaient, de temps à autre, de légers signes de dédoublement, que sa femme découvrait avec stupeur et indignation. Accablé par le flot de ses reproches, il ne protestait ni ne niait, souhaitant seulement que l'incident fût oublié, renvoyé à l'obscurité dont il n'aurait jamais dû sortir.

Le style précis et laconique de sa correspondance reflétait la même discrétion. Tout lyrisme, tout pathos, en était absent. « Je suis né le 28 juin 1908 dans le village de Lespezi, alors situé dans le département de Baia » : c'est par ces mots que commençait sa brève *Autobiographie.* Quelques pages seulement, écrites non pas en 1949, pour le « dossier biographique » indispensable à tout citoyen de la République populaire de Roumanie, mais quatre décennies plus tard, à la demande de son fils. Dans les années 1990, mon père n'était plus directeur, ni moi chef des pionniers ; nous étions à la fois loin de notre ville d'autrefois et éloignés l'un de l'autre.

« À l'âge de cinq ans, j'ai commencé d'aller au *heder*[1], où j'ai appris les premières notions de l'alphabet hébreu. À sept ans, je suis entré à l'école israélite de Lespezi. J'y ai appris le yiddish et le roumain. En 1916, mon frère Aron a été envoyé au front, et mon père rappelé. En 1917, une épidémie de typhus exanthématique s'est déclarée. Ma mère est partie cette année-là, je suis resté avec mon frère Nucă, de trois ans mon cadet. J'ai dû, à

1. École élémentaire et religieuse juive, où l'on enseigne en hébreu.

l'âge de neuf ans, m'occuper de lui, pendant un an environ. Puis ma tante, la sœur de ma mère, nous a pris tous les deux chez elle, à Ruginoasă, dans le département de Iaşi. Nucă est alors entré, à six ans, comme vendeur dans un magasin d'alimentation, où il était nourri et logé, tandis que j'allais à l'école. Quand mon père a été démobilisé, il s'est remarié avec une jeune fille nommée Rebeca, qui était de Liteni, département de Suceava. Je suis resté un an à Ruginoasă, le temps de terminer l'école primaire. Il y avait là aussi un *heder*, j'y étais le meilleur élève, grâce à tout ce que j'avais appris à Lespezi. »

Le bilan d'une vie de parent, de fonctionnaire, de Juif : tout est sur le même ton.

« À la fin de mon année à Ruginoasă, je suis revenu à Lespezi. À la maison, il y avait déjà ma belle-mère. Je me suis inscrit, à titre privé, au collège de Paşcani, où je ne me présentais que pour les examens, puis au lycée de Fălticeni. Je gagnais ma vie en donnant des leçons aux enfants de l'école primaire. Puis j'ai été embauché comme employé à la fabrique de verre de Lespezi. Quand le chef comptable est parti travailler à la sucrerie d'Iţcani, il m'a pris avec lui. J'ai alors mené une vie plus civilisée, au milieu des ingénieurs, des techniciens, des économes. La sucrerie avait une cantine, gérée à tour de rôle par ceux qui y déjeunaient. Quand mon tour est venu, je me suis arrangé pour qu'on serve aussi des desserts et des légumes en saumure, car j'avais appris tout jeune à tenir un ménage. En 1930, j'avais l'âge de faire mon service militaire. Je l'ai fait au 16e régiment d'infanterie de Fălticeni, puis je suis revenu à Iţcani, à la sucrerie, où j'avais un bon salaire, je pouvais me payer tout ce que je voulais, j'étais très content. J'ai travaillé à la fabrique d'Iţcani jusqu'à notre déportation, on appréciait mes qualités d'organisateur et de comptable. Au cours de cette période, il y avait chaque été une grande foire à Fălticeni, à la Saint-Élie. Les gens venaient de toute la Moldavie. J'y allais moi aussi chaque été, le dimanche. En 1932, en revenant de la foire, j'ai lié conversation avec la jeune fille qui était à côté de moi dans le car. Elle ressemblait à madame Riemer, de Fălticeni, elle m'a dit qu'elle habitait chez ses parents à Burdujeni, et que son père, le frère de madame Riemer, y avait une librairie. C'est ainsi qu'a commencé notre idylle. Elle a duré trois ans, je venais régulièrement le dimanche à Burdujeni et je repartais le soir à Iţcani en fiacre. En 1935, nous nous sommes mariés. La librairie avait l'air de bien marcher, mais au bout d'un certain temps les dépenses ont dépassé les recettes, et j'ai quitté la librairie de mes beaux-parents pour retourner à la sucrerie d'Iţcani. Maria est venue avec nous. Et en 1936, c'est toi qui es né, fiston... Cette vie normale a pris fin en octobre 1941, quand nous avons été déportés. »

Le surnom de « fiston » donné à son fils lui est resté, même à l'approche du troisième âge.

Parmi les événements familiaux, seuls quelques-uns sont mentionnés : « En 1939, Anuţa, la femme de mon frère Nucă, est décédée. Une crise cardiaque. Elle est tombée, tout d'un coup, avec sa petite fille dans les bras. Je me suis fait envoyer en mission à la sucrerie de Roman pour être à l'enterrement. Janeta était à Botoşani, je ne lui ai rien dit. À l'époque, en 1939, les légionnaires étaient déjà puissants, l'antisémitisme montait. Janeta voulait que nous passions la frontière pour nous réfugier en Union soviétique, mais je n'étais pas d'accord. À mon retour de Roman, Janeta a tout appris. Nous avons décidé de prendre la petite chez nous jusqu'à ce que Nucă se remarie. Je suis reparti pour Roman, j'ai trouvé Ruti dans un état pitoyable. Mal nourrie, sale, négligée. Sa grand-mère avait une sclérose, et Nucă ne s'était jamais occupé de la maison. Je l'ai ramenée à Iţcani. Maria, qui avait été au service de mes beaux-parents à Burdujeni, était chez nous. Ma sœur Clara était aussi chez nous, à Iţcani, à ce moment-là. À table, c'est moi qui te donnais à manger tandis que Clara donnait à manger à Ruti. Maria s'est occupée d'elle, et elle a changé d'aspect. Elle s'occupait d'elle comme de toi. Cette vie normale a pris fin en octobre 1941, quand nous avons été déportés. »

En 1939, donc, ma mère voulait échapper aux légionnaires roumains en passant chez les communistes internationalistes d'Union soviétique. Cette courageuse initiative nous aurait probablement valu un voyage gratuit très au-delà de la Transnistrie où nous envoya, peu de temps après, l'ancien allié des légionnaires, le général Antonescu, auto-promu maréchal. Nous serions arrivés, comme tant d'autres, dans la célèbre région touristique de Sibérie, et aurions connu plus tôt les bienfaits du communisme. Mais finalement, c'est l'Utopie Rouge, la « dictature du prolétariat », qui vint de Russie en Roumanie ! En 1949, les bienfaits semblaient difficiles à évaluer, mais certains signes ne trompaient pas : le sceptique qui, en 1939, doutait des promesses rouges était devenu, bien qu'à contrecœur, un compagnon de route des communistes, tandis que son fils, le chef pionnier au foulard rouge, croyait incarner l'avenir radieux du monde nouveau.

Mais la leçon des périls de la guerre et de l'avant-guerre n'était pas perdue. Dix ans, cinquante ans après, le souvenir de la déportation persistait. Même le sommaire récit autobiographique en comportait plusieurs séquences. « Je rassemblais quelques affaires quand le commandant des gendarmes, qui m'avait connu à la sucrerie, m'a dit que cela ne servait à rien, que nous allions devoir marcher beaucoup, que je ne pourrais rien porter d'autre que les deux enfants. J'ai donc tout laissé à la maison, et je suis parti avec un seul sac. Je te tenais par la main, fiston, et j'avais Ruti dans les bras. Nous avons tout de même pris les 160 000 lei que nous avions mis de côté pour acheter une maison. On nous a entassés dans des wagons à bestiaux, les uns sur les autres. Le train a roulé lentement, longtemps, un jour, une nuit, un autre jour. Quand il s'est arrêté, il faisait nuit. On nous a fait descendre dans un village qui s'appelait Ataki, au bord du Dniestr. C'est là que le pillage a commencé. Beaucoup d'entre nous ont été dépouillés par les soldats roumains, certains ont été jetés dans le Dniestr. Parmi eux, il y avait un voisin à nous, Rakover, le propriétaire du restaurant de la gare d'Iţcani. Le matin, à l'ouverture du guichet de la banque, il fallait changer notre argent contre des roubles, 40 lei pour un rouble. Un officier roumain honnête nous a dit tout bas de ne pas changer, d'attendre, car de l'autre côté du fleuve nous aurions un rouble pour 6 lei. Un conseil avisé qui nous a sauvés pendant un temps. Mais l'argent filait vite. Ta mère a payé cher pour faire venir ses parents à Moguilev, où nous sommes arrivés le lendemain, en barque, à pied, en charrette. Les plus vieux étaient restés à Ataki, de l'autre côté du Dniestr. À Moguilev, nous étions six ou plus dans une pièce sans chauffage. Nous faisions toutes sortes de travaux. Le salaire était d'un mark allemand par jour, selon le règlement. Un kilo de pommes de terres coûtait entre deux et trois marks. Pour manger, nous avons vendu nos montres, nos bagues, nos vêtements. Ensuite, nous sommes arrivés dans un village, Vindiceni, où se trouvait une sucrerie. Parmi les soldats roumains il y en avait un qui avait travaillé à celle d'Iţcani et qui me connaissait. Il nous apportait parfois du pain, du thé, des pommes de terre. C'est là que Maria nous a retrouvés. Elle est arrivée avec deux valises de nourriture et d'affaires. On lui a tout confisqué. Elle est quand même restée un certain temps avec nous, partageant notre misère. Elle s'est occupée de tes deux grands-parents, qui souffraient du typhus exanthématique, ainsi que de Janeta et de Ruti. On échangeait une bague en or contre une poignée de comprimés ou contre un pain. Nous deux seulement, fiston, n'avons pas été malades. L'hiver 1942, le vieil Avram, ton grand-père, est mort. Juste trois semaines après, ta grand-mère est partie. À Vindiceni, il y avait un administrateur extrêmement méchant, un certain Rahliţki, une bête féroce, il faisait tout pour nous tourmenter, nous détruire. Ensuite, nous sommes arrivés à la distillerie de Iurcăuţi. Mina Graur, la fille de Rebeca, est venue avec nous. »

L'épisode qui avait été à l'origine de tant de psychodrames et qui m'avait appris un mot nouveau, « divorce », est relaté sur un ton neutre, comme un détail anodin : « Mina, la fille de Rebeca, est venue avec nous. » On devine mal sous ces mots l'ampleur du conflit à la suite duquel le nom de Rebeca, la sœur aînée de ma mère, fut tabou des années durant, pour ne resurgir qu'à la mort de Betty, la sœur de la pécheresse Mina. Ce jour-là, ma mère n'hésita pas une seconde : elle se rendit à Tîrgu Frumos, pour l'enterrement ; alors seulement eut lieu la réconciliation.

« L'officier m'a convoqué à la gendarmerie. Je le connaissais, il nous avait bien traités jusque-là. Il a sorti un nerf de bœuf du tiroir. Il s'est mis à hurler, à m'injurier, à me frapper sauvagement à la tête, avec le nerf de bœuf. J'ai eu toute la tête enflée, j'ai cru mourir. Ensuite, je me suis enfui de ce village, avec vous tous. Nous sommes retournés à Moguilev. C'était après Stalingrad, l'armée allemande refluait. Quand les Russes sont entrés, nous avons essayé d'avancer, avec l'armée russe, en direction de la Bessarabie et de la frontière roumaine. Les Russes m'ont pris et enrôlé dans l'armée Rouge pour m'envoyer au front, en première ligne. Je me suis échappé, en courant plusieurs jours à travers bois et en évitant tous les lieux habités. Je vous ai retrouvés, comme par miracle, dans une petite bourgade, Briceni. »

Le narrateur, si sobre d'habitude, emploie lui aussi, ici, ce mot de « miracle » dont sa femme usait et abusait chaque fois qu'elle évoquait des souvenirs.

« C'est là, à Briceni, sous les Russes, que tu es allé à l'école, en onzième. Un jour, en rentrant à la maison, tu as dit que tu voulais être en dixième, comme tes cousines. Je suis allé à l'école, j'ai parlé à l'instituteur, et comme tu étais bon élève, tu as pu passer en dixième. En avril 1945, nous sommes revenus à Fălticeni. Nous avons habité chez les Riemer. Lea Riemer était la tante de Janeta. Ensuite, nous sommes allés à Rădăuţi. J'ai travaillé comme comptable au centre de transfert des bovins et ovins qui devaient être envoyés en Union soviétique en vertu de l'accord d'armistice. Il fallait nourrir et soigner les bêtes, j'ai embauché des vétérinaires, des techniciens, des ouvriers agricoles. L'agriculture n'était pas encore socialiste, les exportateurs roumains assistaient au pesage, ils avaient intérêt à ce que tout se passe bien, car ils faisaient de gros bénéfices. On gardait beaucoup de bêtes malades jusqu'à ce qu'elles guérissent. Plus de 5 000 bovins et quelque 200 000 ovins ont été livrés aux Russes, nouveaux maîtres de la Roumanie. L'opération a pris fin en avril 1947. Et nous avons emménagé à Suceava. »

Avec le même laconisme, le narrateur passe sous silence les retrouvailles avec Maria au lendemain de la guerre, la conversation décisive avec son mari, le camarade Victor Varaşciuc, l'adhésion au Parti : « J'ai d'abord travaillé à la Coopérative comme responsable de l'approvisionnement des coopératives de village. En 1949, quand le commerce a été étatisé, j'ai été nommé directeur du département des métaux, produits chimiques et matériaux de construction. »

Il n'aimait pas évoquer les conflits, les erreurs, les échecs. Ni les ambiguïtés. Quand je lui demandai, vers la fin de sa vie, pourquoi il n'avait jamais dit, même à son fils, que sa femme avait déjà été mariée ni qu'elle était de quatre ans plus âgée que l'élu de son cœur, il me répondit sans hésiter : « À quoi bon ? » Et si je l'avais questionné sur l'agent de la Securitate qui le harcela toutes les semaines, l'année suivant sa sortie de Periprava, alors qu'il avait eu toutes les peines du monde à retrouver un obscur emploi, afin qu'il accepte de travailler pour eux, et sur la résistance muette, calme et ferme qu'il opposa jusqu'à ce que les limiers finissent par se lasser, il aurait répondu de la même façon : « À quoi bon parler de tout cela ? À quoi bon ? »

Le départ

Lorsque la sœur cadette de mon père, en 1947, vint lui annoncer, tout heureuse, qu'elle avait réservé des billets sur le bateau, non seulement pour son fiancé et elle, mais aussi pour nous, la réponse ne se fit pas attendre : « Je viens à peine de défaire mes bagages. Je n'ai pas la force de les refaire. » Il n'avait pas eu de bagages à défaire à son retour de Transnistrie, ni à refaire en 1947. Il ne croyait pas à l'aventure, voilà tout.

La question du *départ* devait revenir, cycliquement, et non sans raison. C'est de moi que venait désormais l'opposition la plus véhémente. Le problème se reposa de façon inattendue, pendant mes études, à cause non seulement de l'épisode Periprava, mais aussi de l'émigration d'un de mes meilleurs amis.

Nous étions devenus proches au bout de quelques semaines de cours. Brun, grand, mince, Rellu était un étudiant brillant et mélomane. Il aimait les mathématiques, le basket-ball, les concerts symphoniques, et n'avait apparemment rien contre la littérature. Il fut le témoin privilégié de mon peu de goût pour les études d'ingénieur, de mes découvertes dans les bibliothèques de Bucarest, de mes amours tourmentées avec la très jolie fille de la très jolie épouse du docteur Albert. Il connaissait mes insatisfactions, mes aspirations, mes caprices ; nous étions inséparables. Sa sensibilité excessive, agaçante, était contrebalancée par un pragmatisme tout aussi agaçant qui, en cas de complication, lui faisait prendre résolument parti pour le devoir et l'habitude. Mais nos différences ne nous séparèrent jamais, pas plus que son manque d'intérêt pour les femmes ne ruina notre amitié.

Au printemps 1958, Rellu m'annonça l'incroyable nouvelle : sa mère et ses sœurs décidaient d'émigrer en Israël ! Elles avaient rempli des formulaires, y compris pour lui. Il paraissait surtout perturbé par les conséquences concrètes, immédiates, de cette démarche, tant pour son statut d'étudiant que pour notre amitié.

Nous eûmes sur le sujet des discussions enflammées. Mille ans s'étaient écoulés depuis ce jour glacial de décembre 1947 où l'abdication subite du roi me poussa absurdement à rentrer chez moi, bravant la tempête et les éléments hostiles, habité par cette injonction : *partons, c'est fini, partons immédiatement, immédiatement.* L'idéal sioniste ne m'attirait plus comme au lendemain de la guerre, lorsque j'étais séduit par la politique de Jabotinsky, et s'évader vers le paradis capitaliste d'au-delà du Rideau de Fer, vers les pièges du bien-être et les illusions de la liberté, me semblait vulgaire. Ces changements puérils visant à modifier le cours du destin me laissaient sceptique. Mieux valait, selon moi, assumer l'imperfection de l'éphémère que changer de repères géographiques.

Mon ami acceptait avec sérénité l'idée du départ, et ses arguments n'avaient rien de frivole. Son père avait disparu dans le « train de la mort » de Iaşi, en 1941. Les Juifs de la ville, pourchassés dans les rues et jusque dans leurs maisons, s'étaient retrouvés entassés jusqu'à l'asphyxie dans des wagons plombés d'un train de marchandises, qui n'avait d'autre destination que le néant, et qui erra, lentement et sans but, sous la canicule de l'été, jusqu'à ce que les corps affamés et assoiffés deviennent des cadavres.

L'expérience à laquelle il se référait ne m'était pas étrangère. Mon *Initiation* avait commencé dans un autre train de marchandises, plombé et gardé par des sentinelles. La destination, en revanche, était bien précise : ces boîtes de conserves remplies de prisonniers devaient être, dans la nuit concentrationnaire, déchargées dans la fosse aux déchets humains. La motivation du départ de Rellu me paraissait cependant rhétorique, « superfétatoire ». Je commençais à me méfier de l'idéologisation des destins malheureux. Et Periprava n'avait guère découragé cette ruse de ma lâcheté, à laquelle je trouvais toujours d'autres justifications.

Les candidats à la Terre sainte faisaient la queue depuis la veille au soir pour se présenter le lendemain matin devant le guichet où retirer les formulaires magiques. De nouveau, la tribu s'était mise en marche ! Cela me rappelait mon retour au monde, la Résurrection de 1945, les voix et les couleurs des contes, les mets enchantés, le recueil offert par mes étranges et savants cousins, les professeurs Riemer. Le tableau noir faisait office de mur, son écran était couvert de formules énigmatiques. C'était là, dans l'imprévu mirifique de la normalité, que je découvris le fourmillement bigarré de cette partie de ma famille qui n'avait pas été disloquée par la guerre et le camp. La queue d'une comète balayait le trottoir de chaque nouveau matin, et le chevreau drogué que j'étais reprenait ses trépidations survoltées.

Soudain, l'invisible oiseau de la nuit m'apparut, tel un bolide noir, dans le refuge solaire de la jeunesse sans vieillesse et de la vie sans mort où j'avais cru pouvoir élire domicile. La *Mort* visa de sa flèche, au sommet d'un poteau télégraphique, mon jeune oncle Izu ! Le frère cadet de mon père fut ramené mort à la maison, quelques heures seulement après être parti au travail. En haut, tout en haut du poteau mouillé par la pluie, le bec invisible le déchira. Il fut agité, selon les témoins de la scène, d'un unique et bref soubresaut. Il avait dix-sept ans. Son visage mort ressemblait à ceux des survivants : son père Benjamin-Buium, ses frères Aron et Marcu, qui le veillaient, frappés de stupeur.

Le cri de l'oiseau nocturne se répéta peu après. Sous la forme, cette fois, d'un long sanglot : le patriarche fut fauché en pleine lumière, par un après-midi d'été. C'est qu'il n'était plus tout jeune, mon grand-père Buium... L'immense ombre noire s'effondra tout à coup, sous le regard tétanisé de son petit-fils. Je restai pétrifié, saisi par la chute soudaine, sur le canapé, du vieillard biblique. Le temps se figea, je ne respirais plus. Ce long moment d'hébétude dura jusqu'à ce que je voie, dans le grand miroir au-dessus du buffet, la longue main pâle de grand-mère Mamaia. On murmurait un tas de choses sur cette hiératique vieille dame, en fait pas si vieille, sur la sévérité dont la jeune marâtre faisait preuve envers les trois enfants du veuf Buium. Elle se recoiffait, regardant, elle aussi, le miroir ! À peine quelques instants avaient passé, à moins que ce ne soit un instant unique, infini comme le temps lui-même, depuis qu'elle avait lancé ce cri convulsif de détresse !...

Mamaia croisa le regard de son petit-fils dans le miroir et reprit, embarrassée, son masque éploré. Gémissements et sanglots s'intensifièrent, mais la relation entre la grand-mère et le petit-fils ne devait jamais se remettre de cette imprudence momentanée.

Izu, le plus jeune, puis Buium, le plus âgé, disparurent en un instant. Puis Mamaia nous quitta elle aussi, avec ses filles Luci, Anuţa et Roza, pour s'établir loin, au bord de la mer Morte. Les autres suivraient à leur tour, emportant avec eux ces noms anciens, David, Rebeca, Aron, Raşela, Ruth, Eliezer, Mina, Moïse, Ester, ainsi rendus à la terre et à la langue de leurs origines après avoir erré pendant des siècles parmi des contrées, des populations, des parlers étrangers. L'écho de leurs noms s'éteindrait peu à peu, comme la réputation qui leur était attachée, de mercantilisme et de solidarité, d'angoisse et de ténacité, de mysticisme et de réalisme, de passion et de lucidité – la liste était longue, et susceptible de s'allonger encore au gré du ressentiment ou de l'admiration de ceux dont ils croisaient la route. Où était ma place dans tous ces stéréotypes ? Le soupçon, l'embarras, l'adversité que le monde environnant avait insidieusement instillés en nous s'étaient-ils aussi infiltrés en moi ?

Je ne me sentais plus du tout à l'aise au milieu des noms et des renoms des membres de la Tribu, ni lié par les vicissitudes de leur errance. Étais-je donc devenu étranger à ceux parmi lesquels, dix ans plus tôt, j'étais revenu à la vie ? Je me sentais en fait soulagé de les savoir loin, en sécurité dans l'étrange pays de nos ancêtres, et d'être délivré de leur voisinage. Leurs vanités, leurs impatiences, leurs frustrations, leurs hypocrisies, leur rhétorique n'étaient pas pires que celles des autres, mais j'étais heureux de pouvoir les oublier, de ne plus être associé à eux. Je n'avais rien contre leur exode, à mes yeux simple preuve de normalité, mais que je ressentais aussi, sans oser me l'avouer, comme un soulagement.

La chimère qui, entre-temps, m'avait enchaîné nous séparait bien plus que n'importe quelle distance. L'éloignement géographique n'en était qu'une confirmation nécessaire – et protectrice.

Et Rellu, mon meilleur ami ? Et Periprava ?... Rellu avait pris, lui aussi, sa besace de pèlerin, et rejoint le cortège chamarré des réprouvés et des rêveurs. La hâte que mettait cette foule à quitter le paradis socialiste avec un simple baluchon sur le dos était le meilleur témoignage de l'impasse qu'elle fuyait. Jamais dans le passé, même au lendemain du désastre de la guerre, tant de gens ne s'étaient empressés de prendre leurs cliques et leurs claques et de s'en aller.

Les queues des aspirants à l'exode devenaient un événement d'une autre nature que les files d'attente ordinaires devant les magasins d'alimentation, de charbon ou de vêtements, mais elles n'étaient pas sans rapport avec elles. Je connaissais la charge de souvenirs, de passions et d'inquiétudes qu'emportaient ces exilés dans leurs bagages.

Peut-être la description qui suit, due à un autre témoin oculaire et datée d'octobre 1958, éclaire-t-elle en partie mes ambiguïtés d'alors : « Les queues formées par les Juifs qui veulent déposer leur demande d'émigration en Israël commencent vers trois heures du matin, puis c'est deux heures, une heure, onze heures du soir.

« Il y a là des petits commerçants ruinés, des hommes et des femmes âgés, restés seuls en Roumanie, mais aussi des membres du Parti, des directeurs et hauts fonctionnaires de ministères ou d'instituts centraux d'État, des cadres de l'appareil politique, des organes de la milice et de la Securitate.

« Ces queues sont très impressionnantes. Ce sont des Juifs, tout de même, et je sens couver en moi d'étranges sentiments... »

Ces lignes appartiennent à un écrivain roumain du nom de Nicu Steinhardt, qui poursuit : « Ce geste que l'on fait pour sortir le passeport de sa poche a quelque chose d'un truc, d'un tour de passe-passe. Il fait penser à un escroc, ou alors à un enfant gâté et odieux. "Pouce. Je ne joue plus. Je veux rentrer chez ma maman." [...] Ou bien encore le joueur qui a empoché toutes les mises et qui se lève : "Je veux ma maman. Je veux rentrer à la maison. Je ne joue plus." Tu invites du monde, tu chauffes l'ambiance, tu les fais danser, tout le monde s'y met, la fête bat son plein, on s'amuse, on s'interpelle, tout le monde danse, toi le premier et puis, plouf! d'un seul coup tu les laisses tomber comme de vieilles chaussettes. Là, je vous laisse en plan ! Salut ! Je m'en vais ! [...] La ruse, l'escroquerie, la tricherie : le tour est joué !

« Les gens qui ont du plomb dans la tête sont écœurés – certains sourient. Les gens simples sont saisis de rage, de rancœur, d'envie, ils leur en veulent, ils les haïssent pour toute éternité[1]. »

Ce fragment est suivi d'une évocation de Cervantès et d'un traître, un Judas, symbolisant naturellement ce que Judas et ses coreligionnaires ont toujours symbolisé.

1. Nicolae Steinhardt, *Journal de la félicité*, traduit par Marily Le Nir, Arcantère Éditions-UNESCO, 1996, p. 197 et 198.

Il n'est pas difficile d'y lire le passage, peu original somme toute, de la haine des autres à la haine de soi et inversement. Sans doute n'étais-je pas indemne moi-même, à cette époque, de ces subtilités pitoyables ; j'avais seulement un peu plus de détachement que le futur moine orthodoxe Nicu Steinhardt.

Arrêté en 1960, en même temps que le cercle d'intellectuels auquel il appartenait, sous l'accusation de « complot contre l'ordre social », condamné à douze ans de travaux forcés, à sept ans de dégradation civique et à la confiscation de ses biens, Steinhardt le Juif reçut en captivité, en même temps que la révélation du christianisme et du baptême en Jésus-Christ, celle de l'héroïsme des légionnaires, certes moins intellectuels que lui, mais emprisonnés, eux aussi, pour « complot ». Son *Journal de la félicité*, qui relate l'expérience de la prison et le bonheur de la conversion, sera, dans la période post-communiste et anticommuniste d'après 1989, une sorte de best-seller canonique pour l'élite des lecteurs roumains, et pas seulement pour elle.

Ma réaction vis-à-vis de ceux, Juifs et non-Juifs, qui quittaient la Roumanie s'expliquait par un agacement à la fois plus modeste et plus discret. J'avais eu, à l'adolescence, de tout autres rêves que ceux du jeune Juif Nicu Steinhardt, qui s'imaginait en sauveur de son héros, Corneliu Codreanu, le capitaine de l'antisémite Garde de Fer, et j'avais un autre regard sur les conséquences de ces héroïques « fiançailles avec la Mort » dont les légionnaires se faisaient les propagandistes : mon *Initiation* était bien différente de ces fiançailles mystiques avec la transcendance, et j'aurais sans doute été incapable, même dans les fers, de demander pardon d'être Juif à un légionnaire, comme Nicu Steinhardt, le converti...

La tentation de quitter l'enclos communiste me paraissait à la fois justifiée et vulgaire. Je ne considérais pas comme une infirmité mon incapacité à prendre une décision aussi naturelle, et j'aurais voulu que mon ami Rellu la partage. Peut-être la justification morale qu'il trouvait à quitter un pays où son père avait été sauvagement tué par des antisémites était-elle renforcée par le fait que sa famille ne reçut jamais d'excuses de la Patrie, pas plus que la mienne, d'ailleurs, pour avoir été déportée en Transnistrie ; l'argument m'irritait. Je poussais même le cynisme jusqu'à affirmer que l'horreur n'avait fait que « hâter » le plus omniprésent et universel des crimes : la Mort, notre destin à tous. La mort précoce, barbare, reste la mort, rien n'est plus injuste que la Mort, quelle qu'elle soit et en quelque lieu qu'elle nous débusque, avais-je le mauvais goût d'insister. Comme si, gagné par la fièvre polémique, je ne comprenais pas à qui je lançais ces paroles et qui les prononçait.

Ma hargne ressemblait bien sûr quelque peu à celle de Nicu Steinhardt, même si les différences étaient profondes et insurmontables. Un rapprochement équivoque, car être Roumain ne valait pas pour moi, comme pour cet exalté de Steinhardt, brevet d'appartenance au peuple le plus doux et le plus chrétien de la terre : c'était un simple état de fait, dont il n'y avait lieu d'être ni honteux ni fier. Je n'avais aucune attirance pour les « transfigurés », qu'ils soient roumains, français, paraguayens ou cambodgiens. Étranger au bonheur de la foi comme au nationalisme pathétique du converti, je me sentais en droit de considérer que changer de pays n'était pas plus répréhensible que changer de religion. Non, je ne demanderais pas pardon au légionnaire : c'était à lui de demander pardon à genoux au Juif.

Y avait-il là de la condescendance envers mes infortunés coreligionnaires qui faisaient la queue pour fuir, ou du dédain pour leur lucidité ? De même que Steinhardt l'écrivain, Juif chrétien, défendait convulsivement ses chimères, le Juif agnostique et écrivain en devenir que j'étais défendait les siennes. Ce qui me retenait en Roumanie n'était pas la religion ni le nationalisme, mais la langue, et les chimères qu'elle me faisait entrevoir. Et aussi, naturellement, pour le meilleur et le pire, ma vie entière, dont elles étaient l'essence.

Mon ami Rellu ne recourait à aucune « escroquerie » ni « tricherie » lorsqu'il parlait de l'aventure dans laquelle il se lançait. Il n'avait rien de l'« enfant gâté et odieux » ni du joueur « qui a empoché toutes les mises et qui se lève ». Aucun membre de ma famille, humble, dont la vie était faite de privations, de travail et de peur, n'entrait dans cette catégorie. Les aspirants au risque du déracinement ne sont pas forcément pires que ceux qui acceptent celui de l'enracinement. Les miens vivaient depuis des générations dans un pays où ils n'avaient guère eu le loisir d'« empocher toutes les mises ». Et ceux qui étaient entrés dans la ronde communiste avaient aussi le droit, bien que faisant partie de ceux qui avaient « fait danser les gens » et « chauffé l'ambiance » de la mascarade, de comprendre leur erreur et de partir avec armes et bagages à l'autre bout du monde. Ce n'était pas le cas de ma famille, ni de celle de Rellu. L'accusation aurait plutôt valu pour moi, l'adolescent rouge, l'inflexible commissaire politique de treize ans, mais je choisissais justement de rester, non par sentiment de culpabilité ni croyance en ce « spectre qui hante l'Europe », mais tout simplement parce que j'avais trouvé entre-temps une autre chimère, qui présentait l'avantage de ne promettre la félicité à personne.

Non, mon ami n'incarnait pas « la ruse, l'escroquerie, la tricherie » et n'avait rien d'un Judas ni d'un traître, bien au contraire. Les « gens simples » étaient fondés à lui envier une chance qu'ils auraient souhaité avoir. Les files de ceux qui quittaient le pays seraient devenues d'interminables, d'immenses cortèges de désolation, d'un bout à l'autre du pays, si les portes s'étaient ouvertes à tous « sans distinction de nationalité », au lieu de cette discrimination calculée pour délivrer le pays du mal dont il avait toujours cherché à se libérer. Ce n'était pas la première fois que les Juifs servaient de monnaie d'échange. Mais, cette fois, leur départ attestait l'échec du communisme en Roumanie, pays que le père Nicu Steinhardt jugeait béni des dieux. Cet affront fait au communisme aurait donc dû recueillir tout naturellement l'approbation de l'intellectuel Steinhardt et de ses amis philosophes, accusés eux-mêmes de « complot » contre l'État et le Parti.

Les mesures de représailles contre ceux qui étaient inscrits à l'université ou voulaient s'y inscrire ne tardèrent pas. Rellu, exclu parmi les premiers, eut cependant de la chance. Au printemps 1959, je l'accompagnai à la gare, au train de Vienne, d'où il devait gagner l'Italie et prendre un bateau pour Israël.

Le moment de notre séparation fut lourd d'émotion. Sa mère me dit en souriant, avant le départ du train : « Et maintenant, sans toi, que vais-je faire de lui ? » Je ne saurai jamais si elle s'inquiétait seulement pour notre amitié, ou si elle voulait dire autre chose. Avec embarras, Rellu me remit un gros cahier qui ne s'appelait pas *Journal de la félicité*, mais était le journal heureux de notre amitié juvénile. Je devais y découvrir, en lisant les grandes pages noircies de son écriture appliquée, une intense affection, presque amoureuse, dont ni lui ni moi n'avions jamais paru conscients. Son départ marquait la fin d'un âge sans retour. Il écrivait d'ailleurs, sur la première page : « La séparation d'avec le héros de ces pages paraît irréversible. Il est donc naturel que le Journal demeure auprès de son héros. » Nul ne peut savoir, bien sûr, ce que le destin nous réserve, mais je n'entrevoyais aucun espoir de le revoir un jour. Je quittai la gare, dans la nuit clémente du printemps bucarestois, en proie à bien des interrogations, mais il ne faisait pas de doute pour moi que ma décision de rester, malgré tous les dangers et toutes les servitudes, était bonne. Ou, en tout cas, bonne pour moi. Je ne pensais pas qu'on pût être plus heureux en regardant le jeu du monde depuis un point d'observation différent ou en adoptant une autre religion que celle dans laquelle il nous a été donné de naître. Je considérais même l'idée de tels changements avec suspicion, arrogance, voire mépris. Je laissais aux « gens simples » cet espoir naïf d'une embellie ou de lauriers ! Ma claustrophobie de survivant procédait d'autres réflexes, et j'admettais qu'il aurait été injuste d'imposer mes subterfuges à d'autres.

Mais le détenu de Periprava, épuisé par le travail et humilié par l'uniforme ? Quels subterfuges pouvais-je offrir à cet « homme simple », indifférent aux lauriers, et qui n'avait jamais aspiré qu'à une vie simple et digne ? Cette question me rongeait le cerveau, l'estomac, le cœur.

Ma fidélité à une chimère, et l'égoïsme de celle-ci, s'étaient montrés plus forts, encore une fois. J'échafaudais une rhétorique de l'excuse : je n'avais nulle envie de participer à la compétition de la liberté, encore moins dans un univers étranger, je n'avais rien à offrir au marché libre, je serais réduit à néant par le handicap de l'exil. Je me satisfaisais des insatisfactions à portée de main, chez moi, sans recourir à la difficile aventure de l'évasion. À l'étroit dans le tortueux tunnel socialiste, sans doute aussi réprimais-je mal un contentement ambigu devant la tentative socialiste d'« égaliser » le malheur et d'amoindrir les différences sociales en réduisant, du moins le croyais-je, les motifs de convoitise, qu'il s'agisse d'argent, d'honneurs ou de carrière. Ces habiletés n'avaient rien d'innocent ! Les crises répétées par lesquelles passaient mes parents ne m'ébranlaient pas.

La fidélité indéfectible à une chimère est mauvaise conseillère. Je pressentais les épreuves auxquelles elle allait me soumettre. Cette fidélité qui n'avait rien de mystique ne revêtait-elle pas, contre toute attente, des traits quasi religieux ? La mystique seule, fût-elle de cette variante inusitée, me semblait de nature à donner un sens à la vie dans le souterrain socialiste.

Je ne soupçonnais pas qu'un jour viendrait, trente ans plus tard, où à mon tour je demanderais, en l'honneur du vieux Leopold Bloom, un passeport.

L'équipe de nuit

Au début des années soixante, je construisais des immeubles d'habitation au centre de Ploieşti. Il doit exister aujourd'hui encore, place des Halles, un immeuble de neuf étages « avec pergola », grâce auquel il me sera pardonné de n'avoir pas eu d'enfants, ou d'avoir écrit des livres périssables. La mentalité « méridionale » des habitants de la ville, faite de vivacité d'esprit et de rouerie équivoque, avait heurté le paisible Bucovinien que j'étais resté malgré mes années d'études à Bucarest. Un ingénieur plus âgé que moi m'avait bien recommandé de surveiller « comme le lait sur le feu » les mouvements d'hommes et de matériaux sur le chantier. « Tu pourrais te retrouver un jour avec cinquante sacs de ciment en moins, ou bien avoir signé pour vingt livraisons de béton de plus qu'il n'y en a eu en réalité, ou n'avoir reçu que la moitié des briques inscrites sur les bordereaux. » Mais il ne m'avait pas dit comment me transformer en fin limier, moi qui n'étais même pas sûr d'être vraiment ingénieur.

Avant cet « immeuble avec pergola », alors le plus haut du nouveau centre-ville, je fis mes gammes avec l'« Immeuble L », quatre étages seulement, de l'autre côté de la place. Étant le plus jeune ingénieur du chantier, je fus affecté à l'équipe de nuit. Je travaillais de six heures du soir jusqu'à l'aube, avec des… détenus. Le contrat avec le pénitencier de Ploieşti précisant les effectifs, les métiers, les horaires, la durée de la prestation et le prix payé par l'entreprise de travaux publics portait la signature du commandant Drăghici, frère du redoutable ministre de l'Intérieur et membre du Bureau politique, Alexandru Drăghici.

Si, en 1954, dans les tout premiers jours de ma vie d'étudiant, j'avais quasiment tourné de l'œil, à la cantine, après quelques cuillerées d'aubergines et de concombres, on aurait pu craindre qu'il m'arrive la même chose à la vue du cortège des prisonniers et des gardiens. Mais il n'en fut rien. Je ne m'évanouis pas devant les uniformes, pas plus que je n'avais perdu connaissance, à Periprava en 1958, en voyant mon père parmi les détenus surveillés par les sentinelles. Je dus, comme alors, pâlir et balbutier quelque chose, mais je gardai contenance. Les contacts étaient, de toute façon, réduits au strict nécessaire, je ne parlais qu'avec le chef d'équipe, lui-même ancien maçon, et en présence d'un gardien. Détenus et gardiens n'avaient accès qu'à certains secteurs du chantier, et étaient tenus à l'écart des équipes régulières d'ouvriers professionnels. Je demandai à la direction du combinat s'il se trouvait parmi les détenus des prisonniers politiques. On m'assura qu'il n'y avait que des condamnés « de droit commun ». Mais je savais, de par mon histoire familiale, que cette notion était tout aussi peu digne de foi que toute la terminologie de la farce socialiste.

Travailler permettait aux détenus de bénéficier d'une remise de peine, et leur participation au chantier de la place des Halles leur était plus bénéfique qu'à l'entreprise, car le centre de Ploieşti était bien différent du sinistre bagne de Periprava. Il est bien possible, cela dit, que beaucoup d'entre eux aient été vraiment des condamnés de droit commun, car le mensonge socialiste comportait des parcelles de vérité, fût-ce d'une vérité pervertie. Le travail n'avait rien d'inhumain, et n'était pas comparable à la prison. Mais j'avais beau me raisonner ainsi, mon esprit n'en était que partiellement apaisé. Chaque soir, au moment de prendre la relève, j'étais anxieux et faisais attention non seulement à ce que je signais, au nombre et au poids des livraisons de béton, de sacs de ciment ou de briques, mais aussi aux pièges qui pouvaient m'être tendus par les détenus ou leurs gardiens. J'étais d'autant moins rassuré que, dès la nuit tombée, des femmes surgissaient de nulle part, avec des paquets, des enveloppes, ou simplement leurs yeux dévorés d'impatience, et se faufilaient entre les coffrages humides et les armatures encore brutes. Elles venaient retrouver leurs maris, leurs frères, leurs amants, leur porter des messages ou des colis, et toutes les précautions prises pour leur interdire l'accès au chantier étaient vaines. On en arrêtait une, puis une autre, mais la troisième arrivait à passer, et l'on ne s'en apercevait que trop tard ou, dans le meilleur des cas, pas du tout.

Je m'efforçais de ne pas voir le « réseau » qui facilitait ces rencontres nocturnes. De toute évidence, on m'avait discrètement jaugé, et les petits malins me considéraient comme un allié tacite. Mais on ne pouvait jamais savoir d'où venaient les provocations, et où se nichaient les pièges. Les gardiens acceptaient-ils de l'argent de ces malheureuses femmes ? Y avait-il d'autres complices, prêts à se dénoncer les uns les autres ? Il m'était arrivé plus d'une fois d'être abordé, à l'entrée du chantier ou même en plein travail, par des parents, des amis des prisonniers, ou par des intermédiaires, difficiles à distinguer de provocateurs professionnels.

À l'aube, je poussais un soupir de soulagement. Le matin m'accueillait en vainqueur, une journée glorieuse commençait. Dans la misérable échoppe qui me servait de logement, m'attendaient un lit en fer, des murs nus, et le nid où dormait Juliette.

À quoi m'avait donc servi l'*Initiation* reçue entre cinq et neuf ans, si à vingt-cinq ans je ne m'immolais pas par le feu en place publique, tel les moines bouddhistes, pour dénoncer le Mensonge qui hébergeait notre existence byzantine ? Le Mensonge, notre enveloppe quotidienne, était-il une coquille d'œuf ? Au moindre contact, la membrane se brisait et l'on se trouvait soudain entouré de vents hostiles, à la merci des coups de poing et de fouet de l'Autorité. Et si quelqu'un avait crié, dans un moment de folie, « le Parti est nu », tout nu, plus nu que l'empereur du conte ? La fine pellicule d'œuf et d'air se serait instantanément déchirée, et il aurait été empoigné comme un malfaiteur ou un fou, ce qu'il était effectivement, ainsi que le public se serait empressé de le confirmer. Le mensonge, nouveau placenta, nous empêchait de mourir et de renaître. À la première imprudence, la pellicule explosait. Il fallait retenir sa respiration, de peur de laisser échapper un de ces mensonges petits ou grands dont on avait la bouche barbouillée, un zéphyr frais qui pulvériserait le cocon protecteur. En fait, nous superposions à cette coquille d'œuf d'autres coquilles, comme des poupées russes. Un blindage à la forme parfaite, une forme d'œuf. Était-ce l'œuf dogmatique[1] donné par la nature ? Pour certains, le mensonge était devenu non pas une pellicule, mais un abri épais, démesuré, compact, indestructible. Le bonheur obligatoire dans la colonie pénitentiaire du Mensonge. À l'intérieur de l'énorme blindage ovoïde se trouvaient les prisonniers surveillés par des gardiens, ou bien les remplaçants des prisonniers, salariés libres en apparence, surveillés par les remplaçants des gardiens.

Non, je n'avais pas brisé la pellicule. Des compensations privées m'aidaient, comme tant d'autres, à oublier dans la mesure du possible l'enveloppe à l'intérieur de laquelle je me mouvais. Mon souci principal était de me tenir à l'écart de la sphère publique, d'être un simple « ingénieur » rémunéré pour son travail, diurne ou nocturne, rien de plus. Le jour avait ma jeunesse, la ville était vivante, colorée, électrisée par la spirituelle vivacité méridionale, l'été était éternel, comme Juliette.

Elle faillit être exclue de l'université. Une de ses camarades avait envoyé un « témoignage » sur la moralité douteuse de la

1. Allusion au poème *L'Œuf dogmatique* de Ion Barbu (1895-1961).

brune de Vérone. Elle fut convoquée au Centre universitaire, comme je l'avais été quelque huit ans plus tôt par le futur ministre des Affaires étrangères de la Roumanie. Le bruit courait que le recteur de l'université était démis de ses fonctions: c'était le moment propice pour « démasquer » sa nièce sans moralité. Mais, quarante-huit heures plus tard, le *réseau* apprit que le départ du recteur n'était pas une sanction, mais une promotion. Du jour au lendemain, l'oncle devint, contre toute attente, vice-ministre ! Comme par miracle, la baudruche se dégonfla avant d'avoir eu le temps d'enfler vraiment.

Je me trouvais, une fois de plus, à la terrasse du restaurant Bulevard, au centre de Ploieşti, face au chantier de la place des Halles. Je levais mon verre à ces années soixante: l'Ouest mettait en scène ses grandes insurrections tandis que l'Est s'adaptait à l'ambiguïté, fortuite et calculée, qu'on lui offrait. La rue frémissait, j'attendais la révélation me prouvant que la réalité était réelle, et qu'il serait donné à l'être réel que j'étais d'en découvrir le sens. D'un instant à l'autre, les dieux m'accorderaient un signe codé qui guiderait mes pas, de la péninsule de cette année incertaine jusqu'à l'archipel nébuleux de la suivante.

Je mangeais un esturgeon grillé, arrosé d'un petit vin légèrement amer, en fumant des cigarettes grecques et en scrutant les yeux de Juliette et des jeunes filles en fleurs. J'étais assis à la terrasse du restaurant Bulevard, au septième étage d'un immeuble de la ville roumaine de Ploieşti, non loin du 45e parallèle, au début des années soixante, et je me fichais pas mal du Parti, du Gouvernement et de la Securitate ! J'étais jeune et je me prenais pour un vieux sage, autorisé à ignorer la Colonie Pénitentiaire et ses détenus, politiques ou non. Ma tête résonnait d'écrits littéraires et politiques, révolutionnaires et contre-révolutionnaires, mystiques et progressistes, ainsi qu'il seyait à quelqu'un comme moi, mais en fait rien ne m'intéressait. L'histoire collective m'ennuyait, l'histoire individuelle jouait à contretemps, ici, à cette terrasse où je buvais du vin, mangeais de l'esturgeon et fumais des Papastratos, plus soucieux des silhouettes de cette journée que de la maladie du camarade Gheorghiu-Dej et des changements qui pourraient en résulter pour le pays, et plus absorbé par Juliette et les Juliettes alentour que par la désastreuse guerre du Vietnam. Je tentais de fuir, dans le picaresque d'une profession qui m'était étrangère, l'Histoire et ma propre histoire. J'étais avide de connaître ces inconnus que je croisais, les monts et les mers qui me réservaient un accueil triomphal, les livres qui attendaient mes questions. Je ne voulais plus être impliqué dans le malheur du monde ! Pas même dans celui de mon entourage immédiat. J'étais vieux et fatigué, et j'étais insolemment jeune, grisé par mes appétits et mes incertitudes.

« Camarade ingénieur, votre mère vous appelle. Votre mère au téléphone ! » La secrétaire accourut, grimpant tout en haut de l'échafaudage où je surveillais la fabrication du béton. « Vite, dépêchez-vous, elle attend. Elle a déjà appelé hier, de Suceava. Elle dit que vous n'avez pas écrit depuis deux semaines. »

Deux semaines !... Son fils n'avait pas écrit depuis deux semaines, quelle horreur, quel égoïsme ! L'enfant courait maintenant, entre les coffrages, les piles de briques et les cadres de vitres, pour rassurer sa maman, lui dire que rien ne lui était arrivé, rien d'irréparable. Non, la catastrophe pressentie en permanence ne s'était pas encore produite. Les malheurs de la tribu ne l'intéressaient plus, il était loin de la Mater Dolorosa et de la griffe du ghetto, loin, loin, jamais assez loin.

Le passé me talonnait, me rattrapait au moment où je m'y attendais le moins. L'évasion par la lecture, l'indifférence des montagnes, la majesté de la mer, l'insatiabilité de l'érotisme ? La politique, la dictature, l'œuf fragile du Mensonge ? Rien ne pouvait rivaliser avec la tyrannie de l'affect ! La griffe de velours réaffirmait sa puissance, sa permanence.

Le substitut de la normalité ? Le métabolisme des simulacres ? Vingt millions d'hommes ne peuvent régler à l'unisson leurs frustrations et leurs intérêts pour exploser tous ensemble dans une grandiose révolte collective ! Sont-ils donc protégés par l'œuf-refuge ?

Protégés, protégés... me répétais-je en courant au milieu des coffrages humides et des piles de briques, tel un vieillard hébété, fuyant sans la fuir la pression de la tribu.

À vingt-cinq ans, je n'avais ni le temps ni l'envie de prêter l'oreille à la cacophonie politique. Discours et menaces, policiers et détenus, chœurs de fête et de deuil, artifices et stratagèmes, lauriers et terreur du cirque quotidien ? Je n'avais ni le temps ni l'envie de prêter attention à cette comédie. Ou peut-être que si ? Après tout.

La maison de l'escargot

Le gendre filou qui avait dilapidé la dot de sa fille contraignit Avram Braunştein le libraire à vendre la maison achetée un an plus tôt seulement. Des maisons, on peut toujours en acheter… mais la tranquillité de sa fille chérie, voilà le plus précieux ! Bientôt, cependant, apparut le gendre, le vrai, séduit par la fiancée que lui avait envoyée saint Élie.

Après le mariage, le jeune couple entreprit d'économiser pour acheter une maison. En octobre 1941, la somme paraissait réunie, mais l'argent devait servir à soudoyer le destin au cours du terrible premier hiver de l'*Initiation.* Et au printemps 1945 le retour ne fut pas synonyme de retour à la maison. Les immeubles étaient occupés, les biens aliénés. Que les survivants s'estiment heureux d'avoir survécu ! Nul ne pouvait plus posséder de maison, le socialisme était devenu l'unique propriétaire des demeures et de leurs habitants. Le local de « Notre Librairie » de Burdujeni et les pièces d'habitation où j'étais né, derrière la boutique, furent relégués parmi les souvenirs : le mur jaunâtre, la porte grande ouverte en été, l'intérieur coloré de livres, de cahiers et de crayons, les pièces du fond, sombres et encombrées.

Je n'avais aucun souvenir, en revanche, de la maison d'Iţcani. Elle restait dans le temps neutre, sans histoire, d'avant l'*Initiation.* Bien des années après le retour du camp, on me la montra. Une maison solide, allemande. En face de la gare, derrière un parc avec des bancs. Une façade sévère, d'un ocre vieilli, écaillé.

Des fenêtres rectangulaires, dans l'alignement de la rue. On entrait par la cour. Si j'ai souvent revu, après la guerre, la gare d'Iţcani-Suceava, je n'ai jamais eu la curiosité d'entrer dans la cour de la maison qui lui faisait face, ni de gravir les deux marches de l'entrée.

Je n'ai aucun souvenir non plus des endroits où j'ai dormi pendant nos quatre années en Transnistrie. Pas de portes ni de fenêtres, plusieurs familles par pièce, voilà tout ce que je sais, ou qu'on m'a raconté. Je ne me rappelle pas davantage les lieux que nous avons habités en Bessarabie, après notre libération par l'armée Rouge. Des espaces perdus, dans une époque perdue.

Ce n'est qu'après notre retour que le temps me retrouva et que l'espace commença lui aussi à prendre forme.

En juillet 1945, dans la banalité féerique de la normalité, notre domicile fut la maison Riemer, à Fălticeni. Une chambre dans la pénombre, un lit impérial, avec sommier métallique, oreillers vieillots et couverture de peluche jaune, des murs blancs, une table noire et ronde, deux chaises, une fenêtre étroite, voilée par le lourd filet brodé du rideau. La couverture verte du recueil de contes reçu pour mon anniversaire me faisait aspirer à *autre chose*, au-delà de l'immédiat, dans le monde ensorcelé des mots devenus ma famille secrète.

Mon grand-père avait investi dans une maison, mes parents avaient mis de l'argent de côté dans les premières années de leur mariage. Mais au lendemain de la guerre, les locataires de l'État, unique propriétaire, cherchaient simplement un gîte, pas une maison.

En 1947, en revenant à Suceava, notre point de départ, nous emménageâmes dans un appartement de location, dans une rue parallèle à l'artère principale, à côté d'un charmant square triangulaire. Nous occupions, dans un bâtiment sans étage, le dernier appartement du côté gauche. On entrait par une sorte de véranda, sur le petit côté du rectangle. Une première pièce, exiguë, qui servait de cuisine, ouvrait sur un corridor obscur, avec une trappe pour descendre au cellier où l'on conservait les légumes en saumure et les pommes de terre, et, tout de suite à droite, une bassine encastrée dans un socle en bois qui comportait des trous pour le savon et les verres à dents. Sur le mur en face, de simples clous pour accrocher les serviettes. On allait chercher l'eau au puits de la cour, et on la versait dans un baquet à côté de la bassine.

La première porte à droite, dans le corridor, était celle de notre appartement. La suivante, celle de l'infirmière Strenski, qui épousa par la suite un brave ivrogne apathique. La porte du fond : les toilettes, communes. Une pièce tout en hauteur et étroite, un mètre à peine. La cuvette, en émail, était dépourvue de siège, la chaîne de la chasse d'eau était rouillée et inutile. On se servait d'un seau, rempli au baquet du corridor.

L'appartement avait deux pièces, de taille moyenne. La première était notre salon : on y prenait les repas, on y recevait les invités, et les deux écoliers y dormaient et y faisaient leurs devoirs. Dans la seconde, la chambre à coucher des parents, se trouvait l'armoire familiale. Il n'y avait pas de tableaux, mais dans la première pièce, au-dessus du lit, était accroché un cadre rectangulaire, entouré d'une baguette noire, avec des photos. De grands moments d'histoire : le jeune cabotin recevant son foulard rouge et son fanion rouge, puis prononçant en public, le jour anniversaire de la Révolution, son discours rouge, en saluant le panneau rouge où était écrit, en russe, À STALINE.

Mes chambres d'étudiant furent une illustration tout aussi parfaite des lois sur le logement de la Jormanie socialiste : huit mètres carrés par personne. La vieille madame Adelman, pour joindre les deux bouts, louait son unique chambre, au fond de la cour, 27 rue Mihai Vodă, près du pont Izvor. Une table, deux chaises, le lit. On partageait les toilettes avec les voisins : le capitaine Tudor, toujours en manœuvres, et sa disponible épouse, qui n'avaient, eux aussi, qu'une pièce, l'équité prolétarienne ayant réparti la vieille maison bourgeoise entre plusieurs familles.

Les froides nuits d'hiver, la vieille dame ramenait son lit pliant de la cuisine pour l'installer contre celui dont elle avait cédé l'usage à son locataire.

L'ancien cabinet du docteur Jacobi, dans une allée de villas perpendiculaire à Calea Călăraşi, représenta un progrès. Désormais pédiatre à l'hôpital, celui-ci ne recevait plus de patients que de temps à autre, et en cachette. Mais il arrivait que la porte de verre du cabinet s'ouvrît à l'improviste, quand la jalouse et plantureuse madame Jacobi, ou bien leur fils Marian, étudiant en dernière année de stomatologie, un bûcheur inhibé, terrorisé par la tutelle quasi policière de sa mère, brûlait de me parler de la liaison qu'entretenait le docteur avec la Tsigane volubile et agressive qui vivait au sous-sol.

À cette époque comme par la suite au cours de mes sous-locations successives, ma valise était le seul espace qui m'appartînt vraiment.

Grâce à mon mariage, l'État m'accorda enfin une chambre en propre, avec tous les papiers en règle. Une pièce agréable, avec fenêtre donnant sur la rue, dans un appartement rue du Métropolite Nifon, près du parc de la Liberté. Nous partagions la salle de bains, la cuisine et l'entrée avec un couple de retraités.

Notre emménagement dans le spacieux appartement de la rue Sfîntul Ion Nou, près de la place de l'Union, fut placé, tout comme notre départ, sous le signe de la bouffonnerie d'un socialisme byzantin. Dans l'un des deux appartements du troisième étage de l'immeuble habitaient les parents de Cella, ainsi que sa tante et son oncle. Dans l'autre, une pièce était occupée par ses grands-parents et deux par un metteur en scène de théâtre et sa famille. Lorsque le metteur en scène reçut l'autorisation d'émigrer en Allemagne, nous entrevîmes l'occasion de prendre leur place, car une disposition de la loi sur le logement prévoyait un « droit d'option » : les grands-parents de Cella avaient leur mot à dire sur le choix de leurs nouveaux colocataires. L'espace qui se trouvait libéré était constitué non pas d'une, mais de deux pièces, de part et d'autre d'une grande entrée, et la loi accordait justement un « bureau » aux chercheurs scientifiques et aux membres des unions d'écrivains ou d'artistes. C'est ainsi que j'obtins, non sans recourir aux bakchichs et coups de pouce de rigueur, un appartement bourgeois tout à fait enviable. Deux grandes pièces, hautes de plafond, avec entrée, salle de bains et cuisine.

Le soir fatidique du tremblement de terre, le 4 mars 1977, Cella rentra à la maison avec un grand carton de gâteaux. J'étais dans le bureau, sur le canapé rouge face au guéridon, en train d'écouter Radio Free Europe. Lorsque je me levai pour l'accueillir, je me trouvai sur une scène mobile : les murs, comme troublés par mon déplacement soudain, se mirent à trembler, les meubles vacillèrent, et la bibliothèque, qui montait jusqu'au plafond, s'écroula à grand fracas à l'endroit même que je venais de quitter. Nous trouvâmes tous deux refuge, terrorisés, dans l'encadrement de la porte, sous le chambranle. Puis nous nous précipitâmes dans la rue, dévalant l'escalier plein de gravats et de débris de mur. Lorsque nous atteignîmes le centre de la ville, vers minuit, au milieu de la foule qui marchait désorientée entre les immeubles en ruine, je compris que nous ne devions qu'à la chance de ne pas nous trouver, Cella sous les décombres de la pâtisserie Scala où elle avait acheté les gâteaux, moi sous la bibliothèque effondrée.

L'année suivante, les grands-parents de Cella décidèrent, malgré leur âge, d'émigrer en Israël. Nous n'avions pas le droit de récupérer leur chambre, et ne pouvions bénéficier du droit d'option. Nous demandâmes donc à la direction de l'espace locatif que nous soit attribué un deux-pièces, le logement que nous occupions revenant à une famille plus nombreuse – ou membre de la *Nomenklatura*. Car si quelque sommité était tentée par notre luxueux appartement, sans doute s'arrangerait-elle pour nous trouver en échange un domicile convenable.

Mais seuls des apparatchiks de second rang, dont quelques

vice-ministres, vinrent visiter l'appartement, et sans manifester d'enthousiasme. Nous avions sous-estimé les exigences des représentants du peuple. Je m'adressai alors à l'Union des écrivains, plaçant mes vains espoirs dans ses gros bonnets et dans leur fréquentation des hautes sphères.

Deux semaines après le départ des grands-parents de Cella, il ne s'était toujours rien passé. Puis, un beau matin, une famille de Tsiganes se présenta, munie de l'autorisation d'occuper la pièce disponible. Ils étaient quatre : le père, la mère, la fille et l'accordéon – celui-ci étant à l'évidence le leader du groupe. Ils n'avaient pas de meubles, juste quelques baluchons, qu'ils défirent avant de planter deux clous dans le mur et d'y fixer une corde pour étendre leur lingerie intime, et l'accordéon eut tôt fait de montrer toutes les facettes de sa personnalité.

La jovialité de nos nouveaux voisins contrastait avec notre mine assombrie. Dans l'attente d'une solution, nous leur cédâmes la cuisine en échange de l'usage exclusif de la salle de bains. Ils utiliseraient, pour leurs rares ablutions, l'évier de la cuisine et les toilettes du couloir. Mais leur ingéniosité leur fit trouver bien vite la façon d'ouvrir la porte de la salle de bains, si bien qu'ils y entraient et en sortaient à leur guise, comme si l'accord solennel que nous avions conclu n'avait jamais existé. L'odeur de saucisses grillées et les sons allègres de l'accordéon régnaient, de l'aube jusqu'à une heure avancée de la nuit, sur notre campement commun.

Il fallut donc recourir aux grands moyens. Un lundi matin, à dix heures, je me rendis à l'Union des écrivains. Un an ayant passé depuis nos naïves tentatives pour régler l'affaire, je venais rappeler au vice-président nos précédentes conversations. Je lui annonçai en outre une grande nouvelle : faute de solution avant deux heures, je tiendrais l'après-midi même, dans l'appartement en question, une conférence de presse en présence des correspondants étrangers en poste à Bucarest ! Je leur montrerais ainsi les conditions de vie de la classe ouvrière : trois personnes, père, mère et fille, dormant par terre dans une même pièce, et partageant salle de bains et cuisine avec un couple qui n'était pas mélomane pour un sou.

Mon paisible confrère – et fonctionnaire de l'État – tenta de me calmer. Il comprit que c'était peine perdue, et savait que les microphones dont était truffé son bureau avaient répercuté la menace «là-haut». Il composa un numéro de téléphone et, après une brève conversation, m'informa que j'étais attendu au Comité central du Parti, porte B, troisième étage, bureau 309, à onze heures. C'est-à-dire une demi-heure après.

Une fois dans le saint des saints, je fus invité à m'asseoir face à une commission de quatre camarades installés de l'autre côté de la table. Ils paraissaient égaux en grade, et sans doute représentaient-ils les différents secteurs concernés: Culture, Minorités, Espace locatif, voire, qui sait, Presse étrangère, étant donné les menaces que je proférais. On me pria de récapituler la situation, après quoi des questions me furent posées par chacun des membres du quatuor, puis l'on me demanda si j'avais une solution à suggérer. Je répétai ce que j'avais déjà dit: je demandais depuis plus d'un an, avant même le départ des grands-parents de Cella, que l'appartement revienne à quelqu'un ayant le droit légal de l'occuper et qu'un autre, du même genre mais plus petit, nous soit attribué.

Mais oui, ils savaient tout cela, les erreurs commises. Mais est-ce que, par hasard, je n'aurais pas une proposition... concrète?

J'en avais une: les nombreuses petites annonces passées en vue d'un échange de logements avaient fini par dessiner une solution acceptable par les camarades. Un lieutenant-colonel de l'État-Major, qui était marié et dont le fils était en dernière année de lycée, pouvait emménager dans notre appartement et libérer le sien, un deux-pièces, 2 Calea Victoriei. Il ne manquait plus que l'approbation expresse de l'armée, formalité qui, selon l'officier, n'était pas simple.

Le nom et le numéro de téléphone de l'officier? Je sortis

mon carnet d'adresses, l'homme brun et frisé en face de moi fronça les sourcils en direction de son collègue grand et chauve, qui composa le numéro du camarade lieutenant-colonel, lequel confirma mes dires sur-le-champ.

Les fonctionnaires se détendirent, se déridèrent l'un après l'autre. On m'assura que tout allait s'arranger. On me présenta même, qui l'eût cru, des excuses pour les bêtises faites !

Il faisait un temps magnifique, et tant pis si de nouvelles fiches venaient enrichir mon *dossier* – qui n'était déjà pas immaculé. Ma menace de tenir une conférence de presse avait eu un résultat immédiat. Mais était-ce bon ou mauvais signe ? N'était-ce pas une simple comédie destinée à endormir ma colère avant le coup décisif ?

Le soleil m'apaisait, je marchais sans me presser. J'arrivai vers une heure devant la façade en marbre noir du 26 rue Sfîntul Ion Nou. Au lieu de prendre l'ascenseur, je montai lentement l'escalier jusqu'au troisième. L'accordéon était au repos, ou bien en train de sillonner la ville. J'ouvris la porte de l'appartement. Quel calme ! La porte de nos voisins était grande ouverte. Un silence absolu, on aurait entendu une mouche voler. Je m'avançai jusqu'au seuil : rien, personne ! Ni cordelette tendue d'un mur à l'autre, ni baluchons déballés sur le sol, comme si personne n'habitait là. Rien ! Les fenêtres étaient grandes ouvertes, un fantôme avait pris soin d'aérer la pièce.

Estomaqué, je sortis dans le couloir et tombai sur le gérant de l'immeuble, qui venait justement m'annoncer que la famille d'artistes avait été purement et simplement enlevée ! Mise dans un camion, emmenée ! Mais qui, qui donc s'était emparé d'eux ? Mystère. Un mystère qui, en fait, n'en était pas un : c'étaient les autorités !

Le Cirque socialiste, rapide, efficace, avait fait appel à ses dresseurs. Diligence, célérité, absence de traces ! En une heure, toute une année de tensions se dissipa comme par miracle.

Le deux-pièces du 2 Calea Victoriei, moitié d'un appartement ancien de l'époque pré-socialiste, fut mon dernier domicile en Roumanie. Le hooligan renonça finalement à jouer le jeu social, pour devenir ce qu'il ne voulait admettre : un *trublion**, un *trouble maker*. Une peccadille, en vérité : je glissai, dans un article pour une revue de province, quelques lignes critiques sur le nouveau national-communisme roumain. Les attaques officielles ne se firent pas attendre. De toutes parts on me jetait des pierres : *traître, anti-parti, antinational!* J'y perdis tour à tour toute pondération, toute retenue, tout sens de l'humour. Chaque matin l'insomnie m'abandonnait avec un masque en moins, et je risquais de perdre sous peu mes derniers réflexes de citoyen paisible et respectable. Cette nouvelle comédie ne me plaisait nullement. Le hooligan n'avait oublié ni la guerre hooliganique, ni les années de paix hooliganique.

Quatre décennies s'étaient écoulées comme en un clin d'œil, depuis cet après-midi où j'entendis la Voix venue de partout et de nulle part, qui était et n'était pas la mienne, et qui m'assurait que je n'étais pas, comme je le croyais, seul dans l'univers. Seul dans cette chambre, étrangère et sombre, de la maison Riemer de Fălticeni, et seul dans l'univers, je découvrais tout à coup une autre maison, un autre monde, un autre moi-même. Les livres donneraient asile, par la suite, à mes années d'apprentissage, à Suceava, à Bucarest, dans tous les refuges où j'emporterais ma seule richesse, ma valise d'illusions.

La géométrie analytique, la résistance des matériaux, la statique des bâtiments, la mécanique des fluides, la théorie de l'élasticité appliquée aux barrages me protégèrent-elles, comme je l'espérais, de la démagogie ambiante ou des fêlures de mon être ? L'école du dédoublement et de la dissociation approfondissait, dans mon histoire personnelle, celle de la collectivité. Mon besoin d'« autre chose » ne diminuait pas pour autant. Je continuais de chercher refuge dans la maison que seul le Livre me promettait. Exil, maladie salvatrice ? Un va-et-vient permanent entre moi et mon double : dans la tentative de me trouver, de me substituer à moi-même, de me perdre pour tout recommencer depuis le début.

Entre-temps, privations et menaces étaient devenus le lot commun, comme si chacun devait payer pour quelque faute obscure. Mais, sous la terreur, l'enclave du Livre étendait son empire, j'y trouvais des interlocuteurs invisibles avec qui dialoguer pour surseoir à la mort.

Dans la chambre que Cella et moi habitions la première année de notre mariage, rue du Métropolite Nifon, près du parc de la Liberté, il me fut enfin donné, l'été 1969, d'entendre ma propre voix dans mon propre livre. Il avait, comme celui de 1945, une couverture verte.

J'avais enfin trouvé mon domicile véritable. La langue promet non seulement la résurrection, mais aussi la légitimation, la citoyenneté, l'appartenance authentiques. Se voir chassé y compris de cet ultime refuge constitue l'exil le plus violent, un incendie qui atteint le cœur même de l'être.

Un demi-siècle hooliganique s'était écoulé depuis que mon grand-père avait demandé si le nouveau-né possédait des ongles de survivant. L'Histoire semblait répéter, en 1986, ses farces sinistres.

Mais l'Auguste se lassait de sa vieille partition de victime. L'*Initiation* avait été précoce, et sa portée pédagogique toute relative. Je remettais à plus tard la séparation d'avec la Patrie retrouvée en 1945, comme hypnotisé par l'illusion de pouvoir remplacer le pays par la langue. Il ne me restait plus qu'à emporter ma langue avec moi, comme une maison. La maison de l'escargot. Sur quelque rivage que j'échoue, elle serait pour moi, je le savais, le refuge infantile de la survie.

La griffe (II)

Mon combat contre le ghetto fut avant tout un combat contre l'anxiété, l'outrance, la fébrilité que ma mère vivait jusqu'à la démesure et transmettait, jusqu'à la démesure aussi, autour d'elle. De cette confrontation sans fin, je ne suis pas sorti vainqueur, j'ai seulement survécu.

« Ma seule consolation, quand je montais me coucher, était que maman viendrait m'embrasser quand je serais dans mon lit »... La célèbre phrase proustienne reste étrangère à ma biographie. La Juive catholique Jeanne-Clémence Weil, épouse du docteur Achille-Adrien Proust, ne ressemblait pas à ma mère, et les différences de classe sociale, de religion, de géographie, d'histoire ne sont pas négligeables non plus. L'adversité intérieure que Mihail Sebastian, admirateur roumain de Proust, tenait pour inhérente au Juif diminuait et s'estompait lorsque disparaissaient les adversités extérieures. Dans le monde de mon enfance, c'étaient d'autres conventions et une fragilité différente qui alimentaient cette tension, rarement apaisée, entre adversité intérieure et extérieure. Le rituel du baiser rassurant avant le sommeil aurait fait un contraste scandaleux avec les angoisses et les conflits, réels ou imaginaires, de notre famille est-européenne.

Ma mère, dès le début des années quarante, pressentait la catastrophe. Confrontée au désastre, sa vitalité changea soudain de valence. L'épuisement névrotique dans l'attente devint concentration, énergie, action. Mon père, lui, perdit toute illusion au bout de quelques semaines en Transnistrie. Ce n'était pas la mort qui lui était insupportable, mais l'humiliation. Il voulait vivre dignement, lui qui avait débuté sans rien dans l'existence.

L'œuvre de redressement devint, comme dans tant d'autres circonstances, la prérogative de l'épouse. L'incertitude, exaspérée par le besoin d'espoir, nourrissait son intériorité tourmentée. Toutes ses ressources étaient mobilisées par l'intensité du monde extérieur, la présence d'autrui, le bourdonnement incessant des nouvelles et des rumeurs, la compassion à répartir entre tous ceux qui partageaient sa captivité. Elle planifiait les transactions de la survie, empruntait d'un côté, rendait de l'autre, revenait avec une poignée de farine de maïs, un cachet d'aspirine ou une information inespérée.

Le trophée suprême qu'elle destinait à son fils, petite bête fauve triste et affamée, n'était pas la *madeleine* proustienne trempée dans du thé, mais un piètre et délectable ersatz de galette à l'oignon, obtenu au prix d'énormes sacrifices au marché noir du camp – miracle tout aussi inconnu de Marcel, le petit Parisien, que l'était la faim. Le thé de Proust fut pour moi celui qu'offrait la Croix-Rouge à notre retour de Transnistrie.

Squelettique, épuisée, invincible: ainsi apparaissait en 1945, à la frontière de la Patrie, notre sauveuse traumatisée. Elle s'engagea aussitôt dans le tourbillon paranoïaque de la résurrection, enchaînée comme toujours à ses frères de souffrance et tributaire du lien qui la rattachait à eux – en contraste violent avec la solitude digne et silencieuse de son époux. Elle donnait et se donnait aux autres avec une générosité imprudente, et exigeait en retour dévotion et reconnaissance. La réserve de mon père, sa discrétion malhabile ne dépendaient pas des autres. Ce doux solitaire ne demandait ni n'attendait aucune gratitude.

Lorsque nous rentrâmes en Roumanie, tout contact était rompu avec la famille de ma tante Rebeca Graur. Plusieurs années durant, ni le nom de la sœur aînée de ma mère ni celui de sa pécheresse de fille ne furent prononcés. Le pacte du silence ne fut brisé que par cette foudroyante nouvelle : l'autre fille de sa sœur était morte ! Ma mère prit le premier train pour Tîrgu Frumos, où habitait la famille Graur, et n'en revint qu'au terme des sept jours du deuil. Un an plus tard eut lieu chez nous, à Suceava, le mariage de Mina avec le mari de la sœur décédée. La fête restaura définitivement les liens familiaux, ma mère fut de nouveau associée aux heurs et malheurs de la famille de sa sœur, et jamais plus ne fut évoqué, même furtivement, l'épisode adultérin.

Sa relation aux autres sembla la protéger, pour un temps, d'elle-même. Mais son fils, la chair de sa chair, n'avait droit, de la part de sa mère, qu'aux tensions. Un baiser à l'heure du coucher, dans notre étroit refuge sans intimité ni rituel ? Jamais ne me fut lue ni racontée la moindre histoire. La Mater Dolorosa n'en avait ni le temps ni la patience. Elle était trop absorbée par ses contradictions pour recourir, y compris pour elle-même, à ces stratagèmes apaisants, mais l'essence de sa personnalité, à la fois forte, vulnérable et fébrile, restait inaltérable. Son emphase théâtrale ne faisait que stimuler sa passion, et son angoisse n'érodait ni sa dévotion ni sa combativité. Il ne lui restait guère de temps pour des minauderies ritualisées.

Même en inversant les rôles, si le fils avait offert à la mère ce qu'elle ne lui avait pas offert, il n'aurait pas pu non plus s'imprégner de l'atmosphère parisienne de l'enfance proustienne. Le ghetto est-européen, enfiévré et étriqué, survivait, drapé dans ses secrets obscurs et ses péchés inextricables. Un espace ténébreux, tortueux, propice aux convulsions. L'église orthodoxe toute proche différait de la cathédrale catholique, dont la majestueuse nef gothique offrait le spectacle de la beauté, la recherche de l'harmonie, la solennité dorée des orgues, les subtilités de la théâtralité sacralisée.

Sitôt rentrée, à l'heure du déjeuner, de son magasin socialiste, ma mère se replongeait dans le ghetto, échangeait nouvelles et potins avec les voisins, au lieu de bavarder avec son fils. Elle procédait méthodiquement: d'abord l'appartement où la corpulente madame Abosch vivait seule avec sa fille depuis que son époux, le sioniste, avait disparu dans les geôles communistes, puis celui de la veuve Segal et de sa fille, la belle Rita, élève de terminale, enfin celui de la famille du comptable Heller. Ensuite, il ne lui restait que peu de temps avant de retourner travailler. Elle déjeunait à la sauvette, et c'est à la sauvette aussi qu'elle s'intéressait au sort des deux écoliers. Mais à la moindre grippe ou insolation, quelle agitation! Le moindre imprévu dans la vie de son mari, de son fils, de n'importe quel membre de la famille proche ou éloignée annonçait l'imminente Catastrophe dont elle guettait, fébrile, les signes avant-coureurs. Comme si la plus dévouée des mères et des épouses était inadaptée à la fonction de mère et d'épouse, comme si son extrême implication dans le quotidien avait pour seul but d'éviter de regarder en face sa carence profonde, essentielle, qui ne trouvait d'apaisement que dans la mystique.

On cuisinait selon la tradition austro-bucovinienne, à laquelle les plats juifs ajoutaient une saveur spécifique, aigre-douce. On ne séparait pas la viande et le lait, comme il eût été de règle, mais à Pâques on nettoyait de fond en comble tous les récipients, et même toute la maison, et à l'automne le Nouvel An biblique imposait recueillement, solennité et jeûne. La foi était devenue une sorte d'atavisme, la tradition un vaste code de conduite, une vision cohérente des événements quotidiens, grands et petits. Mystique, superstitieuse, croyant fermement à la fatalité, ma mère éprouvait envers les chrétiens, en vraie fille du ghetto, une défiance modérée et une curiosité tout aussi modérée, sauf circonstances extrêmes, et la solidarité avec la tribu exilée n'excluait ni l'humour ni le jugement critique.

Le socialisme semblait ne pas la concerner. Elle était au fait des nouvelles normes sociales, mais demeurait indifférente à l'Utopie du bonheur unanime qui avait grisé tant de ses coreligionnaires. Elle envisageait les changements avec résignation:

même son fils s'éloignait de jour en jour du ghetto des ancêtres. Une époque troublée, dangereuse. Les souvenirs de la vie antérieure, si colorée, si animée, tranchaient avec la grisaille empoisonnée du présent. Le ghetto, telle l'agora grecque, avait stimulé le commerce affectif, celui des idées, aussi bien que le commerce proprement dit. La propagande socialiste démasquait l'esprit petit-bourgeois, les spéculateurs et les commerçants, mais favorisait, avait-elle laissé entendre plus d'une fois, une corruption autrement plus profonde.

Le ghetto m'étouffait par son excessive possessivité, sa fébrilité perpétuelle. Mais mon hostilité même devenait un autre mode d'asservissement et d'attachement. Après la brève ivresse communiste de ma jeunesse, j'avais fini par haïr tout ce qui s'écrivait à la première personne du pluriel. Toute identité collective était pour moi suspecte, oppressive, simplificatrice. Je n'étais plus disposé à franchir le fossé entre le moi et le nous.

Rien n'exprimait de façon plus flagrante la relation qu'entretenait ma mère avec la société nouvelle que le « commerce socialiste », contradiction dans les termes et réalité surréaliste. Je ne compris que tardivement la complexité de l'antique métier auquel on identifiait avec mépris, dans le passé, dans le présent et pour l'éternité, mes coreligionnaires ; et que ce qui fait le commerçant véritable, c'est l'intelligence, le sens du risque et de la négociation, le travail pénible et sans relâche, le souci de conserver sa réputation. Ma mère, peut-être, aurait pu exceller tout autant dans la profession d'avocat ou de psychiatre, si elle avait eu la chance de faire des études supérieures. Mais le *socialisme réel* annihilait la liberté d'initiative et d'innovation. Le commerce était devenu un travail forcé, ennuyeux, une bureaucratie « planifiée ». Des fonctionnaires déguisés en vendeurs, en responsables des achats, en planificateurs, en comptables, et surveillés par la police du Parti ou par la police tout court.

Ma mère avait dû quitter « Notre Librairie » étatisée pour une autre boutique socialiste. Elle ne s'occupait plus, comme dans une autre vie, de livres et de fournitures scolaires, mais de boutons et de fils. Des boutons petits et grands, colorés, des dizaines de sortes de fil, de rubans, de dentelles. Son nouveau lieu de travail, exigu et obscur, où se pressaient tous les villageois des environs, ne lui convenait absolument pas. Il lui fallait grimper précautionneusement jusqu'au sommet du frêle escabeau pour atteindre à grand-peine, vu sa petite taille, l'étagère la plus haute, croulant sous les boîtes, et redescendre tout essoufflée, une boîte tremblant dans sa grande main ridée. Mais entretemps la cliente s'était ravisée, ou ne savait plus bien ce qu'elle voulait, et le moment était mal venu de s'en expliquer, car un rouleau de dentelle brodée venait juste de disparaître, avec le prestidigitateur qui l'avait escamotée, la jeune aide-vendeuse débordée par l'affluence ne sachant où donner de la tête. J'entendais ma mère déverser sa hargne sur ces employées temporaires qui changeaient tout le temps et semblaient rompues à l'art de chaparder furtivement dans le tiroir-caisse. Chaos, confusion, négligence, fébrilité : le cauchemar atteignait son paroxysme lors des journées d'inventaire. On travaillait portes closes, jusqu'en fin de soirée, à répertorier et évaluer les marchandises en magasin. La tension poussait à bout mon père lui-même, mis à contribution après ses propres heures de travail pour récapituler à la maison les phases de l'opération, et corriger les erreurs des responsables incompétents, voire corrompus. Les noirs pressentiments se confirmèrent finalement. Après un inventaire calamiteux, ma mère ne dut qu'à son âge et à certaines interventions discrètes d'échapper à la prison. Elle s'effondra pendant le procès, comme dans le train de nuit par lequel nous étions revenus ensemble d'un voyage à Periprava, la colonie pénitentiaire où mon père ressassait ses humiliations.

L'humiliation ne l'atteignait pas, mais elle savait son époux et son fils différents, et se sentait coupable de celles qu'ils ressentaient.

« Dieu te rendra tout ce que tu fais » : elle répétait, lors de ces matinées bucarestoises où je l'accompagnais chez le médecin, les mêmes mots qu'elle avait employés dans le train et pendant le procès. L'aveugle attendait sagement, au coin de la rue, que je revienne avec un taxi, impossible à trouver aux heures de pointe.

Son visage décomposé, son désespoir, ses crises nerveuses dévastatrices avaient-elles une justification, ou n'étaient-elles dues qu'à la hantise de me voir m'éloigner ? Elle n'avait pas la force de m'affronter. Incapable de me blesser par des paroles, elle voulait m'atteindre autrement, profondément, irrémédiablement, en raison de mon indifférence – je me protégeais ainsi de ses dilemmes et de ses traumas. Sa crispation, accentuée par l'impuissance, me transformait aussitôt en un témoin exaspéré et glacial.

Maladie théâtrale, lamentations outrées, souffrance aiguisée encore par le spectacle ? Je me blindais dans mon dégoût, tout en sachant ne pouvoir échapper à son univers écartelé et possessif. À force d'être tournée vers tout le monde, sa bonté devenait un égoïsme tranchant, intraitable. Elle semblait punir ses proches, en se torturant et en les torturant, pour n'avoir pas su récompenser son martyre spectaculaire, son dévouement absolu.

Cette tyrannie affective m'était intolérable, elle était pour moi la maladie du ghetto. La griffe gantée de velours et de soie réapparaissait lorsqu'on y était le moins préparé. Même libéré du ghetto, je n'ai pu me libérer d'elle.

Lorsque enfin elle se rassérénait, elle retrouvait sa tolérance, son humour, sa douceur. Mais cette accalmie, ce fléchissement, semblaient, paradoxalement, fonder ses angoisses, ses grandes scènes de désespoir de la veille. Sa sérénité conférait rétrospectivement un étrange et obscur fondement à son déséquilibre antérieur. Il n'y avait pas en elle, comme on aurait pu le croire, deux êtres différents, mais les deux moitiés d'un tout inconfortable et contradictoire. Comme si elle n'avait pu exister qu'en incarnant deux façons d'être opposées, des contraires aussi incapables de se dissocier que de dicter leur loi à sa vie d'angoisse et de tourment. Et c'est dans sa vulnérabilité même qu'elle puisait son énergie mystérieuse et ancestrale… « Je prie pour eux aussi », semblait-elle dire parfois, regardant les chrétiens autour d'elle lorsque, les mains sur les yeux, l'esprit enfoui dans des abîmes invisibles, elle implorait la protection de l'Inconnu.

Le cimetière l'attirait davantage que la synagogue. Un contact naturel, immédiat et transcendant à la fois, une façon de s'inscrire dans une histoire et une méta-histoire. Nos ancêtres étaient comme nous, nous étions eux, le passé était le présent. Comme eux, chaque année, nous sortions de nouveau d'Égypte sans jamais en sortir définitivement, nous revivions encore et encore une autre Égypte, leur sort était le nôtre, notre sort était lié au leur, pour toujours. Mais nous n'avions pas le droit de pardonner en leur nom. Même Dieu ne peut pas pardonner en notre nom, c'est quelque chose qui appartient à chacun…

Le lien mystique et l'identification avec le passé, l'invocation de la puissance et de la protection divines, étaient naturellement plus fréquents lorsque les choses allaient mal ici-bas.

Elle acceptait l'idée que le monde avait changé. Mais il ne fallait, selon elle, ni croire à l'égalité qu'on vous offrait ni se considérer comme patriote, c'est-à-dire, comme je le lui avais patiemment expliqué, en droit de critiquer son pays. Elle évitait ce sujet délicat, de même qu'elle évitait de parler de mes livres. Mais elle s'inquiétait toujours pour moi quand j'étais pris dans l'œil du cyclone quotidien.

Elle pressentait ces crises, et ne me demandait pas de lui donner rétrospectivement raison pour ses appréhensions. Il aurait été de toute façon trop tard, car je refusais de me laisser enchaîner de nouveau par la tribu. Je m'étais converti au scepticisme, apprenant de Mark Twain que rien n'est pire que d'être homme. Et être roumain, était-ce vraiment une plaisanterie à mon goût ? semblait parfois me demander l'humoriste américain. Qu'aurais-je pensé d'être paraguayen ou chinois ? Ou même, pourquoi pas, juif? C'était une infortune qui, à mes yeux, n'était pas moins intéressante que les autres.

Avais-je été conçu à l'image et ressemblance du Seigneur? Le Seigneur me ressemblait-il? Si oui, l'être qui avait créé le Tout n'était autre que celui qui m'avait donné naissance. Un Dieu incarné dans l'être le plus proche qui soit, la femme qui m'avait engendré?

Les conflits avec la Divinité ne pouvaient être plus riches que ceux dont j'avais bénéficié en tant que fils de ma mère. Ni l'asservissement. Pas même le plus dramatique d'entre eux.

Ma mère n'était pas Jeanne-Clémence Proust, née Weil, ni son fils la réincarnation de Marcel. Mon enfance n'avait pas eu droit au baiser maternel à l'orée de la nuit, et le vieil homme d'aujourd'hui, interprète de ma nostalgie, n'attend non plus rien de tel, les nuits où ma mère m'apparaît. Mais la griffe du passé ne m'est pas moins douloureuse au moment où je sens, toute proche, l'ombre qui veille sur moi. D'autres fois, elle oublie de se manifester, mais lorsque je m'aperçois de son absence, la vieille aveugle passe de nouveau, dans son fauteuil roulant, sur le fond rouge de la nuit. Dieu somnolant sur son trône céleste: une vieille femme au seuil de la mort. Le divin infirme, aveugle et fatigué, a le visage anéanti de ma mère. Au milieu des étrangers d'ici, de là-bas et de partout, la confusion, ultime richesse de l'exilé, me restitue un Dieu familier.

L'album de famille n'a que peu d'images, les autres se sont dispersées tout au long de l'errance. La jeune femme au chapeau, à la voilette et à la pèlerine de fourrure noire penche discrètement la tête vers son jeune époux. Ses yeux noirs et vifs, son nez fin, ses narines marquées, son front haut, ses sourcils accentuent sa beauté nerveuse, méridionale, mâtinée d'âpreté est-européenne.

Les photographies ne sont pas des souvenirs. Il ne reste pas de souvenirs des années antérieures à l'*Initiation*, des années annihilées par l'amnésie. Pour les séquences discontinues, difficiles à oublier, de la Transnistrie, il manque des photographies, perdues dans les archives de l'Histoire sans archives, et que remplacent aujourd'hui les clichés de la lamentation. Le photographe qui nous surprit au printemps 1945, déguenillés et en rangs, dans les rues de Iaşi, à notre retour dans la Patrie qui nous avait chassés, ne nous a hélas pas offert ce souvenir de la *Résurrection.* Les fêtes de fin d'année, les vacances d'été, la station climatique de Vatra Dornei, la plaine brûlée par la canicule entre les digues de Periprava, la tenue de prisonnier de mon père ? Néant.

Livide, abasourdie d'apprendre que je voulais abandonner la faculté : « Tu as raison, il ne faut pas que tu continues si ça ne te plaît pas. » Abasourdie, de même, d'apprendre que le tout nouvel ingénieur avait loué une chambre en ville. « Si tu ne peux plus nous supporter... » Fébrile, dans sa cuisine où elle préparait le repas de fête pour sa bru. Guettant, devant la porte, le facteur qui lui apporterait des nouvelles. Les maladies de la vieillesse, la réconciliation avec l'idée de la mort, et la non-réconciliation sarcastique, venimeuse, avec son mari : « C'était mieux quand j'étais jeune et que je te donnais du plaisir, n'est-ce pas ? »

Quatre décennies après le premier exil, celui d'aujourd'hui a cet avantage qu'on ne joue plus au Retour. Les témoins de la vie sont disséminés dans tous les recoins et les cimetières de la planète ; images du carnaval des époques que seul me restitue parfois, en pleine nuit, le fantôme du Chinois qui connaît mon apparence avant la rencontre de mes parents. Le mur devient un territoire onirique, je discerne la silhouette de celle que le jeu des ombres dessine dans les ténèbres, je revois les frontières, le lieu de leur naissance, celui de leur sépulture. Lorsqu'ils se rencontrèrent, en 1932, ils ne soupçonnaient pas qu'ils seraient enterrés si loin de leurs parents, si loin l'un de l'autre, et plus loin encore, l'un et l'autre, de leur fils qui calligraphie dans le ciel nocturne son compte rendu pour la postérité.

Les ténèbres verdissent, deviennent les bosquets d'une steppe russe, je vois la fosse sans nom ni indication au cœur des forêts de Transnistrie où sont restés mes grands-parents maternels, je vois la tombe couverte de fleurs du père de mon père, enterré à Fălticeni, la ville des fleurs. Sous la pierre brûlée par le soleil de Judée repose, sur une des collines de Jérusalem, celui qui fut mon père. Seule ma mère, justement elle, s'attarde sur les lieux où elle a toujours vécu et qu'elle a toujours voulu quitter. Seule d'entre nous à être restée, définitivement, dans la Patrie, dans sa tombe sur la colline de Suceava, désormais patrie d'un fils errant.

Elle qui avait toujours eu le sentiment de l'exil, le destin l'a finalement exilée dans l'éternité de son lieu d'origine. Ruse destinée à charger la mémoire de son fils d'une culpabilité supplémentaire ? Fertile substitut que cette culpabilité pour les albums égarés des familles perdues.

La vieillesse de l'exilé semble désormais avoir besoin de l'adoration et des inquiétudes de sa mère. La vieillesse me reconnaît dans les pleurs du petit Parisien prénommé Marcel. Son jumeau d'Europe de l'Est, si longtemps assoiffé de liberté, aspire-t-il de nouveau, au soir de sa vie, aux insomnies des chaînes ? J'entends les pas de ma mère revenant du monde sans retour, le bruissement de sa lourde robe de velours dans le corridor menant au nid de l'abandonné.

« Un moment douloureux », qui « annonçait celui qui allait le suivre, où elle m'aurait quitté », écrit Marcel.

Combien de temps durera l'hallucination, à quel moment, de nouveau, resterai-je seul et désolé ?

« Le moment où je l'entendais monter, puis où passait dans le couloir à double porte le bruit léger de sa robe de jardin en mousseline bleue, à laquelle pendaient de petits cordons de paille tressée, était pour moi un moment douloureux. Il annonçait celui qui allait le suivre, où elle m'aurait quitté, où elle serait redescendue. De sorte que ce bonsoir que j'aimais tant, j'en arrivais à souhaiter qu'il vînt le plus tard possible, à ce que se prolongeât le temps de répit où maman n'était pas encore venue. »

Les mots de Marcel sont maintenant les miens, bien que je

n'aie pas grandi dans cette atmosphère chrétienne de cathédrales et d'orgues, et sois revendiqué par les brumes de l'Est.

Je n'aurais pas fait miens, autrefois, les mots de Proust, mais je me serais reconnu, à tout moment, dans un autre exilé, d'Europe de l'Est celui-là : « je n'ai pas une seconde de paix, [...] rien ne m'est donné, [...] il me faut tout acquérir, non seulement le présent et l'avenir, mais encore le passé[1] », écrivait Kafka. Oui, il fallait vraiment tout acquérir, pas une seconde de paix ne nous était accordée.

Ce qui avait disparu, ce n'était pas seulement le ghetto, mais un monde tout entier. Il est tard et il fait nuit. Je ne pouvais plus partir à la recherche du temps perdu, et aucune drogue miracle ne pouvait me le restituer. Sans passé ni avenir, habitais-je dans l'illusion d'un présent de location, dans un piège incertain et lamentable ? Herr Doktor Kafka avait-il vraiment la nostalgie du ghetto ? lui demandai-je un soir. « Ah, si j'avais eu le choix », murmura mon hôte, tout en enlevant son chapeau, aussi noir que lui. Il répéta ces mots plusieurs fois. Je répétai à mon tour ses paroles stupéfiantes :

« Si l'on m'avait offert alors la possibilité d'être ce que je voulais, j'aurais choisi d'être un petit juif de l'Est, insouciant, dans un coin de la salle, tandis que son père discute au milieu avec les hommes, que sa mère fouille dans les loques de voyage, volumineusement empaquetée, et que sa sœur discute avec d'autres fillettes en grattant dans ses beaux cheveux ; et dans quelques semaines on sera en Amérique[2]. »

Je bredouillais des mots qui n'étaient pas les miens, en regardant le ciel illisible où passait ma vieille mère aveugle dans son fauteuil roulant. Je retenais mon souffle, accablé par la nostalgie et la solitude, et de nouveau se ficha dans ma poitrine la griffe qui réveille les vieillards cardiaques.

1. *Lettres à Milena*, trad. Alexandre Vialatte, Gallimard, 1956, p. 249.
2. *Ibid.*, p. 224.

LE DIVAN VIENNOIS

Anamnèse

Il pleuvait, mais ce n'était pas le déluge biblique, Noah ne tenait dans la comédie du présent qu'un rôle de réfugié.

Dans l'élégant pavillon de l'élégante résidence de l'élégante banlieue new-yorkaise, ses interlocuteurs ne semblaient pas remarquer la pluie fine et silencieuse.

Sans qu'on puisse dire quand ni comment, le naufragé s'était mis à parler de la Transnistrie, de l'Initiation, de la guerre, et de Maria, la jeune paysanne résolue à accompagner les Juifs envoyés à la mort. Puis du déluge d'après le déluge, du communisme byzantin et de ses ambiguïtés. Puis de l'exil, et de ses ambiguïtés.

La porte-miroir oscillait lentement, et soudain il avait vu, dans ses glaces de cristal, le visage du mémorialiste dans lequel il aurait souhaité ne pas se reconnaître. Trop tard pour s'arrêter, il poursuivit, avec de grandes pauses, la victoire histrionique sur le passé.

Le lendemain, arriva la lettre : « *I don't think it was just because it rained, but I spent a good deal of time after our pleasant luncheon thinking about you, and by that I mean thinking about YOUR STORY. A fascinating one, not just because it is you, but because you lived and thought and acted at the center of the worst time in history*[1]. »

1. Je ne crois pas que ce soit seulement parce qu'il pleuvait, mais j'ai passé un long moment, après notre agréable déjeuner, à penser à vous, je veux dire par là à VOTRE HISTOIRE. Une histoire fascinante, non seulement parce

Et l'éditeur ajoutait : « *You were an eye witness and as a writer you must react*[1]. »

Le décryptage public de sa biographie ? « Un bain de cendres », assurait Cioran, « un bon exercice d'auto-incinération ». Peler sa peau comme un fakir, strate par strate, en courant les talk-shows et les groupes de psychothérapie ?

Je fixais toujours les lignes dactylographiées.

La remémoration publique avait déjà transformé l'horreur en cliché. Un cliché réitéré jusqu'à la fossilisation, et remplissant une fonction de légitimation, évidemment suivie de lassitude et d'indifférence. Le public a soif de nouveaux détails, les consommateurs d'histoire et de géographie réclament l'odyssée de la Transnistrie, et non des métaphores comme l'*Initiation* ou la *Trans-Tristia*.

Être identifié à celui qui, dans l'écriture, se substitue à moi ? L'éducation à l'esquive reçue au cours de ce *worst time in history* continuait de produire ses effets. Étais-je, maintenant encore, pris de panique à l'idée d'être soudain reconnu parmi des suspects raflés à l'improviste ? Je préférais les masques, le jeu de la fiction.

Mais c'est le miroir qui est le maître. Peut-être le moment était-il vraiment venu de renoncer à l'esquive. Je voyais dans le miroir les itinéraires de la déportation, les camps de transit, les centres de sélection, les insectes chassés vers les fosses promises par le maréchal.

« Ce n'est pas un combat contre les esclaves, mais contre les Juifs. C'est une lutte à mort. Ou nous vaincrons et le monde sera purifié, ou ils vaincront et nous deviendrons des esclaves », écrivait, le 6 septembre 1941, Ion Antonescu, chef des armées et *Conducător* de l'État roumain. « Le Juif, c'est Satan. »

Le patriote ne pouvait perdre l'occasion d'extirper, enfin,

---

que c'est la vôtre, mais parce que vous avez vécu, pensé et agi au cœur de la pire période de l'histoire.

1. Vous étiez un témoin oculaire, et en tant qu'écrivain vous devez réagir.

cette calamité nationale. « Il n'y a pas dans notre histoire de moment plus favorable. Si besoin est, tirez à la mitrailleuse », ajouta l'allié de Hitler.

Des massacres sporadiques avaient commencé un an auparavant ; à l'automne 1941, le rythme de la mission s'emballa.

Le 4 octobre, le maréchal décida la déportation, et le 9 octobre, record d'efficacité, les premiers trains partirent.

« Aujourd'hui 9 octobre 1941, part en train la population juive des communes d'Işcani et de Burdujeni, ainsi que de la ville de Suceava. De la rue Ciprian Porumbescu jusqu'à la rue Petru Rareş, à l'angle de l'église Sfîntul Dumitru et de la synagogue. De la rue Regina Maria jusqu'à la boutique de denrées coloniales Reif. Rue Cetăţii. De la première rue après l'hôtel *La Americanul* jusqu'au collège professionnel de jeunes filles. Rue Bosancilor en entier. »

L'opération devait commencer sur le quai réservé à l'armée dans la gare de Burdujeni, le 9 octobre 1941, à quatre heures de l'après-midi. La veille au soir, le commandant Botoroagă apparut soudain sur le pas de la porte pour donner à monsieur Manea ce conseil amical : « Tu as deux enfants, il faudra que tu les portes dans les bras. Le voyage sera long, ne prends que le strict nécessaire. » La déportation commencerait le lendemain et s'achèverait le surlendemain. Les règles étaient précises : « Chaque habitant juif peut prendre avec lui un manteau épais, des vêtements et des chaussures, ainsi que de la nourriture pour plusieurs jours. Rien de plus que ce qu'il peut emporter avec lui. Il prendra aussi, en partant, la clé de chez lui. Une enveloppe contenant la clé et l'inventaire, portant le nom et l'adresse de l'habitant juif, sera remise en gare à la commission. »

Maria écoutait attentivement, mais n'avait d'yeux que pour le petit Noah qui scrutait, pétrifié, le visage du messager. L'enfant tourna son regard vers elle, comme pour demander des explications. Maria lui sourit, puis fit une grimace, leur signe de complicité : sornettes que tout cela !

Le commandant récitait toujours, à voix haute : « Ceux qui ne se présenteront pas, qui opposeront une résistance, qui provoqueront ou commettront des actes violents contre les ordres des autorités, qui tenteront de fuir ou de détruire leurs biens, ou qui ne déposeront pas leurs devises, pièces d'or, bijoux et métaux précieux, seront fusillés sur place. Subiront la même peine ceux qui aideront ou couvriront les Juifs ayant commis l'une de ces infractions. »

En prononçant ces derniers mots, il ne regardait pas spécialement Maria. Mais c'est sans doute à ce moment-là qu'elle se décida à commettre une infraction plus scandaleuse encore que d'aider ou de cacher les lépreux : partir avec eux. Le chef de la police, le préfet, le sous-préfet, le colonel de la garnison locale et le commandant Botoroagă, chef de l'escadron de gendarmerie, observeraient avec dégoût cette folle, arrachée de force à la porte du wagon. Elle ne méritait pas l'honneur d'être fusillée, son châtiment serait de rester parmi ceux qu'elle trahissait.

Quelques mois plus tard, Maria se présenta à la porte du camp, chargée de valises avec des vêtements et de la nourriture pour son petit prince Noah et ses parents. Ses bagages, confisqués séance tenante, serviraient de preuve devant la cour martiale.

« Le destin tragique a rapproché, à des millénaires de distance, l'esclavage babylonien et l'enfer de la faim, de la maladie et de la mort en Transnistrie », écrivait Traian Popovici, maire chrétien de Cernăuţi, la capitale de la Bucovine. « Le vol, aux points de rassemblement sur le Dniestr, des derniers biens des déportés, la destruction de leurs papiers d'identité, la traversée du Dniestr sur des bacs, les marches sous la pluie, le vent et le grésil, pieds nus dans la boue, le ventre vide, sont des pages tragiques, dantesques, d'une sauvagerie apocalyptique », poursuivait Popovici, qui tenta jusqu'au dernier moment d'empêcher l'exode. « Dans un convoi, sur soixante enfants allaités, un seul a survécu. Ceux qui étaient trop fatigués pour marcher, qui trébuchaient, étaient laissés pour morts au bord des routes, en proie aux vautours et aux chiens. Ceux qui arrivèrent à destination, dans des conditions d'hygiène et de vie misérables, sans logis, sans bois pour se chauffer, sans vivres ni vêtements, furent impitoyablement exposés aux intempéries et aux humiliations de la part des organes de surveillance et de l'administration. »

La leçon d'histoire et de géographie ne peut passer sous silence le point de passage sur le Dniestr : Ataki. Le prisonnier Noah avait alors cinq ans, mais cinquante ans plus tard il n'a pas oublié ce nom. Non pas Ararat, comme dans le Déluge biblique, mais Ataki.

La mémoire des Suceaviens a également retenu, avec précision, la catastrophe : « Ataki restera un mystère que nous seuls pénétrerons, qui avons été pourchassés dans ses rues tortueuses comme dans une cage. Des gens solides qui, d'un seul coup, tombaient par terre sans connaissance. Des gens sains d'esprit qui perdaient soudain la raison. Roza Stein, veuve de maître Samuel Stein, l'avocat, se croyait égarée dans des rues inconnues de Suceava, sa propre ville. Avec une extrême politesse, la malheureuse demandait à droite et à gauche : "Auriez-vous, s'il vous plaît, l'amabilité de me raccompagner chez moi ? Vous savez, j'habite l'immeuble de la librairie Weiner." »

La librairie Weiner a survécu dans l'esprit de l'exilé, bercé désormais dans sa nacelle new-yorkaise. Elle fut, après la guerre, une grotte miraculeuse, jusqu'à ce que les communistes abolissent la propriété privée et tous les miracles privés.

Les déportés de Rădăuţi ont aussi envoyé d'Ataki, en 1941, un message désespéré : « Le 14 octobre, on nous a évacués, amenés ici pour nous faire traverser le Dniestr, et envoyés quelque part en Ukraine. Sans abri, à ciel ouvert, sous la pluie, dans la boue et le froid. Ici, à Ataki, déjà des centaines de personnes sont mortes. Beaucoup de gens sont devenus fous, se sont suicidés. Si nous ne sommes pas sauvés immédiatement, aucun de ces malheureux ne survivra. Pour l'instant, nous sommes environ 25 000 âmes. Une partie est sur les routes, en direction de l'Ukraine. Une partie à Moguilev. Une partie ici, à Ataki. »

Le nom de Moguilev n'est pas facile à oublier : c'est là qu'échoua le quatuor Manea. Dans une lettre au bureau sioniste de Genève, en date du 6 janvier 1942, un rapport de Moguilev mentionnait « soixante décès par jour ». Le premier hiver semblait bien être l'allié de l'allié d'Hitler, le maréchal Antonescu.

Mais finalement, le bilan du Déluge ne fut pas à la hauteur des espérances. La Transnistrie, « long désastre et monstre géographique » selon les chroniqueurs, ne peut s'enorgueillir que de 50 % de décès et ne saurait rivaliser avec Auschwitz.

La performance de la Transnistrie est demeurée ambiguë, comme tout ce qui est roumain. La Roumanie est-elle, comme l'affirment certains chroniqueurs, le pays le plus antisémite d'Europe ? Cette délicate compétition reste ouverte, et compliquée à arbitrer. Il paraît néanmoins difficile de contester, en matière d'holocauste, la suprématie allemande, même si certains rapports de la Wehrmacht s'indignaient des actes barbares et chaotiques de leurs *Kameraden* roumains, prêts à tuer sans en avoir reçu l'ordre et avec des moyens primitifs.

Noah, hébété, s'initiait non seulement à la vie, mais aussi à l'Au-Delà. La mort prit tout d'abord le visage émacié et adoré de son grand-père Avram ! La brusque magie du passage dans le non-être : la Vie dans l'Au-Delà, dans la fosse sans nom ni vie.

Il se voyait lui-même étendu, telle une momie, dans le lit de l'éternité. Il regardait la fosse, la terre, les brins d'herbe gelée, les vers encore vivants. Tout autour, la neige, le vent, les arbres ondulants, les hommes barbus ondulant eux aussi, au rythme du *kaddish* archaïque.

Il vivait, il était encore en vie, il pensait sa propre mort, mais il comprenait que les larmes, la faim, le froid, la peur font partie de la vie, non de la mort. Rien ne comptait davantage que de survivre, disait sa mère, qui s'efforçait d'insuffler du courage à son mari et à son fils. Il fallait à tout prix refuser la mort. Ainsi seulement nous mériterons de survivre, répétait la responsable de la survie.

Les saisons suivantes allaient être moins mémorables. La guerre se déplaçait vers l'ouest. Le maréchal se résigna à conserver les insectes en vie, comme alibi et comme gage.

L'ex-citoyen Manea obtint la permission de travailler dans une fabrique, avec un salaire inférieur au prix d'un pain pour les quatre membres de sa famille. Nul ne savait comment tournerait, l'instant d'après, la roue de la vie et de la mort.

La logique sur laquelle monsieur Manea avait prudemment construit sa vie ne servait plus à rien. La corruption salvatrice, les marchés salvateurs passés avec le destin, et jusqu'à la récompense suprême, la survie, lui répugnaient. Les coups de cet officier, cordial jusqu'alors et soudain dévoré par la haine, prêt à tuer comme il le méritait l'insecte devant lui, n'avaient pas changé mon père. La mort, oui, mais pas l'humiliation ! Jouant le tout pour le tout, il avait fui, dégoûté, les lieux de la vérité. Il n'était pas, comme on l'exigeait des esclaves, devenu hypocrite ni servile, non, monsieur Manea ne renonçait pas à la Dignité, figurez-vous ! Son épouse avait beau trouver son attitude stupide, il ne cédait pas. Il était écœuré non seulement par le marché noir de l'aspirine ou du pain, mais aussi par celui des sentiments, par la férocité des victimes résolues à échapper à la férocité des oppresseurs. Les bourreaux monstrueux font des victimes monstrueuses, répétait-il de sa faible mais ferme voix.

La solution finale du Führer ne dépendait pas de ce que pensaient les insectes condamnés à disparaître. Le nazisme avait défini clairement son projet, tenu ses promesses, récompensé ses affidés, exterminé sans hésitation ses victimes, sans leur offrir l'alternative de la conversion ou celle du mensonge.

En revanche, le communisme du bonheur universel encourageait ou imposait la conversion, le mensonge, les complicités, assassinait au besoin ses fidèles. La police de la pensée, essentielle au système, imposait la vérité qui convenait au Parti. Entre promesse et réalité, toujours plus inconciliables, opéraient le soupçon, la perversion et la peur.

Telles étaient les pensées qui trottaient dans la tête du solitaire, par un après-midi d'automne, à Bucarest, dans les années soixante-dix de l'insatiable XXe siècle. Dans la pièce silencieuse dialoguaient, sans paroles, lecteur et livre, lorsque sonna, de façon à peine audible, le téléphone. Je n'avais envie de voir personne, le son était réglé au plus bas. Je décrochai néanmoins. La glace de la commode, à droite, surprit mon geste, je me vis le récepteur à la main.

– Une promenade ? me proposait mon ami.

– Il pleut, où veux-tu donc te promener ? Tu ne préfères pas un brin de causette à la maison ?

– Non, sortons plutôt. La pluie s'est arrêtée, il fait doux. Je t'attends dans une demi-heure. Place du Palais, devant la Bibliothèque.

Un goût de la promenade bien étrange chez ce sédentaire ! Mais en effet, la pluie avait cessé, l'air avait fraîchi. Nous nous dirigeâmes vers le petit parc désert en face de l'Académie. Les bancs étaient humides, nous déambulâmes dans les allées.

– C'est arrivé. Ça a fini par arriver. J'espérais que ça serait seulement pour le voisin. Pour le voisin, voilà ce que je me disais. Mais voilà que c'est tombé sur moi. Sur nous.

Je me taisais, j'attendais la suite.

– Ils étaient deux, un colonel et un capitaine. Le capitaine prenait des notes. Ça a duré près de trois heures.

Je comprenais mieux la raison de cette promenade : les murs avaient des oreilles.

– C'est après toi qu'ils en ont. Ils veulent savoir ce que tu fais, qui tu vois. Avec qui tu corresponds à l'étranger. Si tu as une maîtresse, si Cella a un amant. Ta situation financière. La tienne, celle de tes parents, de ta belle-mère. Si tu es hostile au Camarade et à la Camarade. Si tu as l'intention d'émigrer.

La liste des suspects ne se distinguait plus, dans la Jormanie socialiste, du recensement de la population ! J'avais beau éviter les feux de la rampe, mon isolement ne m'avait pas protégé.

– Tu ne vas pas me croire, mais j'ai signé. J'ai fini par signer. Ils m'ont même donné un nom de code. Alin ! Ils ne m'ont pas demandé si je préférais Guillaume Apollinaire, ou William Shakespeare. Ou pourquoi pas Mişu[1], Mişu Eminescu ?

Les policiers avaient fait exprès de choisir comme nom de code le pseudonyme sous lequel leur nouvel informateur, critique théâtral et poète à ses heures, signait dans les revues littéraires ! Afin qu'il retienne bien la leçon : poète et policier enquêtent tous deux sur le mystère derrière lequel nous nous dissimulons.

– Pourquoi as-tu signé ? Maintenant, tu ne leur échapperas que dans la tombe, et encore. Si tu avais résisté une heure de plus, ils auraient renoncé. Nous ne sommes plus au temps de Staline. Ils t'auraient laissé tranquille.

Comme Alin ne répondait pas, je restai sans rien dire. Je ne voulais surtout pas jouer les héros, la condescendance n'était pas de mise, ni les conseils, ni les reproches. Le pain, en enfer, représente tout, et beaucoup encore au purgatoire. Qu'il y ait écrit Paradis, Enfer ou Purgatoire sur la porte de la colonie pénitentiaire, c'est toujours le pain qui fait l'objet du chantage.

– Ils m'ont menacé. Vous êtes un fonctionnaire de l'État, votre devoir est de nous aider.

En d'autres termes, même un emploi médiocre peut être perdu. La menace était illégitime, le fonctionnaire le savait, mais il savait aussi que la Loi est le bon plaisir du Pouvoir. Ce n'était pas seulement le pain d'Alin qui était en jeu, mais aussi celui de ses parents, vieux et malades.

Voilà que mon ami était devenu Alin, et pas seulement en littérature ! Sa double, triple, multiple vie de citoyen socialiste s'était enrichie d'une mission précise, secrète et non rétribuée :

1. Diminutif de Mihai.

faire des rapports sur la double, sur la triple existence de son meilleur ami. Il devait rencontrer chaque semaine son officier de liaison, non pas dans le bureau officiel de celui-ci, mais dans des appartements privés dont disposait la Securitate. Sa mission serait-elle humanisée par le modeste décor domestique, la grisaille socialiste des logements exigus ? Le nombre d'informateurs s'accroissait incomparablement plus vite que la production par tête, et la campagne de recrutement s'intensifiait. Je le savais, car j'avais eu affaire aux spécialistes de ces opérations quelques années auparavant.

« Pour les traumatisés du ghetto, camarade commandant, il n'y a pas de différence entre le policier de l'État nationaliste et le milicien du régime socialiste », avais-je dit, alors, à un commandant de la Securitate.

Mon voyage en train de nuit de Bucarest à Suceava, à l'autre bout de la Roumanie, avait été suivi d'une brève halte chez mes parents. Le temps d'un café m'avait suffi pour jauger rapidement les deux vieillards et comprendre ce message que nos conversations téléphoniques tentaient sans succès de masquer : la peur. Cette peur millénaire, toujours renouvelée, d'aujourd'hui et d'hier. Je les regardai de nouveau, me levai, laissai mon café sans le boire. La même urgence qui m'avait fait sauter dans le train me précipitait maintenant dans les rues du passé.

La sentinelle à la porte de l'ancienne mairie autrichienne, devenue siège du Parti communiste roumain, m'écouta avec attention. Ma carte de membre de l'Union des écrivains semblait avoir conservé, même en cette fin des années soixante-dix, quelque prestige en province. Le gratte-papier sorti d'un récit de Gogol parut déconcerté par l'inconnu en face de lui, et incertain quant à l'attitude à adopter. Il transcrivit les données figurant sur ma carte d'identité et bredouilla prudemment, le nez dans son registre : « Je ne sais pas quand le camarade premier secrétaire pourra vous recevoir. Je lui transmettrai votre message. »

Il leva toutefois les yeux, frappé par ma réplique : « Il faut qu'il me reçoive aujourd'hui ! Je rentre ce soir à Bucarest. »

Après un temps d'hésitation, il s'enhardit à me répondre : « Revenez vers midi, j'aurai la réponse. »

Cela me laissait le temps de doubler la mise. Le commandement de la Securitate avait son siège dans un bâtiment neuf, moderne, non loin du vieil hôpital. De nouveau, je tendis ma carte ronflante. L'officier ne parut guère impressionné. Une audience ? Chez le commandant ? Aujourd'hui ? Pourquoi une telle urgence ?

« Ce matin, avant le déjeuner. Après le déjeuner, je suis reçu chez le premier secrétaire du Parti. »

Silence. L'officier à lunettes se dirigea vers le téléphone, forma un numéro, tandis qu'un autre le remplaçait au guichet. Longue attente. L'homme à lunettes réapparut enfin.

« Le camarade commandant n'est pas en ville. Vous serez reçu à onze heures par son adjoint, le camarade colonel Vasiliu. »

Dix heures cinq. Mon idyllique ville natale offrait, à chaque coin de rue, des jardins, des fleurs, des bancs pour se prélasser. Le parc Arini était tout près, le soleil printanier était propice à la somnolence. Je déambulai autour des vieux arbres, témoins des époques passées.

À onze heures, on m'escorta jusqu'au premier étage. Derrière le bureau massif se trouvait un homme maigre et pâle, au cheveu rare et grisonnant, vêtu d'un gilet campagnard en laine grise, rêche, épaisse, et d'une chemise blanche sans cravate. À sa gauche se trouvait un brun de belle allure, à moustache noire, en uniforme de capitaine.

J'allai droit au but : cela faisait des mois que Marcu Manea, retraité, était persécuté par un enquêteur zélé qui l'accusait tantôt d'être un espion à la solde d'Israël, tantôt de profiter de ses fonctions de secrétaire de la Communauté juive de la ville pour faire des affaires. S'il y avait des preuves, il fallait faire passer le coupable en jugement. Dans le cas contraire, l'intimidation devait cesser! Le suspect avait assez souffert, dans un passé lointain et plus proche. Les gens du bourg où il vivait depuis toujours le connaissaient comme un homme honnête, plus qu'honnête.

Le regard intense du colonel laissait entendre qu'il savait ce que signifiaient le passé Transnistrie et le passé Periprava. Et qu'il comprenait aussi ce que voulait dire « plus qu'honnête ». Les gens qu'on faisait sortir de prison, coupables ou innocents, étaient très vivement invités à devenir indicateurs de la Securitate, l'Institution Suprême de la Jormanie socialiste. Mais l'ex-camarade et ex-détenu Manea avait décliné cet honneur durant plus d'un an, répétant jusqu'à la folie le même refrain : « Je suis un homme honnête. » Cette ritournelle, serinée avec une inepte monotonie, avait fini par irriter et lasser le flic. Son supérieur ne pouvait manquer d'être au courant de cet échec. Le colonel commenta brièvement et calmement l'exposé. Un interlocuteur intelligent, dangereux, dont l'apparente modération était au service d'une subtile tactique d'apaisement. Mais il ne restait guère de temps pour les précautions.

« Un espion israélien ? Comment ça ? »

Je n'attendais pas de réponse : la confrontation suivait sa dynamique propre.

« On lui reproche d'avoir accompagné, en tant que secrétaire de la Communauté juive, des personnalités américaines et israéliennes en visite en Bucovine. En visite officielle ! Approuvée par le ministère des Affaires étrangères. Et probablement par tous les ministères concernés... Quant aux organes de surveillance, ils sont au courant de tout ce que font, pensent et disent les hôtes étrangers ! »

Le colonel sourit de nouveau et, chose incroyable, confirma d'un mouvement indolent de la tête l'audacieuse affirmation. Oui, nous savons, bien sûr que nous savons, disait-il sans le dire.

« Il y aurait eu, parmi ces hôtes étrangers, un certain Brill, chef d'un service secret israélien. Il a visité le célèbre cimetière juif de Siret, à la frontière soviétique. Pour observer, sans doute, les lieux ? À l'œil nu, ou avec les jumelles qu'il n'avait pas sur lui ? Il n'a même pas quitté la zone permise aux touristes ! Et puis, comment un pauvre employé de la minuscule Communauté juive de la minuscule Suceava aurait-il pu connaître la liste des gens soupçonnés par les services secrets roumains ? La surveillance qu'ils exercent est d'ailleurs des plus efficaces. La Securitate roumaine est appréciée dans le monde entier. »

Le colonel riait presque, le capitaine avait levé les yeux du carnet sur lequel il sténographiait notre conversation et riait lui aussi : le camarade capitaine Puiulete riait aux éclats, il fallait le voir pour le croire.

« Imaginons que monsieur Manea, l'ex-camarade Manea, ait une crise cardiaque ? La Transnistrie du maréchal, puis le stalinisme d'après-guerre, et le stalinisme sans Staline des années cinquante sont encore bien présents dans son esprit comme dans sa chair de retraité ! Un passé qui, dans les années soixante-dix, ne devrait pas se répéter. Si j'en crois les journaux. »

Mes deux auditeurs manifestaient soudain plus d'intérêt pour la nouvelle tournure prise par mon monologue que pour le récital qui l'avait précédé, si bien que je pressai la cadence.

« Pour les descendants du ghetto, la différence entre le policier de l'État nationaliste, prêt à n'importe quelle mise en scène infâme contre eux, et le milicien socialiste, n'est pas toujours évidente. Rien moins qu'évidente, camarade colonel ! Les lois socialistes proclament l'égalité entre tous les citoyens, au lendemain de la guerre il y a eu des Juifs à des postes importants, même des ministres, il en reste d'ailleurs quelques-uns. Mais cela ne suffit pas à guérir la mémoire. Ni la peur. Les suspects sont soupçonneux, camarade colonel. Et peut-être ont-ils le droit de l'être. »

Ouf, c'était fini ! J'avais terminé ma grande tirade ! J'avais fait preuve de fougue et de courage, fallait-il que j'attende en souriant, la main sur la hanche, les applaudissements et la gerbe de fleurs ? Peur et révolte s'alliaient en un discours cohérent, mais le miroir prolongeait la scène, le spectacle n'était pas fini. Il n'était pas fini, mais j'étais vivant, toujours vivant, mon inquiétude, mes pensées, ma faiblesse étaient vivantes, et j'avais conscience de ce privilège.

Le colonel interprétait à la perfection sa partition de sincérité, il était difficile de s'en défendre. Il n'avait opposé d'objection à aucun des reproches formulés, son air résigné était celui d'un homme las des imbécillités constituant son lot quotidien. Il acceptait ma rhétorique afin de me vaincre émotionnellement. Je restai cependant maître de moi, jusqu'à ce que tombe la phrase finale : « Nous vous remercions. Ce sont là d'importantes informations sur la psychologie du ghetto ! Vous nous apportez un concours précieux. Nos collègues de Bucarest feront certainement appel à vous. »

Je bredouillai, mais non, je ne suis pas la bonne personne, non, pas moi, mais le colonel n'écoutait plus, il s'était levé, souriant, me tendait la main, l'audience était terminée.

En descendant l'escalier, le capitaine Puiulete m'assura que les malentendus concernant monsieur Manea Marcu seraient résolus sans tarder, le camarade colonel était un homme de parole, un homme remarquable, comme j'avais eu l'occasion de le constater.

Oui, l'occasion était inespérée, mais je ne prêtais plus attention aux paroles de Puiulete. La tension de la rencontre avait été extrême. Concentré sur mon objectif, aveuglé par ma crispation, j'avais oublié où et face à qui je me trouvais. Encore cinq minutes d'entretien, et je serais tombé, comme une chiffe, dans les bras des flics ! Bon à pressurer par des interrogatoires. Un coureur de courte distance ! Un lutteur exténué, désormais vulnérable à la moindre brise hostile.

Et le bouquet final était plus qu'une brise. Noah allait-il devenir l'indicateur de la « psychologie du ghetto », l'expert de la police pour les traumas du ghetto et le Déluge du peuple élu? Serait-il contacté par les « collègues » bucarestois de l'aimable colonel?

Au rez-de-chaussée du maudit édifice, je repris à grand-peine mes esprits, impatient de fuir, d'oublier tout.

Mais je n'oubliai pas que nul n'est en droit, devant des dilemmes aussi monstrueux, de donner des leçons de morale.

Alin était au courant des pressions policières subies, après Periprava, par Manea Marcu, retraité, il était au courant de la séduction exercée par le colonel Vasiliu, des deux conversations entre ses collègues de la capitale et le futur expert en victimologie. Il savait que les rencontres avaient été brèves, que j'avais décliné cette flatteuse collaboration. Et voici que les limiers rôdaient de nouveau dans les parages. Ils devaient détenir plus d'informations sur le suspect qu'ils n'auraient pu en obtenir des rapports insignifiants et des causeries hebdomadaires de son ami poète.

« Un homme intègre, qui ne s'intéresse pas à la politique. Solitaire, mélancolique, passionné de livres, pas de politique »: Alin me répétait ce qu'il avait répété, oralement et par écrit, devant l'enquêteur. Mais l'affirmation n'était pas convaincante, il lui manquait le cachet des clichés du Parti.

La suspicion finissait par s'infiltrer: je soupçonnais mon ami de ne pas m'avoir tout dit, peut-être pour me protéger de moi-même, et pas seulement de mes poursuivants. Je devenais de plus en plus dépendant de l'indicateur au double jeu.

Grand, les mains larges et la chevelure flamboyante d'un Irlandais débordant de vitalité, la voix forte et le geste ample du chef d'orchestre, Alin devenait, sans crier gare, petit, le nez pointu comme une souris, le cheveu lisse et huileux, collant comme une calotte à sa boîte crânienne rétrécie. Sa voix affaiblie était sifflante, difficile à déchiffrer. Passait-il sous silence les détails qui auraient pu m'inquiéter? Je sollicitais sans cesse de nouvelles rencontres, fussent-elles brèves, je revenais interminablement sur des détails mineurs, mais obsédants.

Les policiers s'intéressaient-ils, d'une façon ou d'une autre, au dossier médical du suspect ? Le recours de la police socialiste aux hôpitaux psychiatriques faisait alors grand bruit en Occident.

Les interrogatoires auxquels était convoqué Alin semblaient pure routine bureaucratique. Les gens de la Securitate remettaient le chantage à plus tard, comme ils remettaient à plus tard les milliers de dossiers préparés dans les bureaux de l'Institution Suprême. Afin de n'avoir l'air ni oisifs ni inutiles, ils multipliaient le nombre de leurs collaborateurs, moins pour les informations, déjà trop abondantes et trop dérisoires, qu'ils leur fournissaient, que pour entretenir les complicités.

La version que me présentait mon ami poète, la seule dont je disposais, était rassurante et divertissante : les limiers n'étaient pas en possession d'éléments exceptionnels, et n'avaient d'ailleurs pas besoin d'Alin pour en inventer.

Mais l'angoisse découverte en moi était plus révélatrice que mon dossier de police. Elle résultait de vieux et obscurs traumas.

Je devenais en réalité le vrai bénéficiaire du jeu. Non par ce que j'apprenais de la Mission Alin, mais par la réaction qu'elle avait déclenchée en moi. J'étais un privilégié, placé aux premières loges d'une comédie riche en détails palpitants. La description, par exemple, des appartements privés où se déplaçait chaque semaine le couple officier-indicateur aurait intéressé n'importe quel anthropologue. Et pourtant, je n'arrivais à prêter attention qu'à ma propre angoisse, tel un drogué en manque à la recherche de son poison.

Comme si je replongeais subitement dans l'angoisse des années quarante, une chance s'offrait à moi de comprendre, fût-ce tardivement, une réalité que je m'étais efforcé de chasser dans des brumes hors d'atteinte. Des incertitudes et des névroses recyclées.

Combien de temps dura cette schizophrénie ? Un an, deux ans ? Alin me prouva que, même dans l'État policier communiste, l'amitié entre suspects pouvait être durable. Il me tint informé, jusqu'au bout, des services qu'il fournissait à l'Institution Suprême.

Pour finir, le faux indicateur quitta la Jormanie socialiste et continua de m'écrire, de loin, avec la même affection, faisant la démonstration que le destin ne nous séparait pas.

Son successeur se montra moins empressé de se démasquer, et je ne parvins pas à l'identifier. Sans doute les critères de recrutement s'étaient-ils améliorés. Je scrutais mon entourage, les nouveaux venus, les masques qui partout se multipliaient. Visages anodins, attitudes naturelles, la duplicité se généralisait, l'angoisse devenait un bien collectif.

L'exploitation de l'homme par l'État ne se révélait pas plus séduisante que l'exploitation de l'homme par l'homme. L'abolition de la propriété privée avait ruiné l'économie et transformé progressivement les citoyens en propriété de l'État. La xénophobie s'était raffinée, l'ère du bonheur était devenue celle du soupçon, tous ses bénéficiaires potentiels, promus dans la catégorie des suspects à surveiller. Au lieu d'une concurrence démagogique entre partis, dominait la démagogie absolue du Parti unique. Le chaos du libre marché et de la liberté de parole faisait place à la schizophrénie des tabous. La complicité forcée culminait dans une perversion qui était tout un symbole : la carte rouge.

Des sujets tabous, jusque sur le divan du psychanalyste ? Les tumeurs de la duplicité, voilà un vrai sujet de thérapie !

Le médecin susceptible de me libérer du trauma causé par mon métier d'ingénieur était poète, tout comme l'indicateur quelques années plus tard, mais, contrairement à ce dernier, il n'était pas mon ami. Le risque du dialogue demeurait délicat à apprécier, car même les angoisses mises au jour dans un cabinet médical n'appartenaient plus à l'individu.

Les zones d'ambiguïté, comme les enclaves de normalité, se restreignaient. Des décennies, des époques entières passaient dans l'attente d'un dégel miraculeux. Mais lorsque surgissait, périodiquement, l'espérance, elle paraissait légitimer l'incertitude en multipliant les pièges. Le soupçon et la duplicité s'insinuaient peu à peu jusque dans la cuisine et la chambre à coucher, dans le sommeil, le langage, les comportements.

Avais-je besoin de répéter au psychiatre-poète ce qu'il ne savait que trop ? L'État ne possédait pas seulement les écoles, les hôpitaux, les maisons d'édition, les imprimeries, mais aussi les forêts, l'air, les eaux, la terre, les stades, les boulangeries, les banques, les cinémas, les usines de boutons et d'armement, l'armée et les cirques, les jardins d'enfants et les asiles de vieillards, la musique, les médicaments, les bergeries. Et jusqu'au médecin et son patient ! Que ce soit pour acheter un mouchoir avec lequel s'essuyer le nez, un lit où dormir, du lait pour le petit déjeuner, une montre, des chaussures ou une prothèse dentaire, on faisait appel aux fonctionnaires lymphatiques et arrogants de l'État, formés par le code d'éthique et d'équité socialiste : « Nous faisons semblant de travailler, ils font semblant de nous payer. »

Qu'était mon psychiatre, sinon un fonctionnaire de l'État ? Très probablement muni de la carte rouge. Le Parti, force conductrice ! C'était le secrétaire du Parti, et non le directeur (nommé lui aussi par le Parti), qui dirigeait le lycée, l'abattoir, les ateliers de couture, l'académie ! Sans oublier la polyclinique, bien sûr !

Dans un pays que ses traditions politiques portaient vers la droite, la carte rouge n'avait cessé de se répandre, comme par scissiparité. Sans elle, on n'allait pas très loin, même si on n'allait pas beaucoup plus loin avec. On eût difficilement trouvé, au sein du nouveau Parti des Parvenus, au bout d'un demi-siècle, beaucoup de vrais communistes. Les clichés de la propagande servaient aux jongleurs du Cirque Totalitaire : personne n'y croyait plus. La vie, ou ce qu'il en restait, s'était déplacée vers une autre scène, souterraine celle-là, où régnaient le chuchotement, le langage codé, l'esquive. Le camarade médecin aurait-il été disposé à se laisser psychanalyser par un patient qu'obsédait cette comédie des doubles rôles ? Le poète aurait-il trouvé un équivalent lyrique à ce chaos de la duplicité, régi à la surface par les masques du Pouvoir et perpétué sous terre par le poison des ressentiments ?

Les questions du patient se retournaient vite contre lui-même, comme s'il s'était approprié les tics du psychiatre, lisant les yeux fermés le thème de la séance : l'Initiation d'après l'Initiation. L'*Adaptation*, en quelque sorte ? À quoi le survivant s'était-il donc adapté ?

Cette question familière devait revenir, au cours de la décennie suivante, dans le cabinet d'un psychiatre américain. On reconnaît la réponse, tout aussi familière : c'est à la vie, et à la vie seulement, que s'adapte le survivant des dictatures, qu'elles soient noires, vertes ou rouges, avec cette impertinence de la banalité qui est la vie même, ainsi résumai-je ma biographie au seuil de cette nouvelle expérience, celle de l'exil, non moins éducative que les précédentes. Comment être écrivain sans être libre ? demanda alors l'Américain, spécialiste des psychoses de la liberté dans le Nouveau Monde – une question ressemblant à une plaisanterie dans la bouche de son collègue d'Europe de l'Est, mais un échange d'expériences entre l'expert en pathologie de la contrainte et l'expert en traumas de la liberté n'aurait pas été inutile.

Les psychiatres de ces deux mondes si différents, mais tous deux malades, auraient trouvé beaucoup de ressemblances, et pas seulement des différences.

La liberté de l'Homme Nouveau signifiait « nécessité bien comprise », apprenaient au médecin et à son patient les dialecticiens marxistes du Parti, de moins en moins marxiste, de la Roumanie. Qui dit nécessité dit adaptation. Et qui dit adaptation dit pragmatisme, *Sir* ! Donc, la nécessité bien comprise, camarade !

L'apprentissage des banalités et des extravagances que vous

inculque si pédagogiquement la vie vous adapte à elle, docteur. À la vie et à rien d'autre, à l'Est comme à l'Ouest et dans l'univers entier.

L'avenir promis par les fables communistes devenait l'enfer des interrogatoires ou des prisons. Il restait, à part cela, un purgatoire burlesque, soumis aux boussoles du Parti et à sa météorologie variable. Dès lors que le pain n'était plus la mesure de toutes choses, le trafic des subterfuges autorisait des trucages délectables, ainsi que le montrait la « libéralisation » post-stalinienne en Europe de l'Est. Les ambiguïtés multipliées nous avaient permis de faire nos débuts, de médecin et de patient, de patient et d'informateur, dans les publications et les maisons d'édition de l'État et du Parti !

Un jeu aux règles mouvantes, où les mots tabous, les idées taboues, les allusions taboues étaient régis par le canon capricieux de la nécessité bien comprise. Après un livre, puis un autre, ayant échappé aux détecteurs de la censure, étais-je mieux protégé socialement ? Certes, mais j'étais aussi plus surveillé : le Parti honorait ses artistes de ses privilèges et de ses sanctions, écrire n'était une profession qu'avec la légitimation de l'Union des écrivains, dirigée et contrôlée par le Parti, le statut de vedette se négociait avec le diable, et le suspect sans profession ni salaire encourait l'accusation de hooliganisme, c'est-à-dire de parasitisme, ainsi que le stipulait la loi socialiste.

Restait l'esquive, n'est-ce pas, camarade docteur ? La réalité montrait son vrai visage non seulement aux étals des bouchers et des marchands de légumes, mais aussi dans les cabinets médicaux. Un milicien envoyé d'urgence dans le grand hôpital psychiatrique de la capitale resta interdit devant les fous qui, se contaminant mutuellement, s'écriaient allégrement ici et là : « À bas le communisme ! À bas le *Conducător* ! » Alors qu'il s'apprêtait à les arrêter, il s'était heurté à l'opposition du directeur. « Nous sommes dans un asile de fous. De fous, ne l'oubliez pas ! » Ce à quoi le policier rétorqua, avec un parfait bon sens :

« Fous ? Comment ça, fous ? Mais alors, pourquoi ne crient-ils pas : "Vive le Communisme, vive le *Conducător*" ? » Il formulait, sans le vouloir, toute l'ambiguïté de la maladie nationale.

La fenêtre du cabinet, assombrie par le crépuscule, reflétait le visage ridé du vieux poète, sauvé des illusions par la pratique de la médecine. Quand il parlait, ce chauve ventripotent et grasseyant avait l'air d'un spécialiste de l'échec.

– Et au bout d'un an, qu'est-ce que vous allez *faihe* ? Ou même de deux ans ? L'allocation est faible, à peine la moitié du *salaihe* d'un *ingénieuh*. Et combien de temps *pouhhez*-vous *tenih* avec une allocation de maladie ?

Peu importait ! Indéfiniment, étais-tu prêt à t'écrier. Le toqué qui exerçait son métier d'ingénieur douze heures par jour, dans une immense salle envahie par les tables à dessin, les téléphones et la fumée des cigarettes, étouffé sous le papier-calque et hébété par des calculs qu'il n'était même pas sûr de mener à bien, en cage à perpétuité ? Le remède au trauma était-il un trauma plus violent encore ? L'écriture, au moins, vous fait sortir tout d'un coup de la colonie pénitentiaire, le massacre reste extérieur, comme l'écrit Kafka : « ... bond hors du rang des meurtriers, acte-observation »[1].

– La pension de niveau deux, *alohs* ?... De niveau deux, ou de niveau *thois* ? Le niveau *thois*, c'est six mois. Avec *hévision* tous les six mois par une commission d'*expehts*. *Pouh* le niveau deux, chaque année.

Le spécialiste attendait une réponse. La réponse fut une question : et le niveau un ?

– Le niveau un signifie : *ihhécupéhable* ! Une situation *ghave*, *ihhécupéhable* ! Je *n'optehais* pas *pouh* un tel diagnostic. En aucun cas !

1. Franz Kafka, *Journal*, 27 janvier 1922, trad. Marthe Robert, Grasset, 1954.

Et pourquoi pas ? se retint de protester le toqué. Le vrai écrivain n'est-il pas, justement, « irrécupérable » ? Tout juste apte à rester dans sa cage, à jouer tout seul avec les mots comme un demeuré. Lecture, écriture, encore lecture, encore écriture, n'est-ce pas, docteur ? Maladie et thérapie, thérapie et maladie, et ainsi de suite jusqu'à la fin des fins. Vous enseignez la médecine, docteur, donc vous n'êtes pas *ihhécupéhable*, mais l'ingénieur devant vous ? J'ai trop longtemps pratiqué la schizophrénie du dédoublement et de la duplicité. Dessins, calculs, tableaux, devis, comme si j'étais celui que je prétendais être ! Tremblant de peur, à chaque instant, que l'imposteur soit finalement découvert et précipité dans l'escalier. Le clown de l'asile, couvert de crachats sous un tonnerre d'applaudissements. Seule l'esquive peut encore nous sauver, docteur.

Décrire l'impasse ou se contenter d'y recourir comme prélude aux falsifications ? Il me fallait le convaincre que ce à quoi il participait était une coopération amicale, pas une consultation.

– Bon, alors niveau deux, balbutiai-je du bout des lèvres.

L'avantage consistant à être soudain propriétaire de son temps dans une société où le temps était étatisé comportait aussi un piège : soit on collabore avec l'Institution Suprême, soit on est isolé comme l'irresponsable qu'on prétend être. Mais, prêt à courir le risque d'une nouvelle Initiation, tu as parcouru toutes les étapes du protocole, et le médecin a finalement signé le congé de longue maladie.

Les symptômes décrits dans le dossier médical étaient-ils une variante stylisée de tes symptômes véritables ? Tu refusais de te considérer comme un patient, préférant le rôle secondaire de falsificateur. La falsification était-elle, en elle-même, signe de maladie ? Tu ne venais pas pour la thérapie, mais pour fuir le purgatoire qui enchaînait l'Autorité malade à ses sujets tombés malades.

Tu as continué, ensuite, à te méfier des psychiatres. Tu aimais mieux les lire que les consulter.

Lorsque le docteur Freud t'a demandé ce qu'il restait de juif chez un Juif qui n'est ni religieux ni nationaliste, et ignore la langue de la Bible, tu as bredouillé la réponse qu'il a lui-même formulée: *beaucoup*. Tu n'as pas expliqué ce que le terme signifiait, et lui-même n'a pas eu l'imprudence de le faire.

Ni religieux, ni nationaliste, et ignorant la langue sacrée!... Le docteur Freud se serait-il, en fait, décrit lui-même? Sans définir le terme? La définition du Juif réside-t-elle dans la triade religion-nationalisme-langue? Le père de la psychanalyse, pourtant obnubilé par la sexualité et le complexe d'Œdipe, aurait-il ignoré la circoncision, le serment gravé dans la chair le huitième jour après la naissance? Le calendrier nouveau s'ouvre avec la circoncision de Jésus, le 1er janvier! Et la circoncision, inscrite dans la chair, est irrévocable.

Avec la bénédiction de ton grand-père Avram-Abraham, tu devins, par la circoncision, Noah. Un nom de code biblique, qui n'était pas destiné à l'usage public, nul besoin de te déculotter en public pour montrer Noah aux gens. Le docteur peut-il ne pas s'intéresser au circoncis Noah, dialoguant avec le «double» caché dans son pantalon et avec sa biographie «parallèle», secrète, ni moins comique, ni moins révélatrice que celle de l'individu avec ou sans religion, ethnie ou langue sacrée? Herr Doktor Freud peut-il ignorer tout cela?

Avec le temps, tu eus droit, comme le docteur Freud, à des guillemets. Monsieur Lyotard, de nos jours, ne considère pas Sigmund Freud comme un Juif, mais comme un «Juif», de même que ses confrères Walter Benjamin, Theodor Adorno, Hannah Arendt ou Paul Celan. Ce sont non seulement des Allemands non allemands, mais aussi des Juifs non juifs, explique le Français. Des suspects qui mettent en doute la tradition, la mimésis, l'immanence, et aussi «l'émigration, la dispersion et l'impossibilité de l'intégration».

En d'autres termes: la «double impossibilité du non-changement et du changement».

À cinq ans, dans le camp de Transnistrie, le Juif était Noah, pas Norman. À cinquante ans, au seuil du nouvel exil, la relation entre eux deux devenait plus complexe : un nœud qui ne peut qu'intéresser le docteur Freud.

Le psychanalyste aurait dû être sommé de répondre enfin, non seulement à ses propres questions, mais aussi à celles de la postérité ; de dire non pas ce qui reste quand on a perdu ce qu'on n'avait pas, mais comment on devient juif par l'holocauste, le communisme, l'exil. Des traumas juifs par définition ? Des initiations gravées dans l'âme, et pas seulement dans le corps, qui vous font Juif même si vous ne l'étiez pas ? Lyotard qualifie de « non-peuple de survivants » cette catégorie de Juifs non juifs dont la communion ne dépendrait que de la « profondeur singulière d'une interminable anamnèse ».

Une perpétuelle exploration du temps ou du sens perdu ? Une anamnèse devant le miroir ? Ne froncez pas ainsi les sourcils, Herr Doktor. Franz Kafka, passablement sceptique envers l'anamnèse freudienne, n'est pas cité parmi les porteurs de guillemets. À la question « Qu'ai-je en commun avec les Juifs ? », monsieur K. répondit : « C'est à peine si j'ai quelque chose de commun avec moi-même[1]. »

Kafka n'est pourtant pas un Juif non juif, mais un Juif véritable, même s'il n'était pas spécialiste mais simple débutant en hébreu, n'était ni pratiquant ni nationaliste.

Il est difficile d'oublier la page sur le « tiroir du coffre à linge » où il aurait bien fourré, jusqu'à l'asphyxie, le peuple élu tout entier. « Moi compris » et « jusqu'à consommation des choses », insiste-t-il[2]. Une profession de foi indiscutablement juive, remplaçant à la fois la religion, l'ethnie et la langue sacrée ! Seul un Juif peut s'affranchir ainsi de la fatigue et de l'horreur de soi, de la haine

1. Franz Kafka, *Journal*, 8 janvier 1914, trad. Marthe Robert, Grasset, 1954.

2. Franz Kafka, *Lettres à Milena*, p. 68, trad. Alexandre Vialatte, Gallimard, 1956.

millénaire dont il a été l'objet. Nous en percevons encore l'écho lorsque Kafka rapporte à Milena l'insulte de « race lépreuse » scandée dans une rue pragoise – mais aussi, on le sait bien, dans les salons et les amphithéâtres de l'université. Et pas seulement à Prague. La haine du Juif ne s'est tue ni dans la Prague de Kafka, ni dans la Vienne si chère au professeur Freud, ni à Londres où il est mort en exil, ni dans d'autres lieux moins célèbres.

Mais n'entendons-nous pas aussi, comme Kafka, l'écho de nos propres contorsions, Herr Doktor ? Ce que nous entendons, n'est-ce pas la lassitude de devoir encore nous défendre ? La perfection des autres, qui n'acceptent pas notre imperfection ? « Dans le combat entre toi et le monde, seconde le monde », répétait Kafka l'invaincu.

La lassitude liée à cette appartenance serait excusable, murmure le vieux Sigmund Freud. Nul ne peut vous accuser de ne pas avoir tenté d'ignorer l'adversité, ajoute-t-il. Tantôt on défend son destin, tantôt on l'oublie pour le défendre de nouveau l'instant d'après, et finir par se lasser de ce vain exercice. Renonce, par conséquent, à prendre trop au sérieux la comédie de chaque jour, ne lui fais plus l'honneur de tes questions, sois inattentif, écervelé, courtois, adopte la simplicité et l'absurdité de l'indifférence : voilà ta thérapie. Sois sourd, muet, naïf, distrait, absent.

Qu'est-ce que l'exilé, après l'Holocauste et le communisme, pourrait avoir en commun avec les Juifs, s'il n'est pas même sûr d'avoir quelque chose en commun avec lui-même ?

Beaucoup, affirme le docteur viennois : que tu le veuilles ou non, tu as beaucoup en commun avec eux et avec toi-même. Lié, à l'âge de cinq ans, à un destin collectif, tu es lesté d'une lettre de créance plus pesante qu'un serment gravé dans ta chair.

« À nous, les Juifs, jamais on ne pardonnera l'Holocauste », proclamait un écrivain juif allemand, à l'époque où tu fuyais non l'Holocauste, mais le communisme, et à Berlin justement.

L'Holocauste n'était que trop évident, une impudence qui ne méritait pas de pardon.

Outre l'Holocauste et le communisme, certaines fautes plus légères, plus ambiguës sont également difficiles à pardonner. Herr Freud, coupable de judéo-psychanalyse, est bien placé pour le savoir.

Mais on ne peut décliner purement et simplement un tel honneur, quand bien même ce serait possible. Être soupçonné, accusé de tous les maux, du début jusqu'à la fin des temps : c'est ça, la gloire ! On ne renonce pas à un tel privilège, même si les stéréotypes sont malaisés à supporter : éternelles victimes, éternels vengeurs, éternels conspirateurs, à quoi s'ajoute, depuis peu, le nouveau protocole des Sages de Sion : le « monopole judaïque de la souffrance » !

La banalisation de la tragédie, inlassable entreprise humaine ! C'est seulement depuis qu'elle est devenue cliché que la tragédie a élu domicile dans la mémoire collective. La mémoire veille à ce que l'horreur ne se répète pas, les discours commémoratifs ont valeur d'avertissement ! Identité commune, mémoire commune, race, ethnie, religion, idéologie.

Enfin transplanté sur la planète du pragmatisme, tu croyais fuir à la fois le passé et l'identité, devenir une simple « entité », comme le rêvait cette Américaine de Paris, Gertrude Stein. L'attentat de jeudi, imprimé dès vendredi sur des tee-shirts tout neufs, en tant que forme immédiatement commercialisable de la mémoire collective ?

Sigmund Freud comprendrait la confusion de l'exil, la dépossession, la frustration et la libération qu'il implique. Il sait ce que signifie le domicile impersonnel de la chambre d'hôtel, refuge ultime de l'exilé, sa patrie démocratique de location. Hospitalière et indifférente, comme il se doit.

Tu examines les petites photos, ridées et jaunies par le temps, qui te servent de miroir. Juin 1945, Fălticeni, dans le Nord de la

Roumanie, deux mois après le retour de Transnistrie de l'initié, deux heures après la clôture de la fête de fin d'année scolaire.

Un garçonnet frêle, mignon, en pantalon blanc et chemise blanche, un quart de pas devant les autres lauréats, trois garçons et trois filles. Son attitude de vainqueur paraît l'unique chose qui le distingue de ceux qui n'ont pas bénéficié des privilèges de l'Initiation. Le survivant légitimé par ses lauriers! Cheveux peignés avec soin, sourire photogénique. Pied gauche en avant, main sur la hanche: une star face à l'objectif! Il semble avoir oublié l'apprentissage au milieu des milliers d'affamés et de loqueteux dont s'amusaient les metteurs en scène de la mort.

Le petit Auguste s'était instantanément changé en son contraire, le Clown Blanc, le chevalier couronné de lauriers, applaudi par les cannibales du mélodrame. Ses années d'absence au monde étaient effacées. Il avait retraversé le Styx pour se retrouver sur la rive de départ, vivant, confirmé dans l'existence, dans l'Éden redevenu sien.

Au cours de l'autre moitié du siècle, l'Éden deviendrait colonie pénitentiaire. Tu as traversé de nouveau, en sens inverse, le Styx devenu océan: tu es sur la rive opposée à ta rive de départ. Le cheveu rare et grisonnant, le costume de scène moins immaculé. Le retour en enfance n'a plus la candeur initiale, l'auréole de la survie sert à d'autres spectacles de la Mémoire.

La photo du garçon de neuf ans accélère-t-elle l'anamnèse, le jeu d'adresse avec le scalpel, l'escrime avec toi-même? Même alors, à la fin de l'année scolaire 1945, tu te serais replié sur toi-même, heureux d'être oublié à tout jamais dans un coin de la pièce. Vaste solitude de l'*entité*, comme aurait dit Gertrude Stein, exaltation de se retrouver et de se reperdre dans la fluidité infinie du soi confus. Sur le visage immobile et absent de ton père, tu reconnaissais parfois les signes de cette sénescence instantanée, de la paralysie de la solitude. L'effroi te réveillait, tu te hâtais de reparaître sur la scène des vivants, de retrouver tes professeurs, tes parents, tes amis.

Ce n'est pas seulement dans ton enfance que revenaient, cycliquement, les crises d'extase et d'effroi. Tu étais continuellement obsédé par la même image : et si, annihilé dans l'absence, tu cessais soudain de fonctionner ? Tu gardais cependant une solution en réserve, l'illusion de l'esquive, fuir au dernier moment le danger qui rôde, omniprésent, dans l'obscurité !

L'inconnu alentour pouvait devenir hostile à tout moment, comme hier, le 9 octobre 1941, quand les apparences s'étaient écroulées l'une après l'autre, abattant les masques familiers. Sur la rampe de la gare de Burdujeni, le malheur ne pouvait plus être arrêté. Tu reverrais souvent, dans ton sommeil, cette troupe de métèques affamés, grelottants et terrorisés, qui distrayaient les bourreaux dans leur loge. Par la suite, et pour toujours, tu as prudemment redouté le chaos, hésité à provoquer l'inconnu. Tu t'es finalement niché dans le refuge fluide de la langue. Refuge ultime, essentiel ? Ne cherchais-tu rien d'autre qu'un refuge ?

Le docteur Freud pourrait s'intéresser à ces exercices de mémoire. Sois ce que tu es, disait Pindare et répétait Nietzsche, et voici que Sigmund Freud le répète à son tour. S'agit-il de l'anamnèse de la tragédie collective, Herr Freud, ou de l'incapacité du solitaire à supporter l'uniforme de la tragédie, vendu bon marché au coin de la rue ?

Mais la négation des horreurs, leur caricature ennuyée ? La banalisation ne serait-elle, en fin de compte, qu'une opération nécessaire de digestion et d'élimination, visant à stimuler la vitalité de la comédie humaine ? Comment, sinon, les malheureux acteurs pourraient-ils jouir des fruits de notre terre ? N'oublions pas que Primo Levi, devenu écrivain à cause et à la suite d'Auschwitz, n'a jamais été capable d'écrire une simple histoire d'amour, sereine comme le ciel de l'Italie.

L'humiliation d'être défini par une négation collective et par une catastrophe collective n'est pas négligeable, docteur Freud. Mais nous ne sommes pas seulement des catastrophes collectives, quelles qu'elles soient. Parce que nous sommes différents les uns des autres, nous sommes plus que cela, plus et autre chose. Plus et autre chose, plus et autre chose, devrions-nous répéter dans toutes les langues de la terre, comme un disque rayé que l'on ne peut plus arrêter.

La souffrance ne nous rend ni meilleurs ni héroïques. La souffrance, comme tout ce qui est humain, corrompt, et la souffrance exhibée en public corrompt irrémédiablement. Mais on ne peut renoncer à l'honneur d'être insulté, non plus qu'à l'honneur de l'exil. Que possédons-nous d'autre que l'exil ? L'exil d'avant et d'après l'exil. Ce n'est pas la dépossession qui est à déplorer, seulement les préparatifs en vue de l'ultime dépossession.

Il nous reste, à tout moment, l'hôtel *L'Arche de Noah* et l'art du pragmatisme !

*

Le temps a passé, tu as connu les joies et les maladies de la liberté, tu as accepté l'honneur de l'exil... C'est de cela que tu parlais, cet après-midi-là, à tes amis américains, dans la villa aux environs de New York. Tu avais, disais-tu, accepté ton destin, mais tu continuais à parler de l'ambiguïté, des ambiguïtés du camp, de la colonie pénitentiaire communiste, des ambiguïtés de l'exil.

Les assertions péremptoires t'effraient, même quand elles viennent de toi : « L'exil commence à la sortie du placenta. » Pourtant, l'audace et l'inflexibilité de la formule ne semblaient plus t'effrayer. « La mère serait notre vraie patrie. Seule la mort nous libère de cette appartenance aussi », continuais-tu à déclamer. Sans doute t'efforçais-tu de te donner du courage à l'approche de ton retour dans le passé. Mais l'absence d'humour paraissait de mauvais augure. « Le retour dans la Patrie ne serait que le retour au tombeau de la mère », as-tu affirmé en guise de conclusion. Comme si tu commençais à croire toi-même aux paroles que le miroir enregistrait scrupuleusement. Un premier pas, peut-être, vers l'impossible et inévitable retour.

On ne doit pas prononcer à la légère des phrases sarcastiques sur la mort et les tombeaux. Mais le public te gardait sa sympathie.

Tu étais vivant, te disais-tu, dans le présent vivant, non dans le passé maintenu en vie. La pluie avait cessé, la sérénité de l'après-midi était accueillante. Une quiétude hospitalière, sans pensées ni questions, la simple beauté du jour. Le présent, c'est-à-dire ici et maintenant.

LE SECOND RETOUR
(LA POSTÉRITÉ)

En route

Au cours de l'été 1988, quelques mois après mon arrivée dans le Nouveau Monde, je reçus du président du Bard College, dans l'État de New York, un message inattendu. Il comportait des appréciations flatteuses sur l'un de mes livres, paru en Allemagne, ainsi que la proposition d'enseigner un semestre ou deux.

Je ne rencontrai Leon Botstein qu'au printemps 1989, à l'occasion de ma visite au Bard College. C'était un homme de haute taille, élégant, à nœud papillon et lunettes. Un air d'alchimiste. Je m'attendais à être embauché immédiatement, mais le contact se réduisit à une poignée de mains. Je dus passer devant un comité de sélection. « C'est la démocratie ! », m'expliqua le président. Huit ans plus tard, j'avais publié des livres, reçu des prix, j'étais devenu *writer in residence* et professeur au Bard College. Parallèlement, ma situation évolua dans ma Patrie aussi : mon article sur Mircea Eliade et ses relations avec la Garde de Fer m'avait promu au rang d'ennemi public n° 1, division internationale.

Le retour à Bucarest, au printemps 1997, semblait jeter un pont entre les deux prémisses.

À 15 h 45, je suis à l'aéroport Kennedy, au comptoir de Lufthansa, où j'ai rendez-vous avec Leon. Nous sommes dimanche 20 avril, jour anniversaire de la naissance d'Adolf Hitler. Comme nous voyageons en *business class*, nous avons droit à la *lounge* et à des boissons gratuites. Je lui rappelle le programme du séjour, et l'informe qu'à Bucarest l'obsession du moment est l'adhésion de la Roumanie à l'OTAN.

– On pourrait bien te demander, quand on t'interviewera à la télévision, ce que tu en penses.

– Moi ? Mais je ne suis ni du Pentagone ni du Département d'État.

Certes non, mais l'entrée dans l'OTAN est une sorte de test quant à la valeur nationale et l'avenir du pays, et l'Occident, qui a trahi la Roumanie à Yalta puis à Malte, passe un examen décisif.

Une semaine avant le départ, je reçus d'un conseiller du Président de la Roumanie, comme d'autres Roumains d'Amérique, une enveloppe volumineuse contenant divers appels nous exhortant à soutenir immédiatement l'admission de la Roumanie dans l'OTAN. « Dès aujourd'hui, sans attendre demain ni après-demain. Envoyez un mot au Palais Présidentiel de Cotroceni, nous saurons ainsi qui sont nos vrais amis. » Le Président fit même état, à la télévision, de l'intention des autorités roumaines de dresser la liste de ceux qui faisaient leur devoir. Cet archivage du patriotisme des exilés n'avait pas l'air d'une plaisanterie.

– Est-ce un avantage pour nous, ou non ? Et le fait que tu m'accompagnes ? À moins que ce ne soit moi qui t'accompagne ?

En fait, l'OTAN n'était pas, à ce moment-là, le seul sujet d'intérêt de l'opinion bucarestoise. Le *Journal* de Mihail Sebastian, écrit entre 1935 et 1944, venait de paraître en Roumanie, suscitant des débats enflammés. Il fallait que Leon se prépare aussi à cette thématique. En trois phrases, comme à la télévision américaine : « Un écrivain juif roumain, mort en 1945, et qui a décrit dans son *Journal* les années du fascisme. Ce livre est le pendant roumain de *Ich will Zeugnis ablegen bis zum letzten* de Victor Klemperer[1]. Il révèle la paranoïa pro-nazie de quelques

1. Victor Klemperer, *Mes soldats de papier. Journal (1933-1941)* et *Je veux témoigner jusqu'au bout. Journal (1942-1945)*, traduits de l'allemand par Ghislain Riccardi, Le Seuil, 2000.

intellectuels roumains et leur antisémitisme. » Le nom de Klemperer pourrait donner lieu à quelques anecdotes sur le cousin de l'auteur, le chef d'orchestre Otto Klemperer, évidemment bien connu de Leon.

Nous finissons par monter dans l'Airbus. Des fauteuils larges, rabattables, avec téléviseur incorporé. L'hôtesse, grande, blonde, nous propose une variété impressionnante d'aliments et de boissons. Nous apprenons qu'elle est née dans le New Jersey, mais qu'elle est retournée vivre en Allemagne avec sa famille. Leon me répète qu'il ne serait pas allé à Bucarest sans moi et que ce retour va enfin me détacher de ma vie antérieure. Je connais la chanson, j'aimerais croire qu'il a raison, mais je préfère oublier, oublier jusqu'à l'image que nous incarnons.

– Que veux-tu dire ?

Leon, intrigué, dirige vers moi la bouteille d'eau minérale qu'il tient dans sa main droite.

– Le couple classique : l'Auguste et le Clown Blanc.

Le sujet ne paraît guère l'inspirer.

– Le Clown Blanc est le chef, le Maître, l'Autorité. L'Américain, en somme. Le Président... le chef d'orchestre !

Le Président sourit, attendant la suite.

– L'Auguste est le paria, le malchanceux qui encaisse les coups de pied au postérieur, pour le plus grand plaisir de la foule. L'Auguste, l'Exilé.

– Comment ça, des coups de pied au postérieur ? Un écrivain respectable, *writer in residence*, honoré par plusieurs prix et, récemment, par une *endowed chair*, une chaire universitaire... Qui est ce boss qui donne des coups de pied au postérieur du pauvre artiste ?

– En tout cas, nous sommes ce couple en route vers l'Est, où l'Auguste a vécu et où il servira de guide au Maestro. Il lui rendra l'hospitalité qu'il a reçue au cirque du Nouveau Monde.

Leon ne sourit ni ne fronce les sourcils, tout cela n'a pas l'air de l'amuser.

– Dans le carnaval américain, comme tu dis, l'exilé représente la victime. Dans le cirque oriental, c'est en vainqueur que le clown revient d'Amérique.

Il s'est enfin déridé, et suit des yeux la partition de l'oratorio de Schumann sur ses genoux. L'Auguste a perdu l'envie de discourir, il n'a qu'à ravaler ses larmes de gélatine. Le couple s'assoupit, se réveille, consomme de l'eau, du vin, des lingettes, des collations, des répliques évasives.

Le vieux guide touristique de la Jormanie socialiste des années 1980 a glissé par terre.

The Socialist Republic of Romania lies between 43° 37' 07" and 48° 15' 06" lat. N and 20° 15' 44" and 29° 41' 24" long. E. With its 237,500 square km. (91,738 square miles) it is ranking 12th in size among the European countries[1], énonce la voix hésitante du somnambule. *East and North, Romania borders upon the Soviet Union, which means the Maculist Empire, West upon brotherly Socialist Republic of Hungary, South-West upon Federal Socialist Republic of Jugoslavia. Around the central plateau of the Carpathian Mountains…* [2].

L'Auguste reprend son souffle et écoute ses pensées : un beau pays, des intellectuels raffinés, beaucoup de gens de bien. Mais aussi quelque chose d'ineffable, d'insaisissable. Les diminutifs, le charme, les excréments.

Il est sept heures du matin, nous sommes à Francfort. Deux heures d'attente avant le vol de Bucarest. Nous faisons le tour des boutiques de l'aéroport. Leon s'achète des *cigars*, des stylos-billes, des crayons pour sa collection. Nous retournons à la

1. La République socialiste de Roumanie est située entre 43° 37' 07" et 48° 15' 06" de latitude Nord et 20° 15' 44" et 29° 41' 24" de longitude Est. Avec 237 500 km², elle est le douzième pays d'Europe par sa superficie.

2. Elle a pour voisines l'Union soviétique, c'est-à-dire l'Empire Maculiste, à l'est et au nord, la République socialiste sœur de Hongrie à l'ouest, et la République socialiste de Yougoslavie au sud-ouest. Autour du plateau central des Carpates…

Senator Lounge nous assoupir dans ses fauteuils confortables.

Dans la salle d'attente, j'entends enfin les premières phrases en roumain, et suis pris de panique. À la fenêtre, un groupe de jeunes en jeans et survêtements élimés, qui s'invectivent bruyamment. Je scrute les visages autour de moi. Seraient-ce les agents des nouvelles mafias ou des vieux services secrets, engagés pour suivre le suspect de retour dans sa Patrie ? Je repère le professeur roumain revenant d'un congrès, la vieille dame qui rentre de chez sa fille en Allemagne, le médecin, l'homme politique, le nouvel homme d'affaires. Dans un coin, un mannequin aux cheveux bruns, en costume noir impeccable, penché sur son attaché-case et sa pile de dossiers. Encore un agent ?

Nous sommes dans l'avion. La séparation entre première classe et classe économique est moins marquée. Bousculade, vacarme. J'ai retrouvé mon pouls d'homme angoissé. Leon, qui m'observe, comprend que je suis déjà chez moi. L'aéroport d'Otopeni. Provincial, petit, non dépourvu d'une agréable modestie. Le contrôle des passeports se déroule rapidement, sobrement. Nous attendons les bagages dans un espace réduit et bondé. Passagers, policiers, porteurs, badauds, tout le bourdonnement de l'impatience orientale. Les bagages tardent, nous cherchons un chariot. Eh oui, il y a même des chariots ! Quelque chose a tout de même changé au cours de ces dix ans… Au guichet de change, une employée aimable. Leon me consulte : « Combien ? » Je lui réponds : « Cent. » La somme lui paraît mesquine, il change deux cents dollars, et se retrouve avec… un million de lei dans les mains ! Il regarde, interloqué, la liasse de billets usés. « Te voilà enfin millionnaire ! », lui dis-je pour l'encourager. À la sortie, nous sommes attendus par un chauffeur et la représentante de la Philharmonie.

La banlieue d'Otopeni, pauvre, miteuse, saturée de publicités américaines. En approchant de la chaussée Kisseleff, la perspective s'ouvre, on voit des arbres, des parcs, des villas anciennes. Leon semble intrigué par l'architecture du quartier, mélange inédit d'Orient et d'Occident. Je balbutie, sentimental, que oui, le quartier a eu naguère son heure de gloire, mais que son élégance s'est dégradée sous la dictature du prolétariat et avec la génération de parvenus qui a suivi. Nous arrivons à Calea Victoriei. La célèbre artère a l'air plus courte que dans mon souvenir, en un instant nous sommes au pont sur la Dîmboviţa, près de mon dernier domicile. Nous tournons à gauche, vers l'université, puis encore à gauche, vers l'Intercontinental.

« Je me demande si les tables d'écoute de la Securitate existent encore... » dis-je tout bas à Leon, et je lui raconte l'histoire qui fit le tour de Bucarest au début des années quatre-vingt. Une brave vieille dame française, avant de prendre la clef de sa chambre dans cet Intercontinental où nous allions nous installer, interrogea avec méfiance le réceptionniste. « S'il vous plaît, j'aurais une faveur à vous demander... » Affable, l'officier déguisé en employé l'avait encouragée, dans un français très acceptable, à parler sans détour. « Voilà, j'ai entendu dire qu'ici les chambres sont sur écoutes. Est-ce que par hasard il serait possible... s'il vous plaît, je vous en supplie, donnez-moi une chambre sans micros. » La pauvre *chérie**! Elle fut, pendant des mois, le personnage fétiche des blagues de Bucarest.

Premier jour : lundi 21 avril 1997

Il est quinze heures. Nous faisons une entrée triomphale dans le hall de l'hôtel Intercontinental, qui fut un haut lieu de la Securitate, section des étrangers. Je suis désormais moi aussi un étranger, même si l'employé de la réception s'empresse de me souhaiter la bienvenue en roumain. Aussitôt nos réservations retrouvées, deux chambres voisines, on nous annonce que la voiture de la Philharmonie reviendra à 16h30 pour emmener l'invité américain à la première répétition.

J'entre dans la chambre 1515, et m'apprête à défaire mes valises quand le téléphone sonne. La voix agréable d'une jeune femme de la Télévision roumaine, qui sollicite une interview. Je refuse, poliment. Elle m'accorde un délai, le temps de reprendre mes esprits, de réfléchir. La Transnistrie, Periprava, Eliade, mes succès en exil, ne sont-ils pas des sujets que j'aimerais aborder ? Non, je ne céderai pas, même à la voix de Natacha Rostova[1]. « Vous avez l'honneur d'être haï », déclara, admiratif, Baudelaire à Manet. Je répète ces mots pour rompre le sortilège, me protéger à la fois de l'émotion, de la névrose et de la politesse ! Qui veut-on interviewer ? L'ennemi public ? La victime du fascisme et du communisme ? Ou l'écrivain solitaire et timide, ovationné par les Yankees ? Je suis simplement un intrus suppliant qu'on l'ignore.

1. Héroïne de *Guerre et Paix* de Léon Tolstoï.

La récente mésaventure de Kundera à Prague Après quelques retours furtifs au lendemain de 1989, il accepta une invitation officielle : des lauriers qui réconcilieraient la Patrie avec son enfant prodigue et célèbre. Mais au dernier moment il se sentit hors d'état de prendre part aux festivités. Il s'enferma, tel un assiégé, dans sa chambre d'hôtel, et suivit à la télévision la cérémonie au cours de laquelle son épouse accepta les honneurs en son nom.

Le téléphone sonne de nouveau. C'est mon ami Bedros qui me souhaite la bienvenue. Je me réjouis de l'entendre après tant d'années, je me réjouis de pouvoir encore me réjouir. Il passera me voir dans une demi-heure. Je n'ai pas le temps de défaire mes valises que mon vieil ami Tête-d'Or appelle à son tour. Je jette ma veste sur le lit, ouvre la fenêtre, les valises, et vois une enveloppe glissée sous la porte. « Message-fax. SOCIÉTÉ ROUMAINE DE TÉLÉVISION. Nous nous permettons d'insister pour que vous accordiez une interview à la rédaction des émissions culturelles de la télévision nationale. Nous espérons que vous comprendrez notre souhait, étant donné que votre présence ne saurait passer inaperçue. La rédaction tient à votre disposition une équipe de tournage mardi 22 avril 1997, nous vous serions reconnaissants, etc. » Je sors mes vêtements de la valise, les mets dans l'armoire, me lave la figure, les mains, Bedros apparaît.

Il reste un instant sur le seuil. Nous nous regardons en souriant. La tristesse de voir dans l'autre le reflet de soi-même donne la mesure du temps écoulé, mais aussi de son indulgence pour de telles retrouvailles. Il a toujours sa barbe noire, son aspect hirsute, ses grands yeux noirs, ses petites mains et ses petits pieds, la même voix passionnée, comme s'il était l'un des héros de son *Encyclopédie des Arméniens*. Et on dirait qu'il porte toujours le même pull-over… Petit, trapu, il parle à toute allure, d'une voix grasseyante, comme alors, dans le Bucarest des mascarades de Ceauşescu, quand nous discutions ensemble de livres ou des potins littéraires du moment. Je devine que c'est lui qui a inspiré la lettre de la télévision trouvée sous ma porte, puisque c'est lui qui dirige les émissions culturelles.

– Oui, j'avoue, c'était mon idée.

Je lui explique pourquoi je veux mon retour aussi discret que possible, n'être interviewé par personne, ne mettre personne dans l'embarras.

– J'ai pensé à vous, ces derniers temps. J'ai pensé à vous en lisant le *Journal* de Sebastian. Les choses ont tendance à se répéter, que voulez-vous…

Il reste silencieux, puis les mots se précipitent.

– Un personnage à parenthèses, c'est l'image que je gardais de vous. Un personnage proustien… Je vous l'ai dit, j'ai pensé à vous. J'en ai discuté avec des amis, ils étaient d'accord avec moi : une structure proustienne.

Je parais surpris par la flatterie, si bien qu'il ajoute :

– Même quand nous parlions de choses mineures, vous aviez cette façon de toujours nuancer votre propos. Une phrase dans la phrase, une parenthèse dans la parenthèse.

Je revois mes promenades avec Bedros, nos circonvolutions proustiennes dans le souterrain socialiste. Nous sortons sur le balcon, il m'aide à repérer le Palais des Téléphones, à suivre des yeux la Calea Victoriei jusqu'au bout, jusqu'au pont, jusqu'au numéro 2 qui fut mon dernier domicile bucarestois. La ville paraît vieillie, fatiguée, apathique. Proustiens, ces souvenirs ? Proustien, cet exil dans ma propre chambre ? Et le véritable exil ? Et le masque de l'« ennemi » popularisé par les journaux de la Patrie ?

Nos retrouvailles ont le même caractère apaisé et affectueux que celles de mai 1990, à Paris, au Salon du livre. Il venait de Bucarest, moi de New York. Mon livre, exposé sur le stand d'Albin Michel, s'appelait justement *Le Thé de Proust*… Bedros était là en surnuméraire, il ne faisait pas partie de la délégation des nouvelles élites, auxquelles je m'étais senti soudain étranger.

Notre déjeuner dans un petit restaurant parisien avait confirmé, sans détour ni complications, la sincérité de nos retrouvailles. Et à présent Bedros me redécouvre sous les parenthèses de la caricature qui m'a remplacé sur la scène publique roumaine.

– Vous voulez boire quelque chose ? Une bière, une eau minérale, un Pepsi ?

Il se décide pour un Pepsi, je sors deux bouteilles du minibar. Après une longue gorgée, il reprend son monologue.

– Récemment, quand est paru le *Journal* de Sebastian, j'ai pensé à l'analogie avec votre situation. Je comprends pourquoi vous ne voulez rencontrer personne, ni donner d'interviews. En ce moment, les Roumains qui rentrent de l'étranger n'arrêtent pas de donner des interviews, de se faire applaudir, fêter. Ils sont éblouis par les salamalecs des Portes de l'Orient. Une petite cure d'adulation.

Il me décrit la misère du pays, la littérature, les hommes politiques, les gens de la Securitate qui se sont enrichis, les chiens errants, les enfants des rues. Après un demi-siècle d'attente, le pays méritait autre chose. Je regarde son dernier livre sur la table, avec son visage de prêtre et de vieux sage arménien sur la couverture. Le téléphone me sauve de la mélancolie. C'est Ioana, mon amie poète qui a été attachée culturelle de Roumanie à Washington et qui est maintenant salariée de la fondation Soros. Il faut que je descende discuter avec elle du programme de Leon.

Plus de dix ans ont passé depuis la *séquence Ioana*, avant mon départ de la Jormanie socialiste. C'était aussi au printemps, à l'heure du déjeuner. « C'est ici que se trouve notre vérité. Nous sommes des écrivains, nous n'avons pas d'alternative. » J'étais plus d'une fois tombé, moi aussi, dans l'orgueil du malheur, et il m'avait plus d'une fois réconforté dans mon désespoir. Mais je trouvai alors une autre réponse. « Pour écrire, il faut être vivant. La mort ne rôde pas que dans les bureaux de la Securitate. Les appartements sans chauffage, les pharmacies sans médicaments, les magasins vides, voilà les masques de la mort. » Ioana avait survécu au cauchemar final de la dictature, était devenue après 1989 une bonne professionnelle de la culture et de la diplomatie, avait publié des livres. De mon côté, j'avais survécu en exil, et à présent je parvenais difficilement à endiguer son flot d'amabilités et de détails bureaucratiques.

Du quinzième étage de l'hôtel, je regarde de nouveau Bucarest, Bedros me montre l'immeuble de la télévision, l'Athénée, l'hôtel Lido, l'université. Nous rentrons dans la pièce, reprenons notre conversation. Quelque chose s'est passé, dans la hâte, mais il y a trop à expliquer, nous avons vécu si différemment et à une telle distance, au cours de ces dix ans. Il me demande des nouvelles de Cella. Je lui dis qu'elle a parfois eu, elle aussi, du mal à s'adapter, mais qu'elle a maintenant son propre atelier de restauration. Elle travaille beaucoup, et a fini par accepter l'exil, elle aussi.

– J'ai eu rarement l'occasion de la rencontrer. Et ma femme ne l'a vue qu'une seule fois, à votre anniversaire en juillet 1986. Mais elle nous a laissé un souvenir très fort. C'est pour cela qu'à la fin de mes lettres, j'ajoute « mes hommages à votre épouse ».

Il faudrait que nous passions du temps ensemble, sans nous presser, sans parler, pour retrouver les mots simples du passé. Nos retrouvailles sont trop hâtives, elles ressemblent à un lot de consolation. Mon éternelle méfiance, ma « blessure proustienne » ? Nous échangeons des paroles à demi-mot, avec un petit sourire entendu.

À cinq heures apparaît dans l'encadrement de la porte mon ami Naum, avec son crâne osseux et luisant, sa coupe de conscrit. Tête-d'Or ! Son regard vif, concentré. Nous nous regardons, sans illusions : oui, voilà ce que nous sommes, voilà tout ce qu'il reste de nous… J'ai l'impression qu'il est encore plus osseux qu'avant, que les vents de la vieillesse l'ont desséché. Ses cheveux ont blanchi, mais il a conservé sa décontraction, et aussi son humour. Dix ans plus tôt, déjà, au Comité central des menteurs, sa nonchalance virile l'aidait à garder l'équilibre sur le fil ténu de la mascarade, s'amusant autant de sa propre performance que de celle des autres.

Son sourire, son rire, son détachement, sa confiance en soi sont toujours là. « La politique ne m'a jamais intéressé », me répétait au téléphone, ces dernières années, l'ancien politicien, intrigué que ce soit justement moi, l'apolitique, le solitaire, qui remue toute cette boue. « Moi, je ne cherche ni à comprendre ni à expliquer. Je ne fais que raconter. Je suis le Scribe. Rien de plus ! », disait-il encore et encore, sans aller toutefois jusqu'à parler de son implication dans la mascarade d'autrefois.

Ce qui nous rapprochait à l'époque, c'étaient les livres, les plaisanteries, peut-être aussi son philosémitisme dans un pays qui ne l'encourageait guère. Ce sont sans doute les mêmes choses qui nous rapprochent aujourd'hui encore. Ainsi que son sens de la fidélité, que j'ai pu éprouver à distance après l'avoir éprouvé de près. Nous ne savons trop par où commencer, je lui montre le cadenas sur le lit, préparé pour lui. Je lui ai apporté, en effet, le cadenas qu'il m'a demandé.

– C'est un modèle cher, lui dis-je. Appelons-le Kermit, comme dans le *Muppet Show*... Nous sommes les seuls Roumains à en savoir le code. Les voleurs d'ici ne viendront pas à bout de cette serrure américaine. Tu seras inviolable ! Même les microbes ne pourront plus entrer chez vous.

Notre dernière rencontre... Faut-il que je tente de déchiffrer, à des années de distance, un autre code, celui de cette promenade de l'automne 1986 ? Le président de l'Union des écrivains voulait me parler loin des micros des bureaux officiels. Tête-d'Or m'avait transmis le message. Une promenade à trois dans un parc, dans la chaleur étouffante de l'automne. Des courants d'air frais jaillissaient des bosquets, troublés par l'étrange résonance de nos voix fébriles. Nul n'aurait pu deviner que nous avions des opinions et des positions différentes : le président se plaignait que rien ne fonctionne plus et déplorait, en son nom comme au nôtre, l'hystérie antisémite officielle. Mon camarade Tête-d'Or, l'intermédiaire, observait comme moi un silence approbateur. S'agissait-il d'une ultime tentative officielle pour amadouer le futur transfuge ? Il ne pouvait ignorer les dessous de cette entrevue inopinée. Moins de deux mois plus tard, à Washington, j'apprendrais que le Parti avait annulé le prix que me décernait l'Union.

Était-ce donc tout ?... Ne s'agissait-il que d'une fleur à la boutonnière ? Le fin mot de cette promenade de conspirateurs était-il à ce point dérisoire ? Les négociations entre le Parti et l'Union ayant évidemment échoué, le président voulait que je reste sur une impression favorable, et Tête-d'Or connaissait forcément les raisons de cette longue et mystérieuse promenade. Ma famille et mes amis qui m'attendaient à la maison s'inquiétaient de mon retard, convaincus que la Securitate m'avait tendu un piège.

J'hésite à lui demander si cette étrange flânerie dans le parc avait pour seul but de fléchir celui qui s'apprêtait à partir pour l'Occident, je préfère regarder mon ami, et être regardé par celui qui était mon ami même à l'époque où il jouait à la politique, et qui le reste maintenant qu'ont disparu le Parti, sa roulette et ses loteries. Je suis venu de loin, des brumes d'un autre temps et d'une autre géographie.

Lui poser la question ne rime à rien, il me répondrait en vieux Bucarestois, par une de ses plaisanteries coutumières, s'étonnant de ma naïveté et coupant court à toute réplique. « Tu t'intéresses encore à la politique, mon vieux ? Moi, je ne m'y suis jamais intéressé, et pas davantage en ce moment. » Sont-ce là ses paroles ou les miennes ? Qui peut le savoir, et à quoi bon poser des questions dans un lieu sans réponses ?... Mais si je n'essaie pas d'avoir ce dialogue honnête avec un vieil ami, qui pourra s'étonner de ma répugnance pour la rhétorique publique ? Ou du fait que ma prétendue « célébrité » me déprime... « Une célébrité littéraire en exil », dit-on ici. Mais une célébrité aussi dans la Patrie, déjà, en tant que « traître » – entre autres titres de noblesse.

En 1986, j'avais l'impression de revivre les années quarante. Aujourd'hui, un jeune critique lit dans ma prose les « stigmates d'un trauma », le « noyau névrotique de la déportation ». Il en déduit « une réticence, un refus, un repli sur soi... des réactions autistes, des mécanismes d'introversion ». Je n'ai pas envie, c'est vrai, d'affronter ceux qui voudraient, comme autrefois, me coller au mur et me cribler de balles. Mais, d'un autre côté, les interlocuteurs qui m'intéressent m'inhibent. Le déroulement de mon voyage était donc prévisible depuis le début : si l'escargot ne quitte pas sa coquille de peur d'être blessé, à quoi lui servent ses antennes, à quoi bon s'être lancé dans l'aventure ?

Tête-d'Or m'a concédé un long silence, et maintenant il rit, content du cadenas et de nos retrouvailles. J'apprends la difficulté de la survie post-communiste, l'existence d'une nouvelle classe de parvenus, la pauvreté généralisée, la mise à la retraite de son épouse qui n'a retrouvé qu'un petit boulot épuisant, le regroupement des gloires littéraires anciennes et nouvelles. Mon ami est trop jovial pour se plaindre ou pour exhaler son ressentiment : il fait un résumé serein, lucide, viril. Il s'étonne du mauvais goût de la chambre, saute au plafond quand je lui en dis le prix.

Je le raccompagne au rez-de-chaussée, sors de l'hôtel, m'arrête à la librairie Dalles toute proche, et entièrement refaite. J'entre timidement et, grâce à Dieu, je n'identifie aucun des vieux pèlerins de cette secte des lecteurs qui se reconnaissent sans se connaître. Même Liviu Obreja, mon ancien ami, le Blond, connu dans toutes les librairies de Bucarest, est absent de son terrain de chasse favori.

Rayonnages pleins, affluence, volumes élégants, en roumain, en français, en anglais. Soudain, je suis saisi d'un étourdissement, mes mouvements sont incertains. Je n'avais plus été aussi troublé en entrant dans une librairie depuis 1979, lors de ma première visite en Occident, à Paris, quand je courais, désorienté, d'un rayon à l'autre de la FNAC pour noter les titres, compter et recompter l'argent dont je disposais... Non, cela ne se reproduira pas, rien ne le justifie. Mon trouble, ma confusion ont une tout autre cause : des livres roumains, des titres roumains, des mots roumains ! Je revois la haute bibliothèque murale de mon appartement bucarestois, envolée quand je suis parti en 1986. Depuis, j'ai cessé d'acheter des livres... j'accumule seulement les volumes offerts par des amis ou des éditeurs. J'ai retenu la leçon de la dépossession, et pas seulement pour les livres.

Non, ce n'est pas la pâmoison de 1979, c'est seulement l'émotion de me trouver de nouveau dans une librairie roumaine.

À sept heures et demie, je me dirige vers l'Athénée, pour la répétition. Le boulevard Magheru n'a pas changé, et pourtant il semble différent. Les maisons sont sales, les piétons rigides, rabougris, fantomatiques. L'air de la rue m'est étranger, je suis étranger moi aussi, et les piétons également. L'endroit est désert, les passants rares. Soudain, le choc : le docteur Buceloiu ! Est-ce bien lui ? Mais oui, c'est bien le docteur Buceloiu, le gastro-entérologue qui, une décennie durant, a soulagé mes maux de ventre. Il n'y a pas le moindre doute. Ces gestes ralentis, cette tête massive, ce visage sombre... c'est bien le docteur Buceloiu ! Je me rappelle sa voix rauque de fumeur, son épaisse tignasse noire. Il avance lentement, comme un vieillard, avec sa grosse veste de cuir et sa grosse écharpe de laine en plein mois d'avril. Il tient par l'épaule, avec délicatesse, un vieillard encore plus vieux que lui, petit et voûté, aux cheveux complètement blancs. Je ne parviens pas à m'arracher à cette expérience onirique, finalement je me décide à repartir, non sans les suivre des yeux tandis qu'ils s'éloignent, à tout petits pas, avec une lenteur fragile, orientale.

Je traverse à la hauteur du cinéma Scala, en face de l'immeuble Unic où a vécu, jusqu'à sa mort, la mère de Cella. Tout est identique, et rien n'est plus pareil. Quelque chose d'indéfinissable et d'essentiel pourtant, un cataclysme invisible, un dérèglement magnétique, une hémorragie interne, a bouleversé le décor. Davantage de saleté, peut-être, mais l'on comprend, en regardant attentivement la rue, que ce n'est pas forcément cela. Des trottoirs défoncés, des tranchées béantes à chaque pas, mais le vrai changement n'est pas là non plus. Je m'attarde plus que nécessaire. Je contemple le magasin Unic, le cinéma Scala, le salon de thé du même nom, l'hôtel Lido, l'hôtel Ambasador. Est-ce mon exil inachevé, ma blessure non refermée, ma rupture encore vive, quoique atténuée ? Il y a, objectivement, autre chose : c'est la réalité elle-même qui est traumatisée, aliénée. Cette sombre immuabilité a les apparences de la stabilité, mais n'est que maladie, ruine et perversion.

La mort, oui, la mort est passée par là, et le défunt passe aujourd'hui, de la même façon, dans le paysage de sa biographie où il ne trouve plus sa place ni aucune trace de lui. Un espace de transit, indifférent comme la nature elle-même, dans le silence, permanent et sombre, de la pierre. Après ma mort, la Mort a visité le lieu. Mais n'était-elle pas déjà là, n'était-ce pas elle que j'avais fui ? En 1986, la dictature était devenue la Mort, tout lui appartenait, le paysage, la rue, les piétons.

Je me hâte de passer sur l'autre trottoir. L'ancien restaurant Cina. Une ruelle déserte, où commence à tomber un petit crachin. Soudain, je sens tout autour de moi, et à l'intérieur de moi, quelque chose d'étrange. Se pourrait-il que survienne, dans ce *no man's land*, à cet instant, à cet instant précis, l'accident, le crime, l'agression mystérieuse ?

Je presse le pas, j'arrive dans la cour de l'Athénée. La façade est en restauration, couverte d'échafaudages, le trottoir est défoncé, plein de boue. Je pénètre dans le hall où je me suis tant de fois trouvé. Deux hommes sont en train de parler. Ils ont l'air d'ouvriers du bâtiment, mais peut-être font-ils partie de l'administration de l'Athénée. Attiré par les sons qui proviennent de la salle, je monte le superbe escalier de marbre en spirale et entre par la porte de gauche.

Leon est sur l'estrade, face à l'orchestre, les manches retroussées, une bouteille d'Évian dans la main droite. Un fakir désespéré devant une horde de bouffons. Le désordre dans l'orchestre et le chœur est à peine croyable. Oui, là aussi, la mort est passée, réduisant en poussière les beaux messieurs d'autrefois, avec leurs tenues solennelles et leurs instruments sacrés. Ils ont été remplacés par des braillards en jeans et vestes extravagantes.

« Encore une fois », ordonne le chef à cette classe de cancres hypnotisés par leur propre hystérie, qui donnent l'impression d'avoir été recrutés dans la rue pour la circonstance. À tour de rôle, ils contestent, partition en main, la valeur des notes, les silences, les bémols. L'invité d'au-delà des mers paraît accablé, l'interprète peut à peine placer un mot. « Encore », crie le chef exaspéré, en faisant signe au premier violon qui se lève pour traduire : « Encore, à partir de la troisième mesure. » La cacophonie recommence, Leon boit une nouvelle gorgée d'Évian, retrousse une fois de plus ses manches, lève toujours plus haut sa baguette impériale.

Comme sur un ring de boxe, knock-out, l'invité est plaqué au sol. Le chef se relève avec peine, étourdi, il est huit heures dix. Le match devait durer jusqu'à huit heures et demie, mais le combat a été épuisant, se séparer semble la seule alternative.

Leon descend de l'estrade en titubant. Il lève les mains vers le plafond où sont peints les portraits des princes roumains, en murmurant : « Ave Maria. » Je me lève pour aller à sa rencontre. Ioana nous assure que la deuxième répétition sera meilleure et que tout ira bien le jour du concert. L'orchestre improvisé travaille dans des conditions abominables, pour des salaires de misère, subissant toutes les humiliations.

Nous sortons dans la rue, à la recherche d'un taxi. Ioana se propose de nous accompagner pour que nous ne nous perdions pas. Je sors de ma poche l'enveloppe sur laquelle est écrit

SEDER[1]. «*Dear Mr. Botstein*», lis-je. «*We saved two places, for you and Professor Manea, at the Seder, for April 21, 1997. The Seder will start at around 20.00 hours and the fee is 15 $ per person, to be paid at the entrance to Mr. Godeanu. The Seder will take place in the Jewish Community's Restaurant in Bucharest, at 18, Popa Soare Street. I regret that I will not be able to greet you, I will be in Israel at that time*[2].» La lettre est signée Alex Sivan, directeur exécutif de la Fédération des communautés juives de Roumanie. Leon tenant absolument à participer à cette soirée au milieu de ses coreligionnaires, l'ambassade des États-Unis à Bucarest a obtenu des invitations.

Les rues sont désertes, pas le moindre taxi à l'horizon. Il en apparaît finalement un tandis que nous nous dirigeons vers l'université. Les sièges n'ont pas de ressorts, nous nous enfonçons dedans. Je donne l'adresse, le chauffeur n'a jamais entendu parler de cette rue. J'essaie de lui expliquer: c'est une rue qui donne dans Calea Călăraşi, la partie de Calea Călăraşi qui a été détruite pour construire le Grand Palais Présidentiel. «Je ne connais pas cette adresse», répète le chauffeur, laconique et buté.

Nous voilà de nouveau dans la rue. La pluie redouble, deux taxis vides passent sans s'arrêter, nous montons dans le troisième, le chauffeur accepte de nous conduire mais il ne sait pas très bien par où passer. Nous atteignons le rond-point, il tourne vers l'ancien boulevard Dimitrov puis, au petit bonheur, à droite, encore à droite, à gauche. «Lorsque nous verrons les cordons de police, cela voudra dire que nous y sommes», dis-je

1. Repas du premier soir de la Pâque juive.

2. Cher Monsieur Botstein, nous vous avons réservé, au professeur Manea et à vous-même, deux places pour le *seder* du 21 avril 1997. Le *seder* commencera à 20 heures et la participation aux frais est fixée à 15 dollars par personne, à payer à M. Godeanu à l'entrée. Le *seder* aura lieu au restaurant de la Communauté juive de Bucarest, 18 rue Popa Soare. Je regrette de ne pouvoir vous accueillir moi-même, car je serai en Israël à ce moment-là.

en me rappelant les soirées de *seder* socialistes, les cordons de miliciens dans les rues autour du restaurant rituel. On devait se soumettre au contrôle bien avant de pouvoir accéder aux lieux : une surveillance tous azimuts, contre les terroristes arabes, les dissidents fauteurs de scandales, les provocateurs antisémites, les Juifs en quête de passeport.

Nous tournons en rond, quand soudain le chauffeur annonce, triomphalement : « C'est là, je le savais bien ! Regardez, il y a écrit Popa Soare. » Et, de fait, c'est bien ce qu'indique la plaque au coin de la rue. Nous revenons vers le numéro 18, je reconnais l'immeuble. Surprise : aucun cordon de policiers. Juste un vigile armé et un gardien en civil revêtu de la traditionnelle veste en cuir. Apparaît un petit vieillard, *kippa* sur la tête, qui nous confirme qu'on est au courant de notre venue et que nous sommes attendus. Il oublie de nous réclamer les 15 dollars, nous entrons dans le bâtiment, il nous tend deux *kippot* blanches. La serviette et le trench-coat de Leon restent au vestiaire, de même que ma canadienne. Nous montons l'escalier jusqu'à la salle des fêtes, luxueusement illuminée, où les Juifs de Bucarest célèbrent Pessah 5757.

Les tables sont disposées comme il y a dix ou quinze ans : une table centrale, le « présidium », pour les officiels, et, perpendiculairement à elle, huit tables pour les invités. On nous désigne deux places à une table à gauche. Nous pouvons voir de près le président, le biologiste Cajal, de l'Académie des sciences, son épouse et les dirigeants de la Communauté. Au vestiaire, on ne nous a pas donné de ticket pour nos vêtements, mais on nous a remis le dernier numéro de *Realitatea evreiască*, qui a succédé à l'ancienne *Revista a Cultului Mozaic*[1]. Les communistes préféraient le mot « culte », les post-communistes juifs préfèrent un terme plus neutre.

Le « présidium » ne se préoccupe ni de son hôte américain ni

1. Respectivement *Réalité juive* et *Revue du culte mosaïque.*

de l'ancien membre de la Communauté juive de Roumanie. Je me rappelle brusquement qu'en 1982 je m'étais prononcé dans la presse contre le nationalisme et l'antisémitisme officiels et que, du coup, les dirigeants de la Communauté m'évitaient. De telles imprudences, qui les gênaient visiblement bien plus qu'elles ne les aidaient dans leurs relations avec les autorités, étaient l'apanage du Grand Rabbin, dans un jeu politique où les organisations juives américaines et israéliennes servaient de moyen de pression et de compensation. Mais les temps ont changé, l'actuel président n'est plus le Grand Rabbin, la stratégie d'autrefois ne se justifie plus.

« En quoi cette nuit se distingue-t-elle de toutes les autres nuits ? », demande celui que j'ai été.

L'âge a posé de nouveaux masques sur les visages anciens, et quant au Cerveau des grandes mises en scène, au Maître des cérémonies, pas seulement religieuses, il affronte le Jugement dernier. Je ne reconnais pas l'atmosphère de duplicité festive d'autrefois : des quarts de vérité emballés dans des devinettes, comme l'exigeaient à la fois le Code et les efforts pour le saper. Je ne vois pas le sourire servile des chefs déguisés en serfs, ni celui de leurs doubles en uniforme de gala bardé de décorations. Les citations du Règlement des Réflexes Conditionnés ont disparu... Je m'efforce en vain de retrouver l'entrain pervers, le climat de complicité, les figurants pittoresques de naguère. La Pâque de l'année 5757 ne comporte plus cette excitation que suscitait le risque, à l'époque de l'esclavage et des escamoteurs socialistes. Il reste une assemblée somnolente de survivants apathiques, qui sont venus réécouter la légende, mais n'ont pas la force de revivre sa parodie immédiate.

– Bienvenue ! – une voix autoritaire m'arrache brusquement au calendrier ancien.

L'homme massif, chauve, élégant, portant lunettes qui est en face de moi me tend, par-dessus la table, une énorme main, grande ouverte. Il sourit, attend que je le reconnaisse et, déçu, dit son nom d'une voix ferme et imposante. C'est vrai, j'aurais dû le reconnaître. Il faisait partie, au temps du Pharaon socialiste, des rares visages normaux qu'on pouvait voir sur le petit écran. Je me tourne vers Leon et lui présente monsieur Iosif Sava, qui doit l'interviewer pour la *Soirée musicale* de la télévision. Leon s'incline cérémonieusement devant le critique musical et son épouse, avec laquelle il a tôt fait d'engager en allemand une discussion animée sur le spectacle auquel nous sommes en train d'assister.

– Vous venez aussi, naturellement, dit monsieur Sava en s'adressant à moi.

– Non, je regrette. Je ne viendrai pas. C'est monsieur Botstein qui est interviewé. Je vous l'ai précisé la semaine dernière, de New York.

– Ce n'est pas possible… il le faut ! C'est justement ça qui donnerait tout son intérêt à l'émission. Et puis, bien sûr, vous assureriez la traduction. Vous n'allez pas refuser ! Je vous attends tous les deux vendredi matin à la Télévision, à l'entrée Pangrati, répète-t-il, inflexible, de sa voix de baryton.

Décontenancé par ce ton impératif, je cherche mon salut à droite et à gauche.

– Cette discussion n'a pas de sens… intervient sa conciliante épouse. Monsieur Botstein parle parfaitement l'allemand, je peux assurer la traduction moi-même.

Je regarde autour de moi : je reconnais des poètes, des acteurs, des fonctionnaires de la Communauté, visiblement vieillis. J'identifie un ami de mon ami Mugur, deux acteurs du Théâtre Juif, un compositeur de tubes. Mais la Pâque n'est plus ce qu'elle était… Il manque le Maestro, l'infatigable Grand Rabbin et Président de la Communauté, metteur en scène et acteur vedette de tant de productions à sensation du théâtre totalitaire, député vingt ans durant au Parlement communiste, consultant du Département d'État et intermédiaire avec Israël, commis voyageur diplomatique de la Roumanie socialiste, toujours chargé de hautes missions et de rôles d'envergure.

Il est difficile d'oublier les fêtes religieuses juives des derniers temps de l'État communiste athée, les tables couvertes de mets traditionnels, le vin d'Israël. Les paroissiens d'honneur à côté des officiels du Parti et parmi les invités capitalistes venus de l'étranger. La nuit se distinguait des autres nuits en ce qu'elle consacrait l'art du Bonimenteur, qui aurait aussi bien pu être ministre des Travaux publics, ou de l'Information, ou de l'Industrie.

Le système tolérait, voire encourageait ce genre de spectacles, non seulement pour étourdir l'étranger, peu habitué à cette extravagante « liberté » communiste, mais aussi pour enregistrer les noms, les visages, les paroles des participants. Le luxe de la contradiction, sous la surveillance des mouchards déguisés en paroissiens ou en leurs adversaires athées. Et on pouvait observer bien des choses : la coopération ambiguë, et mutuellement avantageuse, entre les maîtres fourbes et leurs esclaves encore plus fourbes, qui servaient simultanément deux maîtres, ou davantage... tout en jouant leur rôle de citoyens obéissants, arborant leurs propres visages en guise de masques.

Maintenant que le communisme a succombé et que le rabbin est mort, ont disparu et le risque et les masques. Un monde élimé, une salle miteuse, un rituel réduit à un cérémonial de routine.

Non, impossible de comparer ce bedeau chétif et bredouillant avec l'illustre docteur Moses Rosen ! La doublure est indigne du rôle, on dirait un écolier de *heder* d'un autre siècle, qui continue de rappeler sans succès l'auditoire à l'ordre, d'une voix fluette et avec des gestes désespérés. À sa gauche, sa femme en robe vert poireau, une énorme perruque rouge sur sa grosse tête, lui jette de temps à autre un bref regard pour lui signaler l'ennui qui s'est emparé de la salle.

– Qui est ce rabbin ? dis-je en m'adressant au monsieur gras et silencieux assis à ma gauche.

Mon voisin se retourne, placide. Son visage est large, ses paupières lourdes.

– Il vient d'Israël. Ils l'ont fait venir d'Israël, m'informe-t-il en deux mots, en me tendant la main.

Il se présente, docteur Vinea. Dans la dame pâle, en robe de dentelle noire, qui est à côté de lui, je reconnais une ancienne camarade de faculté.

– D'Israël ? Mais il parle roumain.

– C'est un Juif roumain de là-bas, explique l'épouse, qui ne m'a pas reconnu. Ce sont les Américains qui paient, ce sont donc eux qui choisissent. Et que choisir pour la Roumanie, sinon ce qu'il y a de moins cher ?

Je me tourne vers Leon pour lui traduire ces explications, et le surprends en pleine conversation avec le couple qui est à sa droite, un Juif américain représentant une banque new-yorkaise à Bucarest et sa compagne roumaine, qui parle un anglais désinvolte et ne semble pas gênée le moins du monde que son amant évoque toute sa famille du New Jersey, son épouse, ses filles, ses gendres, ses frères, ses belles-sœurs, ses neveux et nièces.

– Je ne sais pas où, mais nous nous sommes déjà rencontrés, déclare la femme du docteur Vinea en me regardant fixement.

– Nous étions étudiants. Vous étiez plus jeune d'un an.

Elle est surprise, elle s'anime.

– Vous avez fait hydrotechnique ? J'ai eu mon diplôme en 1960.

– Votre nom m'était familier pour d'autres raisons, intervient le docteur Vinea.

– Oui, certains me connaissent pour d'autres raisons, dis-je dans un murmure, couvert par le chœur langoureux apparu sur l'estrade.

Leon ne semble intéressé ni par le chœur ni par le rabbin, seulement par le Juif américain qui dirige la filiale de City Bank à Bucarest et par la jeune personne qui adoucit son exil scythe. Et par le goût du vin, du pain azyme israélien, de la soupe traditionnelle, et du rôti, froid mais bon. Aussi bon que les herbes amères de la légende et le souvenir de la sortie d'Égypte jormanienne et socialiste, en cette nuit du retour où le passé usurpe le présent et me restitue à celui que je ne suis plus.

Mon ancienne camarade de faculté veut savoir quand j'ai quitté le pays, où j'habite en Amérique, comment je m'en sors. Elle se propose de me faire visiter le Palais du Dictateur, il faut aussi voir l'intérieur, et même surtout l'intérieur, c'est quelque chose qu'il faut visiter en prenant son temps, pas comme un touriste. Je la remercie tout en refusant, nous n'avons pas le temps, notre programme de visite est court et chargé. Non, je n'ai pas d'e-mail, bien que je vive en Amérique. Un jour j'en aurai un, oui, forcément, inévitablement.

Je montre l'heure, minuit, le gâteau ratatiné dans l'assiette, mais Leon n'a pas envie de partir. Il finit tout de même par s'y résoudre, nous nous retirons, le « présidium » ne s'en aperçoit pas, les invités capitalistes ne bénéficient plus d'une attention spéciale et c'est tant mieux.

Il pleut – une obscurité médiévale. C'est par une nuit comme celle-là que, voici quelque quarante ans, dans la Prague stalinienne, fut assassiné le représentant de l'Agence juive. Le stalinisme est passé de mode, pour les assassins de Culianu nous ne serions pas des cibles de choix, et Leon ne semble pas sensible à ces sombres évocations. Ce s*eder* bucarestois a réveillé sa nostalgie.

– Fascinant ! Cela m'a rappelé ma famille d'Europe de l'Est. Une atmosphère qu'on ne retrouve plus nulle part. Nulle part ! Ce rabbin avec son épouse, cet homme de télévision avec sa femme... Ce sont des ombres surgies d'un autre temps ! Et puis ce chœur, et cet Américain avec sa jeune maîtresse... *Gott sei dank*, la Roumanie est restée loin en arrière dans la course au capitalisme. *Gott sei dank*[1] *!*

Je me tais, guère convaincu de cet avantage. Je m'arrête juste

1. Dieu soit loué.

au milieu de la place, la main tendue vers un improbable taxi. L'Auguste, de petite taille et engoncé dans son habit du dimanche, et le Chef d'orchestre, grand et élégant, portant nœud papillon et cartable, partent à pied vers le centre.

C'est près d'ici que j'ai loué une chambre quand j'étais étudiant. Là, parmi les petites rues obscures qui s'enfoncent sur la gauche, il y a la rue Alexandru Sihleanu, et au numéro 18 dort la vieille maison, dorment les nouveaux locataires, le fantôme du docteur Jacobi, décédé depuis longtemps, et sa grasse et querelleuse épouse, également décédée, ainsi que sa maîtresse du sous-sol, sujet de disputes quotidiennes au sein du ménage, sûrement décédée elle aussi, un hommage de la Mort Souveraine et Démocratique qui travaille non-stop, à la chaîne, avec ennui, certes, mais ô combien d'efficacité.

– Qu'est-ce qui t'a donc tant plu ? lui dis-je pour oublier ces fantômes.

– Tout, tout m'a plu ! Le rabbin empoté et sa femme rigide, l'épouse distinguée du musicologue qui parle le *Hochdeutsch*, le New-Yorkais avec sa maîtresse, le chœur, la soupe, leur biologiste de président, député en ce moment. Tout, tout m'a plu !

– Tu es venu trop tard, tu as raté le Grand Rabbin. Un quart de siècle au parlement communiste de Roumanie ! L'éminence ! Le grand *dealer*, comme vous dites en Amérique… Il a réussi à convaincre les communistes de l'intérêt qu'ils avaient à se débarrasser des Juifs !

– Eh bien, n'avait-il pas raison ?

– Si, et comment… Il a convaincu les autorités que l'émigration des Juifs avait un triple intérêt : se libérer d'une contrariété ancienne, recevoir de l'argent capitaliste, 8 000 dollars par tête, et améliorer leur image à l'étranger. Quant aux Juifs, il n'y avait plus besoin de les convaincre. La sortie d'Égypte !

– Un homme intelligent, ce docteur Rosen.

– Intelligent, c'est sûr. Pragmatique, utile à toutes les parties. Comme disait quelqu'un, il a été pour les Juifs roumains ce que les dioptries sont pour le myope. Il est malheureux d'avoir besoin d'elles, et heureux qu'elles existent. Chez mes parents, on cultivait une autre image des rabbins.

– Ils étaient croyants, tu ne l'es pas.

Nous nous taisons, et avançons dans la nuit des questions sans réponse.

– Il y a quelques années, en Israël, un chauffeur de taxi m'a demandé, en anglais, si j'étais roumain. Il m'avait entendu parler avec des parents que je venais de quitter. Je lui ai confirmé que oui, j'étais né en Roumanie. « J'ai rencontré, m'a dit le vieux chauffeur, le rabbin Rosen. Il y a bien des années de cela, lors d'une de ses premières visites en Israël. De la même façon, dans mon taxi... Je ne savais pas qui il était, car il vient beaucoup de rabbins ici, et le docteur Rosen parlait un hébreu parfait. Je l'ai d'abord conduit au ministère des Affaires étrangères. Puis au Parti travailliste. Puis chez ses adversaires du Likoud. Ensuite chez les syndicats, ensuite chez les religieux. Et même, imaginez donc, chez les communistes ! À la fin, je lui ai demandé : "Vous ne seriez pas, par hasard, le rabbin Rosen, de Roumanie ?" Il m'a répondu : "Si, c'est bien moi, comment avez-vous deviné ?" "Hé, c'est qu'ici on parle de vous. Personne d'autre que vous ne serait allé voir les religieux, les communistes, les syndicats et monsieur Begin. Ils sont incompatibles...". »

Je me tais, frappé par ce dernier mot, inopinément resurgi des ténèbres de la nuit bucarestoise. « Ici, rien n'est incompatible », disait le hooligan Sebastian.

– Tu as raison, il méritait d'être connu, vraiment. Mais même sans lui, la soirée m'a enchanté.

– Le fameux enthousiasme américain ! La bonne volonté, l'ouverture au monde.

– Si j'avais dit à quelqu'un de notre table que je ne savais pas où dormir, je suis sûr qu'il m'aurait hébergé. Mais en Amérique, qui t'aurait hébergé ? Qui t'aurait hébergé en Amérique ?

– Le Bard College.

Leon rit, nous rions ensemble.

Taxi ! Miracle, la voiture s'arrête, nous montons, nous avançons dans la pluie et les ténèbres post-communistes, serrés côte à côte dans un vieux tacot sorti tout droit d'un musée du socialisme, le président-chef d'orchestre en habit de gala et nœud papillon et son compagnon de voyage, l'Auguste exilé.

– À l'Intercontinental, dis-je pour la troisième fois, en roumain.

Le véhicule ne prend pas à gauche, comme il devrait, mais va tout droit, vers qui sait quel garage souterrain de la Mafia. Je regarde par la vitre pour reconnaître le trajet, non, ce n'est pas l'ancien décor, la Calea Călăraşi d'autrefois n'existe plus, nous sommes sur l'artère qui a porté le nom de Victoire du Socialisme, et qui mène au nouveau Versailles des Balkans, ce Palais Blanc dont le *Conducător* Suprême n'a pas eu le temps de profiter.

Le taxi tourne enfin boulevard Bălcescu, vers l'université, vers l'hôtel. Nous sommes arrivés, nous sommes au 22e étage, dans le bar désert. Nous portons un dernier toast à notre première journée à Bucarest ! Leon a l'air satisfait, le *seder* l'a régénéré, notre aventure paraît prometteuse. Nous nous quittons à une heure du matin, six heures de l'après-midi à New York, vingt-quatre heures après notre départ de l'aéroport Kennedy.

Je suis ici et là-bas, ni ici ni là-bas, passager que se disputent les fuseaux horaires, et pas seulement eux.

Le voyant rouge du téléphone signale un message. Ken, mon ami américain, est venu exprès de Moscou pour me voir. Sur la table de nuit, ouvert, le carnet à couverture bleue, et ses grandes lettres blanches : BARD COLLEGE. Le journal de bord du pèlerinage.

Deuxième jour : mardi 22 avril 1997

Ken collabore, à Moscou comme à Bucarest, au projet de privatisation financé par la fondation Soros pour l'Europe de l'Est. J'avais fait sa connaissance cinq ans auparavant, après avoir reçu de lui cette lettre inattendue : « *This is something of a shot in the dark* », proclamait d'emblée l'inconnu. La consonance irlandaise de son patronyme accentuait l'étrangeté de ce à quoi il faisait référence : un livre sur la réaction esthétique à l'Holocauste dans la littérature, la musique, l'art... « *Something you said at the conference held at Rutgers/Newark last spring has troubled me ever since... The phrase of yours that haunts me is this : the commercialization of the holocaust*[1]. »

Nous nous étions donné rendez-vous dans un pub irlandais de Manhattan, il me parla de son grand-père venu jeune et pauvre en Amérique pour y faire une brillante carrière scientifique couronnée par un prix Nobel, de sa mère française, professeur à Princeton, de son frère tué au Vietnam, et aussi de lui-même, auteur de quelques livres et préparant une étude critique sur le conservatisme moderne. Notre dialogue s'était peu à peu approfondi, évoluant vers une amitié qui n'était pas seulement littéraire. Son esprit ouvert, cosmopolite, était le fruit de

1. Je m'adresse à vous à tout hasard. J'ai été frappé par quelque chose que vous avez dit à la conférence de Rutgers / Newark au printemps dernier... Cette expression de vous qui me hante est : la commercialisation de l'Holocauste.

ses origines franco-irlandaises et de son éducation britannique à Oxford, du moralisme catholique et du jovial fair-play américain. Il venait exprès de Moscou me contempler dans mon ancien repaire.

– Quand vous avez parlé au jeune homme de la réception, votre visage s'est illuminé… Vous étiez détendu, transfiguré même. C'est la langue qui est votre blessure, je le vois.

Transfiguré en parlant à un employé d'hôtel dont je ne sais même pas au juste pour qui il travaille ?

Je retiens cependant sa suggestion, la langue est un sujet qui mérite bien qu'on en parle, après tout. « Mon pays, c'est la langue », avais-je répondu en 1979 à ma belle-sœur américaine qui me conjurait de quitter au plus vite la Jormanie socialiste. J'avais néanmoins fini par quitter, à mon tour, non pas la langue que j'habitais, mais le pays où je n'arrivais plus à respirer. « Il faudrait que tu te réveilles un matin et que tout le monde autour de toi parle roumain », me souhaita en 1993, à New York, mon amie Cynthia, consciente de mes frustrations linguistiques. Un souhait qui ressemblait à un rêve.

Ken a raison, la thérapie de la phonétique retrouvée est en train d'agir. Mais j'ai pu constater que la langue a déjà recyclé les clichés de l'ancienne langue de bois socialiste, en l'enrichissant de l'argot des films ou des publicités américaines. Lorsque, la veille, en rentrant dans ma chambre d'hôtel, j'ai allumé la télévision, j'ai été choqué de voir deux sénateurs du Parlement roumain incapables de faire ne serait-ce qu'une phrase complète. Les mêmes borborygmes, les mêmes mots déformés que dans la salle d'attente de l'aéroport à Francfort.

Nous nous dirigeons vers mon ancien appartement. Nous longeons la Bibliothèque nationale, massive et poussiéreuse, prenons la vieille rue Lipscani, sorte de tunnel envahi d'éventaires, passons devant l'église Stavropoleos, joyau miniature perdu dans la grisaille et la saleté environnantes. Trottoirs défoncés, murs lézardés, magasins dérisoires, piétons grelottants, nerveux, traqués. Après l'ancien Théâtre de la Comédie, nous descendons Calea Victoriei vers le pont, vers l'Opérette. Le bâtiment de l'Opérette n'existe plus, le pont sur la Dîmboviţa est tout neuf.

Le vieil immeuble du numéro 2 est toujours là. Je recule de quelques pas, montre à Ken le balcon de l'appartement 15, au troisième étage.

Quand nous avions emménagé, le balcon était fermé par une solide véranda de verre, ajoutant au minuscule appartement un espace supplémentaire. L'ordre de détruire les aménagements de cette sorte était venu de la Première Dame du pays, la Camarade Camarde, comme dirait Culianu. Je m'étais risqué à ferrailler en justice contre les autorités, à seule fin de recevoir la preuve écrite de l'abus de pouvoir, et d'enrichir d'une naïveté de plus ma biographie jormanienne.

– Si nous allions visiter l'appartement? Voir qui habite ici maintenant?

– Je sais très bien qui habite ici.

Ken insiste, je refuse, et ce n'est pas seulement par sentimentalisme. En 1989, après l'effondrement de la dictature et l'exécution du dictateur et de sa femme, l'administrateur de l'immeuble força la porte et emménagea, du jour au lendemain, dans l'appartement. Il le faisait évidemment avec l'appui de l'Institution Secrète pour laquelle, comme tous ses semblables, il travaillait dans l'ombre. Le naïf locataire d'au-delà des mers poursuivit l'administrateur à double fonction devant les tribunaux, mais l'Institution Suprême soutenait son collaborateur. L'impossible s'était une nouvelle fois révélé possible: la justice démocratique de la Roumanie démocratique lui donna gain de cause en 1990 et en 1991, contre le traître d'outre-Atlantique. Le métèque réfugié à New York dut payer non seulement les frais de justice, mais encore, avec ses sales dollars, la peinture de l'appartement dont il avait continué, depuis son exil, à verser le loyer durant toutes ses années d'absence.

La Loi socialiste prévoyait en effet, je l'explique à Ken, que lorsqu'on part « définitivement », on doit rendre à l'État son appartement en parfait état. Mais je n'avais pas « rendu » mon appartement à l'État, et la Loi n'était plus socialiste, même si la police secrète, les indicateurs, les administrateurs du socialisme, étaient toujours là.

Remontant Calea Victoriei, nous passons devant la Poste centrale, transformée par Ceauşescu en Musée d'histoire nationale et célébrant sa contribution ainsi que celle de la Camarade Camarde à la gloire de la nation. L'artère, impersonnelle comme la postérité elle-même, ne semble pas s'être aperçue de mon absence, elle ignore que j'ai été, durant tant d'années, son piéton fidèle. À gauche, près du magasin Victoria, redevenu Lafayette comme avant-guerre, s'élève une nouvelle construction, moderne et bien laide. À côté, l'immeuble de la Milice abrite désormais la police municipale de Bucarest. À droite, comme autrefois, la Maison des Modes, d'où l'on descendait vers la Cinémathèque.

Le tourisme *post mortem* ne doit pas être sous-estimé. Je ressens le privilège du voyage, son sadisme instantané et bénéfique. Au coin du boulevard, nous prenons à droite, vers la place de l'Université. Sur les murs grisâtres, on lit, en grands caractères d'imprimerie peints en noir : LA MONARCHIE SAUVERA LA ROUMANIE. Nous prenons le passage souterrain, envahi de boutiques, et remontons à la surface de l'autre côté, boulevard Magheru, devant l'hôtel.

À une heure, je retrouve Leon à l'Athénée. La répétition est à son point culminant, Ioana est toujours aussi serviable et disponible. J'ai du mal à superposer l'image de la poétesse d'il y a dix ans, qui électrisait l'auditoire avec *Thunder* d'Allen Ginsberg, et la fonctionnaire du ministère de la Culture qu'elle est désormais. La voiture de l'ambassade américaine nous attend dans la cour de l'Athénée pour nous conduire au déjeuner offert en notre honneur par monsieur John Katzka, consul chargé des *public relations*.

La *star* américaine et l'exilé roumain montent l'escalier du somptueux édifice ! Le Clown Blanc, grand, décontracté, élégant, aux côtés de l'Auguste, contracté et oblique, sont accueillis par l'attachée culturelle, une fonctionnaire inexpressive, et par monsieur Katzka, grand, blond, volubile, qui tout de suite s'intéresse au Bard College, à mon « prestigieux » Prix MacArthur, au programme de notre séjour dans la capitale roumaine. Bientôt, arrivent les invités roumains... *Academics, Romanian Academics,* est-il écrit sur l'invitation. Je présente Andrei Pleşu, déjà informé par George Soros qu'il serait le candidat pressenti pour diriger l'Université centre-européenne de Budapest, à Leon. Pleşu s'étonne que je n'aie pas annoncé ma visite, car j'aurais pu dialoguer avec un groupe d'étudiants « très sympathique » du collège européen qu'il dirige. Je n'ai pas le temps d'ironiser sur mon rare talent pour rater les bonnes occasions : Laurenţiu Ulici, le président de l'Union des écrivains, quelque peu vieilli et emprunté, m'étreint. Il me reproche, lui aussi, de ne pas m'être annoncé, insiste pour que je passe *absolument* à l'Union ; il voudrait organiser une réunion, une fête, un débat, en l'honneur de mon retour. Pour que mes confrères puissent enfin exprimer, à propos des mensonges publics déversés sur leur hôte d'aujourd'hui, toute l'indignation qu'ils ont tue pendant sept ans ?... Il ne laisse personne d'autre m'accaparer, tant il tient à me vanter la bonne santé financière, l'activité florissante de l'Union, en ces temps difficiles et troublés : grâce à l'argent obtenu en louant les bâtiments à des agences étrangères, on paye des retraites, des pensions de maladie, des prix littéraires, on a constitué une Association internationale des écrivains qui accueillera des auteurs et des traducteurs en résidence, on organisera à la Bibliothèque roumaine de Rome de grands colloques internationaux de gens de lettres, et l'Union a même des liens avec les éditeurs de Paris ! J'opine du chef, trop heureux qu'il ne me pose aucune question sur moi.

À table, nous sommes tous captivés par la verve de Leon, et

ses anecdotes sur le monde musical. Le consul préside, souriant, attentif à chacun. La nourriture est abondante, le vin convenable.

Dehors le temps s'est réchauffé, le soleil a changé la lumière de la rue. Je pourrais aller passer un petit moment à la librairie de la salle Dalles, à côté de l'hôtel, mais je préfère m'accorder une sieste dans ma chambre 1515. J'enlève ma veste, mon pantalon, je m'étends sur le lit. La fatigue, lourde, dilatée, me plonge dans le brouillard. Délassement, absence. « Salut à vous, *Mynheer*! » Une voix légèrement rauque, une voix de fumeur. « Alors, vous êtes revenu dans la Patrie bien-aimée ? »

Je reconnais la voix, mais ne vois pas celui qui parle. Je sais qui m'appelait Mynheer et pourquoi.

– Dans la Patrie bien-aimée, m'sieur Nordman ?

S'il répète une troisième fois la question, il va m'appeler « général de blindés », c'est sûr. « Vous êtes un timide, mais aussi un violent, m'sieur Nordman », m'avait-il dit après avoir lu le texte qui, en 1982, déclencha, dans la presse socialiste, l'Affaire Manea. « J'ai des pieds d'argile, comme le Golem, mais je me tiens sur un seul pied, vous voyez, et je lis votre texte. Je n'ai pas pu poser l'autre par terre, tellement je suis excité. « *Mes hommages, Général!** Vous êtes un général de blindés, *mon cher Nordman** », avait-il répété, en soufflant comme un phoque, dans le combiné du téléphone.

– Vous êtes revenu du Paradis Capitaliste ? Alors, comment c'est là-bas, dans le *Gan Eden*[1], Général ?

J'étais réveillé et contemplais, à travers le rideau de la fenêtre, le mort qui était mon ami, le communiste, le maître des sobriquets et des ragots.

Quand nous nous étions connus, il avait vite déformé mon prénom en Nordman. J'étais devenu, tout de suite, l'homme du Nord… pas seulement de la Bucovine du Nord, mais aussi

1. En hébreu : jardin d'Éden.

du Traité de l'Atlantique Nord. Je fis sa connaissance, je crois, au milieu des années soixante-dix. Un soir, le téléphone me fit entendre, de façon inattendue, la voix d'une dame étrange. Impressionnée par un texte que j'avais fait paraître dans un hebdomadaire littéraire, l'inconnue me conviait à une soirée entre amis dans son appartement, 24 rue Sfîntul Pavel, troisième étage, appartement 12. Elle avait une voix agréable et semblait être une lectrice d'exception. Et son nom... Serait-elle l'épouse du célèbre critique et romancier? Le nom était familier, même pour quelqu'un qui gagnait sa vie hors de la littérature. J'avais entendu dire bien des choses sur cette éminence grise de la culture socialiste pendant les années du dogmatisme stalinien, sur cette légendaire double personnalité, cet amateur raffiné de livres et de complots.

Le soir de mes débuts dans le cercle de Donna Alba, je fus vite séduit par l'élégance classique et surannée de ma belle hôtesse. L'intelligence de cette brune fragile était étourdissante, souple, acérée comme un stylet. Son illustre époux n'était pas là. L'ancien rebelle passait le week-end chez sa maîtresse, où se tenait un salon littéraire symétrique, présidé par le Maître lui-même et sa jeune admiratrice.

L'histoire semblait parisienne, mais avait aussi son piment balkanique. Le communiste devenu infirme à la suite d'interrogatoires de la police d'Antonescu, désormais sédentaire et obèse, ne pouvait marcher plus de quelques pas. Il faisait donc le trajet entre le centre de la capitale, lieu du domicile conjugal, et le nid romantique de banlieue où vivait sa bien-aimée des fins de semaine, dans l'automobile du vieux Haciaturian!... Le chauffeur à la retraite le connaissait depuis l'époque où tous deux étaient membres du Parti communiste clandestin, mais, au lieu de lui faciliter les choses, il le faisait payer trois fois plus cher pour son immoralité. Comme le Golem ne pouvait sauter directement de son lit, au troisième étage, dans le taxi, il devait prendre l'ascenseur jusqu'au rez-de-chaussée, où l'attendait la voiture du camarade Sarchiz Haciaturian. Et comme les pieds d'argile de l'ancien militant clandestin ne le portaient même plus pour faire les quatre pas nécessaires, Donna Alba le soutenait jusqu'à l'ascenseur et dans l'ascenseur, puis l'installait dans le véhicule avec l'aide du chétif Sarchiz. Ensuite, elle retournait chez elle et téléphonait à sa rivale pour lui annoncer que le transfert avait eu lieu, que l'époux adultère arriverait à destination, comme d'habitude, d'ici une quarantaine de minutes. La maîtresse devait donc se trouver, quarante minutes plus tard, devant son immeuble, dans le quartier Drumul Taberei, pour extraire son chéri de la voiture, l'aider à atteindre l'ascenseur et à monter jusqu'au huitième étage dans leur petit nid de folie. Transporté le vendredi midi jusqu'à l'automobile de monsieur Haciaturian, réceptionné une heure plus tard par la destinataire, réexpédié chez lui le lundi matin, toujours avec le concours de l'avisé Sarchiz Haciaturian, accueilli par sa femme devant l'immeuble du 24 rue Sfîntul Pavel et soutenu par elle jusqu'à l'ascenseur puis de l'ascenseur jusqu'à la porte conjugale : ce n'était pas une invention picaresque de l'humour bucarestois, mais le minimum d'épopée sans lequel l'époux ne pouvait être amant. Car l'une et l'autre partenaire adorait, cela va de soi, leur charismatique infirme !

À la rencontre suivante, je fus honoré de la présence du nomade conjugal en chair et en os. « Je ne sais pas ce qu'on vous a dit de moi, monsieur Nordman. Que je suis un monstre stalinien, je suppose. La vérité, c'est que j'étais avec Leiba Trotski ! Un monstre trotskiste, donc. Pour vous, libéral anglais, c'est la même chose. Pas du tout, sachez-le. Pas du tout. »

Il devinait mes idées, comme le prouvait le sobriquet de Nordman qu'il m'avait donné.

– C'est par mes sobriquets que je resterai dans l'histoire littéraire. Par mes sobriquets et mes calembours. Pas par mes éditoriaux dogmatiques durant l'« obsédante décennie », comme vous autres anticommunistes appelez l'époque de la lutte des classes. Ni par ma polyvalence pendant la libéralisation, comme vous autres pacifistes appelez ce piège khrouchtchévien de la coexistence pacifique. Il se pourrait bien que mes romans existentialistes de cette nouvelle période nationale-communiste ne restent pas davantage. Mais les sobriquets et les calembours que j'ai inventés resteront.

Il avait lui-même, sans le savoir, un sobriquet : l'Éléphant Volant. C'est ainsi que l'appelait son médecin, lui-même surnommé le Bulgare. Les codes, les masques et les ricanements animaient le pays du carnaval sans carnaval. Le jeune communiste svelte et impétueux de la clandestinité, estropié, disait-on, par les inquisiteurs d'Antonescu, était devenu, après quarante ans de socialisme, une énorme masse de chair malade. L'Éléphant infirme, immobilisé chez lui, se déplaçait avec peine entre la table, le lit et les toilettes. Mais son esprit bouillonnait, déployait ses ailes diaboliques de chauve-souris ou de vautour dans les nocturnes de l'Éléphant.

– Alors, ce Paradis, Général ?

Je m'étais assoupi de nouveau, ou peut-être seulement enfoui dans les brumes du passé. J'entendais la voix d'autrefois, rauque et insinuante, mais je ne le voyais pas, et c'était tant mieux. Seize ans s'étaient écoulés depuis qu'il m'avait accordé, par téléphone, l'investiture à laquelle je n'aspirais pas.

– J'ai lu votre interview. Tout le monde en parle ! Vos libéraux acclament le courage libéral ! Un général de blindés ! Vous cachez en vous, sachez-le, un général de blindés. Quand j'ai eu la revue entre les mains, croyez-moi si vous voulez, j'ai lu votre article avec un pied d'argile en l'air et l'autre sur la terre d'argile. Vous savez ce que ça signifie pour un infirme.

Nordman, puis le Général, qui sait quels autres sobriquets encore il avait répandus dans ses séances de cancans téléphoniques. Le téléphone était son unique distraction, sa seule vie sociale. Les mois précédant mon départ, j'avais gagné un nouveau surnom, Mynheer – le héros du roman que je venais de publier, et non l'imposant Hollandais de *La Montagne magique*.

– Eh bien, Mynheer, comment est notre sublime Patrie sans communistes ? Verte, le vert fielleux de l'uniforme des légionnaires, je vous avais prévenu.

Elle n'était pas complètement verte, de même qu'elle n'avait pas été complètement rouge, lui aurais-je répondu, en libéral d'un autre temps, s'il avait pu m'entendre. Mais moi je l'entendais, je l'avais reconnu, il était là sur le seuil, même si je ne le voyais pas et si j'avais peur de le revoir : le ventre difforme comme un ballon gonflé de travers, le nez volumineux comme une trompe, les cernes profonds, les yeux agrandis, globuleux et tristes, les grandes canines écartées et jaunies, les petites mains aux doigts boudinés et tachés par la nicotine. Il s'appuyait des deux bras sur le rebord de la table pour soulager ses jambes mortes. Les yeux agrandis, le regard profond de myope, l'immense barbe blanche, eh oui… après mon départ il s'était laissé pousser une barbe hirsute. Les dernières années, il ne sortait plus de son lit, son ventre avait poussé et sa barbe aussi. Il se taisait, il avait perdu la parole, mais le passé me susurrait de sa voix d'hier :

« Qu'est-ce qu'on raconte maintenant, dans la démocratie atlantique, sur le monstre stalinien ? Ici ce n'est pas l'Angleterre, ni l'Atlantide. Ici c'est le pachalik, tantôt les rouges tantôt les verts, il n'y a pas d'autre alternative. *Niente.* Vous, avec votre biographie pleine de fissures, vous devriez avoir plus peur des verts que des rouges. C'est l'Atlantide de la liberté qui vous a attiré ? Le Jardin du Bonheur Monétaire ? Les choses pourraient bien être plus difficiles pour vous là-bas. »

Il était absent à l'anniversaire de juillet 1986, quand je célébrais mon demi-siècle dans le pachalik, car il n'avait pas deviné que je célébrais aussi l'exilé Leopold Bloom. Absent, donc, de la Cène de la séparation, il fut furieux d'apprendre mon évasion. Sa colère et sa souffrance se répandirent, après mon départ, en conversations téléphoniques. Il appela toutes nos connaissances, distilla injures et sobriquets afin qu'ils m'atteignent, au loin, dans l'Atlantide des crises et des plus-values, où le mensonge a un compte en banque et non une carte du Parti. Puis la maladie se précipita, il n'eut pas le temps d'assister au meurtre du tyran qu'il méprisait, ni à la victoire du capitalisme qu'il n'avait cessé de haïr.

– Ça vous plaît de voir de quoi ont l'air notre cher et délicieux pays et nos chers compatriotes ? Ils vous ont accordé l'attention que vous méritiez, n'est-ce pas ? Et ce depuis que vous aviez cinq ans, pas seulement maintenant ! Vous vous rappelez, ou vous préférez ne pas vous rappeler ? Je vous l'ai dit, Sire, il n'y a pas de place ici pour le désordre démocratique et les couleurs délavées. Rouge ou vert, c'est tout ce que nous avons en magasin. Vous avez eu le vert, puis le rouge, maintenant le rouge et vert... et vous vous êtes évadé. Est-ce que c'est mieux au Paradis ? L'arc-en-ciel ? Toutes les couleurs, le spectre tout entier ? Je suis arrivé en Atlantide, moi aussi, celle d'après la mort, où nous finissons tous par arriver. Mais ma pauvre épouse se fait attendre. Avez-vous vu Donna ? Avez-vous vu à quoi ressemble aujourd'hui la Madone inaltérable ?

Non, je ne l'avais pas vue, je ne devais la revoir que le samedi. Pour le moment, c'était mardi, il fallait que je me dépêche, j'avais rendez-vous... Réveillé ou non, il fallait que je me dépêche, c'est tout ce que je savais. Annihilé, endormi, épuisé, j'avais rendez-vous, je le savais, même si je ne me rappelais plus où j'étais ni quelle heure il était. La sieste ! Quelles sornettes ! La sieste orientale... que le socialisme avait standardisée et que les romans du vieux communiste n'avaient cessé de condimenter, de déguster, de louer. La sieste déviait l'ardeur, mais stimulait les actes résolus et fermes. La vengeance de l'esprit contre l'impuissance du corps et la vanité de l'âme ? Le bûcher de l'expiation, le feu de la révolution, afin de pulvériser la médiocrité, la langueur, la bonne conscience, la paresse, la sieste. « *Alles Grosse steht im Sturm* », répétait Herr Heidegger, honorant du salut nazi la citation de Platon. « Tout ce qui est grand est dans le tumulte», répétait à son tour l'Éléphant Volant, le poing levé : «L'incommensurable ! Apocalypse et régénération ! *Sturm, Sturm und Drang !*»

Me voici réveillé ! Je suis enfin réveillé, il ne s'est passé, somme toute, que huit minutes… huit minutes, c'est ce qu'ont duré mes retrouvailles avec l'Éléphant. J'ai un répit, je pourrais faire un tour à la librairie à côté de l'hôtel, acheter un vieux plan de Bucarest pour mon ami roumano-américain Saul S. Il apaiserait ainsi sa furie anti-valaque en égrenant, ensorcelé, les toponymes ensorcelés : rue de la Concorde, rue du Sourire, rue Gentille, rue du Rhinocéros.

Mais non, je suis incapable de bouger, je m'étends de nouveau sur le lit, attentif aux aiguilles de l'échéance, tic-tic-tac, tac-tic, la chambre disparaît, me revoilà à l'ambassade américaine, devant le même buffet de victuailles, la même table, les couverts immuables.

Deux chaises. Je reconnais les visages, le temps ne les a pas changés : le poète Mutu et le poète Mugur, mes amis d'autrefois. Ils sont figés, mais ils sourient. Ils m'ont vu, mais ils se taisent, comme des momies.

– Que dites-vous, Mynheer, de ces morts ? Bouche Cousue et le Lapereau étaient vos amis, n'est-ce pas ? me chuchote encore le Golem.

Bouche Cousue et le Lapereau… oui, des surnoms dignes du Maître des sobriquets.

– Le Lapereau était mon ami aussi, c'est vrai. Demi-Homme-à-cheval-sur-Demi-Lièvre-Boiteux, vous vous souvenez ? Les frayeurs, les flatteries et les mensonges de notre ami, vous vous en souvenez ? Et sa transpiration ? Sa perpétuelle transpiration, vous vous en souvenez ? À cause de l'émotion, de la peur, des noirs pressentiments, des démarches. Des démarches ! Pour la petite gloire, la petite satisfaction, le petit arrangement. Mais c'était un bon poète, le Lapereau. Maintenant, depuis qu'il est mort, on voit quel bon poète il a été. Ici, dans la Contrée Transcendante, son nom est vivant. On n'exige pas des poètes qu'ils aient du courage, monsieur Nordman, nous le savons tous les deux, et l'Atlantide le sait aussi.

L'enrouement du micro, les parasites, la transmission à distance. Le Golem retrouve sa voix, claire, agréable, celle que je lui connaissais. L'enrouement vient bien du micro.

– Non, les iambes et les trochées n'ont que faire de la morale, nous le savons bien. Mais nous savons aussi qu'il existe une limite.

Les deux poètes attablés restent immobiles, comme s'ils n'entendaient rien. Je suis resté immobile moi aussi, sur le seuil.

– La police, voilà la limite ! Le poète est l'agent des dieux, pas celui de la police. Il n'a pas le droit de devenir agent de la police ! Notre Lapereau n'a été qu'un agent de la Peur… C'est elle qui l'a obligé à écrire des vers. Ses vers tremblent comme lui-même tremblait. Et aujourd'hui encore, à ce qu'on me dit, ils dérangent. Ses angoisses le rendaient suspect, vous vous souvenez ? Mais maintenant, nous savons qu'il n'était pas un policier.

Le Golem s'est accordé une nouvelle pause pour affûter ses flèches.

– Quant à l'autre, votre ami Bouche Cousue… oui, je sais, il était absent à l'Anniversaire. L'entrée dans l'âge mur, ou la Cène de la séparation ? Moi aussi j'étais absent. J'avais mal au ventre, ma tête était en argile, comme mes pieds. Bouche Cousue vous a peut-être protégé par son absence. S'il avait dû ensuite écrire un rapport au Saint-Siège sur la Cène ? On l'a retrouvé mort, nu, et aucune enquête n'a été autorisée. L'Autorité est aussi propriétaire de sa mort et de ses secrets.

Non, même ces derniers mots n'ont pas fait bouger de la table les momies. Impassibles, elles enregistrent tout avec la plus grande attention, sans un mouvement.

– La mort, m'sieur Nordman, voilà le *happy end* ! La condamnation à mort ne peut être commuée. Vous le savez aussi, maintenant. L'exil se légitime à la fin, disait ce menteur de Malraux.

Seule la mort change la vie en destin ! Vous vous souvenez, Mynheer ? Et le Lapereau, vous avez su comment est mort notre ami le Lapereau ?

Oui, je l'avais appris, Mugur était mort subitement, avec un livre et une tranche de pain à la main. Mais ce que je ne savais pas, c'est si les morts avaient eu connaissance, *post mortem*, de mes indignes agissements.

– Indignes, m'sieu Nordman ? Indignes, avez-vous dit ? Vous allez leur expliquer le malentendu, c'est ça ? Pas besoin de vous expliquer, Mynheer ! Vous êtes un sceptique dans une situation fausse. Le pauvre Mynheer ne voulait pas être soupçonné de naïveté ! Pour vous, constance et simplisme sont synonymes ? Vous avez honte de votre constance, de votre cohérence, de votre naïveté, n'est-ce pas ? Mais vous n'avez pas besoin de vous expliquer devant ces messieurs ! Ni devant quiconque, d'ailleurs.

Les poètes ne paraissent pas l'entendre, ils somnolent, ils ont l'air dans l'autre monde. Je m'approche pour les embrasser, au moins les embrasser, mais l'alarme retentit comme si j'avais touché un bouton. Je lève la main, je la tends vers le combiné.

– Ici la réception. Vous êtes attendu dans le hall. Madame Françoise Girard.

Je regarde ma montre, l'heure du rendez-vous est passée de cinq minutes. Je me lave la figure à l'eau froide au lavabo de la salle de bains, je prends l'ascenseur, fatigué, désorienté par ces obligations sans fin d'acteur, me voilà au rez-de-chaussée, dans le hall, ma brosse à dents à la main, je croise une jeune femme avec un sac à dos, qui sourit puis réapparaît au bout de quelques minutes, avec le même sourire. Elle se retourne, s'arrête devant moi, me tend la main… C'est Françoise, la nouvelle directrice de la fondation Soros. Je ne l'ai vue qu'une fois, hier, très rapidement, pendant la répétition à l'Athénée, elle avait une autre tenue, une autre coiffure, un autre visage, d'autres yeux. La brosse à dents disparaît dans ma poche, nous nous dirigeons vers les fauteuils du fond, à gauche.

Je n'ai ni le temps ni l'envie de me perdre en circonlocutions, je lui dis que mon intention n'est pas de jouer à mon retour au Revizor de Gogol, mais je l'écoute me parler des activités de la fondation en Roumanie, je lui offre même mes conseils. Elle sourit, murmure « pays byzantin », me dit qu'elle vient du Canada, ce qui explique son aura de Française, nous nous promettons de rediscuter à New York du projet Bard pour l'université de Cluj. Une conversation rapide, américaine, comme ces premières journées bucarestoises.

Boulevard Magheru, je marche vers l'Athénée. De nouveau, j'ai la sensation d'être déguisé, d'être un espion, connaissant parfaitement les lieux sous son masque de voyageur. Si j'étais découvert, est-ce que je fraterniserais spontanément avec mes compatriotes qui me reconnaîtraient sans me reconnaître ? Et qui se demanderaient sans doute si l'étranger, pressé de s'éloigner comme s'il ne savait rien faire d'autre, mérite leur amitié ou leur inimitié.

Devant le salon de thé Scala, je lève les yeux par réflexe. Au rez-de-chaussée de l'édifice d'en face se trouve, comme autrefois, le magasin Unic. Mais il n'y a plus les files de clients attendant des heures durant l'arrivée du camion de poulets ou de fromages. Une boîte aux lettres dans le hall d'entrée mérite l'attention : la boîte 84, escalier B, incendiée en 1992, il y a cinq ans, un printemps comme celui-ci, lorsque parut en Roumanie la traduction de mon essai sur Eliade dans *The New Republic*. « Ton article tombe très mal », m'écrivit la mère de Cella, locataire de l'appartement 84, escalier B. « Il tombe très mal », me répéta Evelyne, ma belle-sœur, au téléphone. « Ici, Eliade, Cioran, Noica, Nicu Steinhardt, Iorga[1], Nae Ionescu, et même Antonescu, et même Zelea Codreanu, sont les favoris de la presse, les héros de l'anticommunisme. »

1. Constantin Noica, philosophe roumain (1909-1987). Nicolae Iorga, homme politique et historien roumain, assassiné par la Garde de Fer (1871-1940).

Ce n'était certes pas pour me concilier les bonnes grâces de la presse roumaine que j'avais écrit cet article, mais je ne m'attendais quand même pas à ce que les shrapnells atteignent, par ricochet, une vieille dame que je n'avais même pas eu le temps d'avertir. « Ton texte a suscité une levée de boucliers... Depuis quelques mois notre boîte aux lettres est régulièrement forcée. Deux cadenas ont été arrachés, il y a des traces de feu. Nous venons de poser une serrure Yale. À 500 lei ! Si vous voulez que vos lettres nous parviennent, adressez-les au nom du voisin. »

Y a-t-il encore les traces d'effraction et de feu sur la boîte aux lettres ? Entre-temps, la locataire a déménagé dans l'autre monde, je n'ai pas envie de visiter l'appartement.

J'arrive à l'Athénée. Cette fois, la répétition s'est terminée plus tôt, et a été une réussite. Je vais dîner avec Leon à la Casa Romană, un restaurant tout en bas de Calea Victoriei, près de mon dernier domicile bucarestois. Le patron du restaurant nous salue en anglais. Épris des *sarmale*[1] roumaines, Leon tente de nouveau sa chance. En souvenir du passé, je commande un « sandre *bonne femme** », mais je suis aussi déçu par le mets, gluant, que par le vin, médiocre. Mon compagnon américain, quant à lui, est enchanté de ses *sarmale* et ne prête pas attention à ma mine désappointée.

À côté de nous, une sorte de conspiration mafieuse. Le chef, petit et trapu, un contremaître de chantier, parle affaires et non pas métier. Son adjoint doit avoir le même âge, tandis que le plus jeune fait figure de novice. Le patron du restaurant se tient à proximité, servile et apeuré. Sur un signe, l'adjoint ridé et renfrogné tend à son chef une épaisse liasse de billets. Le trio consomme en abondance, les commandes se succèdent au rythme des gestes brefs du chef. Vêtus de jeans et de blousons de cuir, tous trois sont ici, dirait-on, les vrais « Américains », autant par leur habillement que par leur désinvolture financière.

1. Feuilles de chou farcies à la viande.

En face de nous, deux femmes jeunes, au maquillage criard, rient bruyamment. Quand nous nous levons pour partir, les deux tablées se réunissent.

Nous rendons ensuite visite à une femme de lettres, amie de mon ami Tête-d'Or, et dont je ne retiens que le monologue sur son époux : « Mon docteur de mari est un homme admirable. Admirable, mais idiot. Car même maintenant qu'a explosé la polenta communiste, il ne veut pas s'en aller d'ici. Même maintenant. Quel idiot ! Même maintenant ! »

Comme les soirs précédents, nous arrivons à l'hôtel vers minuit. Nous sommes tous deux fatigués. Demain matin, Leon a sa dernière répétition, le soir, son premier concert. J'assisterai au suivant.

Minuit : l'heure de téléphoner à New York. Cella me rappelle que Philip souhaite recevoir un fax chaque jour pour s'assurer que tout va bien. Mais le fax de l'hôtel, m'a-t-on dit, se trouve dans le bureau de la comptabilité. On n'y a accès que le matin – quand il fait nuit à New York.

La langue nocturne

Krinô, murmurent les ténèbres. Après un bref répit, une nouvelle fois : *Krinô.* Au bout d'un moment le chuchotement revient, je déchiffre enfin cet *Hypokrinô, hypokrinô* que répète la voix faible et insidieuse de la nuit. Je me retourne dans la fange du sommeil, je soulève ma main gauche, molle et lourde, tire sur ma tête d'étoupe la couverture d'encre, je glisse, je m'enfonce de nouveau dans le souterrain du sommeil.

J'ai pourtant battu des paupières. Déjà la malédiction s'est insinuée, sans que je puisse rien y faire. *Hypokrinô,* entends-je encore près de moi. La couverture est impuissante à me protéger, je le suis également, je vais être lentement enlevé, je ne le sais que trop bien, au suave et noir limon de l'absence. Il m'est arrivé plus d'une fois d'être envahi dans mon sommeil par cet espéranto susurrant dont se détachaient progressivement des mots familiers annonçant le réveil. La fatigue ne m'est plus d'aucun secours, rien ne peut me restituer aux profondeurs. Soustrait une fois de plus à la fange thérapeutique, attiré tout doucement, tout lentement vers la surface, j'essaie de gagner du temps, de prolonger l'apathie, l'amnésie, l'évanouissement, de rester les yeux fermés, l'esprit lourd et vide, le corps pesant et surchargé, masse de plomb dans la nuit immense et bienfaisante. Mais cela ne dure que quelques longs instants, je n'ai pas plus de succès cette fois-ci. L'opacité de la fenêtre s'est diluée, elle est violacée, transparente, comme autrefois. Les rideaux ondulent en un soupir mélancolique, perfide, aisé à reconnaître : *Hypokrinô !*

J'étends la main vers le journal sur la table de nuit. Comme il n'y a évidemment pas de journal, elle ne fait que caresser, inconsciemment, la surface du bois. Le non-être espéré s'est évaporé, seules quelques secondes me séparent de moi-même, je vais bientôt savoir de nouveau qui et où je suis. Je soulève la main gauche et écarquille les yeux, hébété, sur ma montre.

« D'abord au bras gauche, près du cœur. Le sentiment », disait le maître d'hébreu qui m'apprenait à mettre les phylactères. « Puis sur le front. Il ne doit pas y avoir d'intervalle entre ces deux moments, pas de séparation entre l'idée et le geste, entre le sentiment et l'acte », m'expliquait le guide qui, lorsque j'avais treize ans, me préparait à faire partie des hommes de la tribu.

Le calendrier du sommeil indique 1949. Mille neuf cent quarante-neuf ! Mille ! Neuf cent ! Quarante-neuf ! balbutie le vieillard qui passe et repasse le seuil des treize ans sans le franchir jamais. Un demi-siècle s'est écoulé depuis que j'ai échoué à devenir un autre que celui que je suis. Les âges se sont enchevêtrés à la puberté. Toutes ces années, j'ai porté au bras gauche non les phylactères, mais la montre de l'orphelin du temps que je suis toujours.

Je regarde le cadran profane et muet de l'insomnie, je tourne la vis dorée du temps : non, il n'est pas huit heures et demie du soir comme à New York, mais trois heures et demie du matin ici, entre Carpates et Danube. Au lieu de régler les aiguilles, à l'atterrissage, sur le nouveau fuseau horaire, j'ai conservé le décalage, la confusion qui m'est propre.

L'avenir dans lequel j'entrais en 1949 est révolu, mais l'espace est redevenu celui d'autrefois. Je regarde l'heure sur le cadran, je regarde par la fenêtre vers la *Terre* de 1997 : « là-bas » ne signifie plus, comme il y a quelques jours, la Roumanie « lointaine ». C'est maintenant l'Amérique qui est lointaine, la Patrie des exilés dont me parvient, de nouveau, le salut des exilés : *Hypokrinô !*

La langue de la vie après la mort, dans le monde d'ici-bas et de l'au-delà. Une langue dont on est « locataire », et non propriétaire. *Hypokrinô !* Une façon de s'adapter, entre les épreuves, les stratagèmes, les trophées de la régénération et de la survie. « *To function as a citizen of the United States, one needs to be able to read, interpret, and criticize texts in a wide range of modes, genres and media* », avais-je lu dans le livre de Robert Scholes, *The Rise and Fall of English*[1]. Les étrangers adoptés par le Pays des exilés passent forcément par l'étape *hypokrinô*. La racine grecque ancienne du mot « hypocrisie » ? L'automatisme du consentement, de l'interjection approbative ? « *The roots of "hypocrite" are to be found in the ancient Greek verb* hypokrinô, *which had a set of meanings sliding from simple speech, to orating, to acting on stage, to feigning or speaking falsely*[2]. »

Apprendre les mots et leur prononciation, comme au jardin d'enfants ? Infantilisme d'acteur simulant la gestuelle et la mimique naturelles du double qui vous est envoyé pour vous remplacer et vous représenter.

J'avais découpé l'article dans le journal, et l'avais mis le soir sur ma table de nuit, avec l'intention d'aller acheter le livre le lendemain. *Hypokrinô...* L'hypocrite chuchotement de la nuit m'avait réveillé. Je faisais tout pour ne pas entendre, je froissais la page de journal. Elle était tombée en boule sur le sol, j'espérais avoir ainsi éloigné la malédiction.

Le matin, la boule se trouvait à la même place ! Je découpai

1. Pour être à part entière citoyen des États-Unis, il faut savoir lire, interpréter et critiquer des textes appartenant à un large éventail de styles, de genres et de médias. Robert E. Scholes, *The Rise and Fall of English : Reconstructing English as a Discipline* (New Haven, Yale University Press, 1998).

2. Le mot « hypocrite » vient du verbe grec ancien *hypokrinô*, qui a tout un ensemble de significations pouvant aller de la simple parole jusqu'à l'art oratoire, à celui de l'acteur, au fait de feindre ou de parler faussement.

dans l'article sur le livre de Scholes, avec des ciseaux, la phrase qui avait déclenché mon insomnie. Je la collai sur le mur devant mon ordinateur, pour apprendre par cœur cette formule qui protégeait l'apatride contre les cauchemars de la vérité : « hypokrinô... *meanings sliding from simple speech, to orating, to acting on stage, to feigning or speaking falsely* ».

Une matinée ensoleillée d'été, en 1993. Cinq ans avaient passé depuis mon atterrissage dans le Nouveau Monde, vingt selon le calendrier de l'exil. De la boîte aux lettres tomba une carte postale, à la calligraphie familière : « *I wish for you that one morning we will all wake up speaking, reading, and writing Romanian ; and that Romanian will be declared the American national language !* »

Et Cynthia ajoutait, de son écriture fine : « *With the world doing the strange things it is doing today, there is* no reason *for this NOT to happen* »[1].

Le portier de mon immeuble me saluant soudain en roumain, le président du Bard College me parlant roumain avec son débit saccadé, le comptable m'expliquant les lois fiscales américaines et le conducteur du métro annonçant le prochain arrêt dans une langue enfin intelligible ?... Une soudaine relaxation dans les relations avec mes amis américains, mes étudiants, mes éditeurs ? Joie ou cauchemar ? Non, le milieu américain dans lequel je vivais devait rester comme il était, le miracle imaginé dans la lettre n'aurait fait que renforcer le grotesque.

Or, le vœu s'était réalisé ! Pas dans ses termes exacts, c'est vrai : le jour était venu où tout le monde autour de moi parlait roumain, non à New York, mais à Bucarest.

La remarque faite par Ken au cours de la matinée touchait le cœur vénéneux de la joie. À quarante ans, lors de mon pre-

1. Je souhaite pour toi qu'un matin, au réveil, nous parlions, lisions et écrivions tous en roumain ; et que le roumain soit déclaré langue nationale des États-Unis. Étant donné les choses étranges que produit le monde aujourd'hui, il n'y a *pas de raison* que cela n'arrive PAS.

mier voyage dans le « monde libre », mes parents et amis vivant à l'étranger me pressèrent de quitter ce pays maudit. Mais si ce que j'habite est une langue et non un pays ? leur avais-je demandé. Sophisme banal de l'esquive ! Et maintenant, en exil, je porte en moi la Terre Promise, la Langue, le refuge nocturne de Peter Schlemihl. La coquille, ni étanche ni impénétrable, de l'escargot. De nouvelles sonorités, de nouveaux sens surgissent sans cesse de la nouvelle géographie de l'exil, l'inconnu pénètre la cuirasse de l'errant. Mais comment ignorer encore que tout est vain ? Chaque instant annonce la mort qui est en nous. La langue n'offre qu'un orgueilleux emblème de l'échec. C'est l'échec qui vous légitime, Mister Hypokrinô !

Soudain je vois Cioran dans la nébuleuse de la fenêtre ! Il déambule, circonspect, dans les couloirs de l'hôpital, balbutie de rares et inintelligibles paroles. Voici plus d'un demi-siècle, il s'était libéré, par une diabolique transplantation, de sa langue natale pour s'installer souverainement dans le paradoxe cartésien du français. Or, de nouveau il grommelait les mots de naguère ! La langue roumaine, si appropriée à son tempérament exalté, et dont il s'était « dénaturalisé », le retrouvait au Pays heureux d'Alzheimer. Il balbutiait dans la langue d'autrefois des mots d'autrefois, sans queue ni tête, son exaltation apatride faisait place à une douce sénilité prénatale.

Nul doute qu'il aurait aimé s'entendre appeler « Monsieur Hypokrinô » ! Nous aurions confronté nos égarements d'exilés, comme nous l'avions fait dans sa mansarde parisienne un soir de 1990. Devais-je maintenant frapper à la vitre de l'éternité pour lui rappeler cette lettre où il me parlait de son départ de Roumanie : « *C'est de loin l'acte le plus intelligent que j'aie jamais commis** » ?

Vanité traumatique, simple vanité traumatique, *Monsieur** Cioran ? Pourquoi vouloir survivre à tout prix ? Par adulation du nom, c'est tout ? Pourquoi n'acceptons-nous pas la fin, pourquoi redevenons-nous rhéteurs ?

Et la haine, *Monsieur** Hypokrinô, qu'en pensez-vous ? La haine des autres nous guérit-elle, somme toute, de la confusion et de l'illusion, nous rend-elle plus intéressants à nos propres yeux ? Cioran, le « Juif métaphysique », comprendrait-il mieux les articulations ancestrales de la haine que le Juif lui-même ? Notre cher Bucarest est-il le lieu qui convient à un tel débat ?

La montre au bras gauche, près du cœur. Elle n'avait plus trois aiguilles, comme naguère, pour les secondes, les minutes et les heures, je n'avais plus besoin non plus de remonter, avant de me coucher, le bouton du temps. Je n'écoutais plus mon temps s'évaporer seconde après seconde. Je n'aurais rien pu entendre, rien. Les secondes mouraient, inconnues, dans le ventre étanche de ce jouet tout neuf.

Descendre dans le hall, entendre la langue du passé, entendre Cioran, m'entendre moi-même ? Les sons d'autrefois, la langue d'autrefois, la mémoire de celui que je fus avant d'être ?

Il ne faut pas laisser passer ce genre d'occasions. À Turin, en 1992, lors d'un colloque sur l'Europe de l'Est, le texte anglais de mon intervention s'était, grâce à Dieu, révélé inutile : il y avait dans la salle d'excellents traducteurs du roumain en italien. Sauvé, ressuscité, enchanté, je fus abordé par deux compatriotes après l'avoir appris. Le premier, un petit monsieur replet et élégant, au sourire large et convenu, se présenta comme l'attaché culturel roumain à Rome, l'autre comme un écrivain en résidence à l'Académie de Roumanie à Rome.

« En quelle langue parlerez-vous ? », me demanda l'attaché culturel, en me regardant droit dans les yeux. « En roumain », répondis-je, et d'ajouter d'un ton guilleret : « Enfin, je peux parler roumain ! » Mes compatriotes réprimèrent à grand-peine un sourire, sans cesser de scruter en silence le visage et les gestes de cet étrange représentant littéraire de la Patrie, si heureux, qui l'eût cru, de parler aux gens en roumain. Le pauvre garçon – heureux de parler roumain, y compris avec les représentants officiels d'un régime en qui il n'avait aucune confiance.

En les quittant pour gagner la tribune, je laissai, sans le vouloir, une « oreille » derrière moi. Les deux hommes ne s'étaient pas rendu compte que la dame qui assistait à la scène, à un pas de distance, était ma femme. Son tympan en éveil enregistra le dialogue suivant : « Tu entends ça ? Il va parler en roumain ! Grand bien lui fasse ! Et en plus, il est ravi ! » Et l'autre ne fut pas en reste : « Il peut même parler en hongrois, si ça lui chante. » Le hongrois, dans son esprit, devait être pire que l'anglais.

Oui, Ken avait raison d'interroger Mister Hypokrinô sur la langue. Son susurrement nocturne me réveille souvent, comme un courant électrique errant à la recherche de son destinataire : les réseaux phréatiques de la nuit captent par petites vagues tendres et tumultueuses le monologue somnambule évaluant la richesse de l'échec et les bienfaits de l'insomnie.

Il est plus de cinq heures du matin à Bucarest quand la flèche du cadran se fiche, à New York, en plein cœur de la nuit. Le silence de la pièce et le silence du vieux cœur mesurent la pulsation infantile, implacable. Pour le locataire fugitif du temps, l'espace de l'hôtel est celui qui convient.

Troisième jour : mercredi 23 avril 1997

Dans une interview de 1992, je m'étais rappelé la question que je lui avais posée, dix ans plus tôt, en 1982 : « Qui me cacherait ? » Cinq ans avaient passé, c'était son tour à elle de me demander qui me cachait là-bas, au loin, dans cette Amérique où toutes les possibilités existent de disparaître et tous les moyens d'être retrouvé. Ici et maintenant, sur les lieux d'autrefois devenus ceux de maintenant, quel masque dissimulerait celui que j'ai été et celui que je suis devenu ?

Sur le canapé devant la réception attend une dame en veste verte, d'une coupe austère, comme pour une conférence académique. Ce n'est plus la jeune poétesse des années quatre-vingt. Docteur en philosophie, maître de conférences à l'université, rédactrice en chef d'une revue, éditrice, elle ne me fait pourtant pas l'effet d'avoir changé. Son sourire n'a pas vieilli, ses lettres depuis 1990 confirment que son caractère n'a pas changé non plus.

Je la regarde, elle me regarde, je cherche à dissiper les souvenirs, à m'imprégner de son apparence. Le pendant balkanique de Maria Callas ? Cette asymétrie, cette mobilité, cette fragilité virant à l'âpreté, instantanément réversibles.

Nous montons dans ma chambre, ma visiteuse pose son sac et sa veste. Le corsage de soie fine souligne la fragilité des épaules et des bras. Tout semble comme autrefois, le silence prolonge notre sourire gêné. Faut-il que je lui raconte l'exil, la liberté, le vieillissement ? Je ne sais comment ni par où commencer. Les lettres n'ont remplacé ni la voix ni le regard, qui maintenant sont là, de nouveau.

Mais bien vite, les mots viennent. Nous ne parlons pas de l'hystérie nationaliste, communiste, anticommuniste, mais de tout autre chose, puisque tous deux, enfin, nous rions. Les plaisanteries n'ont rien à voir avec ce que je dis ni avec ce qu'elle dit, car je l'entends résumer un monologue inexprimé :

– Donc, malgré tes prix, tes livres traduits dans plusieurs langues, ton titre de professeur, qui rendent ici tout le monde envieux, la blessure suppure. J'aurais pu le deviner toute seule, ce n'était pas bien difficile. Il faut que tu écrives d'autres livres, voilà la solution.

La blessure et la solution, évidemment. Parler, peut-être, de mon double caricatural, du cliché dans lequel je me sens emprisonné, telle une vieille femme exposée en place publique, sur la scène calcinée par le napalm du passé ? Comme d'habitude, il me vient à l'esprit des citations, uniquement des citations, comme si seule l'hystérie rhétorique pouvait me délivrer, à travers les mots des autres, de moi-même. « Qui regrette son pays ? », demande la voix étrangère. « Si vous regrettez votre pays, vous trouverez ici chaque jour plus de raisons de le regretter ; mais si vous parvenez à l'oublier et à aimer votre nouveau séjour, on vous renverra chez vous, où, dépaysé une fois de plus, vous recommencerez un nouvel exil. » Blanchot ? Oui, Blanchot.

Parler de la camisole de force du cliché, ouvrir le tiroir dans lequel Kafka entassait ses coreligionnaires ? Évoquer l'acrobate chevauchant, jambes écartées, deux chevaux à la fois, ou l'individu écrasé, étendu à même la terre, rien d'autre ? Kafka avait esquissé, en 1916, ces deux images kafkaïennes sur une carte postale.

Je ne sais plus qui, d'elle ou de moi, a prononcé cette réfutation : « Non, tu as tort, les citations et les métaphores empêchent le dialogue. » La logorrhée a repris instantanément, sans autre sens ni but que de dire, en roumain, l'émotion. Transfiguration? Oui, Ken aurait pu, cette fois, assister à l'expérience qu'il guettait. La langue est revenue, pulsatile, irrésistible, me restituant à moi-même. De nouveau je l'entends en moi, et je l'entends aussi chez mon interlocutrice d'hier et d'aujourd'hui. Elle me regarde en souriant. « Toi, un hooligan? Imposture, crois-moi, imposture. Un bouclier d'emprunt, étranger. Si je leur criais haut et fort, aux hooligans : "Vous l'avez remplacé par une caricature, vous ne cherchez pas à l'écouter, seulement à le salir", est-ce qu'ils me croiraient, les hooligans? »

Non, elle n'a pas prononcé ces mots, je les ai lus dans une de ses dernières lettres. « Il faudrait que, deux fois par an, tu viennes saluer nos brillants collègues, que tu te laisses filmer, que tu fréquentes les bistrots. »

Elle m'écoute avec attention, sans paraître consciente des collages que compose, en pensée, l'Auguste. Pendant la terreur des années quatre-vingt, c'est à elle que j'avais demandé, pour rire : « Qui me cacherait? » Une pensée des années quarante, qui s'était inscrite dans le cercle des quarante années suivantes pour revenir au point de départ.

« Mes cabinets, voilà comment je devrais intituler mes *Mémoires* », m'a dit récemment un compatriote de l'exil, un chrétien. « J'ai parcouru le monde de l'Euphrate à San Francisco. Je puis en témoigner : aucun lieu ne peut rivaliser avec les cabinets roumains ! L'apocalypse des excréments ! » Comprenait-elle, mon amie, pourquoi le Juif roumain ne pouvait prononcer de telles paroles? Sa patrie lui a été contestée, il l'a acquise de haute lutte, il ne peut pas la renier si facilement. « Je n'ai pas une seconde de paix, [...] rien ne m'est donné, [...] il me faut tout acquérir, non seulement le présent et l'avenir, mais encore le passé », disait Kafka.

Mais c'est d'autre chose que je lui parle. Je n'ai pas non plus mentionné notre interview de 1992, l'épisode de l'anthologie israélienne, mon irritation devant le titre : *Écrivains juifs de langue roumaine.* Je me considérais comme un écrivain roumain, l'ethnicité était pour moi une affaire strictement personnelle. Est-ce une conquête d'être roumain ? Voilà la question que je devrais lui poser. Nous devrions, ensemble, relire Cioran.

Quelle est, au juste, l'étiquette que je porte, et pourquoi m'en faudrait-il une ? Le sujet, grâce à Dieu, n'a pas resurgi ! Le verbiage, les citations ont envahi l'esprit et la mémoire de l'exilé.

À un moment, mon interlocutrice enlève ses lunettes. L'espace d'un instant, j'entrevois un autre visage, j'entends une autre voix. Elle reste devant la fenêtre, puis se retourne et me regarde, pétrifiée dans l'attente comme autrefois. Le pendule du passé est-il prêt à repartir dans l'autre sens au premier effleurement ? Où et comment pourrais-je me cacher ? Elle me regarde, je ne la regarde pas. Je reste muet de peur qu'elle ne me demande à son tour de la soustraire aux temps nouveaux, alors que je ne sais ni où ni comment. « Laisse tes livres en paix. Laisse-les rentrer chez eux. Il suffirait qu'une seule personne les aime. Et il y en aura bien dix, sois-en certain, pour sauver Gomorrhe. » Lorsqu'elle me décrit la guerre quotidienne qui fait rage entre nos compatriotes, je l'interromps et me mets tout à coup à parler de l'exil. La théâtralité de l'exil, la scission qui opère de façon mimétique, comme dans l'enfance. Le double puéril à qui on laisse l'interprétation de la nouvelle partition tandis que la moitié âgée se recroqueville dans la schizophrénie des réflexes anciens. Je me suis recroquevillé, un élancement a foudroyé le pneuma d'Hypokrinô pendant qu'avec la poétesse je parlais de la langue, des verbes, de la dynamique du domicile phréatique, et autres préciosités.

Je suis soudain fatigué. J'ôte mes lunettes, frotte mes paupières lasses, ce sujet funèbre me dicte un moment de recueillement. Je l'entends me dire : « Norman, nous ne sommes pas tous pareils. » Bien sûr que non. Certains m'auraient donné refuge non seulement en 1992, mais aussi en 1982, et même en 1942. Je lui traduis de l'anglais les paroles de ce vieux Mark Twain, mon nouveau concitoyen : « *A man is a human being – that is enough for me. He can't be any worse*[1]. »

Nous sourions, nous rions, et mesurons le temps qu'il a fallu à ces mots pour nous trouver, même si, en fait, ils n'en avaient pas du tout besoin. J'apprends qu'elle a juré, après l'exécution du dictateur, de ne plus avoir peur, de ne plus perdre le sentiment de sa liberté. Et qu'il lui est tout de même arrivé plus d'une fois, ensuite, d'avoir peur, tout en faisant comme si de rien n'était… J'acquiesce de nouveau, car moi aussi, entre-temps, j'ai fait l'expérience des peurs de l'homme libre. Je parviens à bredouiller : « Notre rencontre m'a apprivoisé, désarmé, déridé… une synthèse confuse de la confusion. » J'aurais pu, tout aussi bien, me croire ailleurs et dans d'autres circonstances, penser à Prague, à Milena Jesenská et à ceux qu'elle avait abrités dans les temps difficiles. Je suis troublé, je le reconnais, par les solidarités qu'offre encore la postérité.

Avant que nous nous séparions, j'accepte, sans grande conviction, d'être publié par la petite maison d'édition qu'elle dirige. Nous nous promettons de nous écrire, de nous revoir, une sorte de conciliation mélancolique des deux moitiés du passager en transit que je suis devenu. Écartelé, comme l'acrobate de Kafka, entre ces deux moitiés que deux chevaux tirent dans des directions opposées ? Non, écrasé, allongé au sol et faisant corps avec lui, comme il convient.

À neuf heures et demie, Leon et Ken rentrent de l'Athénée, ravis du concert. Nous voudrions aller dans un bon restaurant. Le réceptionniste nous recommande *La Premiera*, près de l'hôtel, derrière le Théâtre national. Leon monte dans sa chambre pour y déposer sa sacoche contenant ses partitions et sa baguette de chef, Ken me dit que le concert a été un succès. L'oratorio de Schumann, *Le Paradis et la Péri*, était remarquable, il voudrait

1. Un homme est un être humain – cela me suffit. Il ne peut pas être pire.

se procurer une partition, l'œuvre semble tombée dans l'oubli, rarement rééditée.

Restaurant bondé, bruyant, enfumé. Les plats roumains typiques sont traduits bizarrement en anglais. Mais Leon, au bout de deux jours à peine à Bucarest, sait ce qu'il veut : des *sarmale*. Nous prenons la même chose, pour fêter son triomphe à l'Athénée roumain.

Visiblement ravi de la surprise que lui ont faite, alors qu'il ne s'y attendait plus, les instrumentistes, le chef donne la mesure de sa bonne humeur. De l'excitation, il veut de l'excitation. « Gomułka ! », explose-t-il soudain, illuminé par le code magique. « Tu te souviens de Gomułka ? », me demande-t-il, interrogeant l'éternité.

Si je me souviens de Gomułka ?... Je n'arrive à adhérer à son exaltation burlesque que sur un mode grave, solennel, pathétique, en Clown Blanc que console enfin cette inversion des rôles entre partenaires.

Oui, naturellement, je me souviens de Gomułka, fantôme convoqué pour nous distraire et accroître notre appétit. Mais je parle à mon jovial compagnon, non pas de Gomułka, mais de la courte visite, qui fit sensation à Bucarest au début des années quatre-vingt, de son successeur à la tête du Parti polonais, le général Jaruzelski, avec ses lunettes fumées de dictateur sud-américain, en comparaison duquel ce pauvre mégalomane de Ceauşescu faisait figure de piètre caricature balkanique.

« Non, pas votre minuscule bouffon, ni Jaruzelski. Gomułka ! Ici, à Bucarest, j'ai la nostalgie de Gomułka ! », répète Leon comme une rengaine, un vieux tube, un *musical* de Broadway réactualisé, avant que nous ne passions à la traditionnelle *ciorba de perişoare*[1] et aux traditionnels *sarmale* au porc.

Leon insiste pour que je lui dise qui j'ai vu ces derniers jours à Bucarest. J'hésite un instant à répondre.

1. Soupe aux boulettes de viande.

– J'ai rencontré quelques amis. Cet après-midi même, j'ai retrouvé une amie poète, venue de province pour me voir. Je n'ai pas le temps, mais j'ai peur, aussi, de revoir les vieux amis. D'ailleurs j'ai refusé, Ken le sait, certains rendez-vous.

Leon se tourne vers Ken, croyant deviner une allusion plaisante. Ken se contente de sourire, me laissant dire ce que j'ai envie de dire et rien de plus.

– Oui, un cercle d'intellectuels roumains nous a invités tous les deux, ou l'un d'entre nous, à participer à un débat. J'ai expliqué que nous étions trop occupés.

– Tu as bien fait, nous n'avons pas le temps. Je pars vendredi midi, confirme Leon, une *sarma* au bout de la fourchette.

– Il y a eu aussi une invitation particulière. Une ancienne amie. Ken l'a connue il y a longtemps.

Les deux Américains se font tout à coup attentifs.

– Ken connaît beaucoup de gens. Depuis son premier voyage en Roumanie, et les suivants.

Ken acquiesce, s'empresse de donner des détails.

– Notre ami m'a adressé à un écrivain célèbre devenu homme politique. Arrogant, poseur. Puis à un éditeur. Sachant que j'étais américain, il s'est excusé de ne parler que le français. Quand je me suis mis à parler français, il a appelé l'interprète, qui a assisté à toute la conversation. Il m'a tenu un discours nostalgique sur l'époque où la culture était financée par l'État, et jouissait de l'attention et du respect de la nation.

– Les gens qui n'ont pas fait de saloperies sous la dictature ont été dégoûtés, après 1989, par la mascarade de la démocratie, par la rhétorique de l'Occident et l'empressement de tous ceux qui avaient été opprimés à s'imposer, non plus grâce à la carte du Parti, mais à leur compte en banque, dis-je encore, tout en sachant mes commensaux au courant de la situation.

– Je comprends, je comprends très bien, intervient Leon. Mais as-tu rencontré l'un de ces anticapitalistes ? Ou de ces capitalistes ? Je te dispense de toute obligation ! Tiens, demain, je te dispense de venir avec moi. Rencontre l'un d'entre eux, pour connaître leur opinion.

– La conversation serait embarrassante.

Le silence se fait. Il ne faut pas que je laisse la pause se prolonger.

– Quant à celle qui a demandé à Ken de me transmettre qu'elle désire me rencontrer…

– Une démocrate, ou une traîtresse ?

– Le traître national, c'est moi, je ne céderai ce titre à personne. Je l'ai reçu en héritage du capitaine Dreyfus.

– Bon, d'accord, mais rencontre au moins un anticapitaliste ! Il le faut !

Quand nous rentrons à l'hôtel, il est tard. Je demande la clef de ma chambre, je m'aperçois avec surprise que le jeune réceptionniste ne comprend pas le roumain. C'est un Danois, embauché, ainsi qu'une collègue allemande, à l'Intercontinental de Bucarest. Je suis bien obligé de reconnaître que quelque chose a changé, même dans les anciennes annexes de la Securitate.

Le *Journal de bord* du Bard College consigne la longue journée qui s'achève. Pour m'avoir fait repenser à Milena Jesenská, il mérite ma gratitude. Il est minuit passé quand je me rends compte qu'apparaît, à la date du mercredi 23 avril, un autre nom que Milena.

Il faudrait que je quitte ma chambre, que je me précipite dans les ruelles défoncées de la nuit, jusqu'à la rue Transilvaniei, le dernier domicile de Maria. Je frapperais avec insistance à la fenêtre, le fantôme réapparaîtrait, il m'écouterait comme autrefois, quand j'étais son prince à elle toute seule, et que je n'avais encore entendu parler ni du communisme ni du bonheur universel. L'épouse communiste de l'époux communiste avait peu à peu sombré dans la maladie et l'amertume, anéantie par le mécanisme infernal qui l'avait enchaînée au militant lui aussi détruit à petit feu, et jeté comme un ivrogne sénile dans les poubelles de l'Utopie.

Sainte Maria m'aurait demandé, dans son yiddish appris auprès d'Avram le libraire, comment c'est là-bas, au Paradis américain. La paix, la charité, la bonté ? La compétition, Maria ! Le Paradis n'est plus ennuyeux comme autrefois, on a inventé un jeu qui tient les locataires occupés vingt-quatre heures sur vingt-quatre. La rue Transilvaniei n'existe plus, ni Maria, ni le passé, il n'y a plus que les chiens errants de la nuit, dont les hurlements parviennent jusqu'à la chambre 1515.

Quatrième jour : jeudi 24 avril 1997

L'Union des Compositeurs a son siège dans l'ancien palais de Maruca Cantacuzène, l'épouse de George Enesco. Leon s'intéresse aux archives, nous découvrons l'état déplorable dans lequel se trouvent les milliers de manuscrits du compositeur. Nos hôtes nous parlent des problèmes compliqués de droits qu'ils ont avec l'éditeur français Salabert, de leur manque d'argent. Il faudrait de nouveaux équipements pour les archives, photocopier, numériser, étendre les activités éditoriales et, surtout, conclure un nouveau contrat avec Salabert, car celui de 1965 ne permet d'utiliser les partitions d'Enesco que dans les pays de l'ancien bloc soviétique. L'invité américain interrompt l'exposé : « J'ai pour voisin, dans la vallée de l'Hudson, le nouveau propriétaire des éditions Salabert ! »

Amerika über alles ! On sourit, on rit. Un moment de répit, après lequel le chef d'orchestre Botstein promet spontanément d'aider à « relancer » Enesco dans le monde entier. Il demande qu'on lui fasse des propositions détaillées pour le récolement et la numérisation des archives, la réédition et la diffusion internationale de l'œuvre, la commande d'une biographie monumentale du compositeur. Une baguette imaginaire appuie, crescendo, l'envolée du chef d'orchestre. « Si nous pouvions faire retrouver à son œuvre entière le chemin des salles de concert, Enesco aurait dans l'histoire musicale de ce siècle la place qui lui revient, aux côtés de Bartók et de Szymanowski. Notre siècle est hanté, comme vous le savez, par Schönberg et Stravinsky. Bartók est marginalisé en tant que Hongrois, Enesco en tant que Roumain, les Américains en tant qu'Américains. C'est une vision appelée à changer. Enesco ne sera plus considéré comme un compositeur exotique, mais comme le maître des synthèses, le créateur d'une pensée musicale originale. La Pologne communiste a adopté Chopin, la Bohême Smetana plutôt que Dvořák, les Hongrois ont eu des problèmes avec Bartók jusqu'à ce que Kodály intervienne en sa faveur. Enesco a besoin d'un retour au monde triomphal ! Le moment est propice, il nous faut faire vite. » À la sortie de l'élégant édifice, nous avons tous deux le sentiment qu'au-delà des petites et grandes misères de l'heure quelque chose d'important et de durable s'est produit, qui stimule notre enthousiasme. Satisfaction d'œuvrer pour le bien ? « Enesco était un démocrate, tu sais, et ce n'est pas si fréquent parmi les intellectuels roumains. Un Occidental au meilleur sens du terme » : l'Auguste fait l'article avec le zèle d'un guide touristique.

Je m'arrête, irrité par mon autosatisfaction excessive. Leon aussi est électrisé par l'idée d'une action internationale Enesco, il me parle des archives Bartók de Budapest, il est scandalisé par le provincialisme du communisme roumain, par le fait qu'Enesco n'est présent que sous forme de statues, en une sorte de maoïsme byzantin. Les communistes roumains ont-ils été contrariés par l'exil parisien du compositeur, par son mariage avec une aristocrate ? Pourquoi les archives sont-elles dans un état si lamentable ? Je n'ai pas le loisir de hasarder la moindre réponse, tellement Leon est excité et frénétique.

J'assiste le soir, à l'Athénée, au second concert du chef américain. L'entrée est bloquée par des échafaudages, la cour est pleine de boue. Fauteuils de peluche rouge, usée, un décor de film historique. Dans le hall, derrière de petites tables bancales, des hôtesses vendent le programme, deux mille lei pièce. Je prends aussi un journal, huit cents lei. La petite dame n'a pas de monnaie. « Il n'est pas venu grand monde, vous savez. C'est jeudi saint, les gens sont à l'église. » Vestiaire, cinq cents lei, la jeune fille me remercie, je n'attends pas ma monnaie. Les spectateurs commencent à arriver. Des retraités à la mise modeste mais soignée. Quelques étrangers, appartenant sans doute à une ambassade. Un couple élégant et voyant, comme dans les films de mafieux. Un monsieur desséché et blanchi, à l'allure de moine : le fils du célèbre poète d'avant-garde Saşa Pană, l'âge et le visage de son père trente ans plus tôt. Un groupe d'étudiants du Conservatoire, un autre d'élèves avec leurs cartables. Des veuves d'un certain âge. Je trouve la loge 18, fauteuil 12. La salle est aux trois quarts pleine, je suis le seul occupant de la loge. Attente.

« Chers auditeurs, bonsoir. » La voix du haut-parleur est claire et mélodieuse. « Nous vous informons que nos prochains concerts auront lieu les 7 et 8 mai, sous la direction du *maestro* Sergiu Comissiona. Nous vous rappelons que, le 5 mai, aura lieu l'inauguration du festival et du concours Dinu Lipatti. Nous vous souhaitons un agréable concert et, comme il se doit, de joyeuses Pâques. » Silence. Les musiciens s'installent, accordent leurs instruments, Leon fait son entrée, sous les applaudissements. Je fixe mon regard sur un jeune couple, au dernier rang de la salle, à côté de ma loge. L'homme a environ trente ans, d'épais cheveux châtains, une moustache. Sous sa canadienne décolorée, une veste grise, une chemise bordeaux, une cravate. Profil ferme, sourcils prononcés. Sa compagne, arrivée au dernier moment, souriante et gênée, s'est assise à côté de lui, sans un mot. L'homme contemple, sous le charme, la jeune princesse gréco-valaque. Nez fin, narines frémissantes. Yeux profonds, longs sourcils, aussi noirs que les cils. Grâce, mystère. De son cou, une longue écharpe couleur bronze descend sur sa robe jusqu'aux hanches. Ses lèvres sont très rouges, d'un rouge sang, venu du fond des âges.

La postérité. Tu reviens de la mort jusqu'à la salle de concert où autrefois tu as vibré avec une émotion enfantine, comme maintenant.

Les répétitions avaient été décourageantes, les musiciens faisaient à Leon l'effet d'une bande d'imposteurs juvéniles, de petits monstres en jeans, ricanant de façon hystérique pour exaspérer le professeur. L'ancienne Philharmonie, les instruments sacrés au service de la transcendance, avaient disparu au royaume de la transcendance, refusant la postérité. Mais d'un seul coup, miracle!... Les fracs et les robes noires ont radicalement transformé l'orchestre. L'uniforme, n'est-ce pas, peut aussi faire des merveilles, pas seulement des ravages.

L'oratorio de Schumann remplit irrésistiblement l'espace. Il accompagne un retour de l'autre monde, il n'y fait pas accéder, comme le prétend le programme. La rêverie de l'enfance, le songe d'une existence hypothétique. Le programme indique que *Das Paradies und die Peri* fut créé le 4 décembre 1843, sous la direction du compositeur lui-même, dans la salle du Gewandhaus de Leipzig. Les fées Peri appartiennent à la cosmogonie iranienne, elles vivent parmi les dieux et se nourrissent du parfum des fleurs, mais parfois elles descendent sur terre, pour s'unir aux mortels. Le poème de Thomas More, dont s'inspire Schumann, a pour héroïne l'une de ces fées, chassée du Paradis et obligée, pour y être admise de nouveau, de recueillir le don le plus précieux: l'humanité. Elle rapporte la larme de repentir recueillie sur le visage d'un humain pécheur à la vue d'un enfant. L'argument, puéril, est sublimé par la polyphonie et l'harmonie entre les solistes et le chœur.

Un grand succès pour Leon! Ce que me confirme, à la sortie, une dame qui m'arrête au vestiaire. « Je cherchais justement à vous voir, je n'étais pas sûre de vous reconnaître. Monsieur Sava m'avait dit que vous seriez ce soir au concert. » Je reconnais la chroniqueuse musicale que j'écoutais avec admiration, il y a des années, à la radio et à la télévision. On dirait qu'elle n'a pas vieilli. Sa voix aux chaudes inflexions, son sourire fin et mélancolique, sont ceux d'autrefois.

Leon sort, rasséréné par son triomphe. Nous dînons dans un

bistrot du quartier, avec Ken et sa jeune amie bucarestoise. Sur le chemin de l'hôtel, nous nous arrêtons à un bureau de change. Mais le gaillard devant la porte nous barre l'entrée: fermé. Comment ça? Nous lui montrons l'écriteau: OPEN NON STOP. Oui, c'est vrai, mais il y a une pause entre 23 h 30 et minuit. Nous regardons nos montres: 23 h 40. Nous voilà pris de nouveau dans les méandres de la confusion: ni ordre ni chaos, toujours entre les deux, afin que jamais on ne sache précisément ce qu'on doit affronter ou prévenir.

« Ta malchance a été ta chance, Norman », me dit Leon à la fin de cette nouvelle journée bien remplie. « Le dictateur a été ta chance. Sinon, tu serais resté ici pour toujours. »

Je renonce à lui proposer une vision plus sceptique de la chance et de la malchance. Je m'amuse néanmoins à la formuler, en roumain, dans le carnet de bord du Bard College, mais les mots ne viennent pas. Qu'est-ce donc qui empêche le contact avec le présent sans me protéger du passé? J'entretiens dans ma coquille étroite ces vieux serpents omnivores que sont les questions, tandis que le jour est devenu passé et que l'avenir joue à cache-cache.

L'avenir devait bientôt plaisanter, d'une façon épistolaire et bureaucratique, sur cette journée: « *Dear Dr. Botstein, as you know, I asked a distinguished French archivist to look at the Enesco archives* », allait écrire à Leon, six mois plus tard, le 15 octobre 1997, madame T.P. à propos du projet Enesco dont il avait fait part à la fondation Soros. « *I just had a report of the visit. Enesco Foundation received him with some impatience. They told him the documents were in fine shape and he was not allowed to see them. I am at loss to explain this.* » Et sa correspondante d'ajouter: « *Obviously it will be impossible to provide support if the organization holding the Enesco materials will not even permit an independent assessment of the condition* »[1].

1. Cher Dr Botstein, j'ai demandé, comme vous le savez, à un éminent archiviste français d'examiner les archives Enesco. Je viens de recevoir son

Un commentaire de bon sens que Leon et moi aurions été tout aussi capables de proposer à nos hôtes bucarestois ou à nous-mêmes, en guise de distraction, si nous ne nous étions pas identifiés trop intensément à notre rôle de bons Samaritains improvisés.

---

rapport de visite. La fondation Enesco l'a reçu avec une certaine nervosité. On lui a dit que les documents étaient en bon état et il n'a pas été autorisé à les voir. Je me perds en conjectures. Il sera naturellement impossible d'apporter un quelconque soutien si l'institution qui détient les archives Enesco ne permet même pas une évaluation indépendante de leur état.

Interlocuteurs nocturnes

La lumière est éteinte, il est minuit passé. Je n'ai pas tiré les rideaux, l'obscurité n'est pas complète. De la rue parvient une vague brume lumineuse. Dans une auréole incertaine, le visage de monsieur Bezzetti.

– Vous ne m'êtes pas inconnu, j'ai entendu parler de vous.

Un long silence, je le savais déjà, allait suivre. Et ce qui allait suivre après, oui, je savais ce qui allait suivre.

– Vous avez visité l'Amérique ? Vous connaissez l'Amérique ? Il n'y a pas de meilleur endroit pour apprendre la solitude.

Nous nous étions rencontrés en janvier 1989, à la fin des dix mois de la bourse Fulbright grâce à laquelle j'étais venu à Washington. Je n'avais pas tout à fait rompu avec le passé, ni exploré non plus les stratagèmes pour prendre possession de l'avenir.

Le quartier Buckingham, dans une banlieue de Washington, était modeste et tranquille, je m'étais habitué à mes deux petites pièces lumineuses, à ma table de travail montée sur deux tréteaux. Mais il avait fallu déménager. Cella avait trouvé du travail dans un atelier de restauration d'art à New York et habitait un hôtel du West Side, à l'intersection de la 48e Rue et de la 8e Avenue. J'avais logé une semaine, moi aussi, à New York, à l'hôtel Belvedere. Un hôtel bon marché, pas comme l'Intercontinental de Bucarest où je reçois, en ce moment, la visite du fantôme de Bezzetti. La chambre était petite, on ne pouvait pas faire plus de deux pas, de la porte au lit. Les fenêtres fumées donnaient sur une rue étroite, avec beaucoup de circulation. À l'angle, la caserne de pompiers d'où surgissaient d'énormes carcasses de métal rouge, hurlant de leurs sirènes rouges. Nous étions à la lisière du quartier de la drogue et de la prostitution, non loin du fameux Times Square. Le matin, quand elle sortait de l'hôtel pour aller à son travail, Cella était assaillie par une armée de figurants, comme dans *L'Opéra de quat'sous* de Brecht : mendiants, vagabonds, orphelins de la nuit new-yorkaise. « *Lady, America loves you* », scandait le chœur des aliénés.

En comparaison, les deux petites pièces blanches de la modeste banlieue de Washington semblaient idylliques. Je n'avais pas la moindre envie de quitter le refuge auquel j'avais fini par m'habituer. Mais c'est à New York que se trouvaient désormais les sources de revenu de notre couple. Le déménagement devait avoir lieu fin janvier.

Le désespoir stimule non seulement la schizophrénie, mais aussi l'extravagance. Une semaine avant d'abandonner mon premier domicile américain, l'impuissance me fit devenir autre, dans l'espoir que le destin lui-même serait autre. Quelques jours avant de quitter Washington, j'avais obtenu une audience de monsieur Pergiuseppe Bezzetti, attaché culturel de l'ambassade d'Italie aux États-Unis.

Il m'observa d'abord du haut de l'escalier. Avant que nous nous serrions la main, je l'examinai à mon tour : un visage brun, d'une beauté à la fois virile et distinguée, des cheveux noirs et drus, coupés avec soin, une allure élégante. Il attendit que je sois englouti par l'immense fauteuil de cuir pour s'asseoir dans le fauteuil jumeau, l'un et l'autre faisant face à un énorme bureau en bois massif, sculpté. La pièce semblait appartenir à une vieille demeure princière italienne, non au siège d'une ambassade dans le Nouveau Monde.

Le revoici aujourd'hui, dans la chambre 1515 de l'Intercontinental de Bucarest, qui me scrute de son regard intense, calme, concentré, comme il y a huit ans. Depuis les plis du rideau nocturne, il m'offre, comme alors, sa curiosité et sa courtoisie.

Si j'essayais de lui rappeler qui je suis et ce que je veux, comme je le fis au téléphone en 1989, avant de lui rendre visite ? Sans doute m'interromprait-il avec les mêmes mots :

– Je vous connais un peu, j'ai entendu parler de vous.

Quand, où, par qui ? Personne ne me connaissait à Washington en 1989, absolument personne, hormis quelques parents et amis roumains. J'habitais une banlieue modeste, dont je ne sortais plus depuis des mois, et ici, à Bucarest, j'évite les rencontres et suis descendu dans un hôtel qui n'est accessible qu'aux touristes étrangers. Tenait-il ses informations de son collègue français qui m'avait testé à Berlin, ou de leurs collègues de l'Interpol littéraire ?

Le diplomate attend, comme il y a huit ans, que je poursuive. Je ne songeais pas le moins du monde, alors, à l'associer à mon trouble interlocuteur français de Berlin. Il fallait que je sois précis et laconique, que j'expose rapidement ma requête puérile, comme je l'avais prévu. Je venais le voir parce que je voulais rentrer en Europe avant qu'il ne soit trop tard. Je n'aspirais pas à m'installer dans le Nouveau Monde et je ne pouvais pas retourner en Jormanie socialiste. Une bourse de quelques mois en Italie m'offrirait le répit que j'espérais.

C'est cela que je souhaitais en 1989 : avoir des répits, sans cesse. « La décision est un moment de la folie », me chuchotait l'ami Kierkegaard, mais l'indécision ressemblait à la folie même, ainsi que j'avais l'occasion de le constater. J'avais connu pendant des années la folie de l'indécision, j'étais passé maître en indécision. Mais je continuais à espérer des répits.

Le temps perdait toutefois patience, il ne me supportait plus. Voilà ce que devait comprendre l'Italien qui m'observait alors, à Washington. À Berlin, lorsque ma bourse prit fin, je cherchai à retarder l'exil. De même, à Paris, lors d'une courte visite exploratoire, je me mis en quête de possibilités de sursis. Je ne réussis à convaincre ni les dieux du vieux firmament européen, ni les jeunes dieux de cette Amérique où l'indécision est un délit, une provocation intolérable, un signe de dépravation et d'échec, une infirmité suspecte.

En 1989, je ne formulais qu'en pensée cette longue argumentation. Je m'étais brièvement présenté, puis suivit un silence pesant, prolongé.

– Avez-vous visité l'Amérique ? Connaissez-vous l'Amérique ? me demanda, au bout d'un moment, le diplomate.

En un instant, ma requête hésitante se révéla telle qu'elle était : ridicule.

– Êtes-vous allé ailleurs qu'à Washington et à New York ? insista monsieur Bezzetti.

Sa sobre cordialité me touchait, il le sentait.

Non, je n'avais pas visité l'Amérique, je n'avais pas de goût pour le tourisme, ni le temps, ni l'argent, ni la curiosité.

– Il faudrait que vous vous promeniez un peu à travers l'Amérique, continua, patient, le distingué Pergiuseppe.

Le conseil, grâce à Dieu, ne fut pas suivi de la liste des lieux et des musées thérapeutiques, mais d'un nouveau long silence.

– Il n'y a pas de meilleur endroit au monde pour apprendre la solitude, me confia, après un temps, mon interlocuteur.

La solitude… un sujet familier. J'étais prêt à y revenir à tout moment, non seulement dans un bureau d'ambassade, mais même ici, maintenant, dans le tombeau d'un hôtel. « Retrouve-toi toi-même dans le tombeau d'un hôtel », disait Kafka. La neutralité et la géométrie toniques des chambres d'hôtel m'avaient toujours été favorables.

Je fus un bon étudiant en solitude, j'appris beaucoup, pendant ces huit années où je ne revis plus monsieur Bezzetti, sur ce gisement inépuisable. Pergiuseppe aussi, de son côté, apprit beaucoup, j'en suis sûr, sur la solitude, dans le silence de la mort après la mort.

– Je suis depuis dix-huit ans dans cette ambassade, me dit-il.

Une durée inhabituellement longue, comme vous pouvez l'imaginer. De bonnes relations avec l'ambassadeur, quel qu'il soit. Vous êtes un Latin, vous savez ce que cela signifie. Je suis resté ici, au même endroit, dix-huit ans. Dix-huit ans! Toute une vie.

Je me penchai soudain vers mon interlocuteur, pour mesurer à quel point je m'étais trompé en lui donnant un âge.

– Je vais rarement à Rome. Seulement pour de brèves vacances. Je ne supporte plus l'Italie.

Voulait-il me décourager de m'évader vers l'Italie? Devinant mon soupçon, il s'empressa de me donner une explication.

– La promiscuité, voilà ce que je ne supporte plus. Les questions, les embrassades. L'intimité! Les bavardages, les amabilités, les amis, la famille, les voisins prêts à vous étouffer de leur affection. Je repars épuisé au bout de quelques jours.

Cette avalanche de paroles était excessive, monsieur Bezzetti m'honorait d'une véritable confession!

– Vous avez vu, en Amérique, les distances. La distance entre les villes, entre les maisons, entre les gens. Vous avez vu à quelle distance ils sont les uns des autres, devant un guichet, au cinéma, dans les magasins. C'est une bonne chose.

Nous nous regardions, je me taisais. Dialoguait-il avec l'impertinence de ma visite?

– Si je devais mourir demain, dans mon petit appartement de Washington, personne ne le saurait. C'est une bonne chose, disait monsieur Bezzetti, répétant, comme dans une farce posthume, ses paroles de 1989.

J'espère que les circonstances de la mort de monsieur Pergiuseppe Bezzetti dans son petit appartement de la capitale des États-Unis ont été à la hauteur de ses attentes. Et je devine que la vaste contrée de la solitude d'après la mort ne l'a pas déçu.

Connaître l'Amérique? M'habituer à une autre perception des distances? Habiter, réconcilié, ma solitude? Aucune extravagance, aucun désespoir n'est tout à fait inutile, me disais-je en ce bel après-midi de l'hiver 1989, après avoir appris qu'il n'y avait pas de bourses du gouvernement italien pour les écrivains de l'Est. La solitude, notre seule patrie... répétais-je en sortant de l'immeuble élégant de l'ambassade d'Italie.

Ces paroles méritent d'être répétées aujourd'hui encore, dans le tombeau de ma chambre d'hôtel de Bucarest. À la fin de la conversation, Giuseppe Bezzetti ne proposa pas de me revoir, comme l'avait fait son collègue français à Berlin. Mais il me donna, comme lui, sa carte de visite, son adresse et le numéro de téléphone du petit appartement où il attendait la délivrance. Je ne l'appelai pas. Et voici qu'aujourd'hui, à Bucarest, il surgit des lointains inaccessibles pour me rendre ma visite.

Il a disparu. Monsieur Bezzetti a disparu dans les brumes du printemps bucarestois, je reste avec une feuille de papier jauni devant les yeux. Je reconnais mon écriture. « Si vous regrettez votre pays... » Oui, je reconnais ces mots, puérilement recopiés dans un moment de jubilation sénile. « Si vous regrettez votre pays, vous trouverez ici chaque jour plus de raisons de le regretter ; mais si vous parvenez à l'oublier et à aimer votre nouveau séjour, on vous renverra chez vous, où, dépaysé une fois de plus, vous recommencerez un nouvel exil. » Pourtant, ce n'est pas monsieur Blanchot que j'ai devant moi, c'est un Français moins français : Cioran, de Sibiu, de Bucarest, de Paris, lisant sur le papier les mots de Blanchot.

Petit, frêle, le regard vif, les cheveux en bataille. Il s'est agenouillé, mais pas devant moi. Il est devant la fenêtre, à genoux, les yeux tournés vers le néant.

« Pardonne-moi », murmure le rebelle, le regard perdu. « Pardonne-moi, Seigneur »... est-ce bien cela qu'il dit ? Pardonne-moi, Seigneur ? Non, sûrement pas, l'hérétique n'invoque pas la Divinité. « Pardonne-moi », répètent pourtant les rideaux de la fenêtre. Le regard dans le vide, au plafond, vers le ciel, l'immortalité. « Pardonne-moi, Courgette », entends-je finalement. Oui, Courgette, quel formidable surnom pour la Divinité ! « Pardonne-moi, Courgette. Pardonne-moi d'être né roumain », implore le nihiliste. Je connaissais cette scène dont il gratifiait parfois ses compatriotes, spectateurs privilégiés d'une farce qui n'en était pas une.

Quitter sa Patrie, « *c'est de loin l'acte le plus intelligent que j'aie jamais commis** », m'avait-il écrit un jour. Mais il n'avait pas réussi à guérir. « *Les Roumains. Tout devient frivole à notre contact, même nos Juifs** », peut-on lire dans ses écrits posthumes. Le plaisir de s'enfoncer doucement dans la fange ? Le pays n'avait pas donné naissance à des saints, seulement à des poètes…

« Tu n'es pas Cioran », m'entends-je balbutier. « Un Juif n'est pas capable de dire qu'il se torche le cul avec la Patrie, comme la Légion que Cioran admirait en 1940. Ni que le cœur roumain est un cul, comme le déclarait récemment un de ses lecteurs. Ni que l'histoire des Roumains, c'est l'histoire des W.-C. roumains… Tu n'as pas de légitimité pour cela ! Tu n'as pas l'impudence, l'impudence thérapeutique, n'est-ce pas ? Il t'est difficile de renoncer à la honte. Tu as honte pour eux et pour toi, hein ? »

L'impudence comme identité !… La honte secrète, farcie de furoncles purulents, oui, je la connaissais. La honte de n'être pas parti à temps, la honte d'être parti quand même, et la honte d'être ramené au point de départ ? « *J'ai consacré trop de pensées – et trop de chagrin à ma tribu** », crie, sans être entendu de personne, Cioran agenouillé à la fenêtre, fixant l'Autorité invisible et dérisoire.

L'épine cachée, enfoncée dans la chair, qui ne se laisse ni arracher ni convertir ? Kafka, sans doute, comprendrait. « Dans le duel entre toi et le monde, seconde le monde », me conseillait-il. Mais comment reconnaître maintenant, sous l'assaut, les visages hostiles ? Il n'y a qu'une unique grimace illisible. Comment prendre leur parti sans discerner leurs visages, et comment distinguer leur hostilité de l'ennemi qui est en toi, et avec qui tu fraternises spontanément ?

« *Trop de chagrin** », balbutie, la tête entre les genoux, Monsieur Cioran. Ses mots auraient pu, je le jure, être les miens. « *Trop de chagrin, trop de pensées** », le vieux siècle est fatigué, nous sommes à la fin de la partie, chacun arrange le lit de son identité de façon à se dissimuler aux monstres du lendemain matin. Le pyjama n'est pas le costume qui convient. « Le cirque de la nuit exige de la magie », murmure le fantôme. « Tu n'as jamais été capable de magie. »

Je ne l'ai pas été, c'est vrai, je n'en ai pas été capable et je n'y ai pas droit non plus. La magie résoudrait tout, renverserait tout. Cioran s'est évaporé, me laissant seul dans la nuit du néant avec ce gémissement : « Mon pays ! » Il pleure, venimeux et sauvage, dans le vide sépulcral de la chambre : « Mon pays ! Je voulais à tout prix m'y accrocher – et je n'avais pas à quoi. »

À tout prix ? Non, pas à tout prix ! Je ne pouvais plus payer n'importe quel prix, j'avais payé jusqu'à la faillite, et je n'étais ni le premier ni le dernier. On ne peut perdre ce qu'on n'a pas, et il n'y a pas de retour possible. Ni du bien ni du mal, avaient répété Cioran et tant d'autres, depuis des temps immémoriaux. Quel privilège peut rivaliser avec cette impossibilité ? N'appartenir à personne, être minéral, sans autre légitimité que l'instant. Un néant, sans autre vengeance que l'éphémère.

Je suis soudain impatient de retourner en Amérique, parmi mes compatriotes, les exilés, locataires égaux en droits de la Patrie des apatrides, libéré de l'excès d'implication et de l'aspiration à la propriété, réconcilié avec la tente du nomade et de l'instant.

« Vous êtes venu au bon endroit » : c'est par ces mots que Philip accueillit l'Auguste est-européen, au printemps 1988, à son arrivée dans le Nouveau Monde. Rien dans l'aspect de l'exilé n'indiquait qu'il ait, où que ce soit, un endroit à lui. Bredouillant, la main tendue vers la roue de la Fortune : est-ce ainsi que j'apparaissais ? Mon interlocuteur américain m'examinait avec un sourire encourageant derrière ses lunettes cerclées d'or. Il était affalé dans son confortable fauteuil. Il étendait, à l'américaine, ses longues jambes sur la table, et j'admirais ses fines chaussures italiennes, souples comme des gants, dans lesquelles ses pieds nus, sans chaussettes, prenaient leurs aises.

« Je ne crois pas. L'Amérique ne me convient pas », marmonnai-je. « Je ne voulais pas venir ici. Et, maintenant, je ne vois pas de trou où me cacher. »

Il souriait toujours, de son sourire américain plein d'encouragements. « Tout va s'arranger », murmura-t-il avec une sorte de résignation paternelle. « Peu à peu, vous vous remettrez à écrire, à publier. Vous aurez même des admirateurs. Pas beaucoup, naturellement. En Amérique, tout finit par s'arranger. *Everything can be fixed in America, everything will be fine...*[1]. Vous comprendrez peu à peu la grandeur de ce pays. » L'expression *everything can be fixed* était nouvelle pour moi, je me demandais si elle équivalait au *happy end*.

« Depuis combien de générations votre famille est-elle ici ? », lui demandai-je pour dire quelque chose, pour me fuir moi-même.

« Trois », me répondit mon hôte.

« Ma famille a enterré ses morts en Roumanie pendant cinq générations. Après, il s'est passé ce qui s'est passé en Allemagne, ou dans l'Espagne du XVe siècle. Les parents de ma mère sont enterrés dans une forêt d'Ukraine, près du camp où ils sont morts. Une tombe sans indication, sans nom. Après la guerre, ma mère a toujours voulu partir de Roumanie, mais c'est là qu'elle sera enterrée. Elle est vieille, et gravement malade. Seul mon père réussira peut-être à gagner la Terre sainte. Une tombe privilégiée, près de son Dieu. »

Philip écoutait poliment, mais cette autocompassion d'Europe de l'Est était, je le savais, banale et ennuyeuse.

« En Amérique, il ne peut se passer ce qui se passe ailleurs. La Constitution ne le permet pas. Ni la diversité du pays. Ces immigrants du monde entier. »

1. Tout peut s'arranger en Amérique, tout ira bien.

Puis il se tut. Le pathos de l'exilé n'était pas, de toute évidence, du goût de mon hôte, maître de l'ironie et du sarcasme. J'étais tout prêt à ajouter des ingrédients, mais la discussion avait dévié vers des sujets sans importance. Je le fis les années suivantes, quand nous fûmes devenus vraiment proches et que je compris mieux la grandeur et les désastres de l'Amérique. Lui, qui était si libre dans ce pays libre qu'il aimait et représentait, se trouvait alors en proie aux attaques publiques.

Seul face à la foule assoiffée de spectacle, on ne distingue plus les visages de la fête foraine. J'étais passé, en Jormanie communiste, par les mêmes expériences, que je revivais à travers les messages de la Patrie post-communiste. Mais cette fois, j'avais l'avantage de l'exilé qui contemple son « appartenance » à distance, même si nul ne peut prétendre jamais être assez loin de lui-même. Philip considérait ma visite à la Patrie comme absolument nécessaire à ma guérison. Et voici que je me trouvais là où, il n'y a pas si longtemps, j'étais « chez moi », et que je pensais à ceux qui étaient restés là-bas, en Amérique. « *I think I have no prejudices… I can stand any society* », proclamait, outre-Atlantique, Mark Twain. « *All that I care to know is that a man is a human being – that is enough for me. He can't be any worse* »[1]. Un sarcasme avec lequel ni Céline ni Cioran ne peuvent rivaliser. « *A man is a human being… he can't be any worse.* » Suprême indulgence, suprême scepticisme.

De l'Autre Monde, d'où me parviennent ces messages nocturnes, m'arrive aussi, chaque jour, cette injonction : confirmer que tout est *O.K.* Mais le fax de l'hôtel de Bucarest ne marche pas. Une facétie qu'un Américain, même doté du sens de l'humour, aurait du mal à comprendre. Reste la télépathie. Tout au long de la nuit du 24 au 25 avril 1997, le client de la chambre

1. Je crois ne pas avoir de préjugés. Je peux affronter n'importe quelle société. Tout ce qui m'importe est de savoir qu'un homme est un être humain – cela me suffit. Il ne peut pas être pire.

1515 de l'Intercontinental de Bucarest diffuse, au-delà des mers et des terres et des fuseaux horaires, la nouvelle que la terre continue de faire tourner son passager insomniaque : *O.K.* ! Il n'y a rien de suspect derrière les rideaux de la nuit, tout est *O.K.*

Cinquième jour : vendredi 25 avril 1997

Le quartier impérial, le Palais Blanc du Clown Blanc des Carpates, le Versailles de la Jormanie. Une longue avenue bordée d'immeubles aux façades légèrement différentes les unes des autres, destinées à loger la bourgeoisie du Parti.

En hauteur, dominant le paysage, le Palais Blanc, éclectique synthèse Est-Ouest à la manière de certaines villas de l'entre-deux-guerres, mais grotesquement « modernisée » par l'empreinte nord-coréenne.

Je contemple pour la première fois ce monument de la dictature byzantino-communiste, je me rappelle l'épopée de la démolition des quartiers alentour, les visites « de travail » du Président et de son épouse bien-aimée au chantier proche de mon dernier appartement bucarestois. Je me bouchais les oreilles pour ne pas entendre les sirènes qui annonçaient le cortège des limousines noires du couple impérial. Les grues se découpaient, la nuit, dans le ciel qu'illuminaient les jets de feu des soudeurs, le trottoir tremblait sous les camions-bennes remplis de béton. La sirène lugubre de la milice, la cadence militaire du travail.

Le palais fascine Leon, c'est le temps fort, très attendu, de sa visite de Bucarest. « Dans vingt ans, quand on aura oublié le contexte politique, ce projet sera étudié dans les écoles d'architecture ! Aujourd'hui, une telle performance ne serait plus possible nulle part. Seul un tyran peut se permettre de détruire et de construire sur une aussi vaste superficie. » Je ne suis pas d'humeur assez conciliante pour partager son enthousiasme, même si je comprends la fascination américaine pour le monde prémoderne, sous-développé, de ces déshérités dont l'Amérique n'a cessé de s'éloigner. En dépit de ses propres malheurs et souffrances, elle reste toujours prête à aider les proscrits du monde entier, comme pour expier ses péchés et ses privilèges.

Nous déjeunons à proximité, au *Hanul lui Manuc*, où l'atmosphère est à la fois festive et recueillie. C'est vendredi saint, jour de jeûne, le garçon ne nous propose que de la salade et de la bière.

Avant de partir pour l'aéroport et pour l'Écosse, où il doit enregistrer avec le Royal Scottish National Orchestra, Leon répète, avec un certain entrain, qu'il a apprécié notre aventure exotique commune, et achète au dernier moment, dans un magasin turc, un tapis oriental pour son bureau du Bard College, tout heureux de marchander en anglais avec le commerçant, un ancien diplomate. J'ai ressenti à plusieurs reprises l'avantage que me procuraient sa présence, sa hâte toute américaine, qui m'épargnaient de communiquer trop souvent avec mes fantômes. Le fait d'avoir chacun une motivation différente pour ce voyage n'a pas amoindri le bénéfice de ce contrepoint.

Non loin de là, à deux rues seulement, au 2 Calea Victoriei, se trouve l'immeuble où j'ai vécu. Je pourrais être, en quelques minutes, à la porte de l'appartement 15, dans l'almanach d'un autre temps, pour payer mon tribut à la sieste orientalo-communiste d'il y a dix ans. Tout reprendrait-il son cours ancien, redeviendrais-je celui que je ne pouvais plus être ? Encore faudrait-il que le temps annule tout ce qui s'est passé dans l'intervalle.

La vieille rue Antim, où a habité Saul S., n'est pas loin non plus. Dans les mois précédant mon voyage à Bucarest, Saul disait et répétait qu'il voulait m'accompagner. Il se trouvait trop fragile pour entreprendre seul ce retour longtemps différé ; peut-être aurions-nous, ensemble, allégé le trauma dont, d'une façon différente, nous souffrions tous deux.

Sept ans avaient passé – déjà ! – depuis que nous avions fait connaissance. On me présenta à lui comme « roumain » pour éveiller sa sympathie, ce qui, de façon peu surprenante, eut l'effet contraire. Je ne fis rien pour arranger les choses. Il ressemblait au grand Tudor Arghezi[1], non seulement à cause de son air taciturne et de ses reparties laconiques, ou à cause de sa moustache et de sa calvitie, mais par son attitude agressive face à ce qui lui était aussi bien inconnu que familier. Un félin aux aguets, calme puis soudain hostile. Un vieil atrabilaire qui avait été, sans nul doute, un jeune atrabilaire.

Notre amitié devint évidente le jour où, me téléphonant à l'improviste pour me demander comment j'allais, il me commenta ainsi la réponse, tout aussi conventionnelle que la question : « Non, ce n'est pas possible que tu ailles bien. Non, tu ne vas pas bien ! Je le sais. Nous sommes porteurs d'une malédiction, le lieu d'où nous venons. Nous le portons en nous et cela ne se guérit pas facilement. Peut-être même jamais. »

Heureux depuis plus d'un demi-siècle en Amérique, où il avait trouvé sa place et la célébrité, il n'était toujours pas guéri de sa blessure roumaine. « Tu as lu ce livre sur la Roumanie en 1940 ? Ça s'appelle *Athénée Palace*, je crois. L'auteur est une comtesse ! Une comtesse américaine, imagine-toi. "Nous sommes antisémites, madame", lui dit une des éminences locales. "Mais nous ne pouvons pas renoncer aux Juifs. Non seulement pour des raisons économiques, mais parce qu'un Roumain ne peut faire confiance à un autre Roumain. Il n'y a qu'à un Juif qu'il confie ses sales petits secrets." » Il attendait mon commentaire, mais je m'étais contenté de sourire. « S'ils sont antisémites, pourquoi font-ils confiance aux Juifs ? S'ils leur font confiance, s'ils les croient, en plus, intelligents et efficaces, pourquoi sont-

1. Poète roumain (1880-1967).

ils antisémites ? » Je répondis par le même sourire. « Le charme du lieu ! Tu vois, c'est notre lieu magique ! »

Il voyait dans le passé d'avant l'exil une maladie inguérissable, une sorte de boue qui s'infiltrait par tous les pores, infectant non seulement les profiteurs, mais aussi les victimes, dressées à s'adapter à la haine et aux complicités environnantes, en un sempiternel marchandage qui leur déformait le caractère. Il évoquait avec une véhémence aigrie, venimeuse, ce métabolisme grotesque et trivial, avec ses petits plaisirs domestiques et ses relents persistants d'hypocrisie. Dans mon désarroi présent, arpentant les ruelles du Bucarest de 1997, j'aurais eu besoin de son énergie sarcastique, mélange de compassion et de férocité.

Ses caricatures synthétisaient une vision du monde que je partageais. Ces dernières années, le *Pays Dada* était redevenu son obsession, non seulement en tant que *Pays noir* ou *Pays d'exil*, comme il disait, mais aussi en tant que *Pays de l'enfance* sans retour. L'artiste fasciné dans l'enfance par les décors féeriques et loufoques, les arômes extatiques, s'abandonnait encore, à quatre-vingts ans passés, avec la même exaltation qu'autrefois, au souvenir olfactif des échoppes de cordonniers et de cireurs de chaussures, des épiceries, de la gare mystérieuse au parfum de poussière et de transpiration, des légumes en saumure et des crêpes, des *mititei* et des salons de coiffure.

« En nous plaçant dans la situation inconfortable de l'immigrant, nous sommes redevenus des enfants », avait-il écrit. L'enfance elle-même est un exil, mais un exil miraculeux, plein de visions et de sortilèges. Ses célèbres « cartes », dont le point de départ était Manhattan et même son bureau, ne manquaient pas d'inclure le cercle magique *Palas*, naguère à proximité. « Je suis l'un des rares à continuer de perfectionner le dessin de l'enfance », avouait-il.

Je l'entends au téléphone et je le vois, ici, maintenant, posant à chacun les mêmes questions qu'à moi. « *Cacialma*, qu'en pensestu ? C'est turc, un mot turc, n'est-ce pas ? Comme *mahala*, *sarma*, *narghilea*, *ciulama*, non ? Et *cică*, que dis-tu de *cică*? Et de... *cicăleală*? Turc, encore turc. Les métiers sont allemands, les fleurs françaises, mais *rastel* vient de l'italien *rastello*. Comme *rău* vient du latin. *Zid* est slave, comme *zîmbet*. *Dijmă* paraît slave, comme *diac* et *diacon*. Qu'est-ce que c'est, *diac*[1] ? Un copiste ou un chantre ?

Il découvrait des mots étranges, dont la phonétique exotique ressuscitait soudain le temps et l'espace qui nous avaient formés et déformés avant de nous jeter dans le vaste monde. « Nous ne pouvons être américains », me déclara plus d'une fois, comme pour me consoler, ce vieil Américain, considéré comme *a national treasure*, un trésor national du Nouveau Monde. Il avait toutes les raisons de m'accompagner à Bucarest et toutes les raisons d'éviter d'y retourner.

Après le départ de Leon, nous aurions pu hanter les lieux qu'il avait fréquentés autrefois, le Paradis Palas de son enfance. Mais il avait finalement décidé d'aller plutôt à Milan, la ville de sa jeunesse, substitut plus *safe* du passé, et moins riche en surprises. Pour me souhaiter un bon voyage, il m'envoya la page photocopiée d'un livre sur Bucarest, un plan où il avait entouré la zone enchantée : « *April 12, 1997. Dear Norman*, voici mon cercle magique : rue Palas, *off* Antim – rue de la Justice coupant Calea Rahovei. Reste-t-il encore quelque chose ? Va jeter un coup d'œil si tu as le temps. »

N'ayant plus à faire le cicérone, j'ai du temps à revendre, le cercle magique est tout près, mais je n'ai pas la force de contempler le néant. Les bulldozers de la dictature ont pulvérisé le Paradis Palas, définitivement transféré à New York, dans le souvenir du vieil artiste de Manhattan East Side.

Sa voix retrouve soudain des inflexions musicales pour scan-

1. *Cacialma*: bluff. *Mahala*: quartier, faubourg. *Narghilea*: narguilé. *Ciulama*: poulet sauce béchamel. *Cică*: on dit. *Cicăleală*: remontrances. *Rastel*: râtelier. *Rău*: mauvais. *Zid*: mur. *Zîmbet*: sourire. *Dijmă*: dîme. *Diacon*: diacre.

der ces noms archaïques : Palas, Rahovei, Antim, Rinocerului, Labirint, Gentilă. « *Concordiei and just next to it, look, Discordiei. Concordiei and Discordiei !... And here we have Trofeelor, Olimpului, Emancipată. Listen, Emancipată ! Isn't it wonderful ? And Rinocerului, Labirint, Gentilă. Strada Gentilă ! Also, Cuţitul de argint. Puţul cu apă and Cuţitul de argint*[1] ! »

Le cercle magique a disparu, mais à la librairie près de l'hôtel, je trouve à acheter de vieilles cartes postales roumaines pour la collection de Saul, comme il me l'a demandé. Des cartes de Buzău, Suceava, Fălticeni, Bucarest, Ploieşti, un véritable trésor pour le célèbre artiste new-yorkais. À sa première visite, Saul arriva non pas avec la bouteille de vin habituelle, ni – ce qui est encore plus fréquent – le coffret de bouteilles, comme il le ferait ensuite, mais avec une vieille carte postale en couleurs représentant le Buzău de ses grands-parents, de ses parents et de sa prime enfance. Il nous la tendit, solennellement, pour vérifier si nous méritions bien, Cella et moi, son investiture. C'était sa carte de visite d'exilé ne pouvant supporter qu'on évoque la Roumanie devant lui, mais ne pouvant non plus s'abstraire du passé, même un demi-siècle après avoir quitté le sol natal. « Je n'arrive pas à faire la paix avec la langue », répétait-il.

Je me trouve devant l'hôtel, dans la pleine lumière du printemps. Le fantôme protecteur est-il réapparu ?... Cette silhouette, cette démarche, ce regard... Suis-je de nouveau en train de marcher à côté de la Mater Dolorosa, comme sur Amsterdam Avenue ? Elle sourit, ses yeux sont plissés de joie, et de cette douceur intelligente à laquelle je ne cesse d'aspirer. La réalité nous a si souvent brouillés, séparés, et voici qu'une fois de plus elle nous réunit.

1. La rue de la Concorde et, juste à côté, regarde, la rue de la Discorde. La Concorde et la Discorde ! Et voici la rue des Trophées, la rue de l'Olympe, la rue Émancipée. Émancipée, tu entends ! N'est-ce pas merveilleux ? Et la rue du Rhinocéros, la rue du Labyrinthe, la rue Gentille. La rue Gentille ! Et aussi la rue du Couteau-d'Argent. La rue du Puits-à-l'Eau et la rue du Couteau-d'Argent !

Ce sourire est encore revenu, pendant une fraction de seconde, dans la chambre 1515. Je me hâte de ressortir dans la rue au milieu du tumulte quotidien, pour être vraiment seul, complètement seul, comme je le mérite.

Le soir, dîner au Café de Paris, un nouveau restaurant, très cher, près de l'hôtel. Sont présents le conseiller et le chargé d'affaires de l'ambassade américaine, avec leurs épouses. L'atmosphère est cordiale. Je leur confirme que notre semaine bucarestoise a été paisible. Très occupée, mais paisible. Au déjeuner officiel offert en l'honneur de Leon et moi, il a été convenu que je téléphonerais à l'ambassade s'il survenait quelque chose de suspect. Non, rien ici ne m'a aidé à déchiffrer mieux qu'à New York la représentation du martyr de Chagall, crucifié sur le bûcher du pogrom dans le petit bourg d'Europe de l'Est d'autrefois, à comprendre s'il s'agissait d'un message d'hostilité ou de sympathie.

La discussion se focalise sur l'Europe de l'Est post-communiste, les diplomates émettent des appréciations prudentes sur la Roumanie d'aujourd'hui et m'interrogent sur Mircea Eliade. Nous évoquons l'assassinat du professeur Culianu à Chicago. « Bientôt, ici aussi, à l'Est, les excentricités nationalistes des intellectuels n'intéresseront plus personne », dit le jeune *chargé d'affaires**. « Bientôt les intellectuels seront ici tout aussi dépourvus d'importance qu'à l'Ouest. Et ces débats sur le nationalisme seront sans objet. Comme tous les débats intellectuels, vous ne croyez pas ? »

Je renonce à m'intéresser aux ramifications diplomatiques du nationalisme en Europe de l'Est et dans l'ex-Union soviétique. Détendu, j'accepte l'optimisme pragmatique de l'homme jeune et agréable que j'ai en face de moi, l'atmosphère amicale du dîner, réconfortante par les limites mêmes qu'elle suppose.

Le groupe tient à me raccompagner à l'hôtel. Ils semblent s'être mis d'accord à l'avance et, une fois devant l'entrée, m'escortent tous les quatre dans le hall, où nous restons dix minutes encore à parler. Les vieilles règles de la Guerre Froide ? Une mise en scène destinée, comme au bon vieux temps, à signaler aux gens de la réception et à leurs supérieurs que je suis en compagnie d'officiels américains et sous leur protection ?

Dans la chambre, j'ouvre le carnet bleu. Je tiens à la main le crayon, mais une ombre envahit de nouveau la pièce. Je ferme les yeux, referme le carnet, allié des ténèbres qui me traquent.

La maison de l'être

« En parlant avec l'employé de la réception, votre visage s'est soudain illuminé. » La remarque de Ken, mardi matin, était sans doute vraie.

Cet instant m'avait immédiatement accueilli, car c'est la langue qui m'accueillait. Ce n'était pas la première fois. Le portier de l'hôtel de Zurich, nous entendant parler roumain, s'adressa, ravi, à Cella : *Bună dimineața.* Devant ma joie spontanée, il ne cessa ensuite de nous décrire les difficultés de l'exil et le bonheur de vivre libre, dans cette Suisse civilisée.

Se réveiller du sommeil *hypokrinô*, un jeu d'enfant ? Il faut ensuite, de nouveau, gagner son pain : les mots qui font avancer, pas à pas, dans le labyrinthe de l'errance.

Et plus tard, si on est patient, vient le Jour du Cobaye. J'étais à moitié réveillé, après une nuit trop brève. Au téléphone, mon ami américain, matinal comme à son habitude. La voix, l'intonation joviale, étaient bien celles que je connaissais, mais les mots, la prononciation, l'accent… c'était, mon Dieu, un étrange substitut, un double balkanique. Lorsque je me dirigeai, étourdi, vers la salle de bains, j'entendis des voix dans le salon. Qui avait envahi, de si bon matin, l'appartement ? Cella avait oublié, en partant travailler, d'éteindre la télévision ! À l'écran, le feuilleton du procès d'O. J. Simpson, retransmis depuis la Californie mais avec un autre lexique, une autre phonétique. Je me précipitai sur la télécommande, passai sur une autre chaîne, encore une autre, fis défiler à toute vitesse, horrifié, les quelque cent chaînes du câble new-yorkais. Le doute n'était plus permis : sur toutes, sans exception, on parlait roumain !

J'éteignis le jouet et me réfugiai dans la salle de bains. Le miroir témoignait de mon état de jubilation. Un sourire niais, le masque du bonheur, tout autre chose que ce que je crus ressentir au cours des minutes suivant la sonnerie du téléphone. Je baissai les yeux vers la vasque blanche du lavabo, pour ne plus voir ce visage d'étranger. Mes mains tremblaient, le savon glissa, mais mon visage, en dépit de la frayeur, demeurait l'emblème du triomphe.

Je réussis à quitter la salle de bains sans regarder le miroir, m'habillai, sortis de l'appartement. J'avançai prudemment vers l'ascenseur. À tout moment, une porte pouvait réactiver brusquement l'hallucination.

Au rez-de-chaussée, Pedro, fidèle au poste derrière le comptoir de marbre, souriait aimablement, comme toujours. Allait-il me dire, comme la veille, *Good morning, Sir* dans son anglais espagnol, en exhibant ses dents blanches parfaitement alignées, et en inclinant sa coiffure sculptée et sa moustache latino-américaine ? *Bună dimineața, domnule !* Je ne répondis pas, qu'aurais-je pu répondre ? *Good morning*, comme chaque matin ? Mais je ne parvenais pas à me défaire du sourire de crétin béat qui fendait mon visage blême. Voilà que Pedro, tout à coup, parlait roumain ! Tout comme O. J. Simpson, son avocat Johnnie Cochran, la partie adverse, Marsha Clark, le président Clinton et le basketteur Magic Johnson ! Je les avais vus, de mes propres yeux, à peine quelques minutes plus tôt, sur le même petit écran où Barbra Streisand, Diana Ross, Ray Charles chantaient tous, chose à peine imaginable, en roumain ! « Seigneur Dieu ! », me surpris-je à balbutier, convaincu que Dieu comprenait le roumain et me comprenait.

Le jeune Pakistanais du kiosque à journaux me contemplait, stupéfait, non pas faute de comprendre l'étrange idiome dans lequel je m'adressais à la Divinité, mais justement parce qu'il comprenait, lui aussi, le code. Je posai les pièces sur sa tablette et me penchai pour prendre le *New York Times*. Je regardai les titres, les relus, page après page. Y cherchais-je l'augure, la promesse, le message de l'oracle ? Le message m'était parvenu, en vérité, un an plus tôt, d'une petite ville au nom romantique, New Rochelle, sous la forme d'une carte postale que la main délicate de Cynthia m'avait écrite.

« *I wish for you that one morning we will all wake up speaking, reading, and writing Romanian ; and that Romanian will be declared the American national language (with the world doing the strange things it is doing today, there is* no reason *for this NOT to happen).* »

C'étaient des mots, juste des mots, qui n'avaient pas le pouvoir de préfigurer la réalité autour d'eux. Aurais-je dû me méfier des parenthèses ? Je ne fais pas partie des inconditionnels de monsieur Derrida et de ses « ambiguïtés textuelles ». Les mots de Cynthia étaient naturels, affectueux, bienveillants. Étais-je passé trop rapidement sur ce *NOT* qu'elle-même soulignait ? Voulait-elle me rappeler que les Anciens conseillaient de ne rien désirer trop ardemment, de peur de l'obtenir ? Et voici que le vœu s'accomplissait ! Et qu'il m'apportait non pas le bonheur ou la guérison, mais la confusion. J'étais subitement devenu l'une de ces marionnettes de plastique dans les séries pour enfants de la télé américaine, elles aussi, mais oui, en roumain.

L'étranger ne peut-il donc conquérir sa citoyenneté linguistique qu'à la manière d'un brigand, un hooligan, en forçant l'entrée par tous les moyens ? Et quand la Patrie vous expulse, faut-il prendre sa langue avec soi et s'enfuir purement et simplement ? Que signifiait la MAISON DE L'ÊTRE, Herr Professor Heidegger ? La langue et ses blessures, la langue infirme, la langue aliénée, la langue insomniaque, le nœud grec *hypokrinô* ? La langue est-elle simulation, dissimulation, hypocrisie ? La théâtralité, le jeu différé de l'imitation et de la résurrection, le masque et la mascarade ? D'un seul coup, tout devient faux, falsifié ! Le président Clinton en roumain, Ray Charles en roumain, Magic Johnson en roumain. La langue roumaine érigée en Langue Globale que personne n'a de difficulté à comprendre ni à parler. L'exil est-il devenu universel, chacun fait-il son numéro au Cirque Hypokrinô ?

Le crapaud soudain changé en Prince souriait bêtement, mais il était plus que mal à l'aise de parler roumain avec Pedro le Mexicain, avec le Pakistanais du kiosque à journaux ou avec Philip, il fallait bien l'avouer. En jouant avec les mots, Cynthia avait autre chose en tête. Comme tant d'écrivains et de non-écrivains, elle oubliait le danger caché dans les mots.

Mon sourire insane, l'apoplexie du bonheur – tout était désormais simple, facile, naturel. Guérirais-je de ma difficulté à interpréter, l'âge venu, mon enfance, transposée dans un autre vocabulaire ? L'absurde farce n'embellissait pas, mais dénaturait les choses ! Monsieur Derrida pouvait être satisfait : la langue ne saurait prétendre à l'absence d'ambiguïté, n'est-ce pas ce qu'affirme le Professeur ?

Trop tard, Cynthia, trop tard ! Si le miracle s'était produit le 9 mars 1988, lorsque j'avais atterri, comme un nourrisson tombé du ciel, à l'aéroport de Washington, j'aurais été heureux, oui, de parler roumain avec Cynthia et Philip, avec Roger et Ken, avec Leon, Saul B., Saul S. et tant d'autres. De joie, j'aurais même été prêt à converser avec Dan Quayle ou George Bush. Maintenant, tout était confus. Je n'étais plus le nourrisson qui apprend à grand-peine, à force de gestes et de balbutiements, la langue des sourds-muets. Entre-temps, la langue nouvelle dans laquelle je m'étais exilé s'était peu à peu infiltrée jusque dans les tissus de l'ancienne. J'étais devenu *Hypokrinô*, un hybride n'ayant plus rien de pur ni d'intègre.

Je comprenais enfin, après le Jour du Cobaye, la conversation que j'avais eue peu de temps auparavant avec Louis. Nous parlions des étranges ressemblances et dissemblances de nos histoires personnelles. De nos enfances traumatiques, mais aussi des événements ultérieurs. J'aurais pu imaginer un destin américain comparable au sien, avec des études dans une université réputée, être avocat, écrivain, si mes parents, comme les siens, avaient émigré aux États-Unis juste après la guerre, s'ils avaient eu les moyens de payer les frais de scolarité de leur fils. De même, j'aurais bien vu Louis, au prénom tout aussi rare en Pologne, je suppose, que Norman en Roumanie, rester après la guerre dans son pays natal et suivre, pourquoi pas, un itinéraire peu différent du mien, à travers les méandres du socialisme polonais.

Il y avait peu de clients à l'heure du déjeuner dans l'élégant restaurant de l'East Side, où le célèbre avocat et romancier, à en juger par les attentions dont l'entouraient les serveurs, avait tout l'air d'un habitué.

« Oui, tu as sans doute raison », acquiesça mon interlocuteur. « Nous nous ressemblons sans en avoir conscience. La différence, c'est que toi, au moins, tu as une langue. »

Le silence de l'établissement raffiné vola soudain en éclats, comme si on avait jeté par terre un énorme plateau d'assiettes, de verres et de couverts. Non, j'étais seul à percevoir ce vacarme. Pourtant, cette affirmation scandaleuse ne m'avait pas fait bondir de ma chaise, mais paralysé. J'avais perdu ma langue, et cette perte était incommensurable, je le savais, c'était ma seule certitude. Et qui faisait cette incroyable affirmation ? Un écrivain américain, parfaitement intégré dans son pays et dans sa langue !

« Oui, j'habite confortablement la langue de mon milieu américain », poursuivit Louis, lisant dans mes pensées. « Une langue que je manie, je peux le dire, à la perfection. La différence entre nous, c'est que tu as ta langue à toi. Cela se sent, crois-moi. Cela se voit même dans ces traductions dont tu te plains à bon droit. Ma langue à moi, si parfaite soit-elle, n'est qu'un instrument. Je peux faire n'importe quoi avec elle, c'est vrai. Mais toi, tu fais corps avec ta langue. Elle est cohérente, c'est ton intégrité, ton être tout entier ! Même en exil, surtout en exil. »

Intégrité ? Être ? Dans ma langue exotique et vulnérable à la traduction ? Écrivais-je donc dans une langue facile à traduire, dont le lexique franchit sans peine les frontières ? Dans le calme du luxueux restaurant, j'étais de nouveau en proie au doute, comme au moment où j'avais tendu la main, comme un cobaye, pour attraper mon *New York Times* au kiosque à journaux d'Amsterdam Avenue. Foudroyé sur le coup : les mots avaient retrouvé leur prisonnier, acquis leur sens.

J'étais resté pétrifié dans cet instant improbable. Un siècle avait passé. Ma main poursuivait son geste. Je m'étais penché pour prendre le *New York Times*. Je tenais un journal roumain, à Bucarest !

Un matin tout aussi improbable que sur Amsterdam Avenue, à New York : je me trouvais devant un kiosque à Bucarest et regardais le titre en première page : *Le journal posthume de Mihail Sebastian*. Quoi que pense monsieur Derrida de l'ambiguïté de la langue, les mots clairs avaient un sens clair, univoque. Je ne découvrais aucune ambiguïté. Oui, Louis avait raison : personne ne pouvait me déposséder de ma cohérence et de mon intégrité. Rien ni personne, pas même le rêve, soudain réalisé.

Sixième jour : samedi 26 avril 1997

Déjeuner chez mes amis Bebe et Silvia. La rue ne s'appelle plus, comme naguère, Fučík, en l'honneur du célèbre journaliste communiste tchèque, auteur d'*Écrit sous la potence*, mais Masaryk, une promesse tonique.

L'immeuble, négligé, a perdu un peu du prestige lié à son emplacement privilégié. L'appartement, autrefois confortable et élégant, semble modeste, défraîchi. Mes amis n'ont pourtant pas vieilli, ils ont su garder leur équilibre en composant avec leur environnement. Bebe dirige une excellente revue culturelle, Silvia l'aide à classer et à préparer les textes.

La conversation s'anime rapidement. Nous parlons de la transition post-communiste et du nationalisme, de New York, du Bard College, du chef d'orchestre américain venu à Bucarest, d'Eliade, du *Journal* de Sebastian. Bebe, qui a été l'élève de Sebastian pendant la guerre, parle des années d'après-guerre de l'actrice Leny Caler, ancienne maîtresse de Sebastian et de bien d'autres, personnage central de la première partie du *Journal*. Elle aussi tenait un journal, Bebe est en possession du manuscrit, d'un intérêt moindre que l'existence orageuse de la courtisane. Passionnante, en revanche, semble être la biographie de sa sœur, réfugiée elle aussi à Berlin, où elle entretenait d'obscures relations avec la police secrète d'un ou plusieurs pays : Bebe l'évoque avec la fougue du vieil amateur d'anecdotes interlopes. Une longue palabre à l'orientale, de plus de cinq heures, comme dans une vie antérieure.

Suit la visite à Donna Alba. Le téléphone m'a instantanément restitué la voix de l'interlocutrice d'il y a dix ans, mais sans le brio qui la caractérisait alors, dans ses exégèses sur les livres anciens ou nouveaux.

Donna Alba, ainsi que je l'avais baptisée, était dans sa jeunesse une apparition astrale. Belle, raffinée, intelligente, elle dominait les séminaires de littérature, intimidant ses camarades qui n'osaient s'adresser à elle dans leur jargon direct et plébéien. Après la faculté, elle ne tint que quelques mois dans une maison d'édition, avant d'être renvoyée pour ses tenues et ses silences cosmopolites.

Mais son licenciement ne fut pas un drame. Car entre-temps la délicate héritière de la bourgeoisie se trouva un nouveau nom et une nouvelle famille : elle se maria. La créature séraphique était descendue de l'Olympe sur la terre ferme, aux côtés du camarade P. G., le célèbre critique littéraire et l'idéologue redouté de la nouvelle élite communiste. Le militant avait accepté, en toute sérénité, l'incompatibilité entre les critères esthétiques socialistes et ceux qu'incarnait sa propre épouse. Boiteux, myope et sarcastique, l'ancien clandestin, torturé et condamné à mort sous la dictature du maréchal Antonescu, portait en lui la double blessure de l'infirme et du rebelle. Pour cet admirateur de Proust et de Tolstoï, qu'il relisait chaque été, le simplisme de la lutte des classes représentait sans doute une vengeance face à la corruption de la société roumaine. Qui était restée corrompue sous le socialisme, devait-il découvrir, dépassé à son tour par la rapidité avec laquelle les masques se réinventaient.

Le dégel politique des années soixante signifia davantage que la perte de l'investiture officielle : le communiste fut en proie à un vrai délire. Ce qui provoqua la crise n'était pas la crainte de la démocratie, qu'il considérait comme un truc pour enfants arriérés, mais le cauchemar… de la résurrection du fascisme. Il se cachait sous son lit, dans la hantise d'une imminente exécution ! Interné dans un hôpital psychiatrique, le malade ne se rappelait que le fascisme et la peur de l'exécution ! La lecture, l'écriture, l'alphabet même semblaient avoir disparu de sa mémoire. Un psychiatre en vue, lui-même écrivain et ami du patient, finit par trouver la solution : il lui lisait des extraits célèbres de chefs-d'œuvre de la littérature qu'il connaissait autrefois par cœur. Avec succès, car la mémoire reconquit peu à peu des mots, des lignes, des pages, le souvenir de ses lectures lui revint, puis, progressivement, l'écriture.

Quand je fis sa connaissance, l'ancien militant était devenu sédentaire et obèse. Il n'était plus rattaché à la politique que par la médisance, le commentaire à double sens. Il n'avait pas perdu sa ferveur littéraire : il écrivait désormais d'excellents romans et nouvelles. Sa frustration révolutionnaire ne trouvait pour s'épancher que de venimeuses antiennes contre le capitalisme et l'impérialisme américains, contre le socialisme devenu national-socialisme, contre les coulisses du monde littéraire. Ses maladies avaient beau se multiplier, son acharnement ne se démentait pas. Changer de siège était devenu pour lui une performance athlétique. Lorsqu'on prenait des nouvelles de sa santé, il répondait invariablement : « Je suis heureux, mon bon monsieur. Le bonheur est tout ce qui me reste. »

Les temps étaient difficiles aussi pour Donna Alba. On pouvait entrevoir son anachronique manteau de fourrure dans les longues queues pour le fromage, les citrons ou les médicaments. Elle qui jamais ne s'était fait un thé elle-même, prodiguait désormais héroïquement ses soins au malade. Elle qui n'avait pas l'habitude de répondre aux gens qui la saluaient dans la rue, lieu trivial et sordide, engageait maintenant la conversation avec les petites vieilles, les enfants et les retraités qui faisaient la queue, des heures durant, pour un sac de pommes de terre.

Les hivers constituaient, dans l'appartement sans chauffage du vieil immeuble près du parc Cişmigiu, un véritable test de survie. Comme lors du blocus de Leningrad, pendant la Seconde

Guerre mondiale, on résistait, en Jormanie socialiste, par la lecture. Partenaires de ce dialogue livresque : l'austère beauté de la femme à côté de la souffrance du malade, le stérile détachement d'esthète de l'épouse contrastant avec le militantisme frustré du mari !

L'histoire du couple n'appartenait plus, désormais, qu'au passé. Je me dirigeai vers le nouveau domicile de la survivante. La fleuriste me salua, bizarrement, en anglais. Le prix d'un petit bouquet de roses était le même qu'à New York ! Une somme tout à fait extravagante pour le Bucarest du printemps 1997. Je renonçai à protester : les fleurs n'étaient pas fraîches.

La rue somnolait dans le ventre froid d'un nuage, l'animation des passants avait quelque chose d'artificiel. Je ne ressentais que la crainte de les toucher ou d'être touché par eux tandis que j'avançais timidement, beaucoup trop timidement, dans le corridor de cette rue sinueuse. Le nouvel appartement de Donna Alba ne devait plus être très loin, je marchais depuis longtemps, sans être sûr d'arriver à destination.

L'ascenseur monta très lentement, par à-coups, au dernier étage. La porte s'ouvrit avant que la sonnerie eût cessé.

– Enfin ! Enfin vous voilà, mon cher !

La voix n'avait pas changé, je l'avais constaté au téléphone. J'aurais voulu l'embrasser, mais les gestes familiers n'allaient pas de soi, dans le passé non plus. Sans doute lui fis-je le baisemain, comme autrefois. Elle s'empressa de me délivrer du bouquet de fleurs que je tenais gauchement, comme d'habitude.

Nous ne nous étions pas vus depuis plus de dix ans. Elle avait perdu sa mère et son mari, survécu à une tentative de suicide. Au cauchemar de la dictature avait succédé le cauchemar post-communiste. Elle ne pouvait probablement plus payer son coiffeur, ou n'accordait plus d'attention à ce genre de détails. Son aura, son mystère, sa cérébralité ostentatoire, s'étaient éteints. Ses cheveux avaient blanchi, elle portait un gilet d'intérieur en laine blanche. Comme si la robe habillée d'autrefois n'était plus appropriée ni à ce moment de l'après-midi ni à ce moment de son existence spirituelle. J'étais face au visage pâle, aux yeux enfoncés, sémites, de la vieille Lea Riemer, sœur de mon grand-père, en qui je voyais, enfant, une figure biblique. Aussitôt, je sentis combien j'avais vieilli moi-même.

Elle me fit signe de m'asseoir dans un fauteuil. Elle ne me proposa pas de visiter l'appartement. Une porte en verre séparait la petite entrée où nous nous trouvions du fauteuil et du bureau couvert de papiers. Derrière, il devait y avoir la chambre à coucher et le coin-cuisine. Une atmosphère étriquée, vieillotte, de pauvreté et de solitude. Je ne reconnaissais pas les meubles usés qui encombraient les pièces. Le « salon littéraire » de la rue Sfîntul Pavel n'existait plus, ni la somptueuse robe rouge de velours ou de soie.

Le soir d'automne où je sonnai, intrigué, à la porte de l'inconnue qui, deux semaines plus tôt, m'avait gratifié dans le récepteur du téléphone de sa voix mystérieuse, l'image qui m'apparut évoqua en moi de vieilles lectures romantiques. La dame semblait descendue d'un tableau d'époque. Son visage fin de porcelaine blanche, ses yeux noirs, ses cheveux retenus au-dessus du front par un bandeau blanc. Sa robe rouge, éblouissante, sa grâce, sa réserve, sa lenteur. Sa taille bien prise, ses hanches larges, orientales, sous les plis du velours. Seules ses mains avaient quelque chose de triste, d'inaccompli, des doigts minces, violacés, infantiles, un coude fragile, en verre, à ne pas toucher.

Une image qui invitait, en ces temps de vulgarité socialiste, à l'aventure anachronique.

– Ma foi, il ne faut pas faire trop attention à l'appartement… Dites-moi plutôt comment est l'Amérique. Pas l'Amérique de ces films pleins de mitraillettes et de personnages idiots qu'on importe ici.

Je me tus, ne sachant par où commencer.

– J'ai entendu dire que vous êtes venu avec un chef d'orchestre ou quelque chose comme ça. Historien, en plus, et qui parle allemand ? Ça change des barbares, du sexe et de l'argent *made in USA* !

Le simplisme des préjugés sur l'Amérique ne diffère guère de celui des étrangers sur la Roumanie. J'esquissai un portrait élogieux du chef d'orchestre.

– Un Européen, donc, à ce que je comprends.

Oui, américain et européen... Je regardai le gâteau que j'avais devant moi. Aux soirées littéraires de Donna Alba, on ne servait pas de plats, mais une boisson légère, sucrée, vin, liqueur, vermouth, et un gâteau au chocolat épais et moelleux. Chaque cuillerée était une masse de crème et de sucre, les subtiles gloses littéraires se déroulaient sous la menace du glucose. De retour à la maison, seul un oignon, mastiqué sans tarder et avec appétit, remettait d'aplomb mémoire et entrailles. Plus tard, la pénurie alimentaire rendit impossible ce supplice culinaire, et le froid des appartements non chauffés finit par abolir ces extravagantes soirées.

Le gâteau, cette fois, n'était pas trop sucré, l'agression du passé m'était épargnée. J'avais droit à un gâteau acheté dans une pâtisserie, une maison bien connue.

Incapable de lui poser des questions sur les derniers mois de sa mère ou de son mari, ni sur sa vieillesse et sa pauvreté, j'observais la table couverte de livres, de papiers, de cahiers, afin d'y découvrir le *Colocataire K.*, vieux et abîmé, où se dissimulaient désormais sa mère et son époux. Je regardais l'heure, hébété, sans savoir que dire, dans l'espoir que se produirait, comme c'est souvent le cas lorsqu'on a l'air indifférent, un miracle, et que j'apercevrais, tout près, le *Colocataire K.*, survivant rigide et mystérieux de toutes les catastrophes.

J'avais découvert fortuitement son existence, à l'occasion d'une de mes visites au Grand Calembouriste, le mari de Donna Alba.

J'étais arrivé, comme d'habitude, à deux heures. Le romancier se couchant à l'aube et se réveillant tard, nous nous voyions après le déjeuner. Je sonnai et, comme d'habitude aussi, ce fut sa belle-mère, russe, qui m'ouvrit. Elle ne parlait que le strict minimum, mais je savais qu'elle m'avait surnommé, au premier coup d'œil, *russkii pisatel, russkaïa intelligentsia*[1], et j'étais flatté de sa méprise. Elle me pria, comme toujours, de passer au *salion*. Je m'assis dans le fauteuil habituel, devant la table recouverte de velours brodé. J'étais attendu, la mise en scène me le confirmait. Sur la table se trouvaient, comme à chacune de mes précédentes visites, la photo encadrée de Donna Alba et un volume de la *Recherche du Temps perdu*. Je contemplais la photographie, attentif aux bruits venant de la chambre voisine. Des pas interrompus, un halètement, je connaissais le scénario.

Enfin, l'Éléphant Volant apparut, chancelant et s'appuyant au mur. Ses jambes ne le portaient plus, il devait suivre, entre la porte et la table, une corde fixée là pour lui. Arrivé à destination, il s'écroula, comme d'habitude, épuisé, sur un siège.

– Alors, libéral, quelles nouvelles de l'Atlantide ?

Le romancier et communiste à la retraite s'intéressait bien plus, en vérité, aux derniers ragots locaux qu'aux nouvelles nord-atlantiques. Nous bavardions donc de livres, d'adultères et d'intrigues littéraires quand, au bout d'un quart d'heure environ, le *salion* fut régalé par la vieille belle-mère russe du gâteau et du verre d'eau protocolaires. Je la remerciai, selon l'usage, pour la torture gastronomique à laquelle j'étais une nouvelle fois soumis. Mais *Matiouchka* ne se retira pas.

« Paul, Paul, *Kafika* est là », l'entendis-je chuchoter, avec son accent inimitable. « Apporté *Kafika* », répétait-elle en soulignant la première syllabe du nom et en prononçant la voyelle suivante un demi-ton plus bas.

« Kafka ? », m'empressai-je de demander sitôt que je fus resté seul avec le Maître et que la résonance slave de la prononciation

1. L'écrivain russe, l'intelligentsia russe.

se fut dissipée. En quittant la pièce, la vieille femme avait laissé en faction sur la table un grand dossier élimé. Un vieux registre à la solide couverture noire, une étiquette scolaire toute tachée en son milieu. « Oui, le répertoire des adresses et numéros de téléphone. Naturellement, *Kafka...*, c'est ainsi que je l'ai baptisé, c'est ce qui est écrit sur l'étiquette : Kafka. Comme monsieur K., le répertoire téléphonique est riche en mystères », me répondit, évasivement, le Calembouriste.

Je m'étais alors demandé sous quel nom de code je figurais moi-même dans sa Kabbale humoristique, découverte inopinément.

Plus de dix ans après, le *salion*, et les personnages du scénario, avaient changé, mais j'étais certain que le vieux *Colocataire K.* veillait à proximité.

Je fixais bêtement ma montre, le métronome rythmait les mots qui m'avaient envahi. « Je regarde ma montre. Cette montre m'a été donnée par ma mère, toute-puissante et immortelle, qui repose sous terre depuis une éternité, depuis hier, depuis un instant. » C'étaient les mots de mon interlocutrice, publiés quelque trois ans plus tôt dans une revue. « J'ai du mal à regarder la deuxième montre sur la table de nuit, la montre de mon père tout-puissant et immortel, une montre solide et de bonne qualité, qu'il a été heureux d'acheter quelques jours – sept à peu près – avant de mourir. » Je voyais ces mots, non pas sur la page imprimée où ils étaient parus, mais sur une vieille feuille de papier jauni, quadrillé, du Registre K., témoin caché quelque part, tout près.

« Sur la table de nuit, en bois de citronnier doré, noirci et taché par le temps, se trouvait aussi la montre d'adolescent, puis de jeune homme, de mon proche le plus proche, de mon semblable le plus semblable, une montre qui s'est arrêtée il y a longtemps, qui est arrêtée. Je ne la regarde pas, mais je sais qu'elle est là. Mon père me l'avait offerte pour que je lui offre, à lui, une montre extraordinaire, suisse, venue tout droit de Genève.

Le don devient paradis[1] – il l'a été longtemps, bien trop peu –, mais parfois se transforme en véritable géhenne. Car mon père tout-puissant et immortel est enseveli sous terre. Et mon proche le plus proche, mon semblable le plus semblable, vulnérable, puissant et immortel, repose lui aussi dans une fosse quelconque, creusée dans les profondeurs de l'argile et entièrement recouverte d'argile. Et où je repose en vérité moi-même. »

J'entendais les mots en sourdine, leur cadence métallique dans le combiné du téléphone – il m'avait fait connaître, vingt-cinq ans ou vingt-cinq siècles plus tôt, la voix de celle qui me regardait à présent depuis la fosse où, tous, nous sommes accueillis.

Mes propos sur l'Amérique étaient convenus. Pas seulement parce que mon retour semblait lui-même convenu, mais parce que je savais combien Donna avait été choquée, en 1986, par la nouvelle de mon départ, je savais les railleries et les invectives dont me couvrit, au cours des mois suivants, son semblable le plus semblable. Serait-elle disposée à me décrire les fureurs de son époux ? Avant de retourner à la poussière dont il venait, le héros de sa vie avait fait, il est vrai, un geste de réconciliation : il m'envoya, de loin, ses vœux d'heureux enracinement dans la terre où j'avais fait naufrage.

– Je suis riche en pertes. Et donc compétente en la matière. N'oubliez pas, s'il vous plaît, ce que je vous dis aujourd'hui : vous n'avez rien perdu. Vous n'avez absolument rien perdu en partant. Au contraire.

Elle paraissait parler aussi au nom du défunt qui était entre nous. Étais-je gracié ? Ce n'était pas de la langue qu'elle parlait, bien sûr, elle connaissait mieux que personne la valeur des mots. Les autres pertes étaient, en réalité, des gains, voilà ce qu'elle voulait dire. Jugeait-elle ainsi le fait d'être restée ? Je n'avais pas

1. Traduction littérale du proverbe roumain *Darul din dar se face rai.*

le courage de lui expliquer ce que j'avais moi-même appris entre-temps sur le gain et la perte. J'entendais seulement le refrain, répété: « Vous n'avez rien perdu. Rien. Vous n'avez rien perdu. Au contraire. »

Pour échapper à ce métronome obsédant, je demandai à aller aux toilettes. Elle me montra le chemin, fit quelques pas avec moi dans un couloir étroit, presque jusqu'à la porte. J'allumai l'interrupteur. La lumière incertaine de la minuscule ampoule me dévoila une sorte d'entrepôt. Des valises élimées, des balais, des brosses, des chaises poussiéreuses, de vieux vêtements, des bassines trouées et des chapeaux archaïques, des cols de fourrure, des dossiers, des souliers démodés. Je crus entrevoir, une fraction de seconde, des oiseaux empaillés à côté de bustes d'argile ébréchés et de parapluies estropiés.

Dans un angle, un petit lavabo, à un pas de la cuvette. Sans regarder le miroir tacheté, je tentai en vain de fermer le robinet. Il résistait, un mince ruisseau de rouille continuait de couler. Vieille cuvette de faïence au couvercle cassé, carrelage et murs gris, fenêtre au cadre fatigué, seau, chiffons. J'éteignis la lumière, fermai les yeux, immobile au milieu de cet amas de vieilleries, sans courage pour poursuivre ma visite.

Je revins cependant, il me sembla l'entendre me parler d'agents de la Securitate enrichis et de retraités suicidés, d'enfants des rues et de chiens des rues. Mentionna-t-elle, au passage, les chaussures italiennes qu'on peut acheter, si on a de l'argent, au magasin du coin ?

Je ne restai que quelques minutes auprès de ma vieille interlocutrice. Dans la rue, cependant, j'entendis encore sa voix. « Qui suis-je ? », demandait-elle, s'adressant à moi. « Qui suis-je ? », avait-elle demandé, quelques années plus tôt, dans un texte qui ne s'adressait à personne. « Je ferme les paupières et pourtant je vois. Je n'ai pas le droit de voir. Je chasse toute vision, j'essaie de faire le vide dans mon crâne, poisseux d'une sueur amère et salée, et je m'interroge : qui suis-je maintenant ? »

Je connaissais cette voix métallique, légèrement fatiguée, mais les mots venaient du néant : « Je croyais que nous nous connaissions trop bien, mon ego et moi. Et voici que je me demande : qui suis-je maintenant ? Qui suis-je en vérité ? », répétait inconsciemment le piéton que j'étais redevenu. Nous nous connaissions trop bien, mon ego et moi, et pourtant je répétais cette question qui ne m'intéressait plus depuis longtemps.

Quelques minutes jusqu'à la place de l'Université, jusqu'à l'hôtel. C'est le crépuscule, il y a peu de gens dans les rues. Je descends dans le passage souterrain de l'université et remonte de l'autre côté, vers les vendeurs ambulants de journaux et de livres. Je rase le mur sur lequel est écrit, en lettres noires, LA MONARCHIE SAUVERA LA ROUMANIE. De l'autre côté, l'hôtel Intercontinental, où repose, dans la chambre 1515, le carnet de bord du passager, prêt à confirmer que le jour et l'heure qui viennent de s'écouler sont bien réels, qu'ils m'ont appartenu.

Le passage souterrain relie les quatre coins du carrefour entre le boulevard Magheru et celui qui s'appelait autrefois boulevard Gheorghe Gheorghiu-Dej. Dans ma vie antérieure, des tramways y circulaient. Autrefois, il y avait un passage clouté. Là précisément, trente ans plus tôt, le destin était passé d'un trottoir à l'autre, pour venir à ma rencontre.

J'étais tapi, à l'angle de l'université, dans la ruelle qui menait à l'Institut d'Architecture, pour avoir le privilège de voir sans être vu. Le temps s'était arrêté, comme il s'arrête maintenant. J'attends le changement de couleur des feux qui n'existent plus. Elle attend elle aussi, sur l'autre trottoir. Je suis loin, invisible, sur la Lune. Elle ne me voit pas, elle ne voit personne. Seule, intangible, maîtresse de l'instant. Le feu clignote, rouge-vert. Encore une fraction de seconde à attendre. Elle bouge, elle a bougé, comme autrefois. Elle porte son manteau à capuche, en fourrure noire, et ses petites bottines à talons. On voit et on ne voit pas son visage, auréolé. Cella, ma femme. Je contemple sa démarche gracieuse, la tige de son corps jeune. Son visage pâle, sa lumière lunaire.

La princesse nordique, déguisée en étudiante bucarestoise, se rapprochait de mon regard aux aguets. Étonnement, par cet après-midi de froid coupant, de la voir se diriger, du bord de l'autre trottoir, vers l'horloge de l'université, et vers moi. Une révélation solitaire, secrète. Nous nous marierions peu après.

Trente ans plus tard, je reste pétrifié à cet endroit astral, qui n'appartient qu'à moi. Je me dirige vers les éventaires de livres et de publications, redescends dans le souterrain avec un tas de journaux sous le bras. De retour dans ma chambre, je les ouvre, je regarde les caractères rouges et noirs.

Curierul național dans un cadre rouge, titre en grandes lettres rouges, ecclésiastiques : CHRIST EST RESSUSCITÉ ! Le quotidien *Ziua* publie cette exhortation : RECEVEZ LA LUMIÈRE ! au-dessus de l'image du Rédempteur entouré des saints et des apôtres, sur la moitié de la page. *România liberă* affiche, sur fond rouge, ses vœux : HEUREUSES PÂQUES, CHRIST EST RESSUSCITÉ D'ENTRE LES MORTS ! et accompagne l'image christique du message du Très Bienheureux Père Teoctist, Patriarche de Roumanie. *Cotidianul* présente à gauche du titre l'image de Jésus, à droite celle du roi Michel Ier, fêtant Pâques en Roumanie et à qui le journal adresse ses vœux : CHRIST EST RESSUSCITÉ, Majesté ! *Adevărul* porte la manchette : « Dans la sainte nuit de nos retrouvailles dans l'espérance et l'amour, réjouissons-nous tous : CHRIST EST RESSUSCITÉ ! »

J'ai devant moi *Adevărul*, un titre difficile à trouver en Occident. *Le Monde*, *The New York Times*, *Corriere della Sera*, *The Times*, *Die Zeit*, *El País*, *Frankfurter Allgemeine Zeitung*, *Neue Zürcher Zeitung*... pas un n'ose revendiquer LA VÉRITÉ. Dans la Roumanie de l'entre-deux-guerres, *Adevărul* était un journal respecté. Au lendemain de la guerre, la dictature prolétarienne suspendit sa publication. Les communistes avaient, à Moscou, leur propre « Vérité », la *Pravda*, qui inspirait le quotidien *Scîn-*

teia[1], organe central du Parti communiste roumain, dont le nom procédait de l'*Iskra* de Lénine. Après 1989, *Adevărul* était reparu en tant que « journal indépendant ».

Il y a cinq ans, *Adevărul* proclamait que j'étais une « moitié d'homme ». L'auteur de l'information, ancien journaliste de *Scînteia*, avait abandonné le langage révolutionnaire internationaliste au profit d'un autre, plus adapté au goût du jour et aux nouveaux lecteurs. Son article, « La roumanité d'un Roumain entier », dédié à Mircea Eliade, me citait parmi ces « moitiés, fractions ou quarts d'hommes » qui empêchent le *sursaut de la Patrie*. Moitié, fraction ou quart d'homme ? Ce n'était pas forcément une insulte. Mon ami, le poète Mugur, se définissait ainsi : Demi-Homme-à-cheval-sur-Demi-Lièvre-Boiteux. Mais cinq ans plus tard, en cette Sainte Nuit du 26 avril 1997, c'est « l'espérance et l'amour » que proclame le quotidien *Adevărul*.

Je cherche des commentaires sur le *Journal* de Sebastian, l'événement de ce printemps roumain, qui fait concurrence aux débats enflammés sur l'intégration du pays dans l'OTAN. Paru un demi-siècle après la mort de l'auteur, le volume met en évidence la « rhinocérisation » des grands noms de l'élite intellectuelle – Eliade, Cioran, Nae Ionescu et tant d'autres. « Longue discussion politique avec Mircea, chez lui. Impossible à résumer. Il était lyrique, nébuleux, il multipliait les exclamations, les interjections, les apostrophes... Je ne retiendrai de tout cela que cette déclaration, enfin franche : il aime la Garde, elle est son espoir, il attend sa victoire[2] », écrivait Sebastian en mars 1937. La Garde de Fer, ce mouvement ultranationaliste, « se torche le cul » avec la Roumanie, déclara Cioran, et ses militants commirent, le 22 janvier 1941, selon les journaux, un meurtre « rituel » de Juifs dans les abattoirs de Bucarest, tandis que s'élevaient d'extatiques hymnes chrétiens.

1. « L'Étincelle ».
2. Mihail Sebastian, *Journal (1935-1944)*, *op. cit.* p. 112.

La nuit est avancée. Sur l'écran du téléviseur se déroulent les cérémonies religieuses de la Résurrection. Je me penche audessus de la pile de journaux. Les réactions au *Journal* de Sebastian sont diverses. Émotion, étonnement, irritation. Pourquoi m'intéresseraient-elles ? Je n'étais même pas là quand Ariel l'exalté pérorait, en ces années hooliganiques d'avant ma naissance, devant le petit auditoire de la librairie de mon grand-père, sur Sebastian le hooligan et les légionnaires hooligans dont ses amis étaient les alliés. Sebastian n'avait rien à voir avec la Transnistrie, ni avec Periprava. Lui aussi, c'est vrai, voulut sortir du ghetto et ne fut pas accueilli avec des fleurs, mais, comme on pouvait le prévoir, par d'autres ghettos. Lui aussi, assailli, resta prisonnier des adversités intérieures... nos ressemblances, difficiles à contester, n'effacent pourtant pas nos différences radicales. Il vivait dans un monde aux codes anciens, au bord de l'explosion, et moi, je vivais après leur explosion.

Non, je ne suis pas Sebastian, mais si j'écrivais sur son *Journal*, serais-je de nouveau la cible des injures et des pierres ? Serais-je de nouveau gratifié des mêmes termes : traître, extraterritorial, « ordure », agent de la Maison-Blanche ?

Je pourrais lire l'avenir dans le passé ou dans les journaux du présent : l'Auguste convoitera de nouveaux honneurs hooliganiques, l'Auguste écrira sur le *Journal* de Sebastian le hooligan et redeviendra lui-même, une fois de plus, un hooligan, accusé d'insulter le peuple roumain et d'empêcher l'entrée de la Roumanie dans l'OTAN ! Et une fois de plus il provoquera la fureur de l'élite bucarestoise, exaspérée par le « monopole » juif de la souffrance et la « tutelle » juive sur la Roumanie...

Il est tard, je n'ai plus la force d'affronter les énigmes de l'avenir. Une nouvelle, lue dans la presse, m'a frappé : le décès de l'écrivain et érudit Petru Creţia. Quelques jours avant sa mort, la revue *Realitatea evreiască* avait publié un article de lui sur les étoiles de l'élite intellectuelle : « des personnages publics qui affichent une éthique sans faille, une attitude démocratique irréprochable, une pondération circonspecte, non exempte, chez certains, d'une solennité pompeuse, mais qui sont capables en privé, et parfois même ailleurs, d'écumer de rage contre les Juifs, ici et maintenant. » Comme dans les années hooliganiques de Sebastian ? La voix chrétienne de Petru Creţia emplit soudain la chambre. « J'y ai vu la preuve irrécusable de la fureur suscitée par le *Journal* de Sebastian, du sentiment que les plus hautes valeurs de la nation étaient souillées par les révélations pourtant si sereines, si douloureuses, si indulgentes de ce témoin objectif, souvent angélique. »

La voix s'est interrompue, comme si elle hésitait à se transformer en cri ou en chuchotement. Une simple pause, suivie d'une calme péroraison, sur le même ton résolu. L'appel du croyant chrétien au monde chrétien est, en vérité, sans équivoque : « Après l'Holocauste, rien n'est plus monstrueux que la persistance, même minime, de l'antisémitisme. » *Minime*, même minime ?... Sur ce mot ultime, le voyageur peut s'endormir dans la Patrie qu'il ne voulait pas quitter et où il ne voulait pas revenir, une Patrie aux ambiguïtés corruptrices.

Tardive thérapie : le sommeil. Tout ce qu'on a perdu et qu'on ignore encore avoir perdu ou pouvoir perdre, on peut l'emporter avec soi dans la nuit consolatrice, même Sebastian le hooligan et même Jésus le hooligan, raillé par les pharisiens, ressuscité des milliers de fois et brûlé vif des milliers de fois dans les crématoires du siècle hooliganique.

Je ne peux plus résister à la fatigue, comme un vieil enfant qui n'a cessé d'implorer un anesthésiant.

Septième jour : dimanche 27 avril 1997

Les ruelles étroites du vieux quartier, en grande partie démoli. Un paysage amoindri, difforme, aux façades flétries. La rumeur ancestrale, les injonctions, les reproches, l'acharnement à résister, à obtenir reconnaissance... dans le passé d'un instant.

Je marche avec prudence dans la rue Sfînta Vineri, en direction du Temple Choral, siège de la Communauté juive. Il est presque dix heures, la rue est déserte. Après la longue nuit de la Résurrection, Bucarest se réveille tard. La cour est déserte, les employés de la Communauté juive sont eux aussi en congé. Mais le portier, évidemment chrétien, est à son poste.

Je demande l'adresse de monsieur Blumenfeld, le secrétaire général. L'homme de petite taille, en veste de cuir, à côté du portier, se fait soudain attentif.

– Je pourrais vous y conduire. Je suis le chauffeur de la Communauté.

– Il faut l'accord de... et le portier prononce un nom, en désignant de la main le bâtiment au fond de la cour. Allez d'abord en parler dans le bureau là-bas.

Monsieur Isacson ou Iacobson ou Abramson ne répond pas lorsque je frappe à la porte, ne lève pas les yeux de son dossier. Je lui explique qui je suis, d'où je viens et pourquoi : j'aurais besoin de l'adresse ou du numéro de téléphone de monsieur Blumenfeld. Silence. J'ajoute que monsieur Blumenfeld me connaît. L'employé ne lève pas les yeux. Je décide de me taire jusqu'à ce que les oreilles en feuille de chou de monsieur Abraham, Isaac ou Jacob se mettent à fonctionner. Le temps passe, le mannequin ne tourne pas la tête, mais finit par m'offrir sa voix fruste.

– Qu'est-ce que tu veux ? Qu'est-ce que tu dis que tu veux ?

Il me tutoie ? Nous ne sommes pas en Amérique ! Je ne répondrai pas avant qu'il lève le nez de ses si importants papiers. Le rouquin montre enfin sa trogne étroite et ridée.

– Qui êtes-vous, qu'est-ce que vous voulez ? Monsieur Blumenfeld s'est fracturé je ne sais plus quoi ! Il est au lit ! En congé ! Et moi, j'ai à faire, compris ?

Je claque la porte, passe devant la guérite du portier, reprends le boulevard Bălcescu en direction de l'hôtel. Je crois que Sebastian évoque, dans son *Journal*, le besoin de se retrouver, dans les temps difficiles, au moins quelques instants entre coreligionnaires, et la déception qui s'ensuit.

Tout est désert : il y a de loin en loin un piéton, un chien, trois chiens errants, et puis deux, et puis quatre. On m'a dit que des centaines, des milliers de chiens agressifs envahissaient les rues ; je ne les ai pas vus, je ne me suis pas beaucoup promené. Mais j'imagine maintenant, d'après ces quatuors canins esseulés, ce que pourrait être une meute enragée.

Immeubles verrouillés, aucun signe de vie aux fenêtres, sur les balcons ou les terrasses. Seulement l'Ombre. Je me retourne brusquement, je ne vois rien. Quelques instants plus tard, devant le magasin de peinture, de nouveau, le fantôme. Nous sommes seuls tous les deux dans la ruelle étroite. La vieille dame connaît la rue, je l'ai souvent accompagnée dans ce quartier. Je reconnais ses jambes maigres et pâles, ses cheveux blancs et courts, ses épaules décharnées, voûtées, sa robe ample à manches courtes, son cabas à la main droite, sa veste en laine dans la gauche. Elle marche lentement, extrêmement lentement, moi je me dépêche, pourtant nous nous trouvons côte à côte. Devant l'hôtel, je suis de nouveau seul, les ruelles tortueuses et silencieuses sont restées derrière moi, dans le néant.

Une fois dans ma chambre, je trouve le numéro de téléphone de l'ingénieur Blumenfeld, et le compose. Le convalescent a une voix éteinte, vieillie. Oui, je peux venir le voir n'importe quand. Je me dirige vers la place Amzei, en chemin j'entre à la poste, j'achète des cartes postales pour mes amis américains. L'employée m'examine de façon insistante. Une ancienne connaissance ? Non, je ne reconnais pas ce visage agréable, ni ce sourire. De grands yeux mouillés, des lèvres pleines et humides, des dents parfaites. Je dois avouer que son abord calme et plein de gentillesse m'a tout de suite plu. Cela me rappelait des épisodes oubliés, la familiarité d'un passé dispensé d'éloquence, et jadis habitable.

– Sauriez-vous l'allemand, par hasard ?

J'acquiesce, enchanté par sa voix cordiale.

– Ah, vous me sauvez. Vous me sauvez vraiment, vous savez.

Elle me tend un petit carton avec des instructions en allemand : le mode d'emploi d'une poudre pour colorer les œufs de Pâques. Je traduis, la dame approuve, comprend la suite des opérations, les note rapidement sur un bout de papier, toujours souriante. Le jeune homme que j'étais autrefois n'aurait pas ignoré la promesse codée contenue dans ce sourire.

Le magasin de la place Amzei. C'est ici qu'on vendait, naguère, les rares quantités de viande concédées à la population par le Camarade Président. Les clients d'aujourd'hui sont, en majorité, des Roumains de l'étranger venus fêter Pâques dans la tradition. Je choisis quelques bouteilles de vin roumain de luxe pour Tête-d'Or, j'achète aussi deux bouteilles de whisky, une pour lui et l'autre en prévision du voyage à Suceava.

L'immeuble où habite la famille Blumenfeld se trouve au milieu d'un terrain vague, résultat des démolitions autour de la gare. C'est son épouse qui m'ouvre. Je reconnais la jolie petite femme qu'on remarquait à toutes les cérémonies de la Communauté, à côté de son mari, grand, distingué, de belle allure. L'ingénieur, visiblement vieilli, a perdu de sa prestance. On me propose un café, je refuse, la dame m'apporte un verre d'eau sur une fine soucoupe en cristal. Le temps a déposé de minces strates de rouille sur le décor désuet de l'appartement.

Je tire une chaise à côté du fauteuil du convalescent, et lui communique le motif de ma visite. J'ai sollicité, quelques mois plus tôt, une attestation selon laquelle ma famille a été déportée en 1941 dans les camps de Transnistrie. Pour mon père, émigré en 1989, à l'âge de quatre-vingt-un ans, en Israël, et qui se trouve maintenant dans un asile de vieillards à Jérusalem, atteint de la maladie d'Alzheimer. Monsieur Blumenfeld prend note, confirme, oui, les listes des déportés sont bien dans les dossiers de la Communauté, on m'enverra l'attestation pour que mon père puisse recevoir une aide financière. Pas de Roumanie, bien sûr... Il ne pose pas de questions, la position dans laquelle je l'ai trouvé l'irrite.

L'ancien vice-ministre des transports Blumenfeld est devenu, à l'âge de la retraite, comme d'autres communistes juifs, l'un des dirigeants de la Communauté juive, avec laquelle il avait cessé tout contact après-guerre. On disait qu'au sein de la hiérarchie communiste, il s'était efforcé de ne pas nuire à son entourage, et même de l'aider quand il le pouvait. Accoutumé aux caprices des Autorités, il se rendit également utile dans ses nouvelles fonctions. Mais la fin de la dictature ne le trouva pas dans le camp des adversaires du système, où aurait pourtant été sa place. Il n'avait plus l'âge des rebonds spectaculaires, et l'adaptation au chaos précapitaliste était humiliante.

Je suis attendu pour déjeuner chez mon ami Tête-d'Or. Son destin a été assez semblable à celui de l'ingénieur Blumenfeld, mais son talent d'écrivain lui a ouvert de plus larges possibilités. Je revois aussi Mariage Heureux, l'héroïne qui veille, depuis plus de trente ans, à la bonne entente conjugale. Au cours de mes dix dernières années à Bucarest, j'ai passé tous les soirs de Noël et les déjeuners de Pâques, ainsi que d'autres fêtes chrétiennes, juives ou profanes, dans leur spacieuse maison, où la nouveauté est aujourd'hui un chien noiraud, turbulent et vigoureux.

Le repas, je le sais, va durer longtemps, en une progression gastronomique savamment ordonnée. Le tarama et les ris d'agneau hachés ne sont là que pour nous mettre en appétit, l'eau-de-vie maison, les vins, blanc et rouge, pour soutenir leur saveur. Sous le communisme, les étrangers invités chez des Roumains étaient ébahis par la profusion des mets, contrastant avec le faible approvisionnement des marchés et des magasins. Quand arrivait de l'étranger un parent ou un ami, j'évitais de m'étendre sur les stratagèmes ingénieux qui régissaient le spectacle de l'hospitalité.

Nous portons le premier toast du repas, les deux époux prononcent en même temps, tournés l'un vers l'autre, le traditionnel « Christ est ressuscité ». Je raconte les joies profanes de New York et du Bard College, nous parlons des concerts du chef d'orchestre américain. Nous faisons honneur aux salades, à la *ciorba de perişoare,* au rôti d'agneau, à celui de porc accompagné de légumes en saumure, au vin blanc, au vin rouge. La conversation passe de la nocturne Donna Alba à son époux dont le décès a précédé de peu celui du communisme pour lequel il avait gaspillé tant d'intelligence, de nos anciens amis qui ont pris le chemin du cimetière à ceux qui sont partis pour Paris, New York ou Tel Aviv. Mes hôtes me donnent des nouvelles d'amis et de connaissances aussi actifs dans la libre compétition post-communiste que dans le souterrain communiste, quelque temps plus tôt.

À sept heures, je regagne l'hôtel, accompagné par Naum qui est sorti promener le chien. En route, nous croisons des gens connus, une actrice et un acteur, un professeur. Harmonie du soir, la rue est calme, le soleil assoupi, comme autrefois. Nous parlons de la confusion et des dangers qui ont marqué les derniers jours de la dictature, lorsque les rumeurs évoluaient d'heure en heure, manipulées aussi bien par l'omniprésente

Securitate que par d'autres forces obscures, prêtes à exploiter le ressentiment de la population.

À onze heures je suis à la gare du Nord, afin de prendre le train de nuit pour Cluj. Mon vol a été annulé au dernier moment, faute de passagers et à cause de Pâques. Il n'y a dans le wagon-lit que deux passagers et deux jeunes employés, qui ont l'air de collégiens et sont bien différents des pittoresques contrôleurs d'autrefois.

Étudiant, le train m'emmenait plusieurs fois par an, de nuit, en sept heures, de Bucarest à Suceava, puis, tout le temps qu'ont duré mes amours avec Juliette, fréquemment de Ploieşti à Bucarest. C'est en train que je m'étais rendu à Periprava, le camp de détenus où avait échoué mon père, et que j'étais parti faire mes adieux, en 1986, à mes parents et à la Bucovine. Je suis seul dans le train du passé, au milieu des fantômes qui ne tardent pas à apparaître autour du fantôme que j'ai été et que je suis devenu. Le compartiment a l'air propre, mais il subsiste une odeur tenace de désinfectant, et le drap a une tache suspecte. Mettre l'oreiller juste au-dessus de la roue du wagon ne suffira pas à oublier la fatigue accumulée durant ma semaine bucarestoise. J'étends la couverture sur le drap, je me déshabille, je sens le froid, et me couvre bien. Je tire les rideaux. Une obscurité striée de bandes lumineuses. Les roues cliquettent, j'essaie de rester sourd au galop et au halètement de la nuit.

Le monstre de fer, mugissant et reniflant, perfore les ténèbres.

Le train de nuit

Octobre 1941. Mon premier voyage en train. Un wagon à bestiaux, au plancher humide et froid, les corps entassés les uns sur les autres. Les baluchons, les chuchotements, les gémissements, l'odeur d'urine et de sueur.

Blindé dans la terreur, blotti, serré, séparé du corps de la bête collective que les sentinelles avaient réussi à entasser dans le wagon et qui se débattait de ses centaines de bras, de jambes et de bouches hystériques. Seul, perdu, comme si je n'étais pas lié aux mains, aux bouches et aux jambes des autres.

« Tous ! Tous ! », hurlaient les sentinelles. « Tous ! Tous ! », criaient-elles en levant leurs baïonnettes luisantes, leurs fusils luisants. Il n'y avait pas d'échappatoire. « Tous en rang, tous, tous, montez, tous. »

Bousculés, tassés les uns contre les autres, serrés, toujours plus serrés, jusqu'à ce que le wagon soit scellé. Maria frappait de ses poings contre la paroi de bois de notre tombeau, pour être admise à partir avec nous, ses cris s'étaient éteints, on avait donné le signal du départ. Les roues répétaient tous tous tous, le cercueil d'acier pénétrait le ventre de la nuit.

Puis le deuxième voyage en train : le miraculeux *Retour* ! 1945. Avril, comme aujourd'hui. Il s'était écoulé des siècles, j'étais vieux, je n'imaginais pas qu'allait suivre, plusieurs siècles après, un autre retour. Maintenant, je suis vieux pour de bon, vieux.

Les roues scandent leur refrain nocturne, glissent sur les failles des ténèbres. Soudain, l'incendie. Des wagons en flammes, le ciel en flammes. Feu et fumée, le ghetto brûle. Un bourg incendié, pogrom et bûcher. Maisonnettes et arbres en flammes, cris. Sur le ciel rouge, le coq et l'agneau du sacrifice. Le martyr sur le bûcher, au centre du bourg. Comme une crucifixion, sauf qu'il manque le bras transversal de la croix, il n'y a qu'un simple poteau, dressé au-dessus du niveau du sol. Le corps n'est pas cloué, ses mains sont seulement liées par les lanières sacrées de la prière, les phylactères. Les pieds sont attachés au poteau par une corde, le corps est drapé dans un châle de prière blanc à raies noires. On voit les pieds, une partie de la poitrine, une épaule, les bras, la peau luminescente, jaune avec des reflets violacés. Le visage pâle, allongé, la barbe juvénile, les papillotes minces, roussâtres, les paupières tombantes sur les yeux las, la visière de la casquette verte tournée sur le côté.

Les fenêtres de la maison voisine sont ouvertes, on entend crier. Les désespérés courent de toutes parts, hébétés, autour du bûcher au centre de l'image. La crucifixion est devenue condamnation au bûcher. La tragédie, simple, maladroite, occupe toute la scène : l'homme prêt à se jeter par la fenêtre de la maison en flammes, le violoniste égaré dans la ruelle tortueuse, entre les maisons incendiées s'effondrant les unes sur les autres, la femme avec l'enfant dans les bras, le dévot avec le livre, surpris ensemble en ce jour maudit. Au centre, le bûcher. Aux pieds du martyr, sa mère, sa femme ou sa sœur, sous un long voile qui l'unit au condamné.

Je m'approchais, depuis longtemps, du jeune martyr. Sa casquette glisse sur son front, il ne fait aucun mouvement, le bûcher semble prêt à s'enflammer d'un instant à l'autre. Je suis incapable d'avancer plus vite pour le délivrer, je n'ai que quelques secondes pour trouver une cachette. Je veux lui dire qu'il ne s'agit pas de Crucifixion ni de Résurrection, seulement de bûcher, c'est tout, lui dire au moins ces mots, avant que nous

nous séparions, mais le feu se propage à toute allure, et j'entends le train, toujours plus proche. Le crépitement des roues est assourdissant, le train fume, brûle, c'est une torche qui pénètre à grande vitesse et à grand fracas la nébuleuse de la nuit. Elle approche, approche, grondant, crépitant, toujours plus près, je m'éveille terrorisé, et cherche à me libérer de la couverture brûlante. La roue me fait rouler sur moi-même comme un cylindre, ses rayons lourds et épais vrombissent, vrombissent.

Il me faut du temps pour comprendre qu'ils n'ont pas pénétré dans ma chair, que je n'ai pas été entraîné par ces rayons vertigineux, que je suis dans un compartiment ordinaire d'un train de nuit ordinaire, en Roumanie.

Je reste longtemps recroquevillé, transpirant, la lumière allumée, sans le courage de revenir dans le présent. Je tente de me souvenir de voyages féeriques, en traîneau, dans la féerique Bucovine, en calèche, dans les coquettes stations de villégiature bucoviniennes, et en train, dans ce compartiment vide, lumineux, où ma mère m'avait dévoilé, un automne, le secret de sa jeunesse blessée. À un moment, je m'assoupis de nouveau, une pensée soudaine me réveille : Chagall. La carte postale de Chagall que j'avais si souvent regardée, sans comprendre qui me l'avait envoyée ni pourquoi.

Huitième jour: lundi 28 avril 1997

Le train arrive à l'heure, à sept heures du matin, à Cluj.

Je n'étais allé que rarement dans la capitale de la Transylvanie, je m'y étais rendu pour la dernière fois à la fin des années soixante-dix, invité à l'anniversaire de l'excellente revue *Echinox*, qui regroupait les meilleures plumes de la nouvelle génération littéraire. Mais j'entretenais des rapports plutôt amicaux avec les écrivains de Cluj. Mes livres avaient toujours été bien accueillis dans cette Transylvanie qui n'avait pris part à aucune des campagnes publiques contre le «traître» et le «cosmopolite».

L'hôtel de l'Université. Il aurait fallu que je me rase, que je prenne une douche et, surtout, que je trouve du café. Mais je n'en ai pas le courage, je m'étends tout habillé sur le lit dur, cherchant à relâcher mon corps et mon esprit. Je reste allongé une demi-heure, épuisé, incapable de dormir, puis je sors du bâtiment, et trouve un restaurant à proximité où l'on me sert le café salvateur.

Une journée ensoleillée, avec un peu de vent. Le calme de ce quartier excentré et ma courte promenade m'ont ragaillardi. La chambre est modeste, le lit inhospitalier. Encore plus désagréable, la salle de bains: des robinets défectueux, un continuel susurrement dans la cuvette des toilettes. «Ma biographie roumaine», me dit la voix de mon ami roumain d'Amérique. «Les amas de caca sont un souvenir auquel on ne peut renoncer», avait dit un jour, songeur, cet expatrié issu d'une illustre famille d'intellectuels roumains. Peu de moments sont aussi révélateurs que ceux où, au café après une conversation raffinée, fleurie de citations françaises et allemandes, on gagne le refuge rabelaisien où l'on défèque, aveuglé par le monceau des excréments, hébété par la puanteur, épouvanté par l'essaim de mouches.

Avant de partir pour le rectorat, je signale à la réceptionniste les problèmes de la salle de bains. Elle acquiesce avec embarras, elle sait ce qu'il en est sans avoir besoin de mes précisions. Au rectorat, j'essaie de familiariser la direction de l'université avec l'idée d'un *College of Liberal Arts and Sciences.* Le Bard College est disposé à trouver les moyens financiers pour créer une telle faculté à Cluj, tout ce que nous demandons à nos hôtes est leur enthousiasme. Mes interlocuteurs m'assurent qu'ils vont s'engager avec ferveur dans ce projet. Je n'ai aucune raison de ne pas les croire, tout le bénéfice serait pour la partie roumaine.

Le recteur et moi partons déjeuner en ville. Nous avons du mal à trouver un restaurant ouvert le lendemain de Pâques. À en juger par les courbettes des serveurs, le recteur semble être une personnalité en vue, mais on ne nous propose qu'un seul plat, steak grillé pommes sautées. La conversation s'engage laborieusement, elle ne ressemble pas à celle de l'an dernier, dans un café de New York. J'avais alors été favorablement impressionné par l'objectivité avec laquelle l'universitaire de Cluj présentait la situation en Roumanie et les impasses où se complaisait le monde intellectuel. Il connaissait les États-Unis, possédait un doctorat en philosophie américaine, et m'avait épargné les clichés anti-yankees si répandus chez les hommes de lettres roumains, à l'instar de leurs mentors français. M'armant de courage, je lui avais demandé s'il n'avait pas parfois l'impression qu'entre le langage grossier et extrémiste des nationalistes et celui, châtié et narcissique, de certains lettrés roumains, la différence était purement stylistique. Il m'avait approuvé, nullement offensé par cette provocation. Si bien que j'avais accepté son invitation, et étais venu à Cluj muni d'un projet essentiel pour que change le climat intellectuel à l'université. Je ne devinais pas tout le temps que nous allions perdre avant d'être vaincus par la bureaucratie post-communiste.

Rencontre à l'Association des écrivains de Cluj, désormais dirigée par mon ami Liviu Petrescu. Nous nous étions retrouvés à New York, en 1990, avec une joie réelle. Nous nous voyions régulièrement, chez moi ou en ville. Il avait renoncé à m'inviter au Centre culturel roumain, dont il était directeur, après mon refus qu'on me consacre la soirée littéraire inaugurale. Je n'étais jamais entré au Centre, entre les mains de fonctionnaires politiques. Ils savaient certainement que la presse post-communiste de Roumanie continuait, comme sous le communisme, de me présenter comme un ennemi des valeurs nationales. Liviu fit face à la situation avec doigté, et lorsque, dégoûté par l'arrogance des diplomates roumains qui s'employaient à le mettre sous tutelle, il quitta son poste, je le regrettai. Je devais apprendre qu'il s'était vite repenti, quant à lui, de n'avoir pas suivi mon conseil et subi encore quelque temps ces contrariétés, d'autant que l'atmosphère et le public du Centre avaient changé du tout au tout grâce à son action.

Le programme que m'a préparé l'université ne lui fait aucune place, signe de l'hostilité du recteur à son égard, et j'en suis à me demander comment nous réussirons à nous voir, même un bref moment, en dehors de cet agenda officiel surchargé.

Dans la rue, devant les Éditions Dacia, Liviu. Élégant comme un Anglais, costume impeccable, chemise et cravate impeccables, parfaitement assortis. Nous nous embrassons, je réussis à embrasser aussi l'écrivain Alexandru Vlad, que je voyais régulièrement quand j'étais à Bucarest et avec qui je continue, depuis l'Amérique, à correspondre, toujours aussi bohème d'allure et d'accoutrement, avec ses cheveux longs et sa barbe hirsute.

La rencontre officielle avec l'Association des écrivains de Cluj m'offre enfin un dérivatif des plus cordiaux à l'hostilité publique : je me rends compte qu'en vérité mon état d'esprit n'est pas plus propice aux célébrations. Malgré les louanges dont me couvre Liviu dans son propos introductif, j'ai immédiatement l'impression d'être faux, falsifié, un touriste grotesque que l'on traite en *star* des lettres roumaines. Comme si la caricature, loin d'effacer son contraire, l'annexait. L'Auguste n'est tout simplement plus en phase avec les clichés locaux ! Le délire du dithyrambe ressemble à l'hystérie de l'invective, ce sont deux effets également fâcheux d'une même maladie fâcheuse, une gale dont on ne parvient pas à se débarrasser, aussi fort qu'on se gratte.

Ne puis-je donc plus recevoir ici ni fleurs ni flèches ? Suis-je déplacé dans cette comédie de l'Impossible Retour ? Mes anciens compatriotes paraissent autorisés à ne plus me considérer comme l'un des leurs, et ce qu'ils célèbrent par ces réjouissances, c'est justement l'étranger que je suis. Je me suis déshabitué des mots pompeux, j'ai l'impolitesse de faire retomber la crème fouettée des épithètes, sans le vouloir j'ai vexé un ami.

La discussion qui suit n'amène pas davantage les paroles simples et naturelles que j'attendais. On dirait une réunion de retraités du quartier, contraints d'interpréter une saynète enjouée. Seule une question lancée par une dame élégante et athlétique, qui fume de longues cigarettes Kent, met un peu d'animation. « Pensez-vous que les articles légionnaires de Mircea Eliade disqualifient son œuvre littéraire et scientifique ? » La question s'adresse, évidemment, au « militant anti-national » que la presse a fait de moi. Personne ne sait que j'ai écrit des textes anticommunistes, comme si le communisme n'avait jamais eu d'importance aux yeux des quatre millions de membres du Parti qu'a comptés la Jormanie socialiste. Le public croit-il que le renom d'Eliade en Occident, quelle que soit son ampleur, puisse soulager de ses malheurs la Roumanie d'hier et d'aujourd'hui ? Est-ce pour cela que la foule le veut immaculé comme un saint ? *Sans l'enfer, point d'illusions !** La vigoureuse femme de lettres connaît-elle ce mot de Cioran ?... Une question non exprimée, parmi tant d'autres.

Je m'empresse, en revanche, de répondre que je n'ai jamais porté de jugement public sur l'œuvre littéraire ou scientifique d'Eliade ! Ni la littérature ni la science ne se jugent selon des critères moraux, et il n'était question ni de littérature ni de science dans mon blasphème anti-Eliade ! La fumeuse ignore ma réponse et se lance dans une longue plaidoirie pour la « redécouverte de l'œuvre, d'importance universelle, de Mircea Eliade ». Avant de partir, j'ai droit à un lot de consolation. « Une réunion élargie du Parti ! Vous et moi étions les deux seuls à n'avoir pas été membres du Parti », me chuchote, à la sortie, un distingué professeur de l'université de Cluj.

« Je ne pardonne pas au recteur de m'avoir écarté de ton programme de Cluj », me dit Liviu, lorsque nous nous séparons. Je me sens coupable de n'avoir pas fait bon accueil à son discours et de n'avoir pu le rencontrer vraiment à Cluj. Je ne le reverrai plus, d'ici peu sa maladie cachée l'aura emporté.

La charmante madame Marga, épouse du recteur, fait office de maîtresse de maison au dîner. Son charme, ainsi que le vin et les mets, suppléent à l'absence de chaleur. Le retour vers l'hôtel est long et aventureux dans la voiture que conduit sans trop d'assurance l'épouse d'un professeur d'histoire de l'université. Mais le carnet bleu m'attend, patient.

Mes pensées errent au loin, vers le cimetière de Suceava.

Neuvième jour : mardi 29 avril 1997

Hébété de sommeil et d'insomnie, je tente avec prudence de manipuler ma fatigue. J'arrive à grand-peine à la réception, où m'accueille un monsieur à lunettes, en élégant pardessus de laine, costume et cravate. Je lui tends poliment la main. L'inconnu sourit, gêné de mon embarras. Je vois derrière lui Marta Petreu, qui observe la scène en souriant. Mais bien sûr, ce monsieur en face de moi est Ion Vartic, le mari de Marta ! Je ne l'ai pas revu depuis 1979, depuis le dixième anniversaire de la revue *Echinox*, dont il est l'un des trois célèbres fondateurs. Une simple inversion de chiffres dans la loterie de la survie, et pourtant cela fait près de vingt ans... Le jeune Ion Vartic a changé, j'ai changé aussi, seule Marta, en jeans et pull-over, avec son air d'étudiante, semble la même.

J'apprends que le couple est rentré de Budapest exprès pour me voir. Madame Vartic me désigne un beau panier de victuailles, sandwiches et café. Un petit déjeuner sur l'herbe, transféré dans le hall de l'hôtel. La surprise de retrouver de vieux amis reste entière, même une fois que le café m'a soustrait aux brumes de la nuit. Leur courtoisie à tous les deux protège avec délicatesse ma fatigue.

Je suis attendu à la faculté de lettres par un groupe d'universitaires, je ne jouis que de quelques minutes de cordialité empressée, puis nous entrons dans la salle pour un échange plaisant et décontracté sur l'Amérique, l'enseignement, la littérature américaine, la collaboration à venir entre le Bard College et l'université de Cluj.

Ensuite, la conférence à l'université. Je reconnais pas mal de gens dans la salle, une équipe de la télévision de Cluj me demande l'autorisation de filmer. J'accepte, le reporter m'inspire confiance et ici, à Cluj, j'ai le sentiment d'être moins vulnérable, même si j'aurais préféré, au lieu de « La littérature à la fin du siècle », thème trop solennel, une conversation à bâtons rompus. Mais tout a l'air réglementé, il ne me reste plus qu'à dissimuler mon embarras. Avant que nous quittions la salle, Liviu m'offre une traduction récente en roumain de Claudio Mutti, l'exégète fasciste d'Eliade.

Encore Eliade, encore la Légion ? « Qu'ai-je à voir avec tout cela, Liviu ? C'est à peine si j'ai quelque chose à voir avec moi-même ! Je suis un réfugié, caché dans un recoin du monde, heureux d'avoir le simple droit de respirer. »

Bref entretien, ensuite, au siège, moderne et informatisé, de la fondation Soros. Le chef du bureau local, un Hongrois de Transylvanie qui a tenu tête à sa communauté à un moment d'exacerbation du conflit interethnique, donne une impression réconfortante de professionnalisme. Je reste mélancolique… car cette espèce rare a toujours existé en Roumanie.

Suit le déjeuner, avec les Vartic et les Marga, puis une courte visite à l'appartement, tapissé de livres, du couple Vartic. Je n'ai ni le temps ni l'envie de relever les titres de l'impressionnante bibliothèque, je revois les étagères, montant jusqu'au plafond, de ma chambre de la rue Sfîntul Ion Nou, puis de Calea Victoriei, puis de Nulle Part, je ne veux plus rien voir. On sert du vin et de la brioche pascale, Ion Vartic me demande si l'expression *felix culpa* n'a pas, du point de vue religieux, un autre sens que celui que je lui ai donné dans mon texte sur Eliade.

Je suis entouré d'amis affectueux et attentionnés, je ne peux considérer la question comme hostile, mais j'ai de nouveau l'impression d'être un personnage suspect, pestiféré, atteint d'une maladie honteuse connue du monde entier. Qu'ai-je à voir avec… mais je me retiens de répéter la citation dont je viens de gratifier Liviu. Je romps le trop long silence. L'expression *felix culpa*? Autrement dit, l'interprétation de la célèbre phrase de saint Augustin ? *O, felix culpa, quae talem ac tantum meruit habere Redemptorem…* Ô bienheureuse *culpa*, qui nous a valu un si grand Sauveur. Le mot *culpa*, non dépourvu d'ambiguïté, peut signifier le péché, l'erreur, la maladie, le crime, la méprise. Toutes les encyclopédies religieuses retiennent, cependant, le sens de faute. C'est-à-dire de culpabilité. Nouveau silence, qui paraît plus long que celui qui l'a précédé. Les époux Marga réapparaissent, nous trinquons ensemble, nous nous laissons aller à un bavardage anodin ; puis Marta pousse la fidélité jusqu'à son terme, jusqu'à l'aéroport. La circonstance n'a rien de banal, ce n'est pas n'importe quel départ, puisque je ne suis revenu que pour une confrontation hâtive avec la postérité.

L'avion pour Bucarest est plein à craquer. La dame à côté de moi s'empresse d'engager la conversation. Je l'avais remarquée au moment de monter : grande, élancée, elle a cette élégance que donne le naturel dépourvu de style. Elle semble s'inquiéter des mauvaises conditions atmosphériques, me demande d'où je viens, où je vais. Elle n'est pas troublée par ma réponse, seulement par le fait que je parle un roumain parfait, sans le moindre accent étranger. Même les Roumains qui sont partis récemment ont une langue altérée quand ils reviennent, alors que moi, moi… de sorte que cette dame ingénieur de Cîmpia Turzii s'intéresse à la profession du visiteur. Je suis ingénieur moi aussi, ingénieur dans le bâtiment, j'ai fait l'Institut du Bâtiment, deux ans avant elle, à Bucarest, pas à Cluj. Oui, j'ai travaillé sur des projets, des chantiers, dans la recherche. Mon ancienne profession me fournit un simulacre de normalité, mes parents avaient raison, c'est une profession dont on n'a pas à rougir.

La dame ingénieur prend son courage à deux mains, elle me demande comment je m'en sors professionnellement en

Amérique, mais n'attend pas la réponse, impatiente de me raconter à quel point le métier a changé ces dernières années. Maintenant, elle dirige avec son mari, ingénieur lui aussi, une petite scierie privée. Du bois pour des cercueils, des coffres, de petits objets, une affaire rentable. Elle se rend à Bucarest pour l'adjudication d'une forêt. Tout est encore chaotique, l'héritage communiste est lourd, la corruption est partout, ce serait bien si le Roi rentrait au pays. Oui, sa famille est monarchiste, depuis toujours. Aviateur d'élite dans une unité royale d'élite, son père monarchiste a élevé sa fille dans un esprit monarchiste. Il a été persécuté sous les communistes, bien sûr.

Je pose le moins de questions possible. La dame admet qu'elle a été membre du Parti, son mari aussi, c'était la règle, car personne ne croyait à ces slogans, le mensonge régnait partout. Mais même maintenant, les choses ne vont pas parfaitement. Les élections sont libres, mais la vie est difficile, la jeunesse ne sait plus ce que c'est que la morale, elle ne pense qu'aux films américains pleins de fusillades et de cochonneries. Heureusement, il y a les montagnards ! Il n'y a que les montagnards qui ont conservé leur foi, leur moralité, eux seuls sont restés purs, ces gens-là sont un espoir pour l'avenir. Et de nouveau elle s'étonne que je parle roumain parfaitement ! À propos, quelles sont mes impressions, de retour au pays ?

Je me tais, j'ai du mal à décider d'une réponse. Je lui raconte que j'ai un ami à Bucarest. Mon ami George. Un beau matin de printemps, « le matin du plus beau des printemps », comme dit le conte, George, un monsieur affublé d'un tas de surnoms amusants, se décida à achever enfin sa lettre à un vieil ami qui, des années auparavant, s'était enfui loin, très loin, et « travaillait sans profit aucun en terre étrangère ». La dame ingénieur me regarde, les yeux écarquillés. George, explique le conte, était resté chez lui, au pays natal, sa lettre était importante. Un dimanche matin, « le matin du plus beau des printemps », comme dit le conte, semblait le bon moment pour conclure cette lettre commencée depuis longtemps. Mais il se demandait que dire à son ami exilé.

La dame m'écoute, de plus en plus intriguée. Je continue, comme si je n'avais pas remarqué la suspicion croître dans ses yeux étonnés. Rédigeant sa lettre en souffrance, George se demandait donc ce qu'il pourrait bien écrire à son ami en exil. Devait-il lui conseiller de rentrer, c'est-à-dire de changer à nouveau d'existence, de renouer avec ses anciennes relations, y compris avec lui, son vieil ami ? Devait-il, en d'autres termes, lui suggérer, fût-ce de façon détournée, que sa tentative avait échoué, qu'il n'y avait rien à faire, qu'il ferait mieux de renoncer, de rentrer chez lui ? Ses compatriotes d'autrefois le considéreraient comme un « vieil enfant », revenu en un lieu qui n'était plus le sien. Il ne comprendrait plus sa vieille Patrie, si tant est qu'il l'eût jamais comprise. S'il revenait, il resterait un étranger, comme toujours et partout. Mieux valait donc, puisqu'il avait perdu ses amis, sa famille, sa langue, rester là où il était, « en terre étrangère », comme précise le conte.

Un grand silence se fait, la dame a perdu sa loquacité. Ma réponse étrange à sa question tout à fait normale l'a déconcertée.

« Pourquoi répétez-vous toujours "comme dit le conte" » ? me demande-t-elle à un moment donné, en se tortillant nerveusement sur son siège.

Je m'autorise à mon tour un long silence.

« J'ai lu cette histoire quelque part. Dans un livre pour enfants, peut-être. Elle s'appelle *Le Verdict*, si je ne m'abuse. » À quoi bon lui dévoiler l'auteur ? Sans doute le nom de Kafka l'aurait-il effrayée encore davantage.

La dame me regarde avec des yeux ahuris, il est clair que notre discussion a pris fin. Jusqu'à l'atterrissage, elle s'abstient de faire le moindre mouvement sur son siège, de crainte de me toucher. Lorsque l'avion s'immobilise, elle se hâte vers la sortie, oubliant de me dire au revoir.

La salle du restaurant Balada, au dix-septième étage de l'hôtel, un décor rouge et or, avec des sièges en cuir rouge, des nappes rouges et des serviettes folkloriques rouges. Les serveurs sont en veste rouge, les serveuses en jupe rouge. Les musiciens de l'orchestre sont eux aussi vêtus de rouge, chacun derrière un écran rouge orné d'un emblème doré.

À neuf heures du soir, je suis le seul client. L'orchestre ne semble pas découragé, je suis gratifié d'un programme en italien, et la soliste imite avec conviction la passion de nos cousins latins. Le serveur brun, moustachu, m'accueille par un *good evening* et m'apporte deux cartes rigides, rouges, comportant la liste des plats et des boissons en roumain et en anglais. Je commande en anglais, non seulement pour être servi avec plus d'égards, mais pour donner à l'homme triste et taciturne qui est devant moi l'illusion que l'unique client de ce soir est bien un touriste.

Le décor kitsch, les serveurs privés de clients, l'orchestre, la soliste italienne et celle, spécialisée dans le rock et le blues, qui lui succède, les vingt-trois tables inoccupées, marquent la soirée de leur empreinte gothique. La nourriture a l'air artificielle, fade, improvisée, les *sarmale* qui faisaient les délices de Leon et de Ken me paraissent insipides. Mon palais refuse de me restituer les saveurs d'autrefois, les *sarmale* appartiennent à la postérité, aurais-je dû expliquer à mes amis américains. Est-ce la faute du palais, comme le pensait Proust ? Juste un an plus tôt, apprenant que je me rendais à un colloque universitaire à Budapest, un reporter roumain m'avait demandé pourquoi je n'allais pas aussi à Bucarest, qui n'était qu'à une heure de vol. Je lui répondis que Budapest, pour moi, c'était comme Sydney, alors que Bucarest… Non, ce n'est pas au palais que je pense, mais à la postérité. L'orchestre s'est arrêté, les serveurs sont figés comme des momies dans le tombeau rouge de la nuit, personne ne s'occupe de ce client apathique qui n'arrête pas d'essuyer ses lunettes avec sa serviette rouge. Dioptries, vertiges, visions… le fantôme qui s'avance d'un pas lent sur Amsterdam Avenue. « Dans chaque mère se dissimule un Führer. Et dans chaque Führer, une mère », disait l'Éléphant Volant.

Enfin seul et libre, allongé au bord du trottoir, je la tenais fort, bien fort pour qu'elle ne retombe pas dans le gouffre sans retour, dans la fosse sans fond. Je serrais les dents pour ne pas perdre le contact d'autrefois. Sa main s'était agrippée à la mienne, personne ne m'entendait dans le tombeau rouge et vide du restaurant. La griffe me tenait fermement, elle s'était fichée profondément dans ma poitrine. La douleur restait la seule richesse légitimant ma solitude.

Le jour le plus long : mercredi 30 avril 1997

Le secrétaire de la Communauté juive de Suceava, vieil ami de mes parents, m'avait assuré au téléphone que, bien que le cimetière fût fermé à cause de la Pâque, l'accès me serait autorisé. « Pour vous, nous ferons une exception. Vous venez d'Amérique ! Notre loi tient compte des circonstances exceptionnelles. »

Le cimetière est sur la colline, en dehors des limites de la ville, au-delà du bois de Pădurice. Ce n'est pas l'ancien cimetière de Suceava, tout près de notre logement du 18 rue Vasile Bumbac, fermé depuis longtemps. Au début des années soixante, une nouvelle avenue devait le traverser, et les ouvriers-paysans avaient refusé de toucher aux tombes des rabbins sur lesquelles ils déposaient, depuis des générations, toutes sortes de billets comportant des prières et des lamentations adressées à la Divinité. Le vieux cimetière longeait la maison, je me rappelle l'atmosphère austère et étrange des lieux. Quant à ce cimetière sur la colline, en dehors de la ville, je n'y étais jamais allé.

L'avion pour Suceava fait escale à Iaşi. Un voyage rallongé, plus de jacasseries encore avec l'ami Naum Tête-d'Or, qui m'accompagne. Je lui raconte mes mésaventures à Cluj, il me gratifie en retour d'un tableau pittoresque et circonstancié de la libre concurrence sur le marché de la littérature. L'éternel bavardage oriental, avec ses histoires hautes en couleur, ses anecdotes mêlant tendresse et venin.

À la sortie de l'aéroport, nous sommes accostés par un inconnu, grand et blond, avec un appareil photo à l'épaule. Il se présente comme poète et journaliste local, et se dit envoyé par le directeur Cucu pour nous amener au siège de la Banque commerciale, où l'on me remettra le Prix de la fondation Bucovine. Mais je veux, avant toute chose, me rendre au cimetière.

Le secrétaire de la Communauté, vieil ami de ma famille, qui semble avoir rapetissé depuis le temps que je ne l'ai pas vu, avec toujours le même chapeau et le même manteau, court et étriqué, m'attend devant l'agence de la compagnie Tarom au centre-ville. Il monte à son tour dans l'élégante voiture, nous passons devant la mairie de style autrichien et tournons à gauche, vers la centrale électrique, au-delà du bois de Pădurice, théâtre de tant d'échappées adolescentes.

Nous descendons, montons, prenons à gauche sur la colline, on voit au loin la citadelle d'Étienne le Grand, la voiture tourne à droite, nous sommes arrivés.

Je vois la tombe pour la première fois. En haut à gauche, dans un médaillon doré, une photo. Au-dessous, un texte en hébreu, plus bas, en roumain. Quatre lignes brèves, l'une au-dessous de l'autre : JANETA MANEA – ÉPOUSE ET MÈRE DÉVOUÉE – NÉE LE 27 MAI 1904 – DÉC. LE 16 JUILLET 1988. Le style neutre et lapidaire de mon père, la tonalité fatiguée des derniers temps de leur vie commune. Si la défunte avait rédigé l'épitaphe de son mari, elle se serait sûrement montrée plus généreuse, et si elle voyait sa propre tombe, elle serait sans doute mécontente de cette évocation plutôt chiche. Une clôture basse en fer forgé entoure la tombe, avec une lanterne métallique où tremblote une bougie, des fleurs des champs dans un bocal. Le gardien, de toute évidence, a été averti de ma venue. Je colle ma paume contre la pierre froide du socle, je regarde la dalle grise.

« Je veux que tu me promettes d'être à mon enterrement », m'avait-elle dit au moment de nous séparer. La pierre est âpre, froide et amicale. « Il ne faut pas que tu me laisses seule ici. Promets-moi de venir, c'est important pour moi. » Quelqu'un, à côté de moi, murmure les paroles ancestrales du kaddish. « *Yisgadal veyiskadash shemei rabbo.* » La prière pour les morts d'hier et d'aujourd'hui a la voix, vieillie mais claire, de l'ami de mes parents. Il prie au nom de leur fils qui écoute, sans les comprendre et sans s'y associer, les antiques mots de la mort. « *Be-olmo divro chirusei veyamlich malchusei* », murmure la prière, et la pierre est froide et âpre. La vieille aveugle avait frappé à la porte, puis s'était avancée lentement, à tâtons. Par-dessus sa chemise de nuit, elle portait une robe de chambre, dans laquelle elle se serrait frileusement. « Cette fois tu ne reviendras pas, je le sens. Tu vas me laisser seule ici. » Je ne savais rien de l'avenir, je ne lisais pas, comme elle, l'invisible. « Je veux que tu me promettes que si je meurs et que tu n'es pas là, tu viendras à l'enterrement. Il faut que tu me le promettes. » Je n'avais rien promis, effrayé par le poids des promesses. Désormais je suis libre, personne ne me promet rien et je n'ai personne à qui promettre quoi que ce soit.

Le dieu qui a engendré l'Auguste était une femme. Je n'ai supporté ni son adulation ni ses inquiétudes, et rien ne les remplacera. Elle est descendue dans les profondeurs, pour resurgir dans les arbres, les fleurs éphémères et le ciel opaque. Elle n'est plus nulle part, pas même dans cette pierre froide que je touche sans y penser.

« *Min kol birchoso veshiroso* », psalmodie le fonctionnaire de la Communauté, ployant sous les ans, se balançant, comme le veut la coutume, en mémoire de la défunte dont il était l'ami, qu'il a accompagnée au cimetière, et qu'il évoque aujourd'hui au nom de son descendant venu, neuf ans après, pour l'enterrement. La prière est finie. Nous observons un moment de recueillement, mon ami Tête-d'Or, le dignitaire qui a dit la prière, le poète-reporter local, le paysan qui entretient le cimetière, tous la tête couverte d'une petite coiffe blanche comme le veut la tradition.

Je m'éloigne et gravis, seul, la colline, accueilli par les nouveaux voisins de ma mère. David Strominger, Max Sternberg, Ego Saldinger, Frederica Lechner, Gherşon Mihailovici, Lazăr Meerovici, Iacob Kaufmann, Abraham Isak Eiferman, Ruhla Schiller, Mitzi Wagner, David Herşcovici, Leo Hörer, Noa Schnarch, Lea Lerner, Leo Kinsbrunner, Sumer Ciubotaru, Leser Rauch, Iosif Liquornik. Je les connais tous, elle aussi les connaît, mieux que moi, volubile et sociable comme elle était, avide de ragots, de potins et d'éloges de ses coreligionnaires. Un domicile idéal, devrais-je penser, le calme, les arbres, les pierres, les colocataires de cette colline idyllique de Bucovine apportent enfin la paix à mon Dieu inquiet et névrotique.

Le dernier jour, avant de nous séparer, elle avait renoncé à se plaindre et à exiger des promesses. « Tu as raison, nous ne devons pas penser à ce qui arrivera. Personne ne peut le prévoir, et puis, à notre âge, ça n'a plus d'importance. Toute vieille, malade et impotente que je suis, je reste prête à quitter la Roumanie. Quand tu voudras, ne l'oublie pas. »

Mais il n'en fut pas ainsi. Elle était demeurée parmi les siens, tout en étant loin d'eux. Elle avait élu domicile sur une colline de Suceava, son mari agonisait à Jérusalem ; quant à son fils, un emplacement au cimetière *without denomination* du Bard College l'attendait, à côté de Hannah Arendt et des sépultures protestantes, catholiques, juives ou athées de l'université.

Depuis 1945, depuis le retour de cette Transnistrie où elle nous avait sauvés par son opiniâtreté et son dévouement, elle ne cessait de répéter, inlassablement, que nous devions quitter, pour toujours, la Patrie. Je ne sais que trop pourquoi elle ne l'a pas fait, je sais qu'elle m'a pardonné pour cela aussi. Et c'est finalement le coupable, justement lui, qui est parti, en l'abandonnant. Elle qui jamais n'aurait abandonné son fils me pardonne même cette trahison.

« Peu importe où je serai. Où que je sois, je serai là », avais-je dit pour tenter de la rassurer, au lieu de lui faire mes adieux. Et je suis finalement là, et rien n'a plus d'importance. La tombe est là, le passé est là, et rien n'a plus d'importance. Notre domicile, appelé pompeusement Patrie, a été aussi transitoire que les pièges dont elle nous a honorés. Je suis redescendu, sans m'en apercevoir, de la colline. Me revoilà devant la lanterne désormais éteinte, le secrétaire de la Communauté m'attend.

– Vous voyez, cette clôture… Elle est un peu rouillée. Il faudrait la nettoyer, la repeindre. Et la pierre a un coin ébréché, là, à droite, il faudrait la réparer.

Je demande combien cela coûterait. Le prix de la fondation culturelle couvre les dépenses : un arrangement financier raisonnable. Je demande l'adresse de la Communauté, pour venir verser la somme dans quelques heures. Rue Armenească, numéro 8. Numéro 8 ? Six maisons plus haut se trouvait la maison du docteur Albert, ami de mes parents, dont la si jolie fille a été, pendant des années, la partenaire de mes amours malhabiles. Le docteur est mort, sa superbe épouse, apparition hollywoodienne dans notre petite ville, achève ses jours en Terre sainte, et leur superbe fille s'est résignée à la routine des temps nouveaux. Au-dessus, sur la colline, le cimetière arménien où erraient, la nuit, les fantômes de Roméo et Juliette. Au numéro 17 habitait autrefois mon camarade de lycée Dinu Moga, que j'espère bien revoir. J'ai trouvé il y a quelques jours son numéro de téléphone, le secrétaire de la Communauté m'a confirmé que mon vieil ami n'a pas changé, il le croise souvent dans la rue.

Armenească, donc, rue Armenească, oui, oui, je connais bien cette rue.

– Une petite maison, toute modeste, précise le fonctionnaire de la Communauté. On ne croirait pas que c'est le siège d'une institution. Il n'y a même pas de plaque. Vous comprenez…

Non, je ne comprends pas. Le vieillard me connaît depuis que je suis petit, il voit bien que je ne comprends pas.

– Plusieurs fois, nous avons eu des carreaux cassés… C'est mieux qu'il n'y ait pas de plaque.

Je regarde ma montre, il est onze heures, une splendide journée de printemps, monsieur le directeur Cucu m'attend à la Banque commerciale, pour m'offrir les preuves d'amour de la Bucovine.

Nous quittons le cimetière. Je sais ce que j'ai toujours su, et que viennent de me répéter les pierres taciturnes : rien ne dure, pas même cette journée qui accueille le passé.

En ville, nous nous arrêtons à la synagogue Gah, deux fidèles âgés apparaissent, habillés avec soin, à la mode autrichienne d'autrefois, sans doute les a-t-on prévenus de ma visite. Ils s'approchent, se présentent, leurs noms ne me disent rien, ils affirment avoir été amis de mes parents. Je m'enquiers du docteur Rauch. Oui, il est vivant, il a plus de quatre-vingt-dix ans et souhaite me voir. Il savait donc que je venais ? J'apprends qu'il habite un des immeubles alentour. Le docteur me connaît depuis l'école, quand j'étais l'étoile rouge de la ville, c'est lui qui durant des années s'est occupé quotidiennement de ma mère, vieille et malade, qui a palpé son pouls arrêté, juste avant le déjeuner, le dernier samedi de sa vie.

Nous montons au premier étage, sonnons, attendons, sonnons de nouveau, une fois, trois fois, longuement ; je frappe à la porte, un voisin nous dit que le vieil homme a été hospitalisé la nuit précédente, une infection urinaire.

À la Banque commerciale, le directeur Cucu nous accueille, jovial, avec du whisky et des histoires juives. Un homme corpulent et volubile, en complet bleu marine, avec un accent moldave prononcé. Ses anecdotes sur le bourg de Săveni, près de Dorohoi, où il a été apprenti au magasin de Moise et de Sara, qui lui ont appris les lois du commerce et de la vie, paraissent surjouées, destinées à des touristes. Il me remet enfin le diplôme et l'enveloppe, et s'excuse de ne pouvoir se joindre à nous pour le déjeuner, car il doit quitter la ville.

La grand-rue, le parc, la vieille mairie autrichienne, ultime siège du Parti communiste roumain. Midi sonne au clocher de la cathédrale catholique, sur notre route, au son de l'hymne national, *Réveille-toi, Roumain*. Passe justement monsieur Untel, le journaliste l'arrête, nous faisons connaissance avec le directeur de la Banque agricole, un homme massif au regard bleu. Il opine du chef aux soupirs embarrassés du journaliste. Lorsqu'il nous quitte, nous apprenons que la Banque agricole « sponsorise » notre déjeuner dans un restaurant récemment inauguré, et met à notre disposition une voiture pour nous rendre au banquet.

C'est un estaminet à l'allure interlope, avec une musique américaine stridente et deux haut-parleurs aux murs recouverts d'affiches et de publicités. Dix petites tables dans une petite salle. J'ouvre la porte des toilettes, la referme aussitôt et m'empresse de m'éloigner. Je reviens à table, le journaliste sollicite une interview, le magnétophone est prêt, de même que les questions. Pourquoi pas ? J'ai bien autorisé la télévision de Cluj à me filmer, et puis nous ne sommes pas à Bucarest, mais dans ma petite ville natale où je me suis toujours senti et me sens toujours chez moi. Mais d'abord, il faut que je paie les réparations de la tombe de ma mère.

En route vers le siège de la Communauté juive, le chauffeur me demande avec fierté comment j'ai trouvé le restaurant. « Monsieur le directeur a dit que vous pouviez manger tout ce que vous voulez », m'assure-t-il. « C'est monsieur le directeur qui paie le déjeuner, il me l'a dit. Vous pouvez manger tout ce que vous voulez », répète-t-il avec un regard complice.

8 rue Armenească. J'entre dans la petite pièce, encore amenuisée par les bureaux et les tables. Les employés semblent avoir été prévenus, un vieux monsieur tout desséché me regarde tristement depuis la porte, une dame âgée et pâle assiste, intimidée, au versement de la somme, à la délivrance du reçu, aux remerciements, aux sourires. Je ne les connais pas, mais eux ont l'air de me connaître. Je leur serre la main, tout a été bref, courtois, trop bref, trop courtois.

Je m'assieds dans la cour sur une pierre. À quelques pas de là se trouvent la maison du docteur Albert, la chambre à coucher de la famille Albert, la maison des Moga, puis, tout près, l'église arménienne et le cimetière, la rue qui mène à la citadelle de Zamca, ses petites maisonnettes coquettes et leurs œils-de-bœuf, la maison de Juliette… Mais je suis hors d'atteinte de la comédie des erreurs. Je quitte le royaume des légendes, le chauffeur me fait signe, nous partons, de nouveau je suis au restaurant, je délivre son message à mes commensaux : nous pouvons manger tout ce que nous voulons ! C'est-à-dire un steak avec des pommes sautées, c'est tout ce qu'on peut nous offrir.

« Quels souvenirs vous lient à Suceava, quelle signification a pour vous ce retour de courte durée ? », me demande le poète-reporter. Je me penche sur le micro, j'entends une voix censée être la mienne, des mots qui me sont étrangers. « J'ai quitté la Bucovine une première fois en 1941. Après la guerre, dans la période du *Proletkult*, j'étais une petite vedette cabotine. L'Utopie Rouge avait un côté théâtral qui, pour un enfant, était très intéressant. J'ai eu mon diplôme d'ingénieur en 1959. En 1961 j'ai quitté Suceava une deuxième fois, à cause d'un coup de foudre. » Cela sonne faux, comme une récitation. « Vedette cabotine », « période du *Proletkult* », « farce rouge », « péchés révolutionnaires de l'adolescence », autant d'expressions destinées à irriter les anciens serfs et stipendiés du communisme, qui rivalisent désormais dans la dénonciation de la dictature dont ils ont été les complices.

De nouveau le centre-ville, le parc, non loin du dernier domicile de mes parents. Le zélé journaliste, parti chercher un appareil photo, m'annonce à son retour qu'une dame voudrait me parler, une architecte. En effet, une dame d'une cinquantaine d'années, jeune d'allure, séduisante, sort en toute hâte du cabinet d'architectes. Elle paraît troublée par la situation, ne sait trop que dire, hormis répéter qu'elle avait l'habitude de venir chaque semaine prendre le café chez une voisine de mes parents.

Elle cherche ses mots, ils se bousculent sur ses lèvres. L'intelligence de ma mère, son énergie, oui, sa vitalité et son intelligence, et surtout, la façon dont elle parlait de son fils. « Elle vous adorait ! Elle vous adorait ! Vous le savez, forcément. Elle aurait fait n'importe quoi pour vous si vous lui aviez demandé, n'importe quoi. » Sa voix, chaude, agréable, se brise. Elle bredouille quelque chose. Ému, je m'empresse de serrer la main de cette inconnue si sensible, je m'éloigne.

J'ai maintenant un autre rendez-vous avec le passé. J'explique à mon ami Naum qui est le personnage que nous allons rencontrer. Dinu a été mon camarade de lycée dans la période de consolidation de la dictature du prolétariat, lorsque la lutte de classes s'exacerbait et que l'ennemi affaibli devenait chaque jour plus hystérique, ainsi que nous l'avait enseigné Iossif Vissarionovitch. Pour lutter simultanément contre le déviationnisme de droite et de gauche, nous devions extirper les survivances de l'ancien régime. Il me revenait, en tant que secrétaire de l'Union de la jeunesse ouvrière du lycée, de procéder à l'exclusion de ces trois « monstres ».

D'une indifférence souveraine bien qu'il ne soit pas fils de roi, mais seulement d'un ancien avocat libéral passé par les prisons communistes, Dinu était le dernier. Moi, un ennemi du peuple ? semblait-il nous lancer tandis qu'il s'avançait sans hâte vers le podium rouge. Les cheveux noirs, luisants, coiffés avec une raie, comme un danseur de tango argentin. Le visage pâle, le regard droit. Le regard du condamné, qui avait l'air de percer à jour ma duplicité. Mais en réalité, c'est sans un regard pour personne que Dinu déposa sa carte du Parti.

« J'avais cessé d'être une vedette innocente. Et j'allais bientôt cesser d'être une vedette tout court, car j'étais guéri des illusions de ce théâtre où je me prêtais à la mascarade », dis-je à Naum tandis que nous nous dirigeons vers le studio de Dinu. Quelques années après cet épisode, nous nous étions retrouvés dans notre havre de paix bucovinien, et sans grand enthousiasme, ni l'un ni l'autre, pour l'austère profession que nous avions choisie en cette époque troublée. Deux ans plus tard, Dinu se retira de la course. Mais cet échec lui avait fait conserver un grand détachement vis-à-vis des médiocres trophées des parvenus du socialisme, une aura aristocratique. En 1959, tout jeune ingénieur à Suceava, je lui rendis visite dans son vieil appartement du 17 rue Armenească. Son père était mort, il habitait avec sa belle-mère, mon ancien professeur d'histoire, qui gardait un bon souvenir de l'élève que j'avais été et me couvrait de compliments – un reproche indirect, probablement, à l'adresse de celui qui avait abandonné ses études et se contentait d'un modeste emploi dans sa modeste petite ville natale. L'immuable Dinu semblait ne s'émouvoir de rien; il gouvernait discrètement sa propre existence. Nous partagions plus ou moins les mêmes livres et les mêmes disques, parfois certaines filles. Une camaraderie tacite, sans confidences.

Après avoir quitté Suceava, je le revoyais pendant mes vacances en Bucovine. Il avait emménagé dans un studio au centre-ville, quelques meubles lui venaient de ses parents, d'autres étaient purement utilitaires.

Outre le canapé dépliable qui lui servait de lit, deux fauteuils, une petite table et deux ou trois tableaux composaient, avec un tapis ancien, le décor de son enclave. La radio portative russe qu'il avait rapportée de sa dernière excursion à Riga ou à Kiev voisinait avec le magnétophone tchécoslovaque acheté à Prague, et avec les disques, eux aussi trouvés au cours de ses excursions estivales dans les pays socialistes. Sur ses photos de vacances, il était toujours en compagnie d'une fille différente. On ne voyait pas les livres, entreposés ailleurs. Seules étaient apparentes, dans la vieille armoire aux portes vitrées, la collection reliée en cuir rouge « Les classiques de la littérature universelle » et la collection reliée en cuir beige « Les classiques de la littérature roumaine ». Sur l'armoire, des bouteilles. Vin, vodka, liqueurs, whisky. Rien ne semblait avoir changé dans son existence ni dans le décor de celle-ci au cours de l'année écoulée, des cinq années écoulées, et les changements intervenus dans la mienne, la décision d'abandonner mon métier d'ingénieur, mon mariage, les livres que j'avais publiés, l'évolution de mon état de fatigue ou d'exaspération, paraissaient dénués d'importance, comme frappés de nullité par la trivialité inhérente à tout changement. En comparaison de cette vie d'angoisses et d'illusions, son absence d'ambition et de passion, l'harmonie austère de son existence provinciale, étaient comme la marque d'une suprême indolence. En chemin, je raconte à Tête-d'Or l'histoire des deux Roumains, anciens camarades de lycée, qui se rencontrent dans l'avion New York-Paris et passent en revue toute la classe. Mihai ? Gynécologue à Milan, troisième mariage. Costea ? Raffinerie au Venezuela, toujours célibataire. Mircea ? Le pauvre, il est mort, une infection bizarre, en Algérie. Andrei ? En Israël, directeur de banque. Horia ? Ingénieur à Bâle, cinq enfants. Mais Gogu, Gogu Vaida ? Gogu est resté, il est à Suceava. Ça t'étonne ? Pas du tout ! Gogu a toujours été un aventurier.

Nous montons l'escalier jusqu'au troisième étage, je sonne Au bout d'un instant, Dinu sourit dans l'encadrement de la porte. Nous occupons les deux fauteuils, il nous sert un vin léger, douceâtre, rapporté d'un récent voyage à Chypre. Le décor n'a pas changé, tout est seulement plus usé. Le tapis, les meubles, la peinture, ont pris un coup de vieux. Les verres en cristal, la collection de volumes rouges et beiges, sont à leur place. Le visage de mon camarade est resté le même, seules quelques rides déforment un peu son sourire. Sinon, on ne croirait jamais que ce retraité (il s'est empressé de m'annoncer sa nouvelle identité sociale) soit devenu autre chose qu'une variante légèrement retouchée du Dinu d'autrefois. Il m'apprend qu'il n'a plus de famille, tous sont morts. Il répète avec véhémence : « Tous, tous. » Son frère, ingénieur à Hunedoara, est mort, puis sa femme est partie avec leur fils en Israël, elle était juive. Les seuls proches encore en vie sont donc son neveu et sa belle-sœur. Il ne sait plus qu'ajouter, ah si, il a récemment vendu, non seulement la maison de ses parents, mais aussi sa collection d'argenterie ancienne. Avec la crise actuelle en Roumanie, il n'y a pas d'acheteurs, et on n'a pas envie de traiter avec d'anciens agents enrichis de la Securitate. Il aurait dû la vendre en Allemagne, c'est ce que lui a dit Ştefi, notre ancien camarade, photographe à Brême, mais il n'avait pas le courage de se lancer dans des complications. Et sans ces rentrées supplémentaires, si modestes soient-elles, il n'arriverait pas à joindre les deux bouts, le montant de sa pension est un outrage.

Je demande des nouvelles de Liviu Obreja... « le blond torturé », comme j'avais surnommé ce blond parmi les blonds, torturé par son inadaptation, ses allergies, ses phobies obscures. Il avait les cheveux d'un blond presque blanc, d'invisibles sourcils, une peau trop blanche et trop fine, couverte de larges plaies car même le contact de l'air le blessait, tout comme le blessaient le crétinisme du climat politique et sa profession, imbécile à ses yeux, d'ingénieur. Il vivait retiré dans un univers de livres, d'albums d'art, de musique, s'était marié avec une étudiante très blonde et timide. Ils habitaient Bucarest, dans une semi-clandestinité précaire, faute de détenir le sésame socialiste bucarestois. J'aurais pu le revoir la semaine dernière à la librairie Dalles, jeudi au concert de Leon, ou mardi en passant devant la Bibliothèque.

– Liviu Obreja ! s'écrie tout à coup Dinu avec irritation.

Il n'a jamais pu supporter la silhouette famélique, la voix éteinte et lymphatique de notre ami.

– Quel poseur ! Son père, le procureur, est mort, son oncle aussi, tu te souviens, c'était le directeur de notre lycée. Sa vieille mère vit ici, toute seule, à Suceava, et au lieu de rester auprès d'elle il ne cesse de déménager, à Bucarest, d'un studio de location à un autre ! Et le couple vient d'adopter deux chiens ! Ils s'occupent de deux chiens, alors qu'ils ne savent pas s'occuper d'eux-mêmes...

Je me tais, il ne m'a pas posé de questions, et je ne sais que lui raconter. Lui parler de la fille qui m'a « attiré à Bucarest », comme il avait l'habitude de dire ? Mon amour de jeunesse vit en Angleterre depuis le début des années soixante-dix. Je décris la photo qu'elle m'a envoyée, avec son mari et ses enfants, je l'informe du récent divorce de notre amie d'autrefois. Dinu coupe court au dialogue, le sujet lui rappelle un épisode un peu trouble entre nous trois, il se borne à me dire qu'il est resté en relations avec la sœur cadette de la Londonienne.

L'interroger sur la situation politique ? La réponse ne se fait pas attendre : « Des porcs, tous des porcs. » Il ne vise pas les gouvernants actuels, mais leurs prédécesseurs, le parti et la coalition autour de l'ex-communiste Iliescu. Il nous repropose du vin, je constate que Naum s'est assoupi dans son fauteuil. Je me lève, me dirige vers la salle de bains. Le moment de vérité : les toilettes ! La pièce est modeste, la peinture, vieille, écaillée, les tuyaux rouillés, la chaîne aussi, le rasoir vétuste, la serviette froissée. Ni saleté ni désordre, seulement le dénuement et la solitude du célibataire.

Quand je reviens, Dinu a une photo à la main.

« Tu te souviens ? La classe du bachot en 1953. Tu es là, au milieu. » Avec ceux de la classe au-dessus ? M'avaient-ils donc adopté, coopté ? Je les reconnais tous, mais je ne pourrais en nommer que quelques-uns. Lăzăreanu et son accordéon, le grassouillet Hetzel et son violon, le fils du boucher devenu ennemi du peuple à l'époque du déviationnisme de droite et de gauche puis vétérinaire en Israël, Shury qui a fait fortune à Caracas… Et voici Dinu Moga, en complet blanc et chemise à carreaux. Derrière lui, modestement en retrait, le crack de la classe, Mircea Manolovici. Je me reconnais au deuxième rang, au centre, la main sur l'épaule, c'est tout de même un comble ! la main sur l'épaule de Hetzel que j'avais exclu l'année précédente de l'Union de la jeunesse ouvrière. Chemise à petits carreaux, manches retroussées, cheveux en bataille, le sourire du jeune abruti. À droite, le panneau avec les slogans. *Le Grand Staline nous a éduqués… servir avec dévouement… les intérêts du peuple… la cause sacrée.*

«J'en fais une copie agrandie à New York et je te renvoie l'original.» Il accepte, je mets la photo dans mon portefeuille. «J'ai tous tes livres. C'est le moment de me les dédicacer», me dit-il. Quelle surprise! Il ne m'avait jamais dit les avoir achetés. Huit volumes en bon état, sortis de je ne sais quel recoin caché. Il a perdu de son flegme légendaire, le dégoût et l'amertume semblent prêts à éclater. Est-ce l'effet des décennies socialistes, ou de l'impossibilité de tout recommencer?

Dans la vieille armoire, les dos des livres, dans l'ordre familier. Les bouteilles bien alignées, comme autrefois, le tapis ancien. L'inexplicable qui a nom biographie paraît chercher sa propre épitaphe.

Une visite ordinaire, comme lorsque je venais retrouver pour quelques jours la ville et mes parents. Nous nous séparons sans grands discours, à notre habitude, comme si je ne repartais pas pour New York et comme si nous ne savions rien de la mort. «Un personnage de roman, ton copain», dit le romancier Naum, en descendant l'escalier sombre. «Une momie, une arrogance embaumée.»

Devant le parc, le journaliste-poète local nous attend en compagnie d'un autre poète local. Nous avons encore le temps de nous promener du côté de Zamca, l'ancienne citadelle dont les ruines du XIIIe siècle figurent parmi les attraits touristiques de la ville. La colline, le bois, les vieilles murailles, formaient jadis une sorte de frontière, un *no man's land*: il fallait revenir d'abord à soi, avant de retrouver la ville.

De part et d'autre de la rue en pente, de petites maisons proprettes, comme autrefois. À droite, au numéro 8, le siège, sans plaque, de la Communauté juive. À côté, l'immeuble de trois étages où habitait mon cousin, le professeur Riemer, avec sa femme et leurs quatre enfants, qui maintenant sont tous à

Jérusalem. Toujours à droite, au numéro 20, la maison blanche de la famille du docteur Albert, avec son toit de bardeaux noirs et sa véranda à colonnettes. À gauche, la petite maison, solide et élégante, de la famille Moga, vendue à quelque habitant du siècle à venir.

Nous sommes tout en haut de la rue, devant le clocher et le cimetière arméniens. Nous tournons à gauche, deux par deux, arrivons devant les murailles de la citadelle et l'église de Zamca, le journaliste nous prend en photo.

Nous redescendons en ville par une rue parallèle dont je n'arrive pas à me rappeler le nom, bien que l'atmosphère en ait été autrefois embrasée par les paroles dont se grisaient Roméo et Juliette, sous les regards inquisiteurs et hostiles derrière les fenêtres. Nous nous arrêtons devant une maison de style rustique, avec bardeaux et clôture en bois. Sur le toit, l'enseigne rose aux lettres jaunes : CHEZ MIHAI, BAR-CAFÉ, NON STOP. Une autre enseigne, perpendiculaire : PEPSI COLA. Nous continuons à descendre, derrière une fenêtre un chat blanc nous regarde, sceptique, le nez aux aguets, prêt à cancaner. Presque au bout de la rue, avant le lycée, une villa imposante, à un étage, luxueusement décorée.

Et voici le lycée, à la sévère architecture autrichienne : la porte en bois massif, l'entrée des professeurs, la cour, l'entrée des élèves, la salle de gymnastique, le terrain de basket.

De nouveau dans le centre, devant la librairie, devant le parc, devant l'agence de voyages. L'autobus attend les passagers. Il faudrait que je retourne au cimetière, à celle qui veille sur moi. Elle approuverait le déroulement de cette journée : oui, j'ai bien fait d'avoir cherché le docteur Rauch, un honnête homme qui a toujours été à nos côtés, j'ai bien fait d'apporter une bouteille de whisky au secrétaire de la Communauté qui a arrangé la visite au cimetière et va s'occuper de faire réparer la clôture en fer ; il est naturel que j'accepte l'interview pour le journal local, c'est tout de même notre ville, d'ailleurs cette femme architecte ne nous a pas oubliés, n'est-ce pas, elle ne nous a pas oubliés. Les gens n'oublient pas, nous n'avons de raison d'en vouloir à personne... Les chères vieilles banalités d'autrefois.

Cette journée a-t-elle été l'une des plus calmes de son existence tourmentée ? Je voudrais le croire ; une journée de paix, de réconciliation avec le monde. Elle aurait écouté, avec curiosité, les dernières nouvelles de Dinu, du directeur de la Banque agricole, appris la maladie de mon ancienne amoureuse qui vit à Londres, le triomphe du chef d'orchestre Botstein à Bucarest, mon cauchemar dans le train entre Bucarest et Cluj. Elle aurait répété les mots habituels sur le pardon et la réconciliation... Elle m'aurait questionné, enfin, sur son mari arrivé à Jérusalem et sur mon épouse aimante à New York.

Mais je ne peux plus y retourner. Le cimetière s'est éloigné, enfermé dans les ténèbres, ses occupants se sont retirés dans une nuit bien méritée. Dans le hall de l'aéroport, nous attendons d'embarquer. À travers la paroi de verre, je vois les champs, la forêt à l'horizon. Le haut-parleur diffuse de la musique populaire roumaine, la même qu'il y a dix, vingt ou trente ans.

Deux heures plus tard, le restaurant Balada, au dix-septième étage de l'hôtel Intercontinental de Bucarest, propose, au lieu de musique italienne et américaine, une soirée folklorique. Je ne suis plus le seul client, il y a dans la salle rouge et or un autre client, un pilote de British Airways.

Je suis allongé dans ma chambre, le regard au plafond. Je cherche à reprendre possession du jour écoulé, je colle mes paumes contre le mur derrière le lit. Il fait nuit, le mur est froid.

Avant-dernier jour : jeudi 1er mai 1997

La fête internationale du Travail n'est plus célébrée en Roumanie post-communiste. Le petit groupe de manifestants devant l'hôtel a l'air d'une parodie des grandes manifestations des premières décennies socialistes. Cet attroupement désordonné, ces slogans improvisés, cette espièglerie rebelle, appartiennent au présent misérable du pays, non à son passé tout aussi misérable. Le tyran lui-même, dans les dix dernières années de son règne, avait annulé les festivités « internationalistes », les célébrations revêtaient un caractère national et nationaliste centré sur l'incomparable figure de l'Incomparable Chef.

Il y a plus d'un demi-siècle, le 1er mai 1945, à peine revenu du camp de Transnistrie, je participai, à neuf ans, à la fête du premier « 1er Mai libre ». Après le cauchemar nazi, le printemps promettait la résurrection, la liberté, j'avais dans ma poche le *certificat provisoire* qui me rendait ma Patrie et me rendait à elle. La police de Iaşi nous avait réceptionnés à la frontière et munis d'une *autorisation* de rapatriement : « Monsieur Marcu Manea est rapatrié d'URSS, ainsi que sa famille composée de Janeta, Norman et Ruti, par le point de passage d'Ungheni-Iaşi, en date du 14 avril 1945. Sa destination est la commune de Fălticeni, département de Baia, rue Cuza Vodă. »

On ne précisait évidemment pas les raisons pour lesquelles nous avions été « expatriés » puis « rapatriés », ni par qui.

Deux semaines après notre retour, je défilais avec mon père

dans Fălticeni, pour honorer les promesses du Rapatriement.

Plus d'un demi-siècle a passé. Aujourd'hui, à nouveau de retour, je contemple un autre « 1er Mai libre », d'après et non pas, comme alors, d'avant le communisme. Le quatuor mentionné en 1945 s'est démembré entre-temps, les apatrides se sont habitués à leur nouvelle appartenance. Seule la locataire du cimetière de Suceava est restée, contre sa volonté, dans la Patrie.

Je célèbre l'anniversaire de ce 1er Mai par une visite à l'autre cimetière. Pas au cimetière de Străuleşti, pour une brève conversation avec l'Éléphant Volant, ni au cimetière de Bellu, pour revoir Maria. Je n'en ai pas le temps, le temps nous est compté, les morts le savent aussi bien que les survivants. J'ai à transmettre l'intransmissible au cimetière de Giurgiu, sur la tombe des parents et des grands-parents de Cella.

Dix ans après nos adieux, je dois aussi retrouver mon ami Demi-Homme-à-cheval-sur-Demi-Lièvre-boiteux. « Est homme celui qui laisse derrière lui une absence plus grande que ne l'était sa présence », m'écrivait, avant de mourir, le Poète. Mugur avait tout simplement transformé la loi d'Ohm, en physique, en *Loi de l'Homme.* « Je pense à vous avec toute mon affection et ma solitude. Allons jouer, les enfants ! crie une voix dans la rue. Rejouerons-nous jamais ? » Après 1986, nous avions, à grande distance l'un de l'autre, continué de jouer, et nous continuons encore maintenant.

À droite, le haut mur du cimetière. À la porte, le vieux Juif de toujours. Nous payons, Tête-d'Or et moi, le billet d'entrée et la « contribution » pour la Communauté. Nous identifions, dans le registre des décès, l'emplacement des tombes que nous cherchons.

Au bout de la longue allée de l'entrée, un groupe de sculptures étranges. Un tronc d'arbre aux bras coupés. Une inscription blanche sur une plaque grise, dans le style des premières années d'après-guerre : « Au cours de la Seconde Guerre mondiale, les armées fascistes ont envahi et dévasté les cimetières juifs d'URSS, en recourant au travail forcé de détenus juifs. Des dizaines de milliers de pierres tombales en granit, véritables œuvres d'art, ont été détruites ou emportées par les fascistes vers leurs pays. Les pierres tombales ici exposées ont été sauvées de la destruction. »

Les massives colonnes de granit partent d'un soubassement et se terminent en un tronc d'arbre d'où se lèvent les bras d'un corps amputé. Sur l'une des sculptures, en russe : « Iulia Ossipovna Sahovaleva, journaliste. » À côté, « Sofia Moiseevna Gold, *Mir Tvoemu, dorogaïa mat'*[1] ». Un monument blanc, daté de 1947 : « À la mémoire des saints martyrs juifs de Roumanie qui ont péri sur le *Struma*, dans les vagues de la mer Noire, pour la sanctification du Nom », commémore les 769 victimes disparues avec le vaisseau, en route vers la Palestine, coulé par les Soviétiques le 24 février 1942 (7 adar 5702). Leurs noms s'alignent sur trois côtés du parallélépipède de marbre.

Nous entrons dans le cimetière proprement dit. Je reste silencieux, en plein passé, devant l'homme élancé, grand, aux épaules un peu voûtées, toujours pressé, toujours requis par quelque devoir accaparant, et devant la femme d'une distinction sereine, les parents de Cella. À côté, la grand-mère végète dans le brouillard de l'âge, heureuse d'avoir bu en cachette un verre de liqueur de griottes. Ils ont fini, tous, par s'enraciner ici, personne ne pourra plus les accuser d'être des métèques, des étrangers sans racines. Ils sont maintenant la terre, le sol national, propriété de la Patrie, même s'ils n'appartiennent plus qu'au néant.

Je pose mes mains sur le marbre blanc, horizontal, du monument de Jack, le père de Cella, sur celui, vertical, du tombeau où reposent, à côté de lui, Evelin et Tony, la mère et la grand-mère de Cella. Je pose un petit caillou sur chaque dalle, comme le veut la tradition austère des ancêtres, devenus pierres, terre. Je

1. Paix à toi, ma chère mère.

vois le cimetière de Suceava, et le petit cimetière qui m'attend au Bard College.

Nous revenons entre les rangées de gauche, trouvons la tombe du poète, Demi-Homme-à-cheval-sur-Demi-Lièvre-Boiteux. *Encore un moment, monsieur le bourreau, encore un moment!** avait répété, en vain, mon ami à cheval sur une moitié d'illusion boiteuse. « Le feu est plus petit que le livre qu'il brûle », répète désormais, apeuré, boitant et transpirant, le prince au livre. « Se moquer de soi-même, oui, mais avec enthousiasme », chuchote, fatigué, l'infatigable, tremblant à chaque lettre comme si c'était un sabre. « Où es-tu, disciple de la peur ? Où sont tes bibles ? », me demande-t-il en sautillant sur son pied boiteux, avec son chien noir et boiteux lui aussi, avant de me confier fraternellement son secret à l'oreille : « La poésie, ce détecteur de mensonges qui éclate en sanglots. » Les ombres et les clowns ôtent leurs masques, leurs prothèses, leurs échasses, et se mettent en rangs, lettres phosphorescentes : « Florin Mugur – Poète – 1932-1991 », rien d'autre.

Je suis vivant, encore vivant, en un moment vivant, habité par Florin Mugur et par une autre pierre, qui porte un autre nom, dans le cimetière de Suceava. « J'espère mourir la première. Sans Marcu, je serais un fardeau pour vous. Je suis difficile, dure à supporter. Je suis agitée, excessive, ce serait dur pour vous. »

C'est vrai, ce n'aurait pas été facile. Fébrile, excessive, difficile, oui, ç'aurait été dur. L'être cher est « celui qui laisse derrière lui une absence plus grande que ne l'était sa présence ». Sa prière est exaucée, elle est morte la première et a laissé derrière elle un vide plus grand que ce plein trop plein dont elle nous accablait. Elle a accompli, oui, la loi d'Ohm, reformulée par le poète Florin Mugur. Le plein était agité, accaparant, insupportable, mais le vide, maintenant, est plus grand, plus insupportable encore. « Prenez soin de ton père, Cella et toi. Il n'est pas comme moi, il ne demandera jamais rien. Il est taciturne, solitaire, vous le connaissez. Seul et fragile, vulnérable. » Le destin a pris soin de lui ; il l'a séparé, veuf, de sa terre natale, et envoyé en Terre sainte, dans cette solitude où il a toujours vécu. Et transplanté, depuis peu, dans le désert d'Alzheimer.

Nous n'avons eu le temps, la veille, de parler ni de son mari, ni de ma femme. Les retrouvailles ont été courtes, il n'a été question que du fils et du père de la défunte. Comme si seuls le fils et le père comptaient pour elle, le fils vivant dans la Babylone new-yorkaise, et Avram le libraire, enseveli dans une forêt sans nom d'Ukraine. Mais maintenant que j'ai quitté le cimetière du passé, il me faut bien lui parler de son mari.

Je lui rends visite au moins une fois par an. Quand il me voit, son regard renaît, il a un sourire heureux. La dernière fois, c'était un dimanche de juin. Je suis venu un peu plus tôt, à l'hospice Beit Reuven de Jérusalem. Je suis monté au deuxième étage. Mon père n'était pas, pour une fois, parmi les fantômes de la salle à manger. Je suis allé le chercher dans sa chambre. J'ai ouvert la porte, suis resté sur le seuil, sans avancer ni reculer. Je l'ai regardé : il était nu, debout, face à la fenêtre, dos à la porte. Le jeune homme grand et blond l'essuyait avec deux serviettes en même temps, une autre pile de serviettes et de gants à portée de main, par terre. L'infirmier m'a vu, il m'a souri, nous nous connaissions, nous avions bavardé plusieurs fois ensemble. C'était un jeune volontaire allemand, venu travailler à cet hospice de vieillards de Jérusalem. Un garçon mince, délicat, d'une courtoisie dont il ne se départait jamais, ni dans le travail ni dans la conversation. Il passait avec aisance de l'allemand au français et à l'anglais, improvisait même des phrases en yiddish pour se faire comprendre des vieillards de cette Babel de la sénilité. Nous avons parlé en allemand, comme il le faisait maintenant avec mon père, cherchant à le rassurer.

Ce que je voyais confirmait ce que m'avaient raconté les infirmières israéliennes, stupéfiées par le zèle du novice. Il se dévouait corps et âme, jour après jour, avec minutie et sérénité, à des tâches auxquelles les autres aides-soignants s'épuisaient. En effet, il se penchait avec prévenance sur chaque partie du corps à nettoyer de ses excréments: les bras décharnés, les cuisses osseuses et jaunâtres, le dos, le derrière flasque, les genoux de verre. Le jeune Allemand nettoyait, soigneusement, le vieillard juif de la saleté à laquelle l'avaient identifié les affiches nazies! Pétrifié par cette vision, j'ai refermé doucement la porte et suis retourné à la salle à manger. Mon père est apparu au bout d'une demi-heure, souriant. «Aujourd'hui, tu es en retard», lui ai-je dit. «J'ai dormi», m'a-t-il répondu avec le même sourire absent. Il ne se souvenait plus qu'il venait de dire au revoir au jeune homme qui lui avait lavé le corps de son caca et de sa puanteur, lui avait choisi des vêtements propres, l'avait habillé, et amené à la table où je l'attendais.

Venu, après neuf ans, enterrer ma mère et ma Patrie, il me fallait, avant de quitter le cimetière du passé, donner à l'épouse dévouée du patient de Jérusalem cette information précieuse: enfin libéré de sa solitude, serein, sans tristesse ni pensées, mon père était confié aux soins délicats d'un jeune Allemand attaché à l'honneur de son pays.

Dernier jour : vendredi 2 mai 1997

L'ombre bouge dans la pièce, craintive, soucieuse de ne pas me réveiller et impatiente de le faire, de me voir, de donner sens à ce monde privé de sens. Non, je ne bougerai pas, je ne me réveillerai pas. Elle s'est enfin retirée, je me suis levé, évitant de regarder autour de moi, et pressé d'accélérer mon réveil et mes préparatifs de départ.

À dix heures, Marta téléphone pour me souhaiter bon voyage et me donner cette mauvaise nouvelle : la demande de subvention pour les deux livres qu'après d'excessives hésitations je lui ai proposé de publier a été rejetée. « Cette demande n'aurait pas dû être rejetée ! J'ai employé les méthodes publicitaires des Américains : le futur Prix Nobel roumain ! La réconciliation du Lauréat avec sa Patrie !… Et je crois moi-même à ces prédictions », ajoute mon amie de Cluj. Je me rappelle que le poète-reporter de Suceava s'est flatté d'avoir reçu le soutien financier de la même fondation pour la publication d'un volume de ses poèmes en Angleterre. Cette nouvelle a l'air d'une farce affectueuse, c'est le finale facétieux de ce voyage.

Au bar du rez-de-chaussée de l'hôtel, assis à la fenêtre. La dernière heure dans le giron de la Patrie. Je regarde, dans le carnet bleu, les citations-phares du pèlerinage. Hannah Arendt, Emmanuel Levinas, Paul Celan, Jacques Derrida, tous obsédés par la langue-patrie. J'ai besoin, après m'être trop parlé à moi-même, des mots des autres. Je vois sans voir, et revois cependant les ombres du passé : je distingue nettement, devant le magasin de tapis de la rue Batiştei, à gauche de l'hôtel, la miraculeuse apparition de mon ancien camarade Liviu Obreja !

Le Blond, sa femme la Blonde, et les deux gros chiens, bruns et hirsutes, que Liviu a du mal à tenir en laisse. Liviu a vieilli, il a beaucoup de cheveux blancs, et pourtant il n'a pas vieilli, comme tous ceux d'entre nous qui n'ont eu ni le temps ni le courage de mûrir, prolongeant leur adolescence jusque dans la vieillesse. Il est le même, tel que je le connais depuis cinquante ans, le fantôme contre lequel je me cognais dans les librairies ou chez les disquaires. Une constante du lieu, de n'importe quel lieu. Même au bout de mille ans, je le retrouverais inchangé, ici.

J'attendais, depuis le premier jour, nos inévitables retrouvailles. Et le voici finalement, tiré par ses gros chiens à longs poils, un jour de mai à midi. Les voici, tous les quatre, le père, la mère et leurs énormes bébés turbulents, que je contemple à travers la paroi de verre de l'aquarium où je bois mon café d'adieu. Je voudrais me lever, sortir dans la rue, rejoindre Liviu, mais déjà le temps a cillé, l'instant s'est consumé.

Dinu avait raison, ma perplexité lui donne raison, les mâtins jumeaux, Lache et Mache[1], existent bel et bien, je les ai vus à côté de Liviu, voilà un instant, un instant seulement, rue Batiştei, au coin du boulevard Magheru, près de l'hôtel Intercontinental de Bucarest ! Le parcours aurait-il commencé il y a plus de quarante ans, pendant les jours rouges du stalinisme dont Liviu, Dinu et moi tentions de nous évader grâce aux livres, aux disques et aux stratagèmes de l'adolescence ? Non, nous ne pouvions deviner alors quelles années de purgatoire nous attendaient.

Au cours de son voyage à travers la Postérité, l'Auguste est réservé, embarrassé, fermé. Mais il a enfin trouvé ses interlocuteurs. Illuminé, je me penche sur le carnet et me mets aussitôt à

1. Personnages de la nouvelle *Deux amis* (1900) de Ion Luca Caragiale.

écrire, fébrilement, une lettre à Lache et Mache. « Le départ ne m'a pas libéré, le retour ne m'a pas fait revenir. J'habite, mal à l'aise, ma propre biographie. » Lache et Mache, en vrais cosmopolites capables de s'adapter n'importe où, comprendraient quel enrichissement a signifié l'exil, son intensité et sa pédagogie sans pareilles. Je n'ai pas à avoir honte devant eux, j'aligne, surexcité, mes phrases rapides et hâtives, mes nombreuses questions. Ce voyage a-t-il été inutile ? N'est-ce pas son inutilité même qui le rend légitime ? Passé et avenir ne sont-ils que des clins d'œil comiques du néant ? Notre biographie est-elle en nous, seulement en nous ? Notre patrie nomade, en nous ? M'étais-je libéré du fardeau d'être quelque chose, n'importe quoi ? Étais-je enfin libre ? Le bouc émissaire, qu'on exile dans le désert, porte-t-il les péchés de chacun ? Avais-je, dans mon combat contre le monde, secondé le monde ?

J'ai donc finalement mes interlocuteurs. Je transcris fébrilement, à la table du restaurant et dans le taxi qui m'emmène à l'aéroport, mes tardives pensées. L'impossible retour n'est pas une expérience négligeable, chers Lache et Mache, son inutilité s'inscrit dans une inutilité plus large, je n'en veux par conséquent à personne. À l'aéroport d'Otopeni, en attendant d'embarquer, j'écris la chute d'une histoire que mes interlocuteurs, j'en suis certain, comprendront : je ne disparaîtrai pas, comme l'insecte de Kafka, en m'enfouissant définitivement la tête dans le sol, mais continuerai mes pérégrinations, en escargot qui accepte sereinement son destin.

L'avion décolle de nulle part vers nulle part. Seuls les cimetières sont permanents. La permanence du passage, la comédie de la substitution, l'escamotage du finale : des banalités que l'Auguste aurait pu redécouvrir même sans la parodie du retour.

L'Amérique offre, une fois de plus, le transit le plus approprié ! J'ai au moins obtenu cette confirmation ! Je monte, marche après marche, la passerelle de l'avion, à la cadence de la prière que le poète polonais m'a apprise. Marche après marche, mot après mot : « *In paradise one is better off than everywhere else. The social system is stable, the rulers are wise. In paradise one is better off than in whatever country.* »

Je balbutie le code des métèques en m'installant dans le ventre de l'Oiseau de Paradis. La sensation de vide s'intensifie, de même que l'étourdissement au moment du décollage. Un intervalle incertain, en suspens, le privilège de la dépossession de soi-même, le balancement, le vide, l'identification au vide.

Je profite de l'escale à Francfort, avant le vol transatlantique, pour continuer ma lettre à Lache et Mache : les détails de la dernière matinée à Bucarest, les pensées virevoltantes, le tourbillon dans le cerveau du passager, le bouc émissaire, l'insecte, la maison de l'escargot, la prière des métèques du Paradis. Ce carnet bleu aura été de bonne compagnie, que ce soit à l'hôtel Intercontinental de Bucarest, dans le train pour Cluj ou dans l'avion pour Francfort. En douze jours, il s'est noirci de lettres tordues et nerveuses, de flèches et de questions codées.

Sans le dynamique chef d'orchestre new-yorkais, le retour ne ressemble pas à l'aller. Le jeune Chinois à côté de moi semble se diviser à parts égales entre le film sur l'écran et le sommeil, avec ronflements saccadés et grimaces. J'ai acheté le *New York Times* et la *Frankfurter Allgemeine*, j'ai aussi un livre, je reprends mon carnet de notes, mais le temps a du mal à passer. Je voudrais atterrir dans un lit, tout de suite, pour dormir dix ans, vidé, suspendu. DEPRESSION IS A FLAW IN CHEMISTRY, NOT IN CHARACTER, lit-on sur le ciel phosphorescent. Des paroles de bienvenue, j'approche de ma destination. Je répète, avec reconnaissance, le mot de passe du retour, qui flotte sur le ciel, dans le ciel.

« Je voulais savoir si tu avais fait bon voyage. Tu m'as manqué. On était bien, ensemble, à Bucarest. » La voix de Leon, dans le téléphone de la voiture qui le conduit au Bard College. À côté de lui, Saul S., une grande casquette blanche sur la tête, est plongé dans la carte que ses grandes mains décharnées tiennent à hauteur des yeux. Sa moustache blanche et ébouriffée a poussé, en brosse, au-dessus de sa bouche. « Rue Gentille, Gentille ! », murmure Saul, fasciné. Rue Gentille, rue de la Concorde. De la Concorde et de la Discorde ! Rue Gentille, rue du Rhinocéros… Oui, j'étais sur la Voie lactée du retour, bercé dans mon fauteuil en plein ciel. La voix de Leon se perd dans les nuages, je vois sa longue voiture noire qui fonce sur Taconic Parkway. « Nous étions bien, tous les deux, à Bucarest. C'était vraiment formidable. » Soudain la carlingue vacille, les passagers s'arrachent, terrorisés, au sommeil, je suis hébété, exténué, je n'ai pas la force de reprendre contact avec la terre. Puis, de nouveau, l'appareil avance calmement, sans secouer, on ne sent plus rien, la liaison se rétablit. « Nous étions bien, tous les deux, en Roumanie. Ce qui, là-bas, était bon pour toi, c'est ce qui était mauvais, je te l'ai déjà dit. »

Est-ce un message de Leon ou de Saul ? Ce pourrait bien être Saul, il sait ce que signifie être un enfant d'Europe de l'Est, blotti « dans un coin de la salle tandis que son père discute au milieu avec les hommes, que sa mère fouille dans les loques de voyage, volumineusement empaquetée, et que sa sœur discute avec d'autres fillettes en grattant dans ses beaux cheveux ; et dans quelques semaines on sera en Amérique !… »

« Tu rentres chez toi, ne l'oublie pas ! Et chez toi, c'est ici. Ici, pas là-bas ! C'est ta chance, dans ta malchance. » C'est la voix de Leon, maintenant j'en suis sûr.

Je m'apprête à confirmer, oui, je rentre à la maison, la maison de l'escargot, à lui raconter ma visite au cimetière de Suceava, à lui parler de mon cours à venir, *Exile and estrangement*, mais il ne m'écoute pas, il n'en a pas la patience, il n'a jamais le temps pour de longues conversations. De nouveau la carlingue tremble, je m'agite, hébété, puis me ressaisis, referme le carnet bleu avec l'Éléphant et Demi-Homme-à-cheval-sur-Demi-Lièvre-Boiteux, et le pose sur le siège, derrière moi, pour le sentir tout près. L'hôtesse blonde aux grandes dents se penche vers moi, serviable.

– Désirez-vous une boisson ?

Elle me propose du vin, de la bière, un jus de fruits, du whisky, je demande de l'eau minérale. Évian, Perrier, Apollinaris, San Pellegrino ? Oui, San Pellegrino, l'eau du pèlerin. Nous atterrissons, je me hâte vers la sortie. Les bagages arrivent rapidement, le chauffeur indien démarre, j'arrive bientôt à l'Upper West Side. Étourdi par le voyage, troublé, j'ai du mal à repérer la maison. Nulle part, pourtant, on n'est mieux qu'au paradis du chez-soi.

Ce n'est qu'après neuf heures du soir que la panique me foudroie. Je me précipite sur mon sac de voyage, j'ouvre la fermeture éclair du premier compartiment, puis du second, je fouille désespérément. Je pressens le désastre, sans l'admettre. Le carnet ! Le carnet de notes n'est pas là.

C'est seulement maintenant que je me souviens de tout : l'Auguste a divagué dans son sommeil, ensuite il a bu l'élixir San Pellegrino, puis il s'est précipité vers la sortie, pour tout oublier, pour rentrer chez lui. Et le carnet bleu est resté sur le siège, dans l'avion !

Je téléphone, hystérique, à l'aéroport, puis à Lufthansa, j'apprends que l'avion repart le soir même pour Francfort. On me répète, aimablement, la même chose : tout ce qu'on trouvera en nettoyant l'avion sera trié et répertorié dans la nuit. Le lendemain matin, vers dix heures, je saurai donc si le précieux objet a été récupéré. Au milieu de cette masse de journaux, sacs, papiers, détritus restés sur et entre les sièges ? De toutes ces ordures ? Mais les Allemands sont les Allemands, j'avais voyagé en première, les privilèges de classe devaient prévaloir, j'avais confiance.

Ma première nuit américaine n'est guère hospitalière. Fatigue, panique, rage, énervement, impuissance, regrets, culpabilité, hystérie. Impossible de perdre ces pages, impossible que ces pages soient perdues !

Ma première matinée américaine ne se révèle pas plus généreuse. À dix heures, mes craintes se confirment, une seconde fois à onze heures, et à midi on me répète, avec irritation, que tout espoir est perdu, mais que, bien entendu, s'il arrivait un miracle, l'objet me serait envoyé chez moi.

Chez moi, à mon adresse de New York, bien entendu. Oui, Upper West Side, Manhattan.

TABLE

Préliminaires

Premier retour (le passé comme fiction)

Le divan viennois

Le second retour (la postérité)